二哈和他的白猫師尊

바보 허스키와 그의 흰 고양이 사존

二哈和他的白猫師尊

바보 허스키와 그의 흰 고양이 사존

육포부흘육 장편소설

외전

BLab

二哈和他的白猫師尊

목차

외전 1장 전원으로 돌아와

— 본 이야기는 결전이 있은 지 이 년 후의 이야기입니다. —

집 안에 쌀죽 냄새가 가득했다.

귀가 뾰족하고 머리에 호박잎을 쓴 남자아이가 화로 앞에서 새 장작을 집어넣었다. 그 옆에서는 빨간 머리의 여자아이가 벌꿀을 먹으며 불 세기를 보고 있었다.

"불을 더 세게 해도 될 거 같아."

"안 된다고 봐. 그랬다간 탈걸."

"안 탈걸."

"칫, 네가 뭘 알아. 단거 먹을 줄만 알지."

초만녕이 사냥한 산토끼를 든 채 문을 열고 들어섰다. 그 뒤로 재잘대는 풀 요괴와 꽃 요괴, 커다란 손톱을 가진 곰팡이 요괴까지 따라 들어왔다.

화로 옆에 앉아 있던 나무 요괴 남매가 곧장 일어나 허둥지둥 예를 갖췄다.

"신목 선군."

신목 선군은 나무 요괴들이 초만녕을 부를 때 쓰는 호칭이다.

사실 돌아보면, 많은 일에 이미 단서가 있었다. 그는 전생에서 왜 자신이 날 때부터 구가를 가지고 있는지, 왜 풀과 나무에 대한 강력한 장악력을 가지고 있는지 몰랐다. 금고탑에서 튀어나온 주색 조롱박이 왜 그리 그에게 공손했는지도 이해할 수 없었다.

지금은 안다.

그는 염제의 신목이고, 염제의 신목은 세상에 있는 모든 식물의 원천이다.

시공생사문에서의 일전 후 초만녕과 묵연은 남병산 깊은 골짜기에 은거했다. 그 악랄한 법술들은 당분간 쓸 일이 없다. 생활이 조금 무료했던 초만녕은 목령 소환술을 연구해 산골에 있는 요괴를 전부 집합시켰다.

"이러다 산을 차지하고 왕 노릇을 하시겠습니다."

묵연이 웃으며 이렇게 평가했다.

"바닥에 호피 융단만 깔면 되겠어요."

초만녕은 귀찮아서 대꾸하지 않았다.

흥, 요괴를 불러낼 줄 모르니까 괜히 질투하는 게지.

왕 노릇 중이신 초 선군은 요즘 몹시 초조했다. 얼마 전 설몽이 쭈뼛쭈뼛 올해 중추절은 남병산으로 와서 그들과 함께 보내고 싶다는 전음을 보내왔기 때문이다.

두 해가 지났다. 세 사람의 관계는 시간의 흐름 덕에 이제 그리 어색하지 않았고, 초만녕도 당연히 아꼈던 옛 제자를 다시 만나고 싶었다. 그래서 중추절 한 달 전부터 설몽을 대접하기 위해 어떤 음식을 준비해야 할지 진지하게 고민하기 시작했다.

"사존, 뭘 쓰고 계세요?"

흔들리는 등불 아래로 묵연이 다가와 초만녕의 등을 안으며 턱을 그의 어깨에 기댔다. 새카만 눈동자가 탁자에 널린 지필묵[#1]으로 향했다.

사실 그냥 한 질문이었다. 은공 형아를 구슬려서 빨리 잠자리에 들기 위해서였다. 초만녕이 쓰고 있는 것에는 별 흥미도 없었다.

이 남자가 해 봐야 뭘 하겠는가? 야유신 같은 기갑을 연구해서 설계도를 도포산장 마 장주에게 보낸 뒤, 그대로 만들어 저렴한 가격에 팔아 달라고 할 것이다. 마지막에는 진지하게 '이익이 생기면 제게 줄 필요 없이 모두 사생지전으로 보내십시오'라고 쓸 게 뻔했다.

제작 가격이 판매 가격보다 훨씬 높아, 결국 파는 족족 손해를 본 마 장주는 계산서를 설몽에게 가져가 물어내라 추궁할 것이다.

"어라? 오늘은 설계도를 그리시는 게 아니었네요?"

초만녕의 정신은 딴 데 가 있었다.

"어찌 매일 영감이 떠오르겠느냐."

묵연이 그의 뺨을 쓸며 귓불에 입을 맞췄다.

#1 지필묵 종이와 붓, 묵을 가리킴

"사존……."
"왜 그러느냐?"
"……."
묵연은 몸을 일으키고 제 코를 긁었다.
절로 의심이 들기 시작했다. 초만녕이 은거 생활에 싫증이 난 걸까? 그렇지 않고서야 이렇게 친밀한 접촉에 어찌 고저 없는 목소리로 '왜 그러느냐?' 같은 뻣뻣한 대답을 한단 말인가.
정말 이상할 노릇이었다.
그제야 묵연은 초만녕이 탁자에 늘어놓고 쓰고 있는 것을 자세히 보기 시작했다. 안 봤으면 모를까, 일단 보고 나니 놀라서 뒷걸음질 치게 됐다.
"지금 뭐 쓰시는 거예요?"
아까는 의문형이었다면, 이번엔 경악을 동반한 감탄형이었다.
그의 말투에 슬쩍 못마땅해진 초만녕이 마침내 붓을 놓고 위협적인 봉안을 천천히 들어 올리며 눈을 가늘게 떴다. 솜털처럼 부드러운 속눈썹도 눈빛에 담긴 날카로움은 가리지 못했다.
하지만 제아무리 사나운 눈빛도 초만녕이 지금 내뱉은 말보다 무섭지는 않았다.
"중추절 상 차림표다."
묵연은 할 말을 잃었다.
그렇다. 전쟁 후 처음으로 모여 먹는 식사 자리에서 북두선존은 너무도 미안한 제자를 위해 누구에게도 의지하지 않고 친히 나서서 요리를 준비하기로 한 것이다.
묵연은 촛불 그림자가 드리운 초만녕의 진지하고 고집스러운 얼굴을 보며 저도 모르게 오한을 느꼈다.

설마 진심은 아니겠지……?

안타깝게도 초 선군은 이제까지 불필요한 농담 따위는 단 한 번도 한 적 없는 진지한 사람이었다.

그 후로 며칠간 초만녕은 미간을 좁힌 채 음식 목록을 꼼꼼히 검토했고, 때때로 몇 가지 요리를 지우기도 했다. 그럴 때마다 묵연은 슬그머니 안도의 한숨을 내쉬었다. 그러다 다시 몇 가지 요리를 추가할 때면, 제 위가 슬슬 경련하는 게 느껴졌다.

나중에 초만녕이 가볍게 기침하며 마침내 결정된 목록을 그에게 건넸을 때, 묵연은 애써 침착함을 유지하며 차가운 음식 열 개, 따뜻한 음식 열 개, 총 스무 개의 음식 이름을 눈으로 훑은 후 죽간을 접었다.

"……왜 그러느냐? 혹시 음식 종류가 너무 적으냐?"

"아니요."

묵연은 사생지전의 새 존주가 중추절에 급사하는 것을 보고 싶은 게 아니라면, 은공 형아를 막기 위해 반드시 뭔가 해야 한다고 생각했다.

잠시 고민한 그는 눈을 들어 초만녕을 보며 웃었다.

"중추절 상을 사존 혼자 준비하면 성의 부족으로 보일까 봐서요."

초만녕의 미간이 살짝 구겨졌다.

"그래?"

"함께하는 자리잖아요."

묵연이 그의 손을 잡고 찬찬히 타일렀다.

"그러니까 같이 준비해야 분위기가 살죠."

초만녕은 주저하며 답하지 않았다. 묵연은 초만녕의 승부욕이 보통이 아니라는 것을 떠올리며 이렇게 말했다.

"이렇게 하는 게 어때요? 각자 차가운 요리 다섯 개와 따뜻한 요리 다섯 개를 준비하는 거예요. 서로 뭘 만들지는 말하지 말고요. 설몽이 왔을 때 스무 개의 요리를 한꺼번에 올려놓고, 나중에 어떤 요리가 좋았고 어떤 요리가 별로였는지 묻는 거죠. 어때요?"

초만녕은 바로 대답하진 않았지만, 눈을 살짝 빛냈다.

그의 고양이 같은 눈빛과 꿍꿍이는 작은 것까지 자세히 관찰하는 묵연의 눈에 모조리 포착됐다. 묵연은 웃음을 참으며 그의 손에 깍지를 끼고 부드럽게 말했다.

"어때요?"

초만녕이 눈을 들어 그를 봤다.

"일종의 요리 경연인 것이냐?"

묵연은 코를 만지며 웃었다.

"사존이 그렇다면 그런 거죠."

잠시간의 침묵 후 초만녕이 벌떡 일어나 묵연의 빈손에 눌려 있던 죽간을 빼 들었다. 묵연은 의아해서 물었다.

"왜 그러세요?"

"내가 뭘 만들지 모르게 해야지."

초만녕의 표정은 엄청나게 진지했다.

"여기에 쓰인 건 무효다. 다시 정하겠어."

"……."

초만녕이 눈을 가늘게 뜨며 오만하게 고개를 돌렸지만, 조금

딱하면서 귀엽게 보이기만 했다.

“내 요리 솜씨는 사실 너보다 못하지 않다.”

“네, 네.”

묵연은 금방이라도 웃음이 터질 것 같았다.

“사존 말씀이 뭐든 다 옳아요. 그럼 중추절에 맛있는 음식을 잔뜩 먹길 기대할게요.”

그러면서 늘 기갑을 만든다고 나무를 깎느라 못이 박인 초만녕의 손가락을 부드럽게 쓸며, 고개를 숙여 입을 맞췄다.

촛불 옆에서 묵연은 비웃음당하지 않아 의외라는 듯 살짝 커진 초만녕의 눈을 보고, 입맞춤을 받으며 천천히 긴장을 푸는 초만녕의 몸을 느꼈다.

그가 부드럽게 눈을 휘며 말했다.

“은공 형아는 뭘 해도 최고예요.”

그렇게 위기는 가볍게 해결됐다. 묵연의 기지가 정말 날로 발전하는 것 같았다. 그는 속으로 자기 자신에게 박수를 보낸 후, 초만녕의 시선을 받으며 빙긋 웃고는 탁자에 널린 그릇과 젓가락을 치웠다.

밤이었다. 묵연이 목욕까지 다 마친 후 방으로 돌아왔을 때, 초만녕은 창가에 앉아 자신이 수없이 연구한 요리책을 들여다보고 있었다.

문 열리는 소리에 그가 무의식적으로 책을 덮었다. 정말 진지하게 묵연을 경쟁 상대로 여기는 모양이었다. 하지만 묵연은 그가 우습기만 했다. 책장에 꽂혀 있는 심심풀이 책은 고작해야 몇 권이었고, 그중에서 음식과 관련된 책은 《파촉식기》, 《임안 음식주(臨安飮食注)》 두 권뿐인데 뭐 숨길 게 있다고.

하지만 초만녕은 자신의 수단을 숨길 필요가 있다고 여겼는지 창가의 등잔불을 끄고 좌우를 살핀 후 그에게 물었다.

"씻었느냐?"

묵연이 웃으며 고개를 끄덕였다.

초만녕은 작게 고개를 끄덕이며 알았다는 표시를 한 후, 대수롭지 않은 태도로 책을 나무 책장에 되돌려놓았다.

"그래, 그럼 난 씻으러 가마."

묵연의 미소가 더 선명해졌다.

"사존."

"응?"

초만녕이 고개를 돌렸다.

묵연은 순간 이걸 말해야 하나 말아야 하나 고민하다가, 결국 머리를 긁적이며 멋쩍게 말했다.

"이미 씻으셨잖아요, 저보다 먼저……. 잊으셨어요?"

"……."

사람은 뭔가 숨기려 할 때 정신을 딴 데 팔기 마련이다. 이름 높은 북두선존도 예외는 아니었다.

어색하고 민망한 기류 속에서 묵연은 재미있다는 듯 대놓고 그를 바라보다 가까이 다가갔다. 좁은 창가에는 의자 하나와 대나무 책장이 놓여 있어 여유 공간이 없었다. 묵연이 한 손을 창살에 기대고 서자 초만녕은 도망갈 곳이 없어졌다.

하지만 초만녕도 도망갈 생각은 없었다. 속으로는 좋으면서 말로는 싫다 하는 그의 버릇은 몇 년 전보다 훨씬 나아져 있었으니까. 그래도 이런 곳에서의 친밀한 접촉은 여전히 익숙지 않았다. 특히 이곳은 며칠 전 답선군의 의식이 나타났을 때, 말이 안 통하는 그 미친 녀석에게 묶인 채 당한 곳이기도 했다.

초만녕은 당시 모습이 떠올라 얼굴이 후끈 달아올랐기에 더 강경하게 나갔다.

"침상으로 가자."

묵연은 그에게 다가가 살짝 서늘한 그의 입술을 무는 것으로 그 말에 답했다.

이쯤에서 답선군과 묵 종사의 취향이 사실 비슷하다는 것을 말하지 않을 수 없겠다. 다만 답선군은 그것을 노골적으로 표현하고, 묵 종사는 비교적 완곡하게 드러낼 뿐이다.

하지만 결과는 늘 같았다.

초만녕은 반항할 새도 없이 묵연의 꾐에 넘어가 의자에 앉혀졌다. 우리의 묵 종사는 답선군과 한 치의 다름도 없이 손가락을 까딱해 마기로 견귀를 움직여 그의 두 손과 두 다리를 의자에 묶었다.

"좀 더 정상적인 곳을 고를 수 없겠느냐?"

초만녕이 거의 이를 갈듯 말했다.

묵연의 긴 속눈썹이 파르르 떨렸다. 억울하기라도 한 모양이었다. 그는 몸을 숙여 초만녕의 얼굴을 어루만지며, 답지 않은 부드러운 목소리로 말했다.

"저는 당신이 질리실까 봐 무서워요."

"……."

누가 봐도 짐승 같은 짓을 하고 있는 주제에 말본새는 꼭 버려

질까 두려워하는 아가씨 같았다.

묵연의 눈빛은 진지했다.

"사존, 우리가 같이 산 지 고작 이 년이에요. 앞으로 아주 긴 날이 남았고요. 매일 밤 얌전히 침상에서만 하면, 사존은 아마 제가 재미없다고 싫어하실 거예요."

"넌 아주 재미있다."

초만녕이 눈을 부릅떴다.

"당장 풀어라."

묵연이 그의 앞에 한쪽 무릎을 꿇고 앉아 그를 응시했다.

"풀어."

초만녕이 강경하게 다시 말했다.

너무도 단호한 눈빛이 그렇지 않아도 수만 번 난도질당해 연약해진 청년의 심장에 또다시 상처를 입힌 걸까. 묵연은 속눈썹을 축 내려뜨리더니 입을 다물었다. 상심한 듯 보였지만, 그래도 투덜거리며 말을 따랐다.

"견귀, 돌아와."

버드나무 가지가 고분고분 돌아왔다.

묵연은 계속 고개를 숙인 채 한마디 덧붙였다.

"죄송해요."

"……."

청년이 한쪽 무릎을 꿇고 있으니 그의 머리가 초만녕의 눈높이보다 훨씬 아래에 있었다. 강건하고 커다란 몸이 우뚝 서 있지 않을 때면, 초만녕은 청년이 자신보다 열 살이나 어리지만 뭐든지 자신을 포용해 주는 후배라는 것을 깨닫곤 했다.

그는 버드나무 가지에 아프게 묶였던 팔목을 주무르다가, 문득 방금 제 말투가 필요 이상으로 엄하진 않았나 하는 생각이 들었다.

초만녕이 헛기침을 하며 뭐라 말하려는 찰나, 고개를 숙이고 있던 묵연이 나지막이 말했다.

“제가 답선군으로 변했을 때 뭘 했는지 잘 기억나진 않지만, 그래도…… 대충 단편적인 기억은 있어요.”

붉은 자국이 남은 팔목을 주무르던 초만녕의 손이 뚝 멈췄다.

위에서 내려다보니 묵연의 속눈썹이 어떤 각도에서 봤던 것보다 더 길고 풍성해 보였다. 충성스러운 어떤 동물과 비슷했다. 언젠가 청년의 긴 머리카락 사이에서 털이 부숭부숭한 귀가 톡 튀어나와 의기소침하게 축 늘어질 것 같다는 착각마저 들었다.

원래 없었던 털북숭이 꼬리도 함께.

“사존이 그런 걸 좋아하실 거라 생각했어요.”

묵연이 말했다.

“그런데 제가 틀린 것 같네요.”

네가 틀렸다.

초만녕이 속으로 조용히 생각했다.

그럼에도 그는 손을 뻗어 청년의 머리를 쓰다듬었다.

달래는 듯한 손길에 묵연도 드디어 고개를 들었다. 사람의 넋을 흔들 정도로 잘생긴 얼굴이 불그스름한 불빛에 물들어 있었다. 그의 칠흑같이 까만 눈동자에 비친 불빛이 마치 은하수처럼 반짝였다. 아름다운 눈이었다. 다만 서러움에 눈가가 살짝 붉어졌을 뿐.

"죄송해요, 사존. 그냥 사존을 즐겁게 해 드리고 싶었어요."

"……."

"제 잘못된 행동으로 또 사존을 화나게 했군요."

초만녕은 불쑥 안타까운 마음이 들었다.

그가 탄식하며 쓰다듬던 손에 힘을 살짝 더했다. 그런데 청년이 그 손길에 어찌할 바 몰라 하며, 목을 뻣뻣이 굳히고 돌덩이처럼 꼼짝도 하지 않았다.

초만녕은 몇 번 더 쓰다듬다가 그래도 움직임이 없자 어쩔 수 없다는 듯 말했다.

"이리 와."

흠칫했던 청년이 그 자세 그대로 얌전히 다가왔다. 초만녕은 그의 머리를 잡아끌어 자기 허리에 기대게 했다. 그러고는 그의 부드러운 검은 머리카락을 어루만지며 탄식하듯 말했다.

"바보."

불빛이 일렁이는 고요한 방 안. 초만녕은 머리를 묶은 비단끈을 풀었다. 긴 머리카락이 스르륵 흘러내렸다. 그는 개의치 않고 새하얀 머리끈을 들어 제 눈을 가렸다.

묵연은 가끔 정말 둔했다. 그가 멍하니 보다가 물었다.

"사존, 지금 뭐 하시는 거예요?"

"……."

어슴푸레한 불빛 속에서도 초봄의 눈처럼 고운 초만녕의 피부 밑으로 붉은빛이 돌았다. 그가 아랫입술을 물었다. 묵연 이 녀석은 제 마음을 순식간에 약하게 만들었다가 또 순식간에 딱딱하게 만드는 재주가 있었다.

초만녕은 정수리에서 푸른 연기가 올라오는 것 같았다. 눈을 가린 비단 끈이 수치심을 덜어 주지 않았다면, 묵연을 밀친 뒤 문을 박차고 나갔을지도 모른다.

잠시 이를 악물고 있던 그가 치욕스러운 듯 말했다.

"하려면 하고, 말려면 꺼지거라."

묵 종사는 고분고분한 사람이었다.

그는 잠시 놀란 듯하더니, 또 잠시 기뻐했다.

남은 시간은 몹시 경건하게 애절한 사랑에 쏟았다.

어느새 옷이 벗겨지고, 피부가 서늘한 밤공기 속에 드러났다. 초만녕은 눈을 가리고 있어 눈앞에서 벌어지는 일을 볼 수 없었기에 저도 모르게 턱을 살짝 들었다.

치명적인 모습이었다. 하얀 비단 끈 아래로 곧게 솟은 콧날이 부드럽게 아래로 뻗으며 시선을 그의 입술로 끌어모았다.

보통은 초만녕의 눈이 너무 밝고 너무 차가워서, 그를 보는 모든 사람은 밝은 달 같기도, 시린 눈 같기도 한 그의 눈에 시선을 빼앗긴다.

하지만 지금은 눈이 가려져 있어 그 위엄을 잃었다. 묵연은 자연스럽게 그의 눈 아래쪽 얼굴이 꽤 부드럽게 생겼다는 것을 발견했다. 얼굴 윤곽은 섬세했고, 입술은 몹시 부드러워 보이는 연분홍빛이었다.

시각을 잃은 탓인지 그의 입술은 무의식중에 살짝 벌어져 있었다. 입맞춤을 요구하는 듯한 모습이었다. 묵연은 사존에게 절대 그런 뜻이 없을 거라 확신했지만, 그의 무의식적인 명령을 기쁘게 받아들여 입술을 가져갔다.

입술이 촉촉하게 얽혔다. 손도 멈추지 않고 계속 움직였다. 그는 굳은살이 박인 손으로 초만녕의 허리와 가슴을 어루만졌다. 한차례 입맞춤이 끝나고 나자, 두 사람의 호흡이 살짝 흐트러졌다.

묵연이 그의 이마에 제 이마를 기대며 살짝 잠긴 목소리로 말했다.

"괜찮으세요?"

눈이 가려진 남자가 낮게 숨을 헐떡였다. 막 꽃망울을 터뜨린 해당화처럼 부드러운 연홍색으로 물든 그의 입술이 더욱 유혹적으로 보였다.

초만녕이 물었다.

"뭐가 말이냐?"

"여기서, 괜찮으세요?"

"……."

초만녕은 가끔 생각한다. 묵 종사는 정인군자고, 뭐든 그를 생각해 행동하고, 그가 싫어하는 일은 억지로 하는 법이 없지만, 특정 상황에서 이처럼 '의견'을 구하는 행위는 답선군이 저지르는 황당한 일을 다 합친 것보다 몇 배나 큰 수치심을 안겨준다고.

초만녕은 조금 화가 났다.

"내 옷을 다 벗긴 다음에 괜찮냐고 묻는 것이냐?"

"아……."

초만녕은 볼 수 없었지만, 묵연의 얼굴은 살짝 달아올라 있었다.

묵연은 불필요한 질문을 했다는 걸 깨달았다. 그가 민망한 듯 입술을 깨물고는 사존의 뺨에 입을 맞춘 후 나지막이 말했다.

"죄송해요."

돌아온 건 차가운 콧방귀였다.

묵연은 더 이상 그를 난처하게 만들지 않고, 나비처럼 파르르 속눈썹을 떨며 뺨에서 목으로, 쇄골로, 가슴으로 자잘한 입맞춤을 이어 나갔다.

그는 초만녕이 근육을 팽팽하게 긴장시키며 무의식중에 의자 가장자리를 꽉 잡는 것을 느꼈다. 그는 안다, 초만녕이 과도하게 가슴을 희롱당하는 것을 싫어한다는 것을. 흉터가 아프진 않지만, 어쨌든 그가 다쳤던 곳이기 때문이다.

그래서 그는 유두에만 가볍게 입을 맞춘 후, 바로 몸을 굽혀 초만녕의 다리 사이로 파고들었다.

그는 긴장으로 뻣뻣하게 굳은 초만녕을 흘끗 본 후 이미 고개를 든 그의 아랫도리에 뜨거운 숨을 불었다.

초만녕이 목울대를 꿈틀거리더니, 눈을 가리고 있어도 여전히 부끄러운지 고개를 틀었다.

"아……."

갑자기 성기가 청년에게 머금어졌다. 따뜻하고 촉촉한 입 안이 그를 감쌌다. 암흑 속에서 누군가에게 삼켜진 자극이 너무 강렬했다. 모든 감각이 하체에 몰리는 것 같았다. 번개를 맞은 듯 찌릿한 감각이 등줄기를 타고 발끝까지 퍼졌다.

초만녕은 고개를 뒤로 젖히며 무심결에 튀어나온 헐떡임을 삼켰다.

하지만 아무리 참으려 해도 성기는 제 무릎 사이에 몸을 숙이고 있는 청년에게 착실하게 반응하며 꼿꼿해졌다. 묵연은 그를 더 깊이 머금으며 혀끝을 굴리듯 선단과 기둥을 애무했다. 그가 뱉어 냈을 때 성난 기둥은 축축한 침에 흠뻑 젖어 있었다.

"은공 형아……."

초만녕의 얼굴이 순식간에 빨갛게 물들었다. 그가 낮게 으르렁거렸다.

"그렇게 부르지 마."

묵연이 부드럽게 웃었다. 그의 입술이 초만녕의 성기 바로 옆에 있었기에 말할 때의 공기 흔들림이 선명히 느껴졌다.

"네."

묵연이 말했다.

"사존 말씀대로 할게요."

"……."

순간 사존이라는 호칭이 더 부끄러운지, 은공 형아라는 호칭이 더 거북한지 헷갈렸다.

하지만 초만녕에게 생각할 시간은 많지 않았다. 묵연의 습한 입맞춤과 애무가 다시 쏟아졌기 때문이다. 그는 눈앞의 어떤 것도 보지 못하고, 그저 비단 끈 아래서 입을 벌린 채 헐떡일 수밖에 없었다. 하지만 묵연의 자세가 어떨지, 그의 혀끝이 어떻게 자신을 핥고 있을지 충분히 상상할 수 있었다.

그는 묵연이 또다시 자신을 깊이 집어삼키자 저도 모르게 묵연의 검은 머리카락 사이로 손가락을 깊이 찔러 넣고 부르르 떨었다.

"됐다. 충분해."

이번에 묵연은 그의 말을 들을 생각이 없어 보였다.

초만녕은 승부욕이 강한 사람이고, 침상에서도 마찬가지였다. 그러니 '됐다'라고 말했다는 것은 사실 된 것과 거리가 멀다는 뜻이었다.

그들이 은거를 시작한 후 사랑을 나누던 처음 몇 번은 그의 말을 곧이곧대로 믿었다. 그러나 초만녕의 그곳은 항상 찢어져 피가 났고, 일이 끝나고 난 후 묵연은 얼룩덜룩 피가 묻은 침대보를 보며 한참 멍하게 있었었다.

그 이후로 그는 초만녕의 '됐다'라는 말을 귓등으로 흘려들었다.

묵연은 그에게 대꾸하지 않고, 자신을 막으려는 그의 손을 잡아 깍지 낀 후 아래로 내려가 음낭을 핥고, 한 번 더 아래로 내려갔다.

그는 잠시 움직임을 멈췄다. 까만 눈은 정욕에 젖어 있었다.

"사존, 좀 더 앞으로 당겨 앉으셔야 해요. 이렇게 계시면…… 제가 돌봐 드리기가 힘들어요……."

완곡한 표현이었지만, 초만녕은 제 머리에서 뜨거운 연기가 솟는 것 같았다.

그가 움직이진 않았지만 그렇다고 반항하는 기미도 없었다. 묵연은 그의 손을 놓고 그를 안아 의자 가장자리로 당긴 후, 무릎을 꿇은 채 초만녕의 다리를 더 크게 벌렸다.

"……아!"

이번에 혀가 닿은 곳은 뒤쪽이었다. 거기서 오는 자극이 앞보다 훨씬 커서, 초만녕은 저도 모르게 낮게 비명을 질렀다. 목이 꺾이며 머리가 의자 등받이 뒤로 넘어갔다.

그는 묵연이 자신을 핥고 적시고 침입하는 걸 또렷하게 느낄 수 있었다.

정말이지 그가 아무렇지 않게 받아들이기 힘든 행위였지만, 이상하게 가슴속에서 따뜻한 기운이 콸콸 흘러넘치는 기분이 들었다. 모든 것이 받아들여졌다는 감각, 한 치의 남김도 없이 누군가에게 깊이 사랑받는다는 따스한 느낌에, 세상에서 가장 따뜻한 샘물에 온몸을 푹 담그고 있는 것 같았다.

묵연이 자신을 안은 채 일어났을 때 초만녕은 제 다리가 지나친 자극 때문에 마비된 것 같다고 생각했다. 그들은 위치를 바꿔 이번엔 묵연이 의자에 앉았다. 그의 성기는 이미 완전히 발기해 있었다. 부풀어서 잔뜩 성난 기둥의 크기는 무서울 정도였다.

묵연은 한 손으로 초만녕의 허리를 잡고, 다른 한 손으론 품속 남자의 뒤를 계속 넓혔다. 초만녕이 눈썹을 찌푸리며 오늘 밤 아홉 번째 '됐다'를 내뱉었을 때, 그는 결국 참지 못하고 웃음을 터뜨리며 초만녕의 귓가에 입을 맞췄다.

"알겠어요……."

충분히 매끄럽게 해 놔도 이렇게 크고 단단한 성기가 들어올 때는 아플 수밖에 없었다.

초만녕의 미간이 구겨지고, 등이 가느다랗게 떨렸다. 그는 묵연의 욕망이 제 몸 안으로 조금씩 조금씩 들어오는 것을 선명하게 느꼈다.

"……아……."

완전히 하나가 됐을 때, 그들의 입에서 절로 낮은 신음이 새어 나왔다.

"사존, 아프신가요?"
"……다음엔 네가 해 보겠느냐?"
묵연은 입을 다물고 가볍게 움직이기 시작했다. 이 청년은 심하게 흥분했을 때 어떻게 날뛰든, 일단 잠자리 초반에는 답선군과 달리 꾹 참으며 살살 움직인다. 하지만 욕망을 억누른 잘생긴 얼굴은 유독 색정적으로 보이곤 했다.
그가 성기를 초만녕의 부드럽고 뜨거운 몸속에서 원을 그리듯 살짝 돌리자 내벽이 그를 빨아들일 듯 감쌌다. 그 느낌이 그를 미치게 만들었다. 그는 지금 당장 품속 남자를 꽉 잡고 미친 듯이 쳐올리지 않기 위해 자제력을 최대치로 끌어모았다.
가슴이 오르내리고, 까만 눈이 닦은 보석처럼 반짝였다. 정욕과 열기가 그를 태웠다. 땀이 발가벗은 피부를 타고 아래로 흘렀다. 방 안은 음탕한 기운으로 가득 찼다.
그가 숨을 헐떡였다. 호흡이 점점 더 가빠지고 있었다.
매번 깊숙이 들어가 그가 잘 아는 초만녕의 민감한 곳에 귀두를 쉬지 않고 다정하게 박아 주긴 했지만, 느린 움직임은 옷을 입고 가려운 데를 긁는 것처럼 애타기만 했다.
"아…… 아……."
귓가에서 초만녕이 억누르고 억누르다 낮은 신음을 흘렸다. 작지만 잔뜩 잠긴 목소리가 섹스러웠다.
묵연은 정신없이 그의 입술을 찾았다. 그리고 젖은 입술이 닿자마자 굶주린 듯 빨아들였다. 동시에 아래에서 쳐올리는 속도가 점점 빨라졌다.
그의 다리에 앉아 빠듯한 움직임을 느끼며 초만녕은 거의 미칠 것 같았다. 묵연은 부드러웠지만, 그런 부드러움은 잔인한 고문과도 같았다. 묵연은 그를 너무 잘 알았다. 묵연은 가장 저릿저릿한 그곳을 급하지만 강하지 않게 끊임없이 자극했다. 어딘가 간지러운데 마치 깃털로 원을 그리듯 계속 주위만 스칠 뿐 절대 긁어 주지 않는, 간지러움만 심해질 뿐 시원해지지 않는 그런 느낌이었다.

초만녕은 애가 타 죽을 것 같았다. 고문하는 듯한 움직임 속에서, 그는 마치 구걸하듯 낮은 헐떡임과 불분명한 신음을 내뱉었다.

뒤가 점점 뜨거워지고 결합부가 점점 더 심하게 젖어 가는 느낌에 얼굴이 벌겋게 달아올랐다. 자신이 그를 젖은 몸으로 감싼 채 뒤로 그를 빨아들이고 있었다…….

초만녕은 더 이상 생각하고 싶지 않았다. 감히 생각할 수도 없었다.

다행히 묵연은 답선군처럼 그가 잠자리에서 자제력을 잃고 우는 소리를 즐기는 괴벽은 없었다. 혹시 있다 해도 집요한 수준은 아니었다.

묵연도 초만녕이 제게 점점 적응하는 것을 느끼고, 천천히 박는 힘을 세게 했다. 손으로 초만녕의 엉덩이를 단단히 잡은 채 단단하고 뜨거운 음경을 아래에서 위로 찔러 올렸다. 그는 의자에 앉아 젖은 눈으로 자신의 연인을 뚫어지게 바라봤다.

"사존, 기분 좋으신가요?"

"……."

그런 질문에 답이 돌아올 리 없었다. 하지만 묵연은 그의 떨림과 흩어지는 신음, 헐떡임 속에서 초만녕의 상태를 느낄 수 있었다.

그래서 묵연은 더 다급하고 강하게 위로 치받기 시작했다. 둘의 사랑은 점점 걷잡을 수 없이 뜨거워지며, 어느새 처음의 부드러움과 애틋함은 사라지고 땀으로 범벅된 격렬한 성교로 변해 갔다.

아래에서는 의자가 끊임없이 삐걱거리고, 결합부에서는 치받을 때마다 찰박찰박 젖은 소리가 울렸다. 점점 더 맹렬해져 가는 허리 짓 속에서, 더 이상 참기 힘들어진 초만녕은 탄탄한 묵연의 가슴에 몸을 붙인 채 머리를 내저었다. 머리카락이 비단 끈 앞으로 흘러내렸다. 그가 헐떡이며 말했다.

"천, 천천히……."

하지만 이미 그 속에 깊이 빠진 청년은 아까처럼 말을 듣지 않았다.

격렬한 허리 짓이 오랫동안 계속됐다. 초만녕은 묵연의 열정적이고 미친 듯한 허리 짓에 부르르 떨며 자신을 풀어놓았다. 정액이 묵연의 단단한 복부에 뿌려졌다.

묵연은 제 다리에 앉은 남자를 올려다봤다. 격렬한 움직임 속에 비뚤어진 비단 끈 뒤로 살짝 감긴 젖은 봉안이 그대로 드러났다.

거기에 자극받은 묵연이 갑자기 사정 후 여운에 젖은 연인을 안고 일어섰다. 바뀐 자세 때문에 그의 성기가 단번에 깊이 찔러 오자, 살짝 늘어져 있던 초만녕은 곧장 신음을 내뱉었다.

"아……."

"사존, 만녕…… 내 사랑……."

묵연이 그를 안고 입을 맞췄다. 두 사람은 그대로 침상으로 갔다. 가는 도중에 흠뻑 젖어 음탕하기 짝이 없는 초만녕의 뒤에서 묵연의 성기가 빠져나왔다.

초만녕의 눈은 초점이 흐려져 있었다. 남자는 사정한 후 자극에 더 민감해진다. 그는 자신의 뒤가 부끄러운 줄도 모르고 뭔가를 갈망하듯 움츠러드는 걸 느꼈다. 성기가 빠져나가고 빈 감각에 적응하지 못한 그가 낮게 숨을 몰아쉬며, 떨리는 손을 들어 반쯤 풀어진 비단 끈을 걷어 냈다.

그리고 살짝 치켜 올라간 촉촉하고 불그스름한 눈으로 묵연을 들여다보았다.

묵연은 욕을 뇌까리며 침상 위 남자의 다리를 치켜들고, 데일 것처럼 뜨겁고 단단한 성기를 그의 구멍에 대고 살짝 밀어 넣었다. 선단만 들어갔을 뿐인데 아래에 깔린 남자가 고통과 만족감이 섞인 낮은 신음을 내뱉었다.

"죄송해요."

더는 참을 수 없어진 묵연은 나지막이 그렇게 말하고는, 곧장 초만녕의 허리를 받쳐 들고 사납고 열정적으로 성기를 내리찍었다.

이어진 정사는 거의 야만적이었다.

맹목적으로 치받을 때 답선군과 묵 종사는 사실 거의 차이가 없었다. 그들은 이성을 날리고 열렬하고 다급한 허리 짓에 빠져, 상대의 입에서 알아들을 수 없는 신음과 헐떡임을 듣기 위해 애썼다. 침상 위 단단하고 균형 잡힌 두 육체가 뜨겁게 얽혔다. 묵연은 초만녕의 다리를 더 넓게 벌리고 쉬지 않고 엉덩이를 들썩였다. 성기가 빠르고 깊게 안으로 들어갔다.

"아…… 아……."

모든 것이 엉망이었다. 빈틈없는 맞물림, 몰아치는 듯한 행위에 초만녕은 강물 위를 떠도는 영혼이 된 듯 아무것도 쥘 수 없었고 아무것도 통제할 수 없었다.

사랑에 사로잡혀 정신없이 탐닉하고 있는 청년의 얼굴만이 유일한 진실이었다.

묵연은 사정이 다가오자 유독 사납게, 거의 미친 듯이 들이박았다. 마지막에는 음낭까지 집어넣을 기세로 광폭하게 내리찍었다. 곧 정액이 초만녕의 내벽에 힘차게 쏟아졌다.

강렬한 자극에 초만녕은 발끝까지 바들바들 떨었고, 눈은 초점을 잃었다.

"괜찮으세요?"

한참이 지나서야 절정의 여운에서 벗어난 묵연은 초만녕의 땀 맺힌 눈썹과 입술, 코끝에 자잘한 입맞춤을 퍼부었다.

"제가 아프게 했나요?"

"……."

"이렇게 하는 거 마음에 드세요?"

초만녕은 고개를 옆으로 돌렸다. 몸은 조금 지쳤지만, 심장은 몹시 뜨거웠다. 그는 부드럽고 진지한 청년의 얼굴을 바라보았다. 한때 잃어버렸던 남자, 자신을 위해 지옥에 떨어졌던 남자, 자신의 곁에서 얼음처럼 차갑게 굴었던 남자.

그가 지금 이렇게 생생하게 자신과 침상에 얽혀 있었다.

제 눈앞에 있었다.

제 곁에 있었다.

제 안에 있었다.

초만녕은 눈을 질끈 감았다. 왜인지 목구멍에서 쓴맛이 느껴졌지만, 심장은 달큼했다. 쓴맛과 달큼한 맛이 교차하며 그의 목에 잠겨 들었다.

초만녕은 말주변이 부족하고 낯가죽이 얇은 사람이다.

그가 침상에서 솔직하게 대답하길 바라는 건 어리석은 짓이었다. 묵연은 이번에도 그 멍청한 질문에 대한 답을 얻을 수 없을 것처럼 보였다.

대신 그는 다른 것을 얻었다.

훨씬 좋은 것을.

초만녕은 얼굴을 살짝 들어 올렸다. 이마에는 땀에 젖은 검은 머리카락 몇 가닥이 흩어져 있고, 아름다운 두 눈은 묵연에게 가 있었다. 그가 가까이 다가가 묵연의 예쁜 입술에 입을 맞췄다.

그리고 묵연의 가슴에 손을 가져갔다. 그곳에는 아직도 흉터가 남아 있었다.

두 사람의 가슴에는 흉터가 있다.

하지만 이제 모두 지난 일이다.

상처는 남았지만, 결코 아프지 않았다.

"……사랑해."

낮게 고백한 초만녕은 난처함으로 발갛게 물든 얼굴을 보여주기 싫었는지 묵연을 끌어당겼다. 두 사람은 또 한 번 입맞춤을 나눴다.

그 밤도 전과 다름없이 그들의 사랑은 한 번으로 끝나지 않았다. 마족의 힘을 얻은 묵연의 체력은 전보다 훨씬 좋아진 것 같았다. 물론 전에도 좀 말이 안 되게 좋긴 했지만.

남병산 깊은 곳. 뜨겁게 몸을 섞는 그들 아래로 침상이 삐걱삐걱 울었다. 묵연은 초만녕의 몸을 뒤집어 무릎을 꿇고 엎드리게 했다. 그런 다음 그의 입을 막은 채, 교미하는 짐승처럼 뒤에서 힘껏 그를 찔렀다. 두 사람의 격렬한 율동 속에서, 초만녕의 몸에 남아 있던 정액이 거품처럼 밀려 나와 끈적하게 다리를 타고 흘렀다.

"만녕……."

뜨거운 정사로 초만녕은 반쯤 정신이 나가 있었다. 침상에 엎드린 그의 앞으로 검은 머리카락이 흘러내렸다. 어렴풋이 사랑과 욕망, 애착, 믿음을 담아 그를 부르는 묵연의 목소리가 들렸다.

대답하고 싶었다. 하지만 앞서 수차례 정사를 나누며 너무 소리를 지른 탓에 목이 쉬어 말하기가 힘들었다.

초만녕은 고개를 틀고 묵연의 몸에 눌린 채 묵연의 침입을 감당했다. 잠시 후 묵연의 손이 그의 손등을 감쌌다.

귓가에 낮고 뜨거운 호흡과 함께 세상에서 가장 관능적인 목소리가 울렸다.

초만녕은 미간을 찌푸렸다. 묵연이 거친 신음을 내지르며 또 한 번 제 몸속에 정액을 쏟아 내는 게 선명하게 느껴졌다. 벼락 같은 전율도 함께였다.

귓가에서 묵연의 속삭임이 들렸다. 지난 이 년간 늘 그랬듯, 마치 평생 그렇게 말해 줄 것처럼 엄숙하고 진지한 목소리였다.

아니, '처럼'이 아니다.
분명 그래 줄 것이다.
묵연이 말했다.
"만녕, 사랑해요."
사랑해요.
여명이 밝아 올 때부터 해가 질 때까지.
매일.
평생.
온 생을 바쳐.

아, 중추절 상은…….
초만녕은 음식 솜씨는 별로였지만, 미각은 살아 있었다.
오랜 연구에도 요령이 생기지 않는 것은 물론이요, 묵연이 재료와 양념을 준비하고 고기와 생선을 절이는 등 순조롭게 해 나가는 모습을 보더니, 중추절 삼 일 전 드디어 직접 요리하려는 생각을 버린 것이다.
그래서 제일 처음 그 장면이 연출되었다.
초목으로 만든 수십 종의 요괴들이 초만녕을 둘러싼 채 누구는 장작을 패고, 누구는 불을 붙이고, 누구는 재료를 썰었다. 냄비 옆에서 국자를 들고 있는 요괴도 있었다.
초만녕은 보글보글 끓는 냄비 속 죽을 봤다. 색도 냄새도 훌륭했다. 그는 죽을 끓이는 두 요괴에게 말했다.
"고맙다."
"고맙긴요. 저희가 하고 싶어서 하는 건데요."

나무 요괴가 웃으며 말했다.
"신목 선군께서 저희를 불러 주셔서 저흰 기쁠 따름이에요."
초만녕은 밖을 내다봤다. 묵연이 얌전히 뜰 구석에서 열심히 장작을 패고 있었다. 도와주는 사람은 없었다. 땀방울이 밀색 얼굴을 따라 흘러내렸다. 옷도 그의 탄탄한 가슴 근육과 마른 허리를 가리지는 못했다.
맞다. 미인이었다.
하지만 애석하게도 미색으로 초만녕의 마음을 움직일 순 없었다.
혼자만 몰래 요괴를 불러들여 요리하는 건 확실히 공정하지 못했다. 그러게 누가 밤마다 쉬지도 못하게 사람을 괴롭히랬나. 그도 어쩔 수 없이 이러는 것이다…….
초만녕은 그렇게 생각하며 두 손을 모았다. 그러자 부엌문이 닫혔다. 묵연이 들어오지 못하게 결계까지 친 다음에야 초목 요괴들 곁으로 돌아간 초만녕은 선반에서 음식 목록을 집어 들었다.
"다음은 튀긴 쏘가리 조림이다."
북두선존의 목소리가 부엌 밖으로 조용히 흘러 나갔다. 가끔 요괴들의 이상한 투덜거림도 들렸다.
"누가 물고기를 잡을 줄 아느냐?"
부뚜막에서 연기가 모락모락 피어오르고, 황혼 녘의 인가에 음식 냄새가 퍼졌다.
평온하고 따스한 분위기 속에서, 그해 겨울 남병산의 차디찬 추위와 눈은 천천히 잊혔다. 옷에 묻은 먹물이 한두 번 세탁으로 깨끗해지지 않더라도 세월의 흐름에 따라 결국 흐릿한 자국으로 변하는 것처럼, 언젠가 과거에 겪었던 고통도 옅은 그림자가 될 것이다.

앞으로 그들의 한 해 한 해는 사시사철 모두 최고의 시간이 될 것이다.

– 〈전원으로 돌아와〉 끝 –

외전 2장 유일한 가능성

― 본 외전은 현대를 배경으로 한 재창작물입니다. ―

원래 멀티 캐릭터 공략형 연애육성 시뮬레이션 게임인 줄 알았으나, 예상과 달리 영원히 한 가지 엔딩밖에 없는 게임이었다.

-《임무 실패 보고서》 by 설몽

설몽은 접시 위 뒤에서 두 번째에 있는 코코넛밀크 팥떡을 먹고 있었다.

조심해야 했다. 그는 플라스틱 숟가락으로 팥떡의 가장자리를 따라 쓱 잘랐다. 계산은 정확했고 손놀림은 안정적이었다. 이 떡의 온전한 형태를 최대한 보존하고 싶었다. 하지만 안타깝게도 팥떡 한쪽이 같은 접시에 담겨 있던 망고무스에 더럽혀져 버렸다.

그는 망고가 싫었다. 수진계 보호국의 일만큼이나!

하지만 안타깝게도 할 수밖에 없다. 지금은 21세기. 도사 집안의 바보 아들도 일을 해서 스스로 먹고살아야 했다.

– 설 선생님, 업무 보고하세요.

이어셋[#2]에서 무뚝뚝한 기계음이 들렸다.

설몽은 못마땅함을 담아 눈을 치켜떴다. 수진계 보호국에 강씨 성을 가진 새 국장이 온 뒤로 업무 보고는 일일 필수 업무가 되었다.

"크흠, 오늘 8시 20분, 지각하지 않고 사무실에 도착했습니다. 오전에 이씨 아저씨네 군만두를 포장해 왔습니다. 제법 맛있으니 동료 여러분도 시간 나면 가서 맛보시길. 그 집 아저씨가 생긴 것도 인자하시고, 칭찬도 잘해 주십니다. 예순 된 아주머니에게도 얼굴색 하나 안 변하고 동생이라고 부르시고요. 군만두를 다 먹고 나서 도장 찍기를 시작했고……."

이것이 바로 설몽이 이 일을 끔찍해하는 이유다.

도장 찍기.

말하자면 길지만, 근본적으로 그의 아버지 탓이다. 설몽의 아버지 설정옹은 국제수진총국의 이사장이다. 이사장의 하나밖에 없는 귀한 아들로서, 설몽은 어릴 때부터 설설 기는 사람들에게 둘러싸여 살았다. 먹는 것도, 쓰는 것도 모두 수진국에서 특별 제공된 것들이었다. 심지어 일회용 기저귀조차 심해의 상어족이 만든 것으로, 부드럽고 통기성이 좋아 땀띠가 나지 않는 최상품이었다. 팸퍼[#3]나 메리즈[#4]는 아예 쳐다보지도 않았다.

#2 이어셋 마이크와 이어폰이 합쳐진 헤드셋
#3 팸퍼 Pamper, 미국 P&G사의 기저귀
#4 메리즈 Merries, 유명한 일본 기저귀 브랜드

그런 수진계 소공자의 삶은 순풍에 돛 단 듯 순조로웠고, 그는 졸업 후 곧장 수진계 보호국에 들어갔다. 출근 첫날엔 국장이 친히 환대하기도 했다.

당시 국장은 남궁류라는 희고 포동포동한 중년 남자로, 계단을 두 층만 올라도 식은땀을 쭉쭉 흘리는 그런 자였다.

남궁류는 친절하게 설몽의 손을 잡고, 살이 뒤룩뒤룩 붙은 뺨을 움직여 인사말을 했다.

"아이고, 설몽이구나? 아버지와 정말 닮았군. 딱 봐도 아들인지 알겠어. 잘생겼구먼!"

설몽은 말했다.

"과찬이세요, 아저씨."

남궁류는 유쾌하게 말했다.

"난 네 아버지와 오래 알고 지냈지. 잡담은 여기까지 하고 자, 이 아저씨가 우선 네가 할 일을 일러 주마."

당시, 화합하는 수진계 건설을 위해 제 작은 힘을 보태겠다는 웅대한 포부로 가득 차 있던 사회 초년생 설몽은 시원시원하게 답했다.

"뭐든 말씀하세요. 열심히 해내겠습니다."

봐, 명문가 2세라고 빼기는 것도 없잖아. 얼마나 착해!

깊은 눈빛으로 그를 보던 남궁 국장은 미소를 갈무리하고 엄숙하게 말했다.

"몽아, 보호국에서는 네가 명문가 출신인 데다 여러모로 훌륭한 조건을 가지고 있는 걸 고려해서, 네가 설 이사장의 장중보옥[#5]

#5 **장중보옥** 掌中寶玉. 손안의 보물 같은 구슬

이긴 하지만 그래도 가장 힘들고 어려운 일을 맡기기로 했단다."

설몽은 정신이 번쩍 들었다.

"전 어릴 때부터 모험을 좋아했어요. 예전엔 다들 아버지 체면 때문에 이것도 안 된다, 저것도 안 된다 하면서 아무것도 안 시켰죠."

그의 눈이 반짝였다.

"드디어 해방이네요."

남궁 국장은 그의 어깨를 두드리며 엄지를 치켜들었다.

"포부가 있구나."

설몽이 물었다.

"그럼 전 무슨 일을 하나요?"

"흠흠."

남궁류는 목을 가다듬고 말했다.

"그러니까 그게, 우리 보호국 누구도 할 수 없는 고난도 업무지. 뛰어난 인내심, 정확한 판단력, 과감한 결단력이 필요한 일이야. 왜냐하면 모든 결정에 수백수천 명의 생명이 걸려 있으니까. 많은 생명이 너로 인해 구원받고, 또 적잖은 생명이 너로 인해 피를 흘릴 거다."

엄숙한 표정, 뜨거운 눈빛. 그의 뒤로 성스러운 빛이 천천히 떠오르는 것 같았다.

"제일선에 나서야 하는 힘든 일이지. 네가 수진계 보호국에서 일하겠다고 했을 때, 네 아버지가 너한테 편하고 안전한 자리를 주라고 몇 번이나 당부하시지 뭐냐. 하지만 네 이력서를 보고 네가 포부로 가득 찬 훌륭한 아이란 걸 느꼈고, 젊은이의 열정을 모른 척하면 안 된다고 생각했다. 그래서 심사숙고 끝에 이 일을 맡기려는 거다."

국장은 손을 뻗어 설몽의 가슴을 콕 찔렀다.

"넌 수많은 생명의 기대에 부응해야 해."

설몽은 갑자기 눈물이 그렁그렁해진 눈으로 숙연하게 옷깃을 여몄다.

"국장님, 아버지의 방해에도 불구하고 제게 그처럼 중요한 임무를 맡겨 주셔서 감사합니다! 열심히 노력해서 국장님의 기대에 부응하겠습니다!"

"그래, 열심히 하거라!"

남궁류 국장은 칭찬의 눈빛으로 격려하듯 그렇게 말한 후, 옷깃을 날리며 떠났다. 좋은 일을 하고도 유세 떨지 않는 이름 모를 자선가처럼 그렇게.

그날 집에 돌아온 설몽은 도무지 흥분을 억누를 수 없었다. 그는 부모님을 속이고, 몰래 도포닷컴, 부엉이몰[#6] 수진계 카테고리에서 물건을 대거 구매했다. 대충 이런 것들이었다.

[DPS[#7] 폭발 크리스피치킨(한린 제약사): 두 시간 동안 법력을 열 배 증가시킴. 전투 중 사용 불가.

바보 연명환(옥형 제약사): 죽은 다음에 먹으면 소용없음.

요두환(무비사 제약사): 먹으면 머리에서 요요한 빛이 남. 어둠 속에서 동료의 길을 밝히는 등불이 될 수 있음.

#6 부엉이몰 중국의 알리바바가 운영하는 온라인 쇼핑몰 타오바오닷컴과 Tmall의 이름을 차용하여 만든, 부엉이 문양을 쓰는 도포산장의 현대판 이름

#7 DPS Damage per Second의 약자로, 초당 대미지를 의미

발광해소환(답선군 제약사): 혼란 상태를 없애 줌.
가문의 천년 비법 대추환(탐랑 제약사): 적에게만 사용할 것.]

그렇게 우리의 설몽은 만반의 준비를 마쳤다. 그날 밤 꿈에서는, 시공을 넘어 세계 제2차 수진대전 때로 간 자신이 유럽 전쟁을 휩쓴 흑마법에 용감히 맞서다 '아브라카다브라!'라는 날카로운 외침과 함께 알 수 없는 녹색 빛 속으로 쓰러졌다…….

하지만 이튿날, 패기만만하게 사무실에 도착한 설몽은 경악하고 말았다.

"이게…… 제 일이라고요?"

큰 가슴, 긴 다리를 가진 스위트한 비서 아가씨가 그에게 향긋한 차를 한 잔 내주며 부드럽게 말했다.

"네, 설 선생님. 이게 바로 선생님의 일이에요."

설몽은 믿을 수 없다는 듯 제 책상으로 다가가 산처럼 쌓여 있는 수진계 사업 · 사건 결재 보고서들을 봤다. 그의 입이 점점 'O'자로 벌어졌다.

그는 덜덜 떨며 제일 위에 있는 보고서를 들어 대충 봤다. 빨간 글씨로 커다랗게 쓰인 제목이 눈에 훅 들어왔다. 잘 읽히지도 않고, 한 번 봐서는 이해할 수 없는 그 제목은《산동 임기 일반인 양돈장의 고월야 선돈(仙豚) 사료 불법 사용 처리 방법》이었다.

무, 무슨 방법?

설몽은 문득 현기증을 느꼈다.

하지만 이를 악물고 계속 읽어 나갔다.

"최근 약품 감찰 담당자가 받은 제보에 따르면, 모 수사가 고월야에서 생산한 유통기한 경과 선돈 사료를 불법 루트를 통해 일반인에게 팔면서 유통기한을 경과한 사료 약 8천 자루가 시장으로 흘러들어 갔다. 현재 세 곳의 양돈장이 해당 사료를 돼지 사료로 사용했으며, 여기에 연루된 돼지는 사용 중지 공문 발송 시 이미 400~500마리에 달해 매우 긴급한 상황이다."

설몽은 말문이 막혔다.

또 한 장을 넘겼다.

[수진계 가축약물사용위원회 처리 의견: 오염된 돼지를 모두 매입해 소각 처분할 것.

수진계 일반인위원회 처리 의견: 동의. 연루된 수사를 체포하여 수사할 것.

수진계 홍보위원회 처리 의견: 동의. 〈9시 뉴스〉 제작팀에 연락해 후속 대외 홍보를 진행할 것.

수진계 보호국 종합사건위원회 위원장 의견: (공란)]

의아해진 설몽은 손으로 '공란'이라는 글자를 가리키며 옆에서 환하게 미소 짓고 있는 비서에게 물었다.

"여긴 왜 비어 있죠?"

비서가 미소를 유지하며 인내심 있게 설명했다.

"선생님이 도장을 찍을 자리니까요."

"하지만 전 아닌데요……."

설몽은 고개를 숙여 보고서에 쓰인 글자를 읽었다.

"수진계 보호국 종합사건위원회 위원장이……."

다시 고개를 들자 비서 아가씨의 자애로운 눈빛이 보였다. 당혹감을 느낀 그가 주저하며 물었다.

"……전가요?"

비서 아가씨는 요술처럼 뒤에서 가슴에 차는 명찰을 꺼냈다. 명찰에는 '종합사건위원회 위원장 설몽'이라는 글자가 선명하게 찍혀 있었다. 설몽이 제일 싫어하는 명함 사진 역시.

그녀가 명찰을 설몽에게 채워 주며 웃었다.

"이제 선생님은 영예로운 위원장이세요. 축하드립니다!"

그리고 도장 두 개를 건넸다. 하나는 동그라미가, 하나는 가위표가 새겨져 있었다.

"동의하시면 동그라미를, 반대하시면 가위표를 찍으세요."

그녀가 웃었다.

"업무 시작하시죠."

설몽이 할 말이 많은 듯 입술을 달싹거렸다. 욕을 쏟아 내고 싶어 하는 것 같기도 했다. 그는 침을 삼키고는 힘겹게 물었다.

"아무것도 선택하지 않아도 되나요?"

그녀가 눈을 휘며 웃었다.

"그럼요. 그럴 땐 두 개 다 찍으세요."

"……."

설몽은 가는 숨을 내쉬었다.

"둘 다 찍지 않으면 나중에 어떻게 처리되죠?"

"국장님 비서에게 넘겨서 처리합니다."

설몽의 숨은 더 약해졌다.

"그럼 전 또 뭘 해야 하죠?"

그녀가 사근사근하게 답했다.

"그러니까 제 개인적인 생각엔, 한 번에 하나만 찍으시는 게 제일 좋을 것 같아요."

"……."

그렇게 여러 날이 흐르고, 설몽은 그때 남궁류가 얼마나 예술적인 화법을 구사했는지 깨닫게 됐다. 별 거지 같은 빌어먹을 일 같으니라고. 그는 매일 말뚝 박는 기계처럼 보고서에 동그라미나 가위표를 찍어야 했다. 확실히 비범한 인내심이 필요한 일이었다.

물론 그 인내심은 지루한 일에 거부감을 품지 않기 위해서만 필요한 것은 아니었다. 더 큰 인내심은 매일 자신을 억제하는 데 쓰였다. 그래야만 젠장 맞을 남궁류의 사무실로 달려가 그의 생식 기관을 부러뜨리지 않을 수 있었으니까!

뭐, 남궁 국장이 자신을 속인 것은 아니다. 설몽은 실제로 수많은 생명의 거취를 결정하고 있었다.

그것은 보고서 제목들만 봐도 알 수 있다.

《DPS 폭발 크리스피치킨 전용 양계장 건축 허가 보고서》

《건국 후 특별 비준한 조롱박 아이들 요괴 둔갑 보고서》

《고월야 퇴직 장문인 간부 신청: 난 아직도 오백 년은 더 살고 싶다》

《접골미인석 연구팀: 인간 · 마족 유전자 프로젝트를 위한 미인석 유전자 보유 수사의 정자 기증 제안서》

그야말로 시시각각 수억 개의 생명을 다루는 일이 아닌가.

설몽은 살기 가득한 얼굴로 가위표 도장을 들고《정자 기증 제안서》위에 팍 내리찍었다. 그는 무수한 작은 생명을 구했다는 정의감에 차올라 냉혹하게 의견을 달았다.

[누구도 컵에 사정됐다가 냉동되길 원하지 않는다. 부결.]

그는 자신이 울분을 풀고 있다는 것을 안다. 하지만 그는 이런 행동이 국장을 참을 수 없게 만들어, 인간 세상의 악귀를 처치하는 제일선으로 자신을 던져 버리길 바랐다.

하지만 안타깝게도, 반석처럼 단단한 국장은 그런 일로 설 위원장을 책망하지 않았다. 오히려 어떤 회식에서 듣자 하니, 국장의 비서 엽망석이 그가 한 장난 때문에 어쩔 수 없이 야근하다 새벽이 돼서야 퇴근했다고 한다.

"또 내 아내를 야근시키면 내일 당장 일 때려치울 거예요!"

국장의 아들 남궁사가 국장 사무실에서 발을 동동 구르며 책상을 내려치는 소리가 복도 저편까지 들렸다.

찔리는 마음에 목을 움츠린 설몽은 한참 멍하게 있다가 결국 진지하게 보고서를 보기로 마음먹었다.

그렇게 몇 개월이 흘렀다. 도장 찍는 속도가 갈수록 빨라지며 졸업 후 품었던 포부를 거의 잊어 가고 있을 때, 남궁류가 요괴들로부터 뇌물을 받아 직위 해제를 당하며 자기 철밥통을 잃었다.

새 국장이 왔다.

강희 국장은 어떤 일이든 금방 파악했다. 하지만 설몽의 업무에 관해서는 무려 한 시간 동안 설명을 들은 다음에야 대체 뭐

하는 자리인지 알아들었다.

강 국장이 멍청해서가 아니라 남궁류가 설몽에게 해 둔 포장이 너무 과했기 때문이다. 강 국장은 한참 동안 포장을 한 층 한 층 벗겨 내고 나서야 안에 든 것이 먼지뿐이란 걸 알아차렸다.

요컨대, 설몽의 자리는 있으나 마나 한 자리였다. 식당에서 게으름 피우며 채소나 씻는 아무개의 일이 그가 하는 일보다 더 의미 있다는 뜻이다.

좀 벌레 같은 자리를 참아 줄 수 없었던 강 국장은 '종합위원장'이라는 직위를 없애고, 설몽에게 다른 일거리를 주었다.

그가 약 일주일의 시간을 두고 관찰하며 고민한 결과였다. 그래서 제일 처음 그 장면이 나타난 것이다.

– 설 선생님, 업무 보고하세요.

"크흠, 오늘 8시 20분, 지각하지 않고 사무실에 도착했습니다. 오전에 이씨 아저씨네 군만두를 포장해 왔습니다. 제법 맛있으니 동료 여러분도 시간 나면 가서 맛보시길. 그 집 아저씨가 생긴 것도 인자하시고, 칭찬도 잘해 주십니다. 예순 된 아주머니에게도 얼굴색 하나 안 변하고 동생이라고 부르시고요. 군만두를 다 먹고 나서 도장 찍기를 시작했고……."

이어셋에서 갑자기 지직 소리가 났다.

곧 강희의 채널이 끼어들었다. 냉담한 AI 목소리가 사라지고, 대신 AI보다 더 인정머리 없게 느껴지는 강 국장의 목소리가 들렸다.

– 오늘부터 도장 찍기는 할 필요 없다. 오늘은 일찍 퇴근해 쉬고, 내일 내 사무실로 오도록. 네게 맡길 중요한 일이 있다.

잠시 말을 멈춘 강희가 고저 없는 목소리로 말했다.
– 이 씨네 군만두를 가져오도록. 간장도 함께.
설몽은 할 말을 잃었다.

이튿날, 설몽은 강 국장의 사무실로 갔다. 새 업무에 대한 설명을 모두 듣고 난 후 그는 깊이 생각했다……. 내가 이번엔 뚜쟁이 같은 일에 배정됐구나!

설몽은 분노했다.

"왜 저는 정자 기증 제안서에 도장 찍는 일이 아니면 새 생명 탄생의 길을 찾는 일을 해야 하죠? 그런 일은 결혼 중개업체한테 맡기시지, 왜 저한테 이러십니까?"

강 국장은 군만두를 한 입 먹었다. 그 모습은 몹시 우아했지만, 속도는 놀랄 만큼 빨랐다.

"세 번째 말하지만, 넌 중매인이 아니라 수진계 연구팀의 유전자 프로젝트에 힘을 보태는 거다."

그는 마지막 만두를 먹은 후 손수건으로 느긋하게 입가를 닦고 눈을 들었다.

"잘 들어. 근 몇백 년간 마족의 수상한 움직임이 갈수록 뚜렷해지고 있다. 이백 년 내에 인간과 마족 간에 또 한 번 격전이 벌어질 것이다. 우리는 강력한 전투 자원이 필요해."

"……딱 까놓고 말해서 특수미인석의 후손이 필요한 거잖아요."

설몽이 눈을 부릅떴다.

강희는 태연하게 답했다.

"맞아, 바로 그거다."

"하지만 특수미인석이 나타나지 않은 지 이미 오래입니다. 유일한 단서는 묵연이라는 녀석이고요."
"맞아."
"그 녀석이 당신들에게 아이를 낳아 줘야 한다는 이야기죠."
"그렇지."
설몽의 얼굴에 혐오감이 여실히 드러났다.
"하지만 그 녀석은 게이입니다."
강희가 담담히 덧붙였다.
"순수 게이지."
설몽은 이를 앙다물었다.
"그래서 십 년 이상을 들여 시뮬레이션 게임을 만들었죠. 운명 뛰틀기……."
"점프기다."
강희가 무표정하게 수정했다.
"그리고 엄밀히 말하면, 그건 게임이라고 부를 수 없지."
"뛰틀기든 점프기든 무슨 상관이에요!"
설몽은 결국 참지 못하고 소리쳤다.
"결국 저한테 그 기계로 운명 시뮬레이션을 돌려서 묵연의 성 취향을 바로잡을 기회를 찾으라는 거잖아요. 저장하고 불러올 수 있는 캐릭터육성 게임처럼 그놈한테 빵빵한 가슴에 늘씬한 다리의 여자를 소개해 주고 둘이 아이를 낳게 하라는……."
국장 어르신 강희가 손가락을 흔들며 또다시 그의 말을 끊었다.
"빵빵한 가슴에 늘씬한 다리는 필요 없어. 엉덩이가 커서 아이를 잘 낳기만 하면 된다."

"……."

국장 사무실에 건물을 뒤흔들 정도로 큰 노성이 울렸다.

"젠장, 그게 뚜쟁이 일이 아니고 뭐냐고요!"

"침착해. 운명 점프기는 여러 가능성을 실험해 보는 것일 뿐이야. 솔직해 말해서 테스트 버전이지."

강희는 차를 한 모금 마셨다.

"보호국에서 네가 진행한 테스트 결과를 수집해서 진짜 이행 방안을 만들 거다."

"거절합니다."

"긴장 풀라고, 젊은이."

강 국장은 그의 거절을 무시했다.

"스스로를 육성형 게임의 테스트 요원이라 생각하면 돼."

안타깝게도 국장은 강경했고, 설몽은 결국 그 일을 받아들여야 했다. 물론 강 국장도 그렇게 매정한 사람은 아니었다. 그는 좋은 뜻으로 설몽에게 게임 조수를 붙여 주었다. 사람 말을 할 수 있는 종이 용이었다.

"조수, 참모, 가이드, 장난감, 소환수, 멍청이 군사(軍師)."

강희가 고급 찻잔을 들고 느긋하게 말했다.

"마음대로 부르도록. 이제 녀석은 네 것이다. 너와 함께 시뮬레이션 게임에 들어가 계책을 내줄 거야."

말을 마친 그는 설몽의 난리블루스를 무시하고 손을 내저었다.

"시작해, 졸업생."

"뭐라고 부르셨죠?"

강 국장은 대꾸해 줄 생각이 없어 보였다.

국장 어르신이 손을 내젓자, 졸업생은 환한 미소를 띤 여직원들의 손에 이끌려 억지로 플레이룸으로 들어가 필요한 설비들을 차고 그의 업무를 시작했다.

하늘이 한번 빙그르르 돌더니 첫 번째 세계에 도착했다.

……청소년한테 게임 못 하게 하는 경우는 봤어도, 억지로 게임하라는 경우는 처음이었다.

하지만 기왕 시작한 거 그냥 해야지 싶었다. 강희가 업무라고 말했으니 냉큼 끝내면 될 일이다.

설몽은 어두운 낯빛으로 고개를 돌리다, 그의 어깨에 엎드려 있는 종이 용을 발견했다. 용은 짤따란 다리로 임무 가이드북을 쥐고선, 그걸 보며 경탄을 내뱉었다.

“꽤액, 꽤애액~ 꽤애애액~~.”

“입 다물어.”

설몽이 살벌하게 말했다.

“네가 거위야?”

“물론 아니지. 이 몸은 천지개벽 이래 모든 것을 알고 있는 촉룡이시다!”

종이 용은 말하면서 설몽의 얼굴에 대고 제 꼬리를 흔들었다.

“이쪽으로 가자.”

설몽은 용이 가리키는 방향을 흘끗 봤다. 그곳은 깊고 어두운 골목이었다. 골목 입구엔 각종 광고지가 덕지덕지 붙어 있고, 바닥에는 성분을 알 수 없는 액체가 떨어져 있었다. 쓰레기봉투에서 흐른 물과 가래 통에서 샌 것의 혼합물 같았다.

설몽은 단호하게 반대 방향으로 발을 옮겼다.

"어어, 너 어디 가냐?"

"더 깨끗한 길로 간다."

종이 용이 화를 냈다.

"나라고 이 길로 가고 싶은 줄 알아?"

용이 임무 가이드북으로 설몽의 코를 퍽 때렸다.

"네 눈으로 봐! 여기에 저 골목으로 200미터 들어가면 국숫집이 나오고, 거기서 초등학교를 다니고 있는 묵연을 만날 수 있다고 쓰여 있다!"

설몽이 임무 가이드북을 받아 들었다. 반신반의하며 봤더니, 정말 그렇게 쓰여 있었다.

그는 퍼렇게 질린 얼굴로 용에게 가이드북을 넘긴 후, 이를 악물고 숨을 죽이며 까만 어둠 속으로 성큼성큼 들어섰다.

속으로 내가 미쳤구나, 생각하면서도 그는 가이드북에 따라 그 골목을 빠져나왔다. 왼쪽으로 도니 길이 점점 넓어지고 깨끗해지기 시작했다.

"맞아! 바로 저 앞이야! 저기 '또 왔네 국숫집'."

용이 흥분해서 덩실덩실 춤을 췄다. 설몽은 법술 때문에 이 가상 세계의 사람들이 자신들을 보지 못한다는 것에 감사했다. 그렇지 않았다면 분명 창피했을 것이다.

그들은 식당 손님 속에서 금방 초등학생 묵연을 찾아냈다. 묵연의 얼굴은 정말 알아보기 쉬웠다. 그는 해진 책가방을 메고 다 떨어진 싸구려 운동화의 뒤축을 구겨 신은 채 기름기가 좔좔 흘러 안 감은 지 며칠은 되어 보이는 머리를 축 늘어뜨리고 있었다.

설몽은 묵연에게서 멀리 떨어져 있었지만, 그의 몸에서 지독한 쉰내가 나고 있다고 확신했다. 아무도 그의 주위에 앉으려 하지 않았기 때문이다.

"영양 상태 불량의 지저분한 개새끼네."

설몽은 턱을 문지르며 이렇게 평했다.

"크면 엄청 잘생겨질 거다."

용이 말했다.

"그런데 우리가 왜 초등학교에 다니는 묵연을 찾아야 하지?"

설몽이 말했다.

"바로 잘생긴 성인 묵연을 찾아서 입에다 최음제를 집어넣고, 여자 하나 찾아서 어두운 방에 같이 던져 버리면 끝나는 거 아냐?"

종이 용이 혐오감 섞인 눈으로 그를 봤다.

"형씨, 우리는 수진국 직원이야. 도령 방에 여자 집어넣어 주는 하인이 아니라고."

"……."

"게다가 수진국에서는 규정에 어긋난 약품 사용을 금하고 있어. 넌 묵연이 진심으로 한 아가씨를 사랑하고, 그녀와 결혼해서 아이를 낳게 해야 해. 그걸 위해선 어릴 때부터 감정을 키우는 게 제일 좋다고."

용은 그렇게 말하며 임무 가이드북에서 증거를 찾으려 했고, 기가 막히게도 진짜 찾아냈다.

"하하, 내가 그랬지, 난 이 하늘 아래 못 하는 것이 없는 위대한 촉룡이라고! 봐라, 여기에 진짜로 추천 공략 대상이 있잖아!"

"……강희가 너한테 준 거, 게임 치트키북 아닌 거 확실해?"

말은 그렇게 했지만, 설몽은 싫은 얼굴로 가이드북을 다시 뺏어 들었다. 그런 다음 용의 발에 짓눌려 꾸깃꾸깃해진 종이를 펴고, 어둑한 가로등 아래서 눈을 가늘게 뜨고 자세히 봤다.

신기한 노릇이지만, 정말로 지금의 묵연이 공략할 수 있는 여성 십여 명이 상세히 나열되어 있었다.

[공략 대상 1: 왕소미.

사귀는 법: 법술로 국숫집에 있는 개에게 광견병을 발병시켜 국수를 먹고 있는 묵연을 물게 하세요. 지나가던 폭스바겐 산타나 주인이 묵연을 병원으로 데려가 주사를 맞힐 겁니다. 왕소미는 차 주인의 딸로, 묵연보다 한 살 어린 초등학교 3학년입니다. 두 사람은 차에서 알게 되고, 소꿉친구로 자랄 것입니다.]

설몽은 '이래도 돼?'라는 표정으로 다음 공략 대상을 봤다.

[공략 대상 2: 이대미.

사귀는 법: 법술로 국숫집에 있는 개를 급사시키세요.]

"이건 안 돼."

오랫동안 양돈장, 양계장을 위해 도장을 찍어 온 설몽은 사실 동물을 가엽게 여기고 있었고, 그의 양심은 여기에 거부권을 행사하게 만들었다. 하지만 호기심에 다음 내용을 계속 읽어 나갔다.

[개가 급사하면 국숫집 주인 딸이 튀어나와 개의 사체를 쓰다듬으며 대성통곡하고, 그 울음소리가 딸의 친구 이대미를 불러들일 겁니다. 그러면 묵연은 오늘 밤 두 꼬마 아가씨와 안면을 트게 됩니다.]

"왜 아예 국숫집 주인 딸을 공략하지 않고?"

설몽의 혼잣말을 들은 종이 용이 꼬리로 그의 얼굴을 툭 치고는, 꼬리 끝으로 앞을 가리켰다. 그곳에는 몸집이 묵연의 세 배나 되는 국숫집 주인 딸이, 알록달록한 내복 바지를 입은 채 눈을 실처럼 가늘게 뜨고 문 앞에 쭈그려 앉아 발가락 사이를 후비며 마늘을 씹고 있었다.

"……이해했어."

국숫집 주인 딸이라면 묵연을 게이의 심오한 세계로 더 깊이 빠뜨릴지도 모른다.

됐다. 일은 마음에 안 들지만, 기왕 맡은 일이니 확실하게 해내는 것이 훌륭한 도사이자 국가의 수사가 아니겠는가.

이에 우리의 설몽은 입으로는 불만을 쉼 없이 조잘대면서도, 시도 가능한 여성 타깃 십여 명의 정보를 진지하게 검토했다.

가이드북 편집자는 지지리도 한가한 사람인가 싶었다. 꼬마 숙녀들의 키, 체중, 취미를 모두 써 놓은 것은 물론이요, 2인치짜리 명함 사진까지 붙여 둔 것을 보니 말이다.

여자만 좋아하는 상남자의 미적 기준으로 보자니 '조무미'라는 꼬마 아가씨가 딱이었다.

"……어, 이름을 들으니 별로 승산이 없을 거 같은데."

종이 용이 한숨지었다.

"네가 뭘 알아. 귀엽게 생겼잖아. 나중에 분명 미인이 될걸."

설몽은 자기 심미안에 자신이 있었다.

"얘로 하자. 묵연도 분명 넘어올 거야."

"그 말 네가 한 거다."

그래서 설몽과 용은 임무 가이드북에 쓰인 공략 팁대로 진지하게 플레이를 시작했다.

"'조무미 사귀기'를 시작하려면, 묵연이 비빔국수를 다 먹은 후 이곳을 떠나 두 블록을 걸어갔을 때 법술로 비를 내리세요."

용이 읽었다.

"그러면 우산이 없는 묵연은 책가방을 이고 가장 가까운 지붕 밑으로 뛰어가 비를 피할 겁니다. 그때, 묵연은 뒤쪽 골목에서 여자아이의 울음소리를 듣게 됩니다."

"꼭 귀신 이야기 같네."

"헛소리, 딱 영웅의 미인 구출기네."

용이 낮은 소리로 말했다.

"봐, 묵연이 울음소리를 듣고 갔다가 조무미가 교내 일진 패거리 '쭉쭉빵빵 이쁜이들'한테 괴롭힘당하는 걸 보고 도와주면서 둘이 알게 된다잖아."

바로 행동으로 옮겼다. 용은 천둥 번개가 떨어지게 했고, 설몽은 조무미가 학교 불량배들에게 둘러싸인 것을 확인했다. 모든 것이 순조로웠다. '쭉쭉빵빵 이쁜이들' 패거리 중 가장 사납게 보이는 고학년 여학생이 벽돌을 들고 묵연의 이마에 던질 때까지는 말이다.

소년 영웅 묵연은 그대로 거리에 쓰러졌다.

"……."

"……."

어이가 없어 잠시 말을 잃었던 설몽이 입을 열었다.

"특수미인석이라며? 고작 저 정도의 전투력이? 나 놀려?"

촉룡이 말했다.

"아직 너무 어려서 활성화 전인가 보지……."

천둥 번개가 치는 가운데, 묵연은 빗속에 쓰러진 채 이마에서 피를 콸콸 쏟았다. 일진 짱은 그걸 보고 '엄마야, 사람 죽였다!' 라고 외치더니 패거리를 이끌고 후다닥 도망갔다. 최고는 조무미였다. 덜덜 떨며 비틀비틀 일어난 그녀는 빗속에 시체처럼 누워 있는 묵연을 보고 하얗게 질려서는, 비명을 지르며 저를 구해 준 은인을 내팽개치고 달아났다.

속도가 어찌나 빠른지 눈알이 튀어나올 정도였다. 설몽은 '쭉쭉빵빵 이쁜이들'이 어떻게 조무미를 따라잡았는지 이해할 수 없었다. 토끼도 저만큼 빠르진 않을 것이다.

설몽과 용은 기절한 묵연 옆에 쭈그려 앉아 서로 당황스런 눈빛을 주고받았다.

"이제 어떡하지? 깨울까?"

"하지만 우린 이 세계의 인간을 직접 조종할 수 없어……."

설몽이 놀란 얼굴로 말했다.

"그럼 이대로 피 흘리고 죽게 놔두라고?"

"아이고, 어차피 시뮬레이션이야. 진짜로 시공을 넘어온 것도 아니고. 죽으면 죽는 거지."

용이 굵은 목소리로 덧붙였다.

"승패는 병가지상사라.[#8] 소협, 다시 시작하시오."

틀린 말은 아니었지만, 그래도 설몽은 화가 났다. 그는 가이드북을 집어 들었다. 그의 분노가 속눈썹 한 올 한 올, 푸른 혈관 하나하나에 그대로 드러났다.

"이거 사기 아냐? 우린 책에 있는 대로 했는데 왜 잘못된 거지?"

용이 주저하더니 날카로운 발톱으로 가이드북 표지 뒤쪽에 쓰인 글자를 가리켰다.

[이 책에 쓰인 가이드는 대무당의 운명 계산법에 따라 도출된 것으로, 불확실성을 지니며 사고가 발생할 경우 스스로 책임져야 합니다.]

몇 초간 얼어붙어 있던 설몽이 입에서 불을 뿜었다.

"강희, 이 자식을 따먹어 버리겠어!"

강희를 따먹는 일은 대행으로 처리해야 할 일이다. 그리고 이 운명 점프기가 현실을 모방한 시뮬레이션인 걸 감안하면, 그들은 각종 돌발 상황에 대한 데이터도 수집해야 했다.

그렇다면 당장 급한 것은 피가 멈추지 않는 묵연의 작은 머리통을 지키는 것.

설몽과 용은 마음씨 좋은 사람에게 이 어두운 골목에 119의 도움이 필요한 어린 친구가 있다는 걸 알리기 위해 여러 방법을

#8 승패는 병가지상사 싸움에서 이기고 지는 일은 흔한 일이니 한 번의 실패 혹은 실수로 낙담하지 말라는 뜻

시도했다.

쓰레기통을 엎어서 가는 길을 막아 보기도 하고, 법술로 길고양이가 행인의 바지를 물게도 해 봤다. 하지만 돌아온 건 쓰레기통과 미친 고양이에 대한 욕설뿐이었다. 밤이 깊었다. 다들 집에 돌아가느라 바빠서, 눈에 띄지 않는 외진 골목에 신경 쓰는 사람은 아무도 없었다.

"만녕, 여기서 기다려."

그때, 길모퉁이에서 한 모자가 걸어왔다. 젊고 아름다운 엄마는 다갈색 캐시미어 롱코트를 두르고 있고, 겨우 엄마의 허리까지 오는 아들은 고양이 얼굴이 프린트된 하얀색 우산을 들고 있었다. 빗줄기와 밤의 색이 아이의 긴 속눈썹을 적셨다. 바람이 불었다. 아이는 추위를 타는지 캐시미어 목도리 속으로 뽀얗고 예쁜 얼굴을 묻으며 얼굴을 절반만 내놓았다.

"엄마는 건너편에서 회사 일을 처리하고 올 테니까 어디 돌아다니지 말고 여기 있어. 금방 돌아올게."

아이는 아무 말 없이 얌전히 고개를 끄덕였다. 쓰고 있던 털모자가 비스듬히 흘러내려 한쪽 눈을 가렸다.

"잘됐다! 바로 저 꼬마야! 법술로 다시 길고양이를 불러내서 꼬마의 바지를 물게 하는 거야!"

용이 흥분에 젖어 말했다.

설몽은 바로 알아들었다. 이번엔 전보다 더 순조로웠다. 꼬마는 금방 알아채고 길고양이에게 이끌려 골목으로 걸어왔다.

꼬마가 바닥에 쓰러진 묵연을 놀란 눈으로 쳐다보다 가까이 다가왔다.

"……얘, 너 괜찮니?"

그리고 꼬마가 그렇게 물었을 때, 옆에 있던 설몽과 용은 저도 모르게 긴 안도의 한숨을 내쉬었다(물론 사람들은 그들을 볼 수 없다).

"천만다행이야. 이제 구할 수 있겠어."

"어디든 좋은 사람은 있기 마련이지."

그들은 자신들이 흘린 땀을 닦았다. 설몽은 남자애가 급히 길을 건너 엄마를 찾으러 가는 걸 보며, 사람 골탕 먹이는 가이드북을 꺼냈다.

"조무미 사건 이후로 어떻게 되는지 봐야겠어."

가이드북은 설몽의 말을 알아들은 것처럼 그의 손 위에서 자동으로 스르륵 넘어가더니, 뒷부분의 어느 페이지에서 멈췄다.

그 순간, 종이에서 금빛이 새어 나오더니 그들의 주위 공간이 일그러졌다. 모든 것이 정상으로 돌아왔을 때, 그들은 이미 이십 년 후로 와 있었다.

촉룡이 설몽에게 버럭 소리를 질렀다.

"으악! 너 지금 뭐 한 거야?"

"……그냥 아무 말이나 한 건데."

설몽도 조금 어리둥절했다.

"이 책이 우리를 이십 년 후로 이동시켜 결과를 보게 할 거라곤 생각도 못 했어."

설몽이 멍하게 말했다.

"어쨌든 이렇게 된 걸 보니 우리가 추진한 조무미 사귀기 이벤트가 묵연의 미래에 영향을 줬나 봐. 그러니까 가이드북이 우리를 이 시간으로 데려왔겠지."

촉룡은 화가 나서 한참 볼을 부풀리고 있더니 결국 한숨을 내뱉었다.

"네 말이 맞아. 그게 이번 시뮬레이션에서 우리가 만든 변화겠지. 자, 결말을 보러 가자고."

앞으로 걷던 그들은 이십 년 전과 똑같은 거리를 발견했다. 주위 건물이 더 낡은 것 말고는 별다른 변화가 없었다.

다만, 길가에 있는 가게 외벽에 빨간 페인트로 '철거'라는 글자가 커다랗게 쓰여 있었다. 오는 길에 사람 하나 보이지 않아 꽤 살풍경했다.

"다음 달이면 여기 다 밀어 버리겠죠."

갑자기 왼편 좁은 골목에서 낮고 부드러운 남자 목소리가 들렸다. 그가 웃으며 말했다.

"좀 아쉽네요."

"나도."

이번엔 다른 남자의 담백한 목소리가 들렸다.

"예전에 자주 왔던 곳이니까."

"하하, 더 중요한 게 있잖아요. 바로 여기서 당신을 만났으니까."

담백한 목소리가 웃었다.

"그때 온몸이 진흙투성이였던 주제에 말하면서 부끄럽지도 않나 보군."

말소리가 점점 줄어들었다. 곧이어 구석진 골목에서 들려온 것은 입술이 얽힐 때 나는 습한 물소리와 남자들의 낮은 숨소리뿐이었다.

"……."

설몽과 용은 입을 떡 벌린 채, 골목에서 서로 껴안고 키스를 나누는 키 크고 잘생긴 두 남자를 바라보았다. 이십 년이 지났지만, 두 사람의 얼굴에 남아 있는 어릴 적 모습을 어렴풋이 알아볼 수 있었다.

"그러니까……."

용이 몸을 부르르 떨었다.

"묵연은 결국……."

설몽이 힘겹게 침을 삼키며 말을 받았다.

"빼박 게이가 됐잖아!"

사람과 용이 이구동성으로 외쳤다. 그들은 고개를 틀어 서로를 바라보며 눈물을 쏟을 것 같은 얼굴로 비명을 질렀다.

"게다가 우리 손으로 직접 만든 결과라니!"

불만에 찬 촉룡이 꽥 소리를 질렀다.

"다 네 탓이다! 너 왜 저 '만녕'한테 길고양이를 보낸 거야!"

설몽은 용이 갑자기 저한테 책임을 떠넘기자 화가 머리끝까지 치솟았다.

"내 탓? 네가 만든 천둥 번개 비바람 때문에 묵연이 싸우다 눈앞이 흐려져서 머리에 벽돌을 맞은 거 아냐!"

"네 탓이다! 조무미를 공략하자고 한 건 너야. 봐, 아주 영명한 판단을 하셨구만!"

"네 탓이야! 네가 가이드북 표지 뒤에 쓰여 있는 말을 미리 안 알려 줬잖아. 이 이기적이고 멍청이 용 같으니!"

"네 탓이다! 넌 눈이 삐었어!"

"네 탓이야! 너 너무 짜증 나!"

"네 탓이다! 네 탓이야! 네 탓이라고!"

수진계 보호국의 두 직원이 정신없이 싸우는 사이, 묵연과 초만녕은 어두운 곳에서 걸어 나와 손을 깍지 껴 잡고, 그들이 함께한 지난 이십 년을 추억하며 곧 철거될 옛 거리를 떠났다…….

두 사람의 멀어지는 뒷모습을 보며 설몽은 용의 머리를 누른 채 신경질적으로 외쳤다.

"다 네 탓이야!"

하지만 싸우는 건 싸우는 거고, 임무는 계속해야 한다.

공략법 하나가 실패하면 다른 방법을 생각해 공략하면 될 일. 세상에 여자가 그토록 많은데 묵연에게 소개해 결혼하고 애 낳을 여자 하나쯤은 있을 것이다.

파이팅! 육성형 게임에 어찌 단 하나의 결말만 있을쏘냐!

두 직원은 이렇게 분노와 포부를 동시에 안고 스스로를 격려한 후, 운명 점프기의 루트를 바꿔 게임 내 또 다른 분기점으로 왔다.

"이번엔 그때 그 빌어먹을 골목은 아니군……."

설몽은 그 세계에 가만히 서서 주위를 둘러봤다.

"우리, 학교 체육관으로 온 거 같은데……."

석양이 투명한 체육관 유리창에 캐러멜색 빛깔을 입히고, 바깥에서는 붉은 노을이 비단처럼 빛났다.

설몽과 용은 큰 체육관을 한 바퀴 돌았다. 체육관 내에 사람은 없었고, 훈련은 이미 끝난 듯 기구실의 백열등만 밝게 빛나고 있었다.

설몽과 용은 눈빛을 주고받은 후 기구실로 향했다.

그들은 중학생 묵연을 발견했다. 대략 1학년쯤 되어 보였다. 집안 사정이 안 좋아 충분한 영양을 섭취하지 못한 탓에 아이의 키와 몸집은 여전히 작았다. 지금의 그와 국숫집에서 봤던 그의 모습은 별다를 바 없었다. 마른 몸에 포대 자루 같은 교복을 입고 지저분한 머리카락을 얼굴 옆으로 늘어뜨리고 있는 것이, 딱 유령 같은 볼품없는 소년이었다.

소년 묵연은 그들을 등진 채 바닥에 양반다리를 하고 앉아 친구들이 썼던 셔틀콕을 정리하고 있었다.

"왜 혼자 있지?"

설몽은 의아했다.

"다른 애들은 안 돕나?"

용이 가이드북을 뒤적이다 미간을 찌푸렸다.

"음, 오후에 반 친구들은 둘로 나뉘어서 배드민턴 시합을 했다. 그 결과, 무참히 졌고…… 같은 팀이었던 친구들은 묵연이 팀의 발목을 잡았다며 기구를 정리하고 오라고 버려두고 갔다……."

다 읽은 용이 혀를 차며 말했다.

"와, 너무하네."

하늘의 총아로서 패배의 책임을 뒤집어쓰는 기분을 맛본 적이 없는 설몽. 그는 멍하니 있다가 한참이 지난 후에야 천천히 눈을 커다랗게 떴다.

"제기랄!"

그가 분노하며 말했다.

"그게 무슨 소리야! 시합에서 지고 책임을 한 사람한테 몰아?

그놈들, 머리가 문에 껴서 잘못된 거 아냐?"

"강직한 기개는 높이 사 주지, 설몽 군."

촉룡이 말했다.

"하지만 우리의 현 임무는 덤터기 쓴 묵연에게 여주와의 상봉이라는 메인 스토리를 열어 주는 거 같은데?"

"네 비정함은 높이 산다, 네 발 달린 벌레야."

설몽은 눈을 희게 떴지만, 그래도 가까이 다가가 용과 함께 이번에 공략 가능한 여주를 살폈다.

이 시점에 활성화할 수 있는 여자 캐릭터는 세 명이었다.

"한 명은 이름이 요란이고, 묵연보다 두 학년 위 선배네."

"그럼 곧 졸업이잖아."

촉룡이 고개를 저었다.

"안 돼, 그럼 불안 요소가 너무 많아."

"네 말이 맞아."

설몽은 눈을 가늘게 뜨고 다음 사람을 봤다.

"두 번째는 이름이 용언이고, 또…… 어라? 이 사람은 학생주임인데?"

촉룡은 얼어붙었다.

"묵연이 학생주임을 공략할 수 있다고?"

"학생주임은 서른여섯이야! 걔는 겨우 열셋이고! 제길, 이 정도면 연상연하 커플이 아니라 이모조카 커플이라고!"

그들이 야단법석을 떨고 있을 때, 가이드북에 갑자기 커다란 빨간색 가위표가 나타나더니 곧이어 수줍은 듯 비뚤비뚤한 작은 글자가 나타났다.

[orz 죄송합니다. 계산 착오였습니다. 이 사람은 공략 대상이 아닙니다.]

촉룡은 할 말을 잃었다.

설몽이 말했다.

"그러니까 이 가이드북은 인공지능(智能)이 아니라 인공저능(低能)인 거네?"

가이드북은 부끄러운 듯 용언에 관한 글을 다급히 지웠고, 너무 급하게 지운 나머지 실수로 요란의 사진까지 절반을 지워 버렸다.

"마지막 한 명만 남았어."

설몽이 페이지를 넘겼다.

"바로 이 아이, 라섬섬."

가이드북에 따르면, 라섬섬은 묵연의 반 퀸카로 남학생들에게 인기가 많고, 부드러운 성격에 고상한 성품을 가져서 예쁘다고 거만 떨지 않는, 마음씨 고운 여학생이었다.

"좋네, 좋아. 얘로 하자."

설몽이 말했다.

"칭찬할 게 더 있으면 나까지 설레겠어. 이상적인 부인감인데"

"그건 네 이야기지."

촉룡은 견문이 넓었다.

"어떤 남자들은 취향이 독특해서 변태 같은 여자를 좋아한다고. 10센티미터짜리 하이힐에 ―1센티미터도 낮으면 안 돼― 새빨간 립스틱, 선글라스, 군모, 채찍에 딱 달라붙는 옷을 입고, 화나면 뺨 한 쪽도 아니고 두 쪽 다 똑같이 올려붙이는 그런 여자 말이야."

설몽이 평가하듯 말했다.

"꼭 S, 크흠, M 플레이를 하는 클럽의 VIP 회원을 말하는 것 같은데?"

묵연이 그런 클럽의 VIP 회원인지 아닌지 그들은 모른다.

하지만 그들은 라섬섬이 요란보다 승산이 훨씬 높을 거라는데 흔쾌히 동의했다.

공략 시작.

"어떻게든 묵연을 저녁 자습이 시작되는 6시까지 기구실에 잡아 둡니다."

설몽이 가이드북을 소리 내어 읽었다.

"그때 묵연의 모습은 반드시 처참해 보여야 합니다."

"그리고 또?"

설몽이 가이드북을 서너 번 자세히 보고 답했다.

"없어."

"그게 끝이야?"

용이 놀라서 말했다.

"그게 끝이야."

설몽이 가이드북을 덮었다.

용이 고개를 내밀어 벽에 걸린 괘종시계를 봤다.

"이제 곧 5시군. 한 시간만 더 잡아 놓으면 되겠어. 쉽네, 쉬워."

두 사람은 소매를 걷어붙이고 바로 행동으로 들어갔다. 시간을 끌려면 너무 간단한 것으로는 안 된다. 그들은 묵연이 하는 양을 눈여겨보다 묵연이 어렵게 쌓은 라켓을 선반에 올려놓는 순간, 약간의 법술을 부렸다. 그러자 선반이 흔들리기 시작하더니 곧 인간 세상에 있을 수 없는 움직임으로 까닭 없이 바닥에 넘어졌다.

묵직한 소리와 경쾌한 소리가 어지럽게 섞이며 탁구공과 배구공이 바닥에 떨어졌다.

묵연은 그 자리에 굳어 버렸다.

소년의 새카만 눈이 커다래졌다. 상처 입은 강아지 같은 눈에 설몽과 용의 마음속에는 저절로 진한 죄책감이 피어올랐다.

하지만 그들은 자신들의 행위가 잘못된 것이 아니라고 굳게 믿었다.

묵연은 손발을 바삐 놀리며 바닥에 떨어진 체육 기구를 다시 정리했다. 소년의 손발은 빨랐고, 얼마 지나지 않아 대부분의 물건이 제자리로 돌아갔다. 소년의 머리는 땀범벅이 되고, 촉촉한 입은 숨을 헐떡이며 작게 열렸다 닫히기를 반복했다.

하지만 인정할 수밖에 없었다. 소년이 정말 정리에 천부적인 재능을 가지고 있다는 걸.

설몽은 입을 떡 벌린 채 소년이 빠른 속도로 바닥에 떨어진 마지막 탁구공을 통에 넣은 뒤 구석에 집어넣는 것을 보았다. 모든 과정은 고작 15분밖에 걸리지 않았다.

"……."

설몽은 침을 꿀꺽 삼킨 후 팔로 용을 툭 쳤다.

"다시 해."

그래서 묵연은 기구 선반이 귀신에 들린 듯 경련을 일으키며 또 한 번 까닭 없이 바닥에 넘어지는 것을 눈 뜨고 지켜봐야 했다.

"……."

묵연은 아무 말도 없었다.

그리고 세 번째, 네 번째…….

피곤에 절은 작은 몸이 공을 쫓아 이리저리 뛰어다녔다. 온몸이 땀투성이에 눈빛은 멍하니 흐렸지만, 매번 열심히 공을 모으고, 선반의 네 다리가 불안하지 않은지 계속 확인하고, 조심조심 모든 기자재를 적당한 자리에 돌려놓았다.

하지만 선반은 늘 마지막 순간에 넘어져 버렸다.

결국 묵연은 선반 앞에 멍하니 섰다. 눈은 서러움에 촉촉이 젖어 들었다. 어떤 친구가 자신을 놀리려고 일부러 고급 장난질을 치고 있다고 여기는 듯했다.

농구공을 껴안고 서 있는 그의 작고 외로운 모습이 딱하고 무력해 보였다.

설몽의 양심의 가책은 이미 극에 달해 있었다. 그는 더 이상 견딜 수 없었다.

"우리가 나쁜 인간 같아."

촉룡은 통통한 다리를 들어 자신의 녹두색 눈을 가리며 외쳤다.

"아니, 너만 나쁜 인간이야. 난 그냥 나쁜 용이고. 흑흑흑."

6시 5분 전.

묵연은 다시 숨을 헐떡이며 자신보다 네 배는 큰 기자재 선반을 정리하고, 사다리에서 내려왔다.

이번에 그는 쭈뼛쭈뼛 선반 앞에 서서 10여 초를 기다렸다.

기척이 없다.

넘어지지 않는다.

10여 초가 지나고, 소년은 마침내 안도의 한숨을 내쉬며 조금 무거운 발걸음으로 기구실을 나갈 준비를 했다.

그때, 소년의 시야가 닿지 않는 곳에서 설몽과 용은 이미 시끄럽게 싸우고 있었다.

"네가 해!"

"싫어! 방금 내가 했잖아!"

"내가 선반을 넘어뜨린 횟수가 너보다 훨씬 많거든!"

"난 싫어! 양심에 찔려! 꼭 애를 괴롭히는 것 같다고!"

"그럼 난 괜찮냐?"

6시 3분 전. 묵연이 금방 나갈 태세였다. 일이 곧 실패로 돌아갈 것 같자, 역시 움직인 건 설몽이었다. 그는 장시간 눈 감고 도장을 찍던 끈기와 패기로 마음 독하게 먹고 이를 앙다문 채 팔을 들어 기구 선반을 쳤다.

우당탕탕.

선반에 있던 물건이, 아니 선반까지 몽땅 '쿵' 하고 바닥에 넘어지며 불빛 아래로 먼지의 향연이 일었다. 이전 어느 때보다 더 제대로 넘어진 것이다.

투명한 설몽과 용도, 문 앞에서 목을 움츠린 채 당황하며 고개를 돌린 묵연도, 모두 눈을 크게 뜨고 입을 쩍 벌렸다.

"……아무튼 결국 6시까지 잡아 놨네. 안 그래?"

용은 선반이 넘어지면서 갈기갈기 찢어진 설몽의 마음을 긴 시간을 들여 살살 달래 주었다.

"아휴, 이건 네 뜻도 아니잖아. 그거 알아? 하늘이 사람에게 큰 사명을 내릴 때는……."

설몽은 여전히 얼굴을 가린 채, 쭈그려 앉아 입술을 악물고 묵묵히 기구를 정리하는 묵연의 옆에 서 있었다.

"입 닥쳐."

용은 입을 닥쳤다.

하지만 얼마 지나지 않아 설몽의 귀에 야단법석을 떠는 용의 목소리가 들렸다.

"우와! 야, 봐 봐!"

"입 닥치라고!"

"라섬섬이 왔어!"

설몽은 고개를 홱 들었다. 체육관의 은은한 노란 불빛 아래로 라섬섬의 풍만하면서도 품위를 잃지 않은 몸이 살짝 열린 문밖에 드러났다. 그녀가 문을 열고 들어왔다. 교복 주름치마 아래로 하얗고 긴 다리가 움직이며, 운동화가 차가운 바닥을 밟았다. 사뿐사뿐 가벼운 발걸음이 꼭 심해에서 온 인어 같았다.

성스러운, 빛이, 내려오신다!

설몽의 머릿속에는 딱 이 말만 떠올랐다.

그의 눈시울이 뜨거워졌다. 잘됐어! 이제 양심에 반하는 선반 밀기를 하지 않아도 돼! 바로 이런 이유로, 그는 라섬섬의 등장에 10점 만점을 주고 싶었다!

"묵연이니?"

라섬섬이 입을 열자 귀에 감기는 부드러운 목소리가 흘러나왔다. 한여름의 오렌지 꽃 같았다.

설몽과 촉룡은 눈을 마주쳤다. 둘 다 묵연의 게이 인생에 드디어 구원이 내렸구나 생각했다.

반의 퀸카가 불빛을 따라 곧 기구실로 왔다. 몸을 틀어 조심조심 얼굴을 내민 그녀는, 아직도 정리를 하고 있는 묵연을 발견하고 저도 모르게 예쁜 눈을 커다랗게 떴다.

"어…… 왜 이렇게 어지러워?"

고개를 돌린 묵연이 그녀를 발견하고는 한숨을 내쉬었다.

"선반이 넘어졌어."

"선생님이 너 돌아와서 저녁 자습 시작하라셨어."

라섬섬은 기구실로 들어와 주위를 둘러봤다.

"……내가 도와줄게. 둘이서 하면 금방이잖아. 끝내고 같이 돌아가자."

묵연은 잠시 멍했다. 그때 속눈썹에서 떨어진 땀이 눈으로 들어갔다.

그가 황급히 눈을 닦으며 감격한 듯 웅얼거렸다.

"고마워."

"정말 아름다운 시작이야."

용이 감동에 젖어 말했다.

"안심되는데."

설몽은 감개무량했다.

사춘기에 들어선 소년 소녀는 어둑한 작은 방 안에서 바쁘게 서로를 돕기 시작했다. 주름치마가 다리의 움직임에 따라 가볍게 휘날렸다. 소년이 배구공을 하나하나 들어 올려 사다리에 서서 기자재를 정리하는 아름다운 소녀에게 건넸다.

"흑흑흑."

촉룡이 뜨거운 눈물을 머금은 채 말했다.

"인간의 사랑은 정말 너무 귀여워."

설몽도 모처럼 동의했다. 이것이 자신의 손으로 일궈 낸 결과이기 때문일 것이다.

"확실히 순수하고 천진난만한 장면이지. 정말 감동적이야."

같은 반의 두 친구는 오르락내리락하며 열심히 기구실을 정리했다. 하지만 설몽의 마지막 한 방이 너무 셌던지 기구실 안은 정말 난장판이었고, 치우자니 이전 어느 때보다 훨씬 느렸다. 그들이 한 시간 동안 열심히 움직였지만, 아직도 마무리되지 않고 있었다.

이윽고 체육관 문을 닫을 시간이 왔다.

문밖에서 순찰을 맡은 주번 학생의 발소리가 들리기 시작할 때, 설몽과 촉룡은 기쁨에 잠겨 헤어 나오지 못하고 있었다.

그들이 고개를 돌렸을 땐, 기록판을 들고 주번 완장을 찬 잘생긴 선배가 이미 들어와 있었다.

설몽과 촉룡은 당황해서 할 말을 잃었다.

그들의 미소는 햇볕을 잔뜩 쬔 개똥처럼 딱딱하게 굳었고, 입은 저절로 'O' 자로 벌어졌다.

"쟤는 그때 그……."

설몽의 목소리가 갈라졌다.

촉룡이 날카롭게 소리쳤다.

"초만녕이잖아!"

초만녕이 난장판이 된 기구실로 들어섰다. 어린 나이에도 어찌나 침착한지 해일이 쓸고 간 것 같은 기구실을 보고도 그는 눈살만 찌푸렸다.

"무슨 일이지?"

묵연이 고개를 돌렸다. 과하게 움직인 탓에 촉촉해진 눈이 환하게 빛났다.

라섬섬과 함께 정리하니 긴장도 풀리고 기분도 좋아졌던 묵연은 한 번도 본 적 없는 선배를 향해 눈부신 미소를 지었다. 볼에 보조개가 움푹 패었다.

"기자재들이 바닥에 떨어져서 정리하고 있었어요. 선배님, 혹시 문 닫으실 거면 조금 더 기다려 주세요."

초만녕은 한숨을 쉬었다. 그리고 설몽과 촉룡이 일제히 고개를 흔드는 가운데, 손에 든 기록판을 내려놓고 소년 소녀만 있던 작은 공간으로 쑥 들어왔다.

선배는 무표정했지만 마음은 고왔다.

"도와줄게."

라섬섬이 웃으며 말했다.

"그럼 너무 좋죠. 고맙습니다, 선배님."

용과 설몽이 동시에 포효했다.

"고맙긴 개뿔!"

설몽이 마지막에 팔꿈치로 선반을 너무 세게 친 탓이었다. 나비의 날갯짓으로 운명은 또다시 바뀌었다.

그들은 운명 점프기를 따라 이십 년 후로 왔다. 결과는 비참했다. 학교의 투자 책임자가 된 묵연과 학생주임 초만녕(이게 바로 가이드북이 실수를 저지른 원인이다. 용 학생주임과 초 학생주임을 헷갈린 것이다.)이 바로 그 체육관의 관람석에서 이야기를 나누고 있었다.

그때와 똑같이 단풍처럼 붉은 노을이 바다처럼 펼쳐진 해 질 무렵 6시경이었다.

아무도 없는 텅 빈 체육관. 그들은 관람석에 앉아 있고, 그 외에는 체육관 바닥을 닦고 있는 주번 학생 두 명이 다였다. 체육관은 확장 리모델링을 해서 그들의 학생 시절 때보다 몇 배는 컸다. 그들은 이쪽에, 청소하는 학생들은 저쪽에 멀리 떨어져 있어서 서로 형체만 겨우 보였다.

“라섬섬은?”

포기 못 한 촉룡이 일말의 희망을 품고 바들바들 떨며 물었다.

설몽은 침묵을 택했다.

왜냐하면 묵연이 잘 보이지 않는 곳에서 초 선생의 손을 잡고 있는 걸 봤기 때문이다.

심지어 그는 아무도 안 보는 틈을 타 냉큼 다가가더니 초만녕의 볼에 부드러운 입맞춤까지 했다.

제길.

……다시 하겠어!

이 몸은 희망이 없다고 믿지 않아!

그래서 그들은 또다시 운명 점프기를 이용해 게임의 또 다른 전환점으로 갔다.

“이번엔 어디지?”

아직 제대로 서지도 못한 촉룡이 가쁜 숨을 내쉬며 성질 급하게 물었다.

설몽도 용과 마찬가지로 분노와 불쾌감에 휩싸여 있었다. 그는 빠르게 주위를 둘러본 후 정확히 판단해 냈다.

"보아하니 좀 이른 시기 같아. 묵연이 겨우 유치원생이나 됐을까? 성별에 대한 인식도 제대로 없을 때니까 게임 결과를 바꿀 좋은 기회야."

"……그래서 우리가 대체 어디 있는 건데?"

설몽은 손을 들어 왼쪽 3시 방향을 가리키며, 입구에 있는 굴림체 글씨를 정확하게 읽었다.

"놀자 어린이 놀이공원."

촉룡은 발톱을 갈며 눈에서 불을 뿜었다. 그의 주위로 투지 넘치는 금빛이 감도는 것 같았다.

"좋았어! 놀이공원은 귀여운 여자아이들이 잔뜩 모여 있는 곳이지. 이번엔 반드시 묵연이 완벽한 타깃을 공략하게 만들겠어. 절대 실패해선 안 돼!"

설몽은 전처럼 흥분하지 않았다. 그는 지난 두 번의 실패를 통해 나름 요령을 습득했고, 그래서 일에 착수하기 전에 눈을 가늘게 뜨고 한참 심사숙고한 후 고개를 들었다.

"내가 생각해 봤는데, 이번엔 공략법을 바꾸는 게 어떨까?"

"잉?"

촉룡은 수염을 추켜세웠다.

"무슨 뜻이야?"

설몽이 말했다.

"예전에 늘 초만녕이 나타나면서 실패했잖아. 어쩐지 느낌이 좋지 않아. 우리가 여주와의 메인 스토리를 시작해도 초만녕과의 서브 스토리가 어느 시점에 툭 시작될 것 같단 말이지. 녀석은 아무래도 묵연과 인연이 깊은 것 같아. 꼭 이 게임의 버그 같다고."

용이 기분 나쁜 듯 꼬리를 흔들었다.

"인연은 무슨 인연. 그냥 딱 마트에서 '1+1'로 파는 샴푸 같구먼."

"맞아."

설몽이 말했다.

"생각해 봐. 우리가 공략 팁에 따라 힘들게 예쁜 여자아이를 데려다 놨는데 어떤 때려죽일 이유로 초만녕이 또 '우연히' 지나간다면……."

용이 녹두색 눈을 뒤집고 약 1초간 생각하더니 곧장 고통스러운 비명을 질렀다.

"그럼 젠장, 다 끝이야!"

설몽이 다리를 탁 쳤다.

"그래! 젠장, 다 끝이지!"

"그럼 우리 어떡하지?"

용감하게 가이드북을 내던지고 새로운 공략법을 창조한 우수생 설몽이 웅대한 뜻을 밝혔다.

"그러니까 이번엔 여주와의 메인 스토리를 여는 것은 물론이고, 초만녕이라는 NPC의 출현을 막아야 해!"

용은 체면을 세워 주듯 짝짝짝 박수를 쳤다. 한참 박수를 치다 보니, 자신이 아직도 얼떨떨해 있다는 걸 깨달은 용은 짧은 다리를 뻗어 머리를 긁으려 했다. 하지만 안타깝게도 짧아도 너무 짧은 다리는 이마도 채 긁을 수 없었다.

용을 흘끗 본 설몽은 큰 선심을 쓰듯 손을 들어 제 동료의 머리통을 긁어 주었다.

위로받은 용은 룰루랄라 즐거운 콧노래를 부르며 물었다.

"괜찮은 계획이야. 그런데 문제가 있어. 우린 게임 개발자가 아니라서 초만녕이 나타날지 안 나타날지, 언제 나타날지 아무것도 모른다고."

"나도 진작 생각해 봤지."

설몽이 씩 웃었다.

"이번엔 아무것도 하지 말고 가만히 있으면서 묵연이 어떤 상황에서 초만녕을 만나는지 살펴보는 거야. 둘이 안 마주치면 제일 좋고, 혹시 마주칠 가능성이 조금이라도 있으면, 진짜 공략을 시작할 때 최대한 주의를 기울여서 그런 상황이 발생하지 않도록 막아야지."

설몽이 시중들어 준 게 좋았던 걸까, 아니면 진짜 그 아이디어가 마음에 들었던 걸까. 아니면 둘 다?

어쨌든 용은 혀를 차며 진심으로 감탄했다.

"그래, 너 정말 똑똑하구나."

두 전우는 즐겁게 의견 일치를 봤다.

그렇게 그들은 놀이공원에서 초만녕과 묵연이 어떻게 만나는지 일단 지켜보기로 했다.

"아이스크림 팝니다. 초코 아이스크림, 바닐라 아이스크림 있어요. 다양한 맛의 빙수도 있습니다. 와서 보세요~."

젊고 통통한 여자가 놀이공원에서 파는 토끼 머리띠를 쓰고 나무 간판을 든 채 밝게 웃으며 손님을 끌었다.

여름방학을 틈타 아르바이트하는 학생인 듯했다. 태양에 벌겋게 익은 얼굴에서 풋풋한 활기가 넘치고, 매끈하고 통통한 입술은 치즈케이크 위에 얹는 설탕으로 만든 체리 같았다. 이마에 여드름이 두어 개 나 있었지만, 그것마저 몹시 귀엽고 예뻤다.

노란 유치원 모자를 쓴 학생들이 그녀를 둘러싸고 참새처럼 짹짹거렸다.

"이모! 딸기 맛 아이스크림 하나 주세요!"

"내가 먼저 왔어! 저는 세 개 주세요!"

토끼 머리띠 여자는 모두에게 명랑한 미소를 지었다. 하지만 설몽은 눈치챘다. 그녀가 자신을 누나라고 부르는 아이에게 맛있는 아이스크림을 한 스쿱 크게 떠서 먼저 건네준다는 것을. 이모라고 부르는 아이는 한참 기다렸다가 훨씬 조그만 아이스크림을 받을 수밖에 없었다.

설몽과 촉룡은 멀지 않은 곳에서 그 모습을 지켜보고 있었다. 용은 저도 모르게 자신의 귀한 용 입술을 할짝거렸다.

"나도 아이스크림 먹고 싶다. 두 스쿱 올린 거. 하나는 녹차 맛, 하나는 초콜릿 맛으로."

"꿈 깨. 난 너 안 사 줄 거야."

설몽이 무정하게 말했다.

"게다가 여긴 게임 안이라고. 쟤들은 우릴 못 보고, 우리도 여기 아이스크림은 못 먹어. 알겠어?"

용은 눈을 흘기며 아이스크림 앞에서 땅에 떨어진 용의 위엄을 되찾으려 애썼다.

"그냥 해 본 소리다."

설몽은 깔끔하게 무시하고 사람들을 살피며 말했다.

"유치원에서 주최한 봄 소풍 같은데. 묵연이 어딨는지 찾아보자."

그들은 곧 묵연을 찾아냈다.

묵연은 가정환경이 좋지 않고, 어릴 때는 외모도 별로라서 이렇다 할 친구가 없었다. 당연히 그는 유치원의 다른 친구들처럼 아이스크림 차 옆에 달라붙어 일주일 치 아침 밥값을 치러 가며 금방 녹아내릴 차가운 덩어리를 사지 않았다.

그는 혼자서 나무 그늘에 앉아 까만 눈동자를 깜빡이며 친구들을 바라봤다. 군침이 돌아서 무의식중에 제 입술을 핥던 묵연은 이내 꾹 참듯 입을 앙다물었다.

그 모습이 아이스크림을 먹고 싶어 한 촉룡과 거짓말처럼 똑같았다.

"……푸흡."

설몽은 웃음을 참았다.

촉룡은 제 얼굴이 조금 붉어진 걸 느끼고 버럭 화를 냈다.

"웃긴 뭘 웃어? 웃지 마!"

묵연은 아이스크림이 없었다. 친구도 없었다. 가방 안에 든 간식도 불쌍할 정도로 적었다.

그는 외로이 커다란 나무 아래에 앉아 있다가 점심시간이 되자 딱딱한 빵을 베어 물었다. 다 먹은 다음에는 빵 부스러기를 나무 기둥 옆에 뿌리고, 줄지어 온 개미가 제 볼품없는 간식을 즐기는 것을 뚫어지게 바라보았다.

"다투지 말고 천천히 가져가. 다 먹을 수 있어."

그가 무릎을 껴안고 진지하게 개미들을 보며 작게 중얼거렸다. 너무 무료했는지 개미들에게 이름까지 지어 주었다.

"양조위,[#9] 너 그거 너무 커서 못 들어. 작은 거로 바꿔 들래?"

"곽덕강,[#10] 양보해야지. 그거 임지령[#11]이 먼저 찍어 둔 거야. 나이 많다고 애들 괴롭히면 못써……. 어, 아니지, 너희 둘은 같은 나이였지[#12]……."

주위의 즐거운 웃음소리는 그와 아무 상관이 없었다. 설몽과 용이라는 투명한 존재가 그의 양옆에 앉아 있었지만, 사람들은 나무 아래에 있는 투명 생물을 둘이 아닌 셋으로 여기는 듯했다.

다른 꼬마 친구들도, 선생님도 모두 그를 없는 것처럼 취급했다. 하지만 묵연은 그로 인해 풀이 죽거나 우울해하지 않고, 그의 개미 친구들과 즐겁게 놀았다.

묵연이 유치원에 다닐 때 전국적으로 '너는 미친놈, 나는 바보[#13]'라는 노래로 유명한 애정궁중물 〈황제의 딸〉이 인기였다. 그도 거기에 푹 빠져 있었는지, 여주인공의 이름을 부르며 이렇게 중얼거렸다.

"제비야, 자매들이랑 서로 갖겠다고 싸우면 안 돼. 빵은 나한테 더 있어."

잠시 뒤 또 웅얼거렸다.

"어, 자미야, 너 길 잘못 들었어……. 개미굴은 이쪽이야……."

묵연이 집중하고 있는 모습이 다른 사람의 호기심을 불러일

#9 양조위 중국의 유명 영화배우
#10 곽덕강 중국의 유명 희극인
#11 임지령 대만의 유명 영화배우
#12 너희 둘은 같은 나이였지 곽덕강은 임지령보다 훨씬 늙어 보이지만, 사실 한 살 차이밖에 안 나는 비슷한 연배
#13 너는 미친놈, 나는 바보 〈황제의 딸 2〉 삽입곡 중 '너는 바람, 나는 모래'가 있다. 시청자들은 바람(风儿[Feng er])과 모래(沙[sha])를 각각 같은 발음을 가진 미친놈(疯儿[Feng er])과 바보(傻[sha])로 대체해 언어유희를 즐겼다.

으킨 걸까. 유치원에서 제일 뚱뚱한 꼬마 뚱땡이가 두툼한 볼을 휘날리며 묵연을 향해 흉흉한 기세로 다가왔다.

뚱땡이는 묵연이 '자미'에게 길을 가르쳐 주는 걸 듣고 두 눈을 커다랗게 떴다.

"너 지금 뭐 해? 누구랑 이야기하는 거야?"

묵연이 급히 그를 막았다.

"이쪽으로 오지 마. 그러다 내 자금성을 밟겠어."

뚱땡이는 어리둥절했다.

묵연이 개미들을 가리키며 웃는 낯으로 뚱땡이에게 그들을 소개했다.

"자, 얘는 양조위, 얘는 곽덕강, 얘는 임지령, 얘는 소유붕[#14]이고, 여기 콧구멍이 유난히 큰 애는 이강[#15]……."

뚱땡이가 걱정스럽다는 듯 그를 봤다.

"……너 머리에 열 있냐? 개미는 콧구멍이 없어."

"열 없어. 난 멀쩡해."

묵연이 인내심 있게 말했다.

"개미도 콧구멍이 있어. 주의 깊게 보면 보일 거야. 그리고 여기 붉은 기가 도는 애는 임심여[#16]야."

뚱땡이가 덜덜 떨며 물었다.

"……그럼 넌 누구야?"

묵연이 진지하게 고민하더니 단호하게 말했다.

"난 황제 아빠."

#14 소유붕 〈황제의 딸〉에서 오황자 역을 맡은 대만의 유명 배우
#15 이강 〈황제의 딸〉에 등장하는 인물
#16 임심여 〈황제의 딸〉에서 자미 역을 맡은 대만의 유명 배우

설몽과 촉룡은 옆에서 포복절도했다. 설몽은 묵연이 볼 수 없는 투명한 팔을 들어 녀석의 어깨에 걸치고는, 웃겨서 눈물까지 흘렸다.

"이 꼬마 녀석 진짜 마음에 드는데. 일이 끝나면 꼭 현실 속의 묵연을 찾아가서 의형제를 맺어야겠어. 하하하하!"

촉룡도 웃겨서 몸을 뒹굴며 킥킥거렸다.

"그럼 넌 왕야가 되는 거네. 황제의 의형제니까. 하하하하!"

안타깝게도 뚱땡이는 묵연을 재미있는 녀석이라고 생각하기는커녕 미친놈이라 여겼고, 두려운 눈으로 쓱 보더니 곧장 몸을 돌려 달아났다. 1미터도 안 되는 키에 40킬로그램이나 되는 탱크 같은 녀석은, 달리고 달리다 돌멩이에 걸려 몸을 비틀거리더니 바지를 추어올리고 다시 미친 듯이 달렸다.

잠시 후, 묵연은 개미들에게 공원을 만들어 주겠다는 기발한 발상을 했다.

묵연은 나뭇가지로 다리를 만들고 나뭇잎으로 파라솔을 만들더니, 돌멩이로 둥글게 담장을 쌓기 시작했다. 그러고도 뭔가 부족하다고 여겼는지, 적당한 깊이의 구덩이를 파더니 지저분해진 손을 탁탁 털고 숲 깊숙이에 있는 개울로 걸어갔다.

"뭐 하러 가는 거지?"

촉룡은 묵연이 만든 개미 공원을 자세히 들여다보며 의아하다는 듯 말했다.

설몽이 구덩이를 보며 말했다.

"내 생각엔 개미에게 인공 호수를 만들어 주려는 것 같아."

"……흙에 물을 부으면 스며든다는 걸 모르나?"

이번엔 설몽이 눈을 흘겼다.

"형씨, 녀석은 이제 막 유치원에 들어갔어. 고작 여섯 살이라고."

사람과 용은 자기들끼리 수군대느라 바빴다. 그때 저편 자갈길에서 걸어오는 한 아이가 설몽의 시야에 잡혔다. 잠시 멍해진 그는 곧 화들짝 놀라며 팔꿈치로 용을 퍽퍽 쳤다.

"빨리! 빨리 시간 봐! 지금 몇 시 몇 분 몇 초지?"

그의 팔꿈치를 맞고 넘어진 용이 이를 드러내며 성냈다.

"무슨 짓이야? 할 말 있으면 말로 해. 걸핏하면 때리지 말고!"

"빨리, 빨리!"

설몽의 표정은 귀신을 본 것 같았다.

"빨리 시간 체크해! 보스가 나타났다!"

"보…… 무슨 보……."

용은 '스' 발음을 채 하기도 전에 설몽의 시선을 따라갔다가 곧장 말문이 막혔다.

"으아! 엄마야!"

그들은 제 몸에서 손목시계나 시간을 확인할 수 있는 도구를 허겁지겁 찾기 시작했다.

촉룡은 몸을 뒤지며 끔찍하다는 듯 비명을 질렀다.

"초만녕이 진짜 이 공원에 있다고?"

"재들이 '1+1'로 파는 샴푸 같다며? 이상할 게 어딨어!"

손목시계도 휴대폰도 찾지 못한 설몽은 초조해 미칠 것 같았다.

"그 말 취소야!"

촉룡이 울부짖었다.

"재들은 '1+1' 샴푸가 아니야. 그건 집에 가서 분리라도 할 수 있지. 저건 때려야 뗄 수 없는 오레오 쿠키라고!"

그들이 무엇이든, 어쨌든 어린이 초만녕은 커다란 나무 아래를 지나다가 누군가 가지고 놀던 나뭇가지, 돌멩이, 나뭇잎, 그리고 아직 완성되지 않은 구덩이에 시선을 빼앗겼다.

그는 잠시 멈칫하더니 아무도 없는(설몽과 용은 없는 셈이니까) 나무 아래로 천천히 걸어왔다. 나무 그늘이 그의 뽀얀 피부 위로 내려앉았다. 그는 고개를 숙인 채 아무 말 없이 '개미 공원'을 바라보다 다시 고개를 들고 주위를 살폈다.

사방에 아무도 없는 것이, 누군가 놀다 내버려 둔 것 같았다.

잠시 망설이던 초만녕은 정교하게 바느질된 하얀색 셔츠와 하늘색 멜빵바지를 입은 채 이탈리아에서 수입한 부드러운 가죽 구두를 신은 발로 더러운 진흙 구덩이 옆을 밟으며, 설몽과 용의 소리 없는 항의 속에서 묵연이 남겨 둔 '건축 흔적'을 건드리기 시작했다.

"……망했다."

설몽이 말했다.

"제길, 완전 망했어."

촉룡이 말했다.

"초만녕과의 스토리가 또 시작되겠어."

그들은 이구동성으로 외쳤다.

예상대로, 플라스틱 병에 개울물을 담아 돌아오던 묵연이 자신의 '공원'에 찾아온 불청객을 발견하고 놀라서 외쳤다.

"건드리지 마!"

깜짝 놀란 어린 초만녕은 고양이처럼 동그란 눈으로 멀리서 헐떡이며 달려온 더러운 아이를 봤다.
"……그게 아니라……."
초만녕의 한쪽 손에는 나뭇가지가 들려 있었다. 그는 민망한 듯 공원을 내려다보다가 눈을 들어 아이를 봤다.
"난 그냥……."
더러운 아이가 긴장한 채 자신의 개미 공원 앞을 급히 막아섰다.
"이건 불법 건축물이 아니야……."
초만녕은 말이 없었다.
더러운 아이 묵연이 말했다.
"부수면 안 돼."
"……부수려는 거 아니었어."
"?"
"멋진 거 같아."
초만녕이 떠보듯 물었다.
"나, 너랑 같이 놀아도 돼?"
그래서 두 아이는 왠지 모르게 함께 놀게 되었다.
초만녕은 묵연이 돌멩이로 쌓아 올린 담을 작은 나뭇가지로 다시 쌓자고 제안했고, 둘은 좋은 생각이라는 데 합의했다. 그래서 초만녕은 낙엽 더미 속에서 적당한 나뭇가지를 찾아왔고, 묵연은 초만녕이 찾아온 나뭇가지를 같은 간격으로 푹신한 진흙에 꽂았다.
그들은 담을 개조한 후, 파낸 구덩이에 비닐봉지를 깔고 개울물을 부어 인공 호수를 만들었다.
어디서 주워 왔는지 초만녕이 '호수' 위에 해당화 꽃잎을 띄웠다. 그들은 꽃잎 위에 개미 두 마리를 올리고 은은한 꽃향기가 감도는 꽃잎 배를 경험하게 해 주었다.

묵연이 구덩이를 팔 때 너무 힘을 줬는지 딱 봐도 비싸 보이는 초만녕의 옷에 흙이 튀었다. 하지만 초만녕은 개의치 않았다. 그는 처음 만난 이 더러운 아이와 취미와 취향이 너무 잘 맞아서 옷도, 손에 묻은 흙도, 얼굴에 난 땀도 신경 쓰지 않고 더없이 즐겁게 놀았다.

이곳엔 오직 별처럼 빛나는 두 아이의 눈동자와 작은 손으로 완성한 꿈 같은 개미 공원만 있었다.

석양이 내려앉았다.

유치원 친구들은 선생님에게 돌아가 집으로 갈 시간이었지만, 초만녕은 부모님과 같이 온 터라 시간이 여유로웠다.

"나 대신 타워를 완성해 줘."

묵연이 버스로 뛰어가기 전에 아쉬운 듯 초만녕에게 말했다.

표정이 그리 많지 않은 초만녕의 얼굴에 미소가 떠올랐다. 그가 웃으며 말했다.

"좋아. 다 만들면 아빠한테 사진 찍어 달라고 할게."

"다음에 기회 되면 나 보여 줘."

"응, 다음에 기회 있으면 보여 줄게."

묵연이 멍하게 있다가 갑자기 깜짝 놀라 말했다.

"아! 우, 우리 오랫동안 놀았는데, 나 네 이름도 안 물었어!"

초만녕도 잠시 멍하더니, 곧 얼굴을 펴며 더 밝은 표정을 지었다.

"정말이네…… 나도 깜빡했어……."

묵연이 하하 웃었다.

"우리 꼭 오래전부터 알던 사이 같다."

초만녕은 아랫입술을 깨물며 답하지 않았지만, 눈에는 웃음이 어려 있었다.

"난 묵연이고, 물고기 유치원 중급반에 다녀."

잠시 고민하던 묵연이 드라마를 흉내 내듯 어른처럼 진흙투성이 더러운 손을 내밀었다가 얼른 되돌려 옷에 닦은 뒤 다시 초만녕 앞에 내밀었다. 그가 씩 웃으며 말했다.

"만나서 기뻐."

초만녕은 꺼리지도 주저하지도 않고, 닦았지만 여전히 더러운 진흙 손을 꼭 잡았다. 가늘고 부드러운 검은 머리카락이 바람에 살랑살랑 흔들렸다.

"만나서 기뻐. 난 초만녕이야."

"……갑자기 든 생각인데."

옆에서 촉룡이 조용히 투덜거렸다.

"……둘이 좋아 보인다."

"……그러게."

설몽은 머리가 조금 아팠다.

"나도 조금 감동한 것 같아……."

촉룡이 다급히 외쳤다.

"감동하지 마! 세뇌되면 안 돼! 우리는 유전자 프로젝트를 위해 공헌해야 할 몸이라고!"

"맞아!"

설몽은 꿈에서 깬 듯한 표정으로 엄중히 말했다.

"초만녕이 나타난 시간과 길을 기억해 뒀어. 다시 앞으로 돌아가자. 이번엔 준비를 했으니 초만녕과 스토리가 시작되는 걸 막을 수 있을 거야!"

이번 계획은 성공적이었다.

설몽은 이 세상에 깰 수 없는 커플은 없으며, 오직 깨려고 노력하지 않는 플레이어만 있을 뿐임을 사실로 증명해 냈다. '묵연은 게이가 아니다(설몽이 속으로 몰래 지어 놓은 게임 별칭)'라는 게임에서 플레이어 설몽은 자신의 지혜와 재능을 십분 발휘해 이상하기 짝이 없는 남남 커플을 성공적으로 갈라놓았다.

그와 용은 가이드북을 펴고, 여주를 선택하고, 계획을 수립하고, 각자 행동에 나섰다. 설몽은 놀이공원 북쪽에 있는 꼬마 묵연을 주시하고, 용은 놀이공원 남쪽에 있는 꼬마 초만녕을 주시하며, 묵연이 봄 소풍을 끝내고 유치원 차량에 탑승해 사라질 때까지 초만녕의 옷자락 끝도 못 보게 했다.

정말 감격스러운 순간이었다.

"우리가 해냈어!"

"우리가 묵연이 여자아이와 우정을 쌓게 만들었어!"

"둘은 금방 베프가 될 거야!"

"사춘기가 오면 부모님을 속이고 몰래 사귀겠지!"

"하교하면 교복을 입고 몰래 데이트를 즐길 거야!"

"서로 상대의 가방 속에 달콤한 초콜릿을 집어넣겠지!"

"고등학교 저녁 자습 때 갑자기 폭우가 내리면, 묵연이 그녀의 핑크색 구두를 안 젖게 하려고 그녀를 업을 거고!"

설몽은 고개를 젖히고 크게 웃었다.

"핑크색 구두는 좀 오버야."

잠시 말을 멈춘 그가 눈을 빛냈다.

"하지만 폭우 속에서 여자 친구를 업고 집에 데려다준다는 건 좋은 아이디어지……. 고등학생 때 묵연의 키가 몇이지?"

촉룡이 가이드북을 휙휙 넘겼다.

"186에서 189 정도. 생긴 걸 보면 이 구간에 들 거야."

"쳇, 그거 정말……."

설몽의 표정이 미묘해졌다. 조금 부러우면서도 최대한 티를 내지 않으려고 버티다 보니 나중에는 치통을 앓는 표정이 됐다. 그는 불쾌한 화제를 멈추고 싶어 입을 비죽거렸다.

그는 자신이 키높이 구두를 신었다는 사실을 촉룡에게 들키고 싶지 않았다.

"어쨌든 둘의 러브라인은 순조로울 거야."

설몽이 결론 내리듯 말했다. 어딘지 고집스럽기까지 했다.

"꼭 순조로워야 해. 안 그러면 강희한테 보고할 수가 없다고."

묵연과 여자아이의 감정을 단단하게 하고 방해를 차단하기 위해 그들은 한동안 두 사람을 관찰하기로 했다. 물론 이 시뮬레이션 게임에서는 시간의 흐름을 조종할 수 있고, 둘은 가이드북에 원하는 날짜만 말하면 됐다.

"우리는 묵연과 여자아이의 첫 데이트를 보고 싶어."

촉룡이 말했다.

설몽도 말을 보탰다.

"제삼자 없는 둘만의 데이트로. 둘이 어려서 데이트라고 하긴 뭐하겠지만, 넌 똑똑하니까 우리 말뜻을 이해할 거야."

가이드북을 '인공저능'이라고 불렀던 게 누군지 이미 잊은 모양새였다.

"같이 놀고 같이 숙제하는 거, 아니면 소꿉놀이 같은 뭔가를 같이 하는 거 말이야."

그가 잠시 생각하다 덧붙였다.

"그런 거면 다 괜찮아."

인공저능이라 불렸던 과거의 치욕을 씻기 위해 가이드북은 시간을 정확하게 일주일하고 삼 일 뒤로 돌렸다.

저녁이었다. 그들은 어느 아파트 1층에 와 있었다. 창문을 통해 새어 나오는 따스한 불빛, 주방을 정리하는 어머니, 아이들의 떠드는 소리, 그리고 희미하게 들려오는 뉴스 앵커의 목소리에서 7시경임을 짐작할 수 있었다.

설몽과 용이 잠시 기다리고 있으니 묵연이 나타났다.

예상했던 대로 묵연은 작은 책가방을 메고 짝퉁 곰돌이 푸가 프린트된 도시락 주머니를 들고 있었다. 곰돌이 푸의 코가 닳아서, 그렇지 않아도 별로인 짝퉁 곰돌이가 더 흉측하고 웃기게 보였다.

하지만 그 흉측하고 웃긴 그림은 묵연 옆에서 활짝 웃으며 재잘재잘 즐겁게 떠드는 여자아이 때문에 잘 눈에 들어오지 않았다.

"우리 집은 2층이야. 아빤 출장 갔지만 엄만 집에 계셔. 걱정 마. 엄만 좋은 분이야."

여자아이가 눈을 휘며 웃었다. 긴 속눈썹 위로 주황색 불빛이 통통 튀었다.

"어제 엄마한테 너 놀러 올 거라고 했더니 직접 닭날개튀김도

해 주시고, 입구에 있는 사람들이 줄 서는 그 가게에서 치즈생크림케이크도 사 오신댔어. 너 그 케이크 좋아해?"

"난……."

묵연이 말을 웅얼거렸다. 설몽의 눈에 그의 터진 운동화가 들어왔다.

"나 그런 거 안 먹어 봤어."

여자아이는 묵연을 비웃지 않았다. 아이는 그저 잠시 멍하니 있다가 시원하게 웃음을 터뜨렸다.

"분명 좋아할 거야. 혹시 싫으면 다 나한테 줘. 대신 엄마한테 절대 말하면 안 된다. 엄만 내가 그렇게 먹다가 돼지가 될까 봐 맨날 걱정하거든."

가로등 아래에서 묵연이 고개를 숙인 채 터진 운동화로 길가의 돌멩이와 흙을 찼다. 그건 제 살 깎아 먹는 바보짓이었다. 원래부터 처참했던 운동화가 더 형편없어졌으니까.

"넌 먹어도 살 안 쪄."

잠시 후 묵연이 낮게 중얼거렸다.

"뭐라고?"

제대로 못 들은 여자아이가 되물었다.

"……넌 먹어도 살 안 찐다고."

불빛은 흐릿했지만 설몽은 묵연의 얼굴이 살짝 붉어진 걸 알아차렸다.

"너 케이크 좋아하면 몰래 다 줄게."

묵연이 입술을 깨물며 어색하게 고개를 돌렸다. 이번엔 둔한 촉룡도 묵연의 귀가 끝까지 빨개진 걸 눈치챘다.

"네 엄마한테도 말 안 하고."

촉룡이 두 사람 주위를 팔짝팔짝 뛰며 환호했다.

"이야! 이 꼬마 아가씨 정말 예뻐 죽겠다!"

"나도야."

설몽이 웃었다.

"내가 그랬지? 세상에 이렇게 사랑스러운 여자가 많은데 어떻게 끝까지 게이인 사람이 있을 수 있냐고. 봐, 이렇게 가다 보면 금방 임무를 완수할 수 있을걸."

"벌써 두 사람의 결혼식에 참석하고 싶어지는데. 아니, 바로 두 사람의 아이를 봐도 좋겠어."

촉룡은 흥분해서 피가 끓는지 공중으로 날아올랐다가 내려오기를 반복했다.

"내가 솔로 용이든 말든 무슨 상관이야."

춤을 추던 용이 작은 발로 있지도 않은 눈물을 훔쳤다.

"이 커플이 결혼할 수만 있다면, 내가 백 년간 솔로로 지낸다 한들 무슨 상관이겠냐고?"

그들은 묵연과 여자아이를 따라 함께 계단을 올랐다.

두 아이가 함께 저녁을 먹고, 함께 생크림 케이크 한 조각을 나누고, 함께 TV를 보고, 함께 숙제하는 모습을 지켜봤다.

아, 이 얼마나 기분 좋은 꼬마들의 우정이란 말인가.

어린 나이에 연애하면 안 된다고? 어릴 때부터 여자 친구를 키워야지, 안 그랬다가 대학교 졸업하고 휴대폰 주소록에 수다 떨 아가씨 하나 없게 되면 게이 바 앞에 가서 결실 없는 연애 놀음이나 하란 말인가?

8시 반. 꼬마 묵연은 여자아이와 여자아이의 엄마에게 인사하고 나와 가벼운 발걸음으로 막차를 탔다. 설몽과 용은 생글생글 웃으며 만족스러운 얼굴로 그 뒤를 따랐다.

나중에 묵연은 몇 차례 더 여자아이 집에 갔다. 하지만 너무 자주 가면 여자아이 부모님들이 저를 안 좋게 볼까 봐, 아파트 뒤쪽으로 가서 여자아이 방 창문에 뭉툭한 돌멩이를 던져 신호했다.

"불안정한 사춘기가 앞당겨졌군."

설몽은 팔짱을 끼고 이렇게 평가했다. 하지만 표정은 좋아서 날아갈 것 같았다.

"이번 공략은 실수 하나 없이 완벽했어."

그런데 촉룡은 촉룡이라는 이름보다 방정맞은 주둥이라는 예명이 훨씬 잘 어울릴 듯하다.

용이 '완벽했어'라고 내뱉은 순간, 묵연의 손에 힘이 잘못 들어가서 돌이 여자아이 방의 창이 아닌 옆집 유리창을 퍽 하고 때렸기 때문이다.

곧 일어날 운명의 반전을 알아채지 못한 수진국 직원 둘은 아직도 좋아서 키득대고 있었다.

"묵연은 정말 적극적이고 열정적인 아이야."

"거기에 로맨틱하기까지."

"나중에 둘이 커플이 되면 이 순간도 아름다운 추억이 되겠지."

미래를 상상하며 즐겁게 한마디씩 주고받고 있을 때, 갑자기 옆집 창문이 열리더니 졸음과 짜증이 역력히 섞인 목소리가 울려 퍼졌다. 마치 질소로 급속 냉각한 얼음물이 설몽과 용의 위로 확 쏟아진 것 같았다.

"이 늦은 시간에 아직도 밖에서 장난이나 치고, 너무하다고 생각 안 해?"

익숙한 공식…… 아니, 익숙한 목소리. 그리고 익숙한 억양.

설몽과 촉룡은 귀신 목소리를 들은 것 같은 얼굴로 침을 꼴깍 삼킨 후 바들바들 떨며 고개를 돌렸다.

"으아!"

"으아!"

차례로 울리는 끔찍한 비명이 꼭 종말을 알리는 종소리라도 들은 것 같았다.

그들은 눈을 마주치며 동시에 울부짖었다.

"뭐야? 왜 초만녕이 옆집에 살고 있어?"

못마땅했다.

어찌 마땅할 수 있을까! 왜 운명은 제멋대로 마수를 뻗어 자신들의 뺨을 후려치는가! 어찌 조국의 나팔꽃이 게이스러운 달리아로 변한단 말인가!

"최소한 이번은 불쾌한 만남이야."

설몽이 문제의 핵심을 짚으려 했다. 비록 스스로도 자신은 없었지만.

"맞아."

촉룡도 사태 발전의 여러 가능성을 꼽아 보려 했다.

"첫 만남이 불쾌하니까 두 사람은 사이좋게 지내지 못할 거야."

"이번 계획은 다시 구제될 수 있어."

"나도 그렇게 생각해. 우리 일단 일 년 후 상황을 본 다음에 다시 결정하자."

그들은 의견 일치를 봤다. 그리고 가이드북을 이용해 일 년 후 어느 저녁으로 훽 이동했다.

같은 아파트 단지, 같은 밤이었다.

묵연이 서 있는 위치까지 똑같았다. 묵연은 여전히 전압이 불안정해 깜빡깜빡 태업 중인 가로등 아래, 그리 밝지 않은 어느 곳에 서 있었다.

……하지만 돌멩이가 날아간 곳은 여자아이의 창이 아닌 옆집 초만녕의 창이었다.

"……우연이라고 말해 줘."

촉룡은 절망했다.

"그냥 재 손이 떨려서 제대로 못 던진 거라고, 엇나간 거라고 말해 줘."

설몽은 그래도 비교적 이성적이었다. 그는 퍼렇게 질린 채 말없이 서 있었다.

한 번 실수는 사고지만, 열 번 실수는 사랑이다.

아무도 열 번 연속 실수로 다른 창문을 맞힐 순 없다. 그러므로 묵연이 맞히려고 한 건 초만녕의 창이고, 묵연이 만나고 싶은 사람은 여자아이 옆집에 사는 형, 초만녕이었다.

제기랄, 진짜 귀신이 곡할 노릇이네!

창이 열렸다. 여름 밤바람이 목련의 맑은 향기를 싣고 들어갔다. 흔들리는 반투명 커튼 옆에 초만녕이 흰색 폴라폴리스 아동 잠옷을 입고 나타났다. 얼굴엔 짜증과 졸음이 덕지덕지 붙어 있었지만, 그래도 의자를 끌어와 그 위를 딛고 까치발로 서서 아래를 내려다봤다.

"왜 또 왔어."

초만녕이 창턱에 기대 하품을 하더니 크지도, 작지도 않은 목소리로 나른하게 말했다.

"오후에 같이 공놀이했잖아."

가로등 아래, 묵연은 아무 말 없이 빙그레 웃으며 그를 향해 손을 흔들었다. 그러더니 종이비행기를 여러 개 접어 그에게 날렸다. 마침내 마지막 종이비행기가 그의 방으로 들어갔다.

초만녕은 종이비행기를 폈다. 거기엔 크레파스로 그린 그림이 있었는데, 하얀색 고양이 한 마리와 작은 강아지 한 마리가 그려져 있었고, 노란색 색연필로 글도 쓰여 있었다.

[잘 자라고 인사하는 거 깜박했어.

조은 꿈 꾸고, 우리 내일 수영장 가자.

우리 칭구 릉아도 부르고. 개가 조타면 말이야.

묵연]

"그러니까."

촉룡은 거의 경련하다시피 떨고 있었다.

"결국 묵연하고 초만녕이 '우리'가 되고, 옆집의 그 귀여운 아이는 '우리' 친구가 된 거네."

설몽은 잠시 침묵했다.

사실 뇌 속에서 지금 이 순간 자신의 실망감을 표현할 수 있는 점잖고 완곡한 표현을 찾고 싶었다. 당시, 송시, 원의 희극, 유럽의 오페라처럼 평소에 자신을 닳살 돋게 만들었던 문예 작품 중 한 구절도 상관없었다.

하지만 없었다.

결국 그의 잇새에서 나온 건 온몸의 피를 뜨겁게 달구는 욕설이었다.

"빌어먹을 게이 자식, 네 할아버지를 따먹어 버리겠다!"

"……발언을 좀 수정해야 할 거 같은데."

"내 발언이 어떻든 신경 꺼! 난 지금 화가 나서 돌아 버리겠다고!"

"아니."

촉룡이 말했다.

"그냥 알아 둬야 할 것 같아서. 네가 재 할아버지를 따먹으면 너도 게이가 돼."

"……."

"더구나 할아버지 손자 커플이 되는 거지."

여러 운명 분기점으로 가 운명을 바꿔 보려 시도한 후, 설몽과 촉룡은 마침내 한 가지 깨달음을 얻었다.

'묵연은 게이가 아닐 수 있으나 그의 긴 인생에서 반드시 초만녕이라는 인간을 만나고, 결국 사랑하게 된다.'

"그러니까 묵연에게 여자를 소개해 주려고 갖은 노력을 하느니 바로 초만녕을 죽이는 게 나아."

촉룡은 이 임무에 원만한 결론을 내렸다.

"아니면 아예 초만녕의 성별을 바꾸는 거죠."

설몽이 보충했다.

"아니면 묵연의 성별을 바꾸든지."

"어쨌든 운명이 농간을 부려서 이 게임을 어떻게 끌고 가든, 선택 가능한 여성 캐릭터가 얼마나 많든, 묵연은 결국 초만녕과 이어집니다."

국장 강희는 수진국 직원 둘이서 장단을 맞추며 주거니 받거니 하는 소리를 들으며 낯빛이 어두워졌다. 그는 한 손으로 얼굴을 받치고, 한 손으로 눈앞에 올려진 두꺼운 임무 보고서를 넘겼다. 거기엔 여자 공략 스토리들이 상세히 나열되어 있었는데, 끝에 이르면 묵연은 예외 없이 초만녕과 가족이 되었다.

"전 이것이 다양한 결말이 가능한 연애육성 게임인 줄 알았습니다."

설몽의 얼굴빛도 강희에 비해 딱히 더 나을 것도 없었다.

"하지만 이건 결말이 하나밖에 없는 예스럽고 지루한 RPG 게임이었어요. 강 국장님, 〈선검기협전〉 해 보셨나요? 98년…… 아니, 2001년인가? 정확히 기억나진 않지만, 어쨌든 지난 세기에 나온 PC 게임에서도 임월여 히든 엔딩이 있었다고요.[#17]"

설몽은 풀이 죽어 아랫입술을 깨물었다.

"묵연의 인생은 98년에 나온 〈선검기협전 1〉보다도 못합니다. 히든 엔딩도 없다고요."

설몽이 강 국장의 책상 앞에서 팔짱을 낀 채 쉼 없이 불만을 쏟아 내는 사이, 강 국장은 말 한마디 없이 실패 보고서를 눈으로 훑었다. 그의 미간이 점점 더 깊게 패었다.

"사실 묵연의 이번 생에만 국한할 필요는 없어."

#17 지난 세기에 나온 PC 게임에서도 임월여 히든 엔딩이 있었다고요 〈선검기협전〉은 이소요라는 남자 캐릭터와 조령아, 임월여, 아노라는 여자 캐릭터로 구성된 스토리에 기반을 둔 게임으로, 임월여는 이소요와 조령아를 위해 자신을 희생하기도 했던 캐릭터. 게임에서 특정 조건을 만족할 경우, 이소요와 임월여만의 숨겨진 엔딩 스토리가 나옴

마침내 강희가 얇은 눈꺼풀을 들어 올렸다.

"다른 생도 시도해 보지?"

"왜 안 해 봤겠어요."

설몽이 말했다.

"중화민국 시절, 미래…… 시도할 수 있는 건 다 해 봤습니다. 뒤로 몇 페이지 더 넘겨 보세요."

과연 보고서 후반부엔 다른 생에서의 여자 공략 가능성도 쓰여 있었다.

"중화민국 시절이 제일 절망적이었어."

촉룡이 끼어들었다.

"중화민국 시절로 갔더니 묵연은 대갓집 도령이었지. 어릴 때 묵연의 아버지가 동향의 어떤 여자아이와 정혼을 시키고, 여자아이가 계례[#18]만 올리면 바로 혼례를 올리려고 했어."

강희가 말했다.

"음? 그건 좋은 거 아닌가?"

촉룡은 웃지도 울지도 못하는 표정으로 말했다.

"좋긴 뭐가? 여자아이가 성인이 되기 전에 묵연이 집을 나가서 국민당에 들어가더니 자신은 자유롭고 싶다, 부모님이 정한 혼인은 원하지 않는다고 선언해 버렸다고."

"……그다음은?"

"그다음은 전쟁이었죠. 왜구하고 전쟁이 끝나고 바로 내전으로 들어갔어요. 그러다 정혼자 집에 간자[#19]로 파견됐고."

설몽은 한숨을 내쉬며 결말을 설명하려 했다. 그는 강희 대신

#18 계례 笄禮, 십오 세가 된 여자 또는 약혼한 여자가 올리던 성인식
#19 간자 間者, 간첩

두꺼운 보고서를 중화민국 스토리 쪽으로 넘겼다.

"여기 사진 보세요. 녀석이 양의 탈을 쓰고 그럴듯하게 행세하면서 군벌의 꼬리를 잘 감췄어요. 그렇죠? 그러니까 원래는 모두 괜찮았다고요."

강희는 대충 다음 내용을 알 것 같았다. 그는 조금도 놀라지 않고 담담하게 물었다.

"그래서 이번엔 초만녕이 어떻게 나타났지?"

"말도 마세요."

설몽이 지겹다는 듯 손을 내저었다.

"초만녕은 묵연이 잠입한 중대의 중대장이었어요. 매복전을 펼치다 묵연이 총에 맞아서 피를 철철 흘리며 정신을 못 차리고 있는데, 초 중대장이 그 국민당 간자를 피바다에서부터 안전 참호까지 업고 가더라고요."

"……."

촉룡이 투덜거렸다.

"그놈 구하려다 초만녕이 제 목숨을 잃을 뻔했지."

강희가 한숨을 쉬었다.

"그래서 묵연이 정신을 차린 후 바로 국민당을 배신하고, 간자도 그만두고, 완전히 초만녕 쪽 사람이 됐군."

그는 세월을 거슬러 전쟁의 포화를 뚫고 뇌와 피부로 당시 묵연의 변화를 선명히 느낀 것처럼, 의문사조차 쓰지 않고 말했다.

"맞습니다."

설몽이 눈을 희번덕거렸다.

"두 사람은 또 사랑에 빠졌어요. 조직이 열심히 소개해 준 훌륭한 여성도 거절했죠. 두 사람은 함께 전쟁에 참여해 참호에 누워서 총을 안고 별을 봤어요. 총알로 펜던트를 만들어 늘 옷에 지니고 다녔고, 내전이 끝난 다음에는 한집에 살면서 수많은 여인을 홀리는 '독신남'이 됐죠. 이 두 '독신남'은 같이 만두를 빚고, 봉황 자전거[#20]를 타고 교외 소풍을 가고, 사진관에 가서 컬러 사진도 찍고, 백화점을 돌아다니다가 엿을 사서 갈색 봉투에 담아 들고 다니며 먹기도 했죠."

달콤한 에피소드 하나하나가 설몽의 입에서 속사포처럼 쏟아졌다. 말 속도가 너무 빨라서 이야기들이 별똥별처럼 순식간에 지나갔지만, 강희는 쉽게 그 장면들을 상상할 수 있었다.

담청색 화학 연기, 더럽고 너덜너덜한 군복.

피와 진흙으로 만들어진 참호 안에 누운 두 젊은이는 서로에게 기대 밤을 지새웠을 것이다. 그들의 검은 눈동자 위로 뻗은 속눈썹, 속눈썹에 뿌려지는 광야의 별빛, 멀리서 들려오는 적군 사병이 부는 하모니카 소리. 사방으로 퍼지며 저녁 안개 속으로 사라졌을 그 소리.

전투가 없는 그날 밤, 술렁이는 시대를 토로하는 건 안개 속 연기.

그리고 두 청년의 아래턱에 난 제때 깎지 않은 푸르스름한 수염뿐.

"그러다 둘 다 노인이 됐습니다."

설몽이 딱딱하게 말했다. 토 나오는 러브 스토리가 끝나자 그의 말도 곧 제 속도를 찾았다.

#20 봉황 자전거 1897년에 설립된 중국 최초 자전거 회사에서 생산한 자전거

"그리고 더 시간이 지나, 1966년에 시작된 그 재난[#21]도 두 고집쟁이 노인을 갈라놓지 못했죠."

이야기가 끝났다.

시큼한 사랑 내가 죽음에까지 가득했다. 아니, 사실 죽음도 그것을 끝내지 못했다.

한참 말이 없던 강희. 결국 그는 보고서를 더 보지 않고 그대로 덮었다. 그는 머리가 아픈지 손을 들어 관자놀이를 눌렀다.

부부는 숲속 새와 같아서 큰 재난이 닥치면 각자 날아간다고들 한다.

하지만 십 년의 재난도 두 노인을 갈라놓지 못했다. 강희는 묵연에게 여자를 찔러 주고 그의 게이 성향을 고칠 가능성이 얼마나 될지 알 수 없었다.

혹시 묵연이 게이가 아니라면?

어쩌면 그의 인생에서, 그의 운명에서 영원히 초만녕이라는 사람이 빠지면 안 되는 것뿐일지도 모른다.

퇴근 시간이 됐다. 수진국 사람들은 〈귀가〉 노랫소리를 배경으로(이 곡명을 전임 국장 남궁류가 몹시 좋아했었다) 잇따라 건물을 떠났다.

수진계에 오래 산 이들은 아무렇지 않게 검을 타고 귀가했다. 하지만 이미 신선도, 귀신도 믿지 않는 현대인과 함께 인간 세상에 섞여 사는 데 익숙해진 사람도 있었다. 그들은 자신의 비범한 능력을 숨기고, 대중교통을 타거나 자가용을 몰고 막 화려한 불빛이 밝혀진 인간 세상의 밤으로 녹아들어 갔다.

#21 재난 1966년부터 십 년간 중국의 최고지도자 마오쩌둥에 의해 주도된 극좌 사회주의운동인 문화대혁명

"이렇게 계속해 봐야 무슨 결실이 있을 것 같지 않군."

강희는 설몽과 촉룡을 등지고 통창 앞에 서서 수진국 건물 아래 차량 행렬을 응시했다.

그가 말했다.

"그만두지."

설몽은 잠시 말을 이해하지 못하고 되물었다.

"네?"

강희가 팔짱을 낀 채 얼굴을 뒤로 틀었다.

"내 말은, 너희 임무가 끝났다는 뜻이다."

어차피 아무리 테스트해 봐야 게임의 결말은 하나뿐이다.

수진계가 새 방법을 연구해 내기 전까지 무의미한 반복 실험을 할 필요는 없었다.

"퇴근해."

이것은 설몽의 첫 실패였다.

그는 강희의 말을 듣고, 자기 문제가 아니란 걸 알면서도 여전히 마음이 불안했다.

그는 구두코로 카펫을 긁으며 잠시 머뭇거리다 결국 입을 열었다.

"아직 묻고 싶은 것이 있습니다."

이미 몸을 완전히 돌린 강희가 먼지 한 톨 없는 유리창에 기댄 채 속눈썹을 살짝 들어 올렸다.

"말해."

설몽은 숨을 깊게 들이마셨다.

"시뮬레이션 게임에서 묵연의 어린 시절을 봤는데, 나이가 저와 비슷하더군요."

"그래서?"

"……왜 바로 묵연을 찾아가서 실험에 협력할 의사가 있는지 묻지 않는 거죠?"

강희는 잠시 조용히 있다가 비웃듯 말했다.

"유전자 실험은 위험한 거다. 지금 세상이 네가 역사 시간에 배웠던 그 혼란스럽고 무지몽매한 수진계 같아? ……우리는 함부로 자유인을 데려다 그런 일을 하지 않는다."

"……."

"설사 그게 접골미인석이라도."

강희가 말했다.

"꼬마야, 정신 차려. 사람이 사람을 먹는 시대는 이미 지나갔어."

국장 사무실의 차가운 백색 등 아래, 설몽의 얼굴이 붉게 달아올랐다.

그가 중얼거렸다.

"……그런 뜻이 아니라…… 전 그저…… 전 그저 몰라서……."

강희가 문서를 정리하기 시작했다. 그러다 이 신임 국장은 다시 고개를 들어 그를 한번 봤다.

"네가 그런 뜻이 아닌 거 알아. 하지만 알아 둬. 네 아버지가 누구든, 꼬마 네가 학교에서 얼마나 우수했고 얼마나 자주 장학금을 받았든, 네 어머니가 착한 어린이 트로피를 반짝반짝 닦아서 책장에 전시를 했든 어쨌든."

설몽의 얼굴이 갈수록 벌게졌다. 아까는 창피함에 그랬다면, 지금은 화가 나서다.

"네가 남궁 국장이 있을 때 얼마나 일을 잘했든, 얼마나 많은 보고서를 읽고 얼마나 많은 도장을 찍었든."

강희는 설몽의 화난 얼굴을 보고도 못 본 척했다. 그는 문서를 서랍에 넣고 잠근 후, 가늘고 긴 손가락을 들어 자신의 진녹색 실크 넥타이를 바로 잡으며 말을 마무리 지었다.

"넌 나한테 아직도 배울 게 많다."

독불장군 국장은 그렇게 말을 마치고 긴 다리를 내디뎌 아무렇지 않게 설몽의 곁을 스쳤다.

설몽은 분노로 부들부들 떨다가 결국 폭발했다.

"강희!"

강희는 사무실 문 앞에 멈춰 서서 아랫입술을 깨물고 있는 청년을 돌아보며 한마디 던졌다.

"불 끄고 나와."

"……."

저녁 7시가 넘은 시간.

수진국 건물의 마지막 전등이 꺼졌다.

요즘은 전쟁도 없고 시간을 다투는 대형 사업도 없어서 야근하는 사람이 없다. 사람들은 모두 돌아가고 싶은 곳으로 돌아간다.

친구와 만나고, 연인과 데이트한다. 부인과 남편은 소파에 앉아 팝콘을 먹으며 푸른빛이 도는 TV 스크린을 보고, 키가 훤칠한 젊은이는 앞치마를 두르고 부모님과 함께 저녁 식사를 준비한다.

그들은 모두 갈 곳이 있다.

강희는 나쁜 놈이지만, 그의 말은 맞았다. 완벽한 세상도, 흠

없이 깨끗한 시대도 없지만, 지금 그들이 사는 세상은 모든 면에서 과거보다 훨씬 낫다. 끊임없이 질서가 뒤집히고 불안하게 요동치던 그 시절은, 이미 아주아주 오래전에 끝났다.

당시 수많은 사건과 사람은 길고 긴 세월의 흐름 속에 퇴색되어 사라지고, 수많은 영혼은 시공 속에서 때를 벗고 한 번 또 한 번 윤회를 거쳤다.

당신은 과거의 당신이 아니며, 나도 과거의 내가 아니다.

하지만 우리는 여전히 함께 있다.

젊음은 사라지고, 살은 썩고, 생명은 시간에 스러진다. 하지만 영혼이 묶여 있는 사람은 결국 시간이 선사한 새 피와 살을 받는다. 윤회에 희석되지 않은 집착은 결국 길고 긴 삶 속에서 한 번 또 한 번 사랑하는 사람의 포옹을 얻는다.

한 생 또 한 생 서로에게 묶인다.

설몽은 촉룡에게 인사한 후 건물을 나섰다.

어둑한 하늘에 잿빛 구름이 덮여 있었다. 설몽은 하늘에서 내려온 작은 눈송이가 휘황찬란한 세상에 어지럽게 흩날리는 것을 보았다.

우산을 챙기지 않은 그는 곧장 옷깃을 세우고, 가장 가까운 정류장으로 바삐 걸어갔다. 그가 숨을 쉴 때마다 입가에 하얀 연기가 흩어졌다.

그의 곁에, 하늘로 덮인 이 도시에, 이 세상에, 작디작은 수많은 운명이 얽혀 있다.

군만둣집 아저씨는 오늘의 수입을 계산한다. 아저씨가 인심 좋게 장사한 덕에 수입도 나날이 늘어 가고 있다. 그는 싱글벙

글 지폐를 세며, 휴일에 서점에 가서 오랫동안 탐냈던 검법 책을 사야겠다고 다짐한다. 그는 이런 신비스러운 책을 좋아한다. 정신 나간 소리 같지만, 굉장히 재미있으니까.

얼마 전 농림 대학원을 졸업한 라씨 집안 딸은 몇 시간만 있으면 만 스물여섯이 된다. 그녀는 스물여섯 생일을 축하하기 위해 택시를 타고 시내 클럽으로 가고 있다. 그녀는 모르겠지만, 친구들이 준비한 이번 생일 파티에서 그녀는 소꿉친구이자 오랫동안 떨어져 지낸 옆집 오빠를 만나 운명적인 사랑을 하게 된다.

휘황찬란하게 번쩍이는 도박장. 매니큐어를 칠한 손 사장은 손님들이 자신의 도박장에서 돈을 물 쓰듯이 쓰는 모습을 씩 웃으며 쳐다본다. 돈이 있다는 것은 정말 좋은 것이다.

엽씨 아가씨는 자신의 약혼자와 함께 웨딩숍에 앉아 있다. 그들은 웨딩드레스에 단 진주 위치를 두고 벌써 30분째 다투고 있다. 마치 세상에서 가장 중요한 것이 그 진주이며, 진주 위치만 정해지면 머리 아픈 모든 문제가 자연스럽게 해결될 것처럼. 이 얼마나 눈꼴 시린 남녀인가. 웨딩드레스에 달린 진주 위치가 별로라는 게 그들의 유일한 고민이라니.

그들은 세 블록 너머에 있는 다른 두 사람을 봐야 한다. 바로 이 시대에 멀쩡히 잘 살고 있는 묵연과 초만녕을 말이다.

그들은 시뮬레이션 세계 속의 허상이 아니다. 게임도, 설몽의 임무 타깃도 아니다.

의심할 바 없이 아주 명백하게, 그들은 여전히 함께 있다.

하지만 지금 이 순간, 그들은 아무것도 아닌 작은 일로 싸우고 있었다. 사건은, 묵연이 영화관에 가서 인기 영화배우 순풍

약이 나오는 로맨스 영화를 보고 싶은 데 반해, 초만녕은 쿵푸스타 견종명이 주연을 맡은 액션 영화를 원하는 데서부터 시작됐다.

"피 끓는 남자들의 영화를 못 보겠다는 거냐?"

초만녕은 눈을 가늘게 뜨고 자신보다 머리 반 정도는 더 큰 잘생긴 남자 친구를 위험스럽게 노려봤다. 키는 더 작아도 기세로는 전혀 지지 않았다.

가로등 아래서 그의 기다란 속눈썹이 꽃술처럼 팔랑이지 않았다면 훨씬 사납게 보였을 것이다.

"영화관에 갈 때마다 코미디 영화나 로맨스 영화만 봤잖아. 제목을 들어 봐."

초만녕이 거의 짓씹듯 제목을 말했다.

"〈바보 허스키와 그의 흰 고양이 사존〉. 너 머리가 어떻게 된 거냐? 이거 애니메이션이지? 포스터에 '본 영화는 미취학 아동이 관람하기에 적합합니다'라고 쓰여 있는 거 아냐?"

묵연은 불쌍한 눈으로 화난 연인을 봤다. 저처럼 불쌍한 〈바보 허스키와 그의 흰 고양이 사존〉을 몇 번 변호하려 했지만, 어쩔 수 없이 목 뒤로 삼켜야 했다.

"네 영화 취향은 이제 더는 못 견디겠다."

"……."

"저번에 말했지. 〈텔레토비 vs 볼드모트〉, 〈캡틴 아메리카 vs 마법 소녀〉는 이미 내 하한선을 넘었어. 다시는, 다시는, 다시는 너하고 같이 영화관에 가서 그런 형편없는 영화 보지 않겠다."

오랫동안 쌓인 게 임계점을 넘었는지, 초만녕의 얇은 입술이 움직일 때마다 분노의 비난이 쏟아져 나왔다. 너무 열받아서인지 그 비난에는 아무 논리도 없었다.

"묵연, 난 경찰이다. 아무리 경찰복을 벗고 퇴근했다지만 그래도 경찰이라고. 너하고 같이 바보짓은 못 해. ……왜 그렇게 보지?"

"……."

"그렇게 보면 너랑 같이 〈바보 허스키와 그의 흰 고양이 사존〉을 봐 줄 거 같아? 제발, 넌 이십 대다. 매표소 직원한테 '〈바보 허스키와 그의 흰 고양이 사존〉 두 장 주세요'라고 말하기 창피하지도 않아?"

묵연의 까만 눈이 그를 봤다. 계속 보고 있자니 문득 서러워졌다.

그가 모처럼 반발했다.

"회사 동료가 이거 애니메이션 아니라고 했어요. 재밌는지 없는지는 모르지만, 그래도 이게 진지한 로맨스 영화라는 건 보장할게요……."

초만녕은 결국 완전히 폭발했다.

"그런 멍청한 제목을 붙이는 진지한 영화는 없어!"

"……."

초만녕은 머리끝까지 화가 나서 성큼성큼 앞으로 걸었다. 두어 걸음 걸어가던 그는 묵연이 따라오지 않자, 그 자리에 멈춰 서서 눈을 부릅뜨고는 점점 더 답답해지는 마음에 다시 힘주어 말했다.

"없다고!"

묵연은 입을 앙다물고 말 한 마디 없이 그를 뚫어지게 봤다.

두 사람의 갈등은 그렇게 일어났다. 만약 수진국 국장 강희가 이 장면을 봤다면 이렇게 탄식했을 것이다. 봐, 현대인이 얼마나 일 없고 한가한지. 사랑에 빠진 바보들은 멍청이에 구제 불능이지. 영화를 꼭 둘이서 봐야 하나? 각자 표를 사서 각각 상영관에 들어갔다가, 영화가 끝나고 다시 만나면 안 돼? 너희가 쉬는 시간에 손잡고 화장실 가는 여학생이야?

강희는 분명 그렇게 생각할 것이다. 그는 위대하고 냉혹하고 똑똑하고 슬기로운 국장 어르신이니까.

초만녕은 입을 꾹 닫고 두 손을 검은색 모직 코트 주머니에 넣은 채 시크하게 걸어갔다. 남자 친구가 몇 번이고 그의 손을 잡으려 했지만, 알은체도 하지 않았다.

"만녕 형……."

"……."

"알았으니까 천천히 가면서 우리 다시 상의해 봐요……."

"……."

"이번 건 〈텔레토비 vs 볼드모트〉보다 재밌을 거라고 보장할게요."

그런 다음 작은 목소리로 불분명하게 웅얼거렸다.

"그리고 〈텔레토비 vs 볼드모트〉도 형 말처럼 그렇게 형편없진 않았는데……. 내년에 그 시리즈로 나오는 〈미소녀 해그리드〉도 볼 건데……."

안타깝게도 초만녕이 마지막 말을 듣고 말았다. 깜짝 놀란 초만녕은 조금은 무섭다는 듯 그를 돌아봤다.

"뭐라고? 다시 말…… 아니다."

그는 고개를 흔들어 방금 들은 끔찍한 제목을 머리에서 떨치려 했다. 그의 목울대가 꿈틀거렸다.

"말하지 마. 안 들은 거로 할 테니까."

"……네."

묵연은 계속 서럽기만 했다.

초만녕은 옷자락을 휼날리며 성큼성큼 걸어갔다. 그는 정말로 말이 안 나왔다. 묵연의 끔찍한 영화 취향을 이제 충분히 알았다고 생각할 때마다 묵연은 늘 더 형편없는 영화로 그의 하한선을 갱신했다.

묵연은 한 걸음 떨어진 거리에서 계속 초만녕 뒤를 따라갔다.

이렇게 앞뒤로 걷기를 한참, 마침내 묵연이 용기를 내어 다시 한번 초만녕을 설득했다.

"아니면…… 아니면 우리 가위바위보로 뭘 볼지 정할래요? ……제비뽑기도 좋아요……. 아니면 주사위 던지기라도……."

목소리가 점점 줄어들었다. 그때 그가 곁눈으로 뭔가 발견하고 걸음을 멈췄다.

번쩍 아이디어가 떠오른 것이다.

"초만녕!"

키 크고 잘생긴 남자 친구 초만녕이 드디어 길가에 멈춰 섰다. 어슴푸레한 가로등 아래, 묵연이 손가락을 들어 오른쪽을 가리켰다. 그곳엔 군고구마를 파는 노점이 있었다. 마침 노점 주인이 큰 소리로 외쳤다.

"군고구마, 군고구마 팝니다!"

"초만녕!"

묵연이 다시 불렀다.

"……."

초만녕은 무시했다.

"초 경관님."

묵연은 입술을 깨물었다. 그의 눈에는 웃음이 번져 있었다.

그는 초만녕을 잘 알았다. 초만녕이 좋아하는 음식이 뭔지, 사람들에게 어떻게 불리고 싶은지도.

그들은 이미 오랫동안 알고 지낸 사이가 아닌가.

과연 초만녕이 고개를 돌렸다. 하지만 몸은 돌리지 않고, 고개만 튼 채였다. 손도 여전히 코트 주머니 속에 있었다. 그가 턱을 살짝 들고 길고 풍성한 속눈썹 아래로 눈을 가늘게 뜬 채 가로등 아래에 선 묵연을 바라봤다.

짐작대로 묵연이 그와 시선을 마주했지만, 계속 은근히 웃다가 곧 어쩔 줄 몰라 했다. 묵연이 말을 고르다, 마침내 극히 소박한 한마디를 던졌다.

그가 먼저 모자를 벗고 머리를 긁적였다.

"먹을래요?"

"……."

"겨울의 군고구마."

그가 웃었다.

"형이 좋아하는 거요."

"……."

"게다가 속이 하얀 고구마예요. 형은 하얀 고구마 좋아하잖아요. 이건 찾기 어렵다고요. 그러니까 하나 먹어요. 화내지 말고."

초만녕의 얼굴이 드디어 살짝 풀렸다. 그는 더 이상 북방의 겨울에 밤새 얼린 얼음 같지 않았다. 잠시 가만히 서 있던 그가 살짝 볼을 부풀리더니 몸을 돌렸다. 그리고 묵연을 향해 걸어가 아무 일 없었다는 듯, 관심 없다는 듯, 혹한 적 없다는 듯한 말투로 침착하게 말했다.

"아니, 네 개 먹겠다."

"네, 네, 네."

그의 잘생긴 남자 친구 묵연은 못 말린다는 듯, 또 조금 재미있다는 듯 그를 봤다. 정말이지 예전엔 성격 세고 길들지 않은 야생 표범 같던 그가 그동안 묵연에게 적응하며 조금씩 부드러워지더니, 가끔은 이를 드러낸 하얀 고양이 같기까지 했다. 묵연은 정말 그런 착각이 들었다.

묵연이 웃으며 말했다.

"좋아요, 까짓것 네 개 먹어요. 그런데 그렇게 먹으면 저녁 먹을 수 있겠어요……?"

"내 위를 무시하지 마. 그 정도는 애피타이저일 뿐이야."

"그럼 됐어요. 그럼 우리 애피타이저 먼저 먹고, 밥 먹으러 갔다가 견종명이 나오는 그 영화 보러 가요."

초만녕은 김이 모락모락 나는 하얀 고구마를 건네받아 한 입 베어 물고는, 자신을 배신하고 새어 나올 것 같은 웃음을 꾹 참으며 상관없다는 듯 고개를 저었다.

"〈바보 허스키와 그의 흰 고양이 사존〉 봐도 괜찮아."

묵연이 단숨에 눈을 빛냈다.

"정말요?"

"그래, 같이 또 바보짓 해 줄게."

묵연의 목소리가 순식간에 밝아졌다. 발포 비타민이 물속에 들어가 치익 기포를 일으키며 달콤한 맛을 내보내 물 전체를 달게 물들이는 것처럼, 기쁨과 감미로움이 온몸에 퍼졌다.

그는 달콤해 죽을 지경이었다.

"형이 최고예요!"

"……."

"그럼 다음에 〈미소녀 해그리드〉도……."

"꿈도 꾸지 마."

거리에 쌓이기 시작한 눈 위로 두 쌍의 발자국이 천천히 찍혀 나갔다. 발자국은 서로에게 몹시 가까웠다.

사거리에 멈춰 선 버스 안. 설몽은 이어폰을 낀 채 창밖의 오고 가는 사람들과 화려한 불빛을 무심코 쳐다봤다.

그는 몸에서 힘을 풀고 서늘한 차창에 이마를 기댔다. 오색찬란한 네온사인이 그의 까만 눈동자 속에 흩뿌려졌다. 그는 군고구마를 든 청년 한 쌍이 바로 옆 인도를 걸어가며 〈미소녀 해그리드〉를 두고 다투는 것도 모른 채 하품을 했다.

녹색 신호가 켜지고, 버스가 출발했다.

그들은 그렇게 스쳐 지나갔다. 설몽은 이어폰에서 흘러나오는 노래를 작게 흥얼거렸다. 음정 박자가 하나도 안 맞았지만, 그렇다고 누가 그의 즐거운 콧노래를 막을 수 있을까?

그는 방금 아버지가 출장에서 돌아오셨다는 어머니의 문자를 받았다. 저녁에는 그가 제일 좋아하는, 기름을 듬뿍 넣은 매운 생선찜과 마라찜닭을 해 주신다고도 했다.

아무도 그의 콧노래를 멈출 수 없다. 지구가 멸망하고 홍수가 세상을 덮쳐도 그는 매운 생선찜을 먹을 것이다.

이처럼 그들의 삶에는 무수한 가능성이 있다. 직업이 달라서, 태어난 곳이 달라서, 성장 과정이 달라서, 겪은 애증이 달라서, 혹은 이런저런 다양한 이유로 외모에 미세한 차이가 있을지 모른다. 하지만 윤회는 매운 생선찜에 대한 설몽의 호감을 변화시킬 수 없다. 단것에 대한 초만녕의 사랑이나 마라물만두에 대한 묵연의 애정을 변화시킬 수 없는 것처럼. 그런 것들은 변하지 않을 것이다.

그들의 이야기는 궁극적으로 한 가지 결말로 나아갈 것이다.

그것은 보잘것없는 작은 생명에 대한, 나무를 흔들려는 하루살이에 대한, 태양을 쫓는 과보[#22]에 대한 하늘의 타협이다.

여러 고난을 겪은 후,

그들은 결국 사랑하는 사람과 함께할 것이다.

그들은 결국 사랑하는 사람과 다시 만날 것이다.

– 〈유일한 가능성〉 끝 –

#22 과보 夸父. 중국 신화 속 거인으로, 태양과 경주하다가 도중에 목이 말라 죽음

외전 3장 누가 설몽몽의 간식에 손댔을까?

[수진계 제1게시판][일상][자유게시판]

제목: [상단 고정] 최근 신기하게 생긴 간식 한 상자 주운 분?

내용: 완전 빡칩니다! 감히 내 간식을 훔쳐 가다니!

작성자: 봉황울음소리

……그래서? 고작 간식 한 상자인데?

1번: 욕심없는중산이리

간식 한 상자 잃어버린 걸로 상단 고정을 올리다니, 원글러[#23] 당신은 대체 얼마나 가난한 겁니까.

2번: 우리장문님돈많아

#23 원글러 퍼온 글이나 댓글이 아닌 원글, 즉 인터넷에 처음으로 쓰인 본래 글의 작성자

부자들의 생활 방식은 상상하기 어렵구나.

3번: 장주님은벼락부자

하하, 원글러가 가난한 걸 보니 하수진계 출신인가 보군?

4번: 진심똑똑해

원글러입니다. 제 말을 끝까지 본 다음에 댓글을 달아 주시죠?

사실은 이렇습니다. 최근에 신기하게 생긴 간식 한 상자를 잃어버렸어요. 흑갈색이고 딱딱해요. 조금 쓴맛이 나는데 씹으면 안에서 술이 흘러나오고요. 중원 지역 음식이 아니어서 상하수진계에서는 보기 드문 겁니다. 제가 알기론 갖고 있는 사람이 열 명도 안 될걸요.

저는 단 음식을 별로 안 좋아해서 잃어버려도 상관없는데, 문제는 보통 사람이 먹으면 위험하다는 겁니다. 그러니 님들 주변 사람들에게 알려 주세요. 훔쳤든, 착각해서 잘못 가져갔든, 절대 먹지 말고 최대한 빨리 저한테 쪽지 보내 주세요. 안 그랬다간 뒤탈이 나도 책임 못 집니다.

5번: 봉황울음소리

검은색에 딱딱하고 씹으면 술이 나온다……. 확실히 처음 들어 보네요. @욕심없는중산이리 이쪽 분야 전문가잖아요. 어떻게 생각해요?

6번: 제자절찬모집중

그런데 간식이 왜 쓰죠? 먹는 음식이 확실한 겁니까?

7번: 뮬란이여자라니

희한하군. 이 세상에 내가 일생 동안 못 먹어 본 음식도 있다니.

8번: 선물은백금만받아요[#24]

……일생 동안? 뭔가 이상한 표현이네요. 설마 귀신은 아니죠…….

9번: 귀신무서워

무서워할 것 없어요. 태어나서 지금까지를 말하는 것 같은데요. 그건 그렇고, 그 간식 먹으면 어떻게 되는지 나만 궁금한 건가?

10번: 접객마

……원글러가 누군지 알겠군. 그 간식 본 적 있어요. @봉황울음소리 어떻게 그렇게 소중한 물건을 잃어버릴 수 있어요? 언제 잃어버렸습니까? 간식을 넣어 뒀던 자리에 흔적 같은 거 남은 건 없고요?

11번: 욕심없는중산이리

와, 욕심없는중산이리 좀 대단한 듯.

12번: 사생지전꼬마제자

#24 선물은백금만받아요 원문 '收礼只收脑白金'는 중국에서 두뇌영양에 좋은 것으로 유명한 건강보조식품의 광고 문구로, 노백금(뇌백금(脑白金), 노백금(瑙白金) = 나오바이진)과 발음이 비슷한 점을 활용한 언어유희이다.

@욕심없는중산이리

설마? ……부계정이 이거라고 말해 준 적 없잖아요…….

언제 잃어버렸는지는 저도 모르겠어요. 열흘 전까지만 해도 제 방 수납함에 멀쩡히 있었는데, 어제 먹으려고 보니까 없더라고요. 수납함 주변에 눈에 띄는 흔적은 없었어요. 다른 물건들도 제자리에 있었던 것 같은데요. 급하게 외출하느라 자세히 보지는 못했어요. 이따 저녁에 돌아가서 잘 살펴봐야겠네요.

13번: 봉황울음소리

확실히 보통 간식이 아닌가 보네요. 사태가 엄중한 것 같군요……. 원글러님께 사과드립니다. 가난하다고 놀리지 말았어야 했는데.

14번: 우리장문님돈많아

음, 원글러는 가난하지 않다.

15번: 돈이면다돼

원글러님, 그 간식을 먹으면 어떤 반응이 일어나는지 설명 부탁드립니다. 시간이 이렇게 많이 지났는데, 가져간 사람이 벌써 먹어 버리지 않았을까…… 걱정입니다…….

16번: 물란이여자라니

@봉황울음소리 부계정 얘기는 깜빡했습니다. 일부러 숨긴 건 아니고.

제가 이미 문파 차원에서 단서를 찾아보라고 했습니다.
그리고 앞으로 중요한 물건은 함부로 두지 마세요.
17번: 욕심없는중산이리

잠깐, 윗분은 대체 뭘 안다는 거죠? 원글러는 또 누구예요?
18번: 제자절찬모집중

@제자절찬모집중
개인 쪽지 확인 바랍니다.
19번: 욕심없는중산이리

어라, 15번 댓글님도 내막을 알고 있는 것 같은데, 원글러가 가난하지 않다는 건 어떻게 알았어요?
20번: 사생지전꼬마제자

간식의 효과를 공개해도 되는지 몰라서 선물해 준 사람에게 물어봤는데 공개해도 상관없다네요. 그럼 대놓고 말할게요.
사실은 변신 간식입니다. 음식이라기보다는 약물에 가깝죠. 먹으면 동물로 변해요. 임무를 수행하기 용이하죠.
그런데 골치 아픈 건 저절로 원래 모습으로 돌아오는 게 아니라 반드시 하얀 알사탕을 먹어야 되돌아온다는 건데요.
문제는 그 하얀 알사탕이 한 알도 사라지지 않고 그대로 제 방에 있다는 거예요.
동물의 모습으로 변한 후에 다시 돌아가지 못하고 있을까 봐 걱정입니다…….

21번: 봉황울음소리

헉…….

22번: 장주님은벼락부자

제가 이렇게 멍청하다니까요. 지능이 제 상상력을 제한했네요. 원글러님께 사과드립니다.

23번: 진심똑똑해

아아아아, 흥분된다! 정말 흥미로운 간식이네요! @올빼미신제품개발부 이것 좀 봐라, 그랜드 세일 축제 전에 만들어 낼 수 있겠냐?

24번: 접객마

알겠습니다, 아버지. 당장 야근해서 연구해 보겠습니다.

25번: 올빼미신제품개발부

……알고 보니 원글러는…….

휴, 원글러는 왜 항상 물건을 제대로 간수하지 못하는지.

26번: 제자절찬모집중

심심해서 VPN으로 게시판 접속했다가 이런 글을 보게 될 줄이야. 봉황울음소리는 정말 한시도 안심할 수 없게 만드네.

27번: 내가바로최고미남

다 자기 복을 타고나는 법, 걱정해 봤자 소용없어요. @내가바로최고미남 님, 걱정하지 마세요.
28번: 두약꽃만발

뒷일이 심각하니 각 문파 장문들에게 알려 관할 구역 내 수사들과 백성들에게 공지하는 게 좋겠습니다. @제1게시판_슈퍼관리자 여기 좀 주목해 주세요.
29번: 뮬란이여자라니

올빼미신제품개발부는 절대로 제조 방법을 알아내지 못할 거니까 일찌감치 체념해.
30번: 돈이면다돼

@고월야_강야침 @사생지전_설자명 @답설궁_명월루 @벽담장_이설하 @무비사_현경대사 @화황각_위비연 @도포산장_마운 @상청각_류엽소 @강동당_화약미
본 게시물을 참고하시어 제때 처리해 주시길 바랍니다.
31번: 제1게시판_슈퍼관리자

확인했습니다.
32번: 고월야_강야침

……벌써 처리했거든요? 자꾸 @로 태그하지 마시죠. 제자들의 안위가 걱정되어 짜증 나니까!

33번: 사생지전_설자명

설 시주, 너무 초조해하지 마시고 노승의 말 좀 들어 보세요. 남들이 초조해해도 나는 초조해하지 않으리, 초조해하다가 병이라도 나면 나만 손해요, 돌이켜 보면 후회뿐, 누구 좋으라고 초조해 죽으랴.

평정심을 유지하면 다 좋아질 겁니다.

34번: 무비사_현경대사

어머? 저도 비슷한 물건이 있어요. 초록색 반유동체고 살짝 핥기만 해도 숨이 막힐 정도예요. 단 음식은 아니지만 효과는 똑같아요. 고월야에서 선물로 준 건데…… 음…… 아차, 너무 많이 얘기했나요?

35번: 강동당_화약미

멍청하면 장문이 되지 말아야지.

36번: 고월야_강야침

……저도 비슷한 것이 있는데 완전히 똑같지는 않아요. 제가 받은 건 삭힌 두부였거든요. 발 구린내가 진동하는. 그것도 고월야에서 선물받은 거였어요. 당시 배달 왔던 꼬마 제자가 먹든지 말든지, 법술을 위해서는 좀 참으라고 하더군요……. 다른

맛도 있었다니?

37번: 벽담장_이설하

……

38번: 고월야_강야침

아! 죄송해요, 강 장문! 답글 달고 새로고침 한 후에야 장문이 36번째 댓글로 남긴 걸 봤어요! 아아, 정말 죄송해요. 말하면 안 되는 건지 몰랐어요. 지금 취소하면 많이 늦을까요?

39번: 벽담장_이설하

지금 이게 무슨 단체 채팅방인 줄 아나?

40번: 고월야_강야침

확인했습니다. 당장 처리할게요.

41번: 화황각_위비연

답설궁은 아직 실종 신고를 한 사람이 없지만 단단히 단속하겠습니다.

42번: 답설궁_명월루

알겠습니다.

43번: 상청각_류엽소

잠깐, 이 장주와 화 당주도 변신 간식을 받았습니까? 장문들, 다들 하나씩 받은 겁니까? 왜 저는 안 줍니까?

44번: 도포산장_마운

아, 장문들마다 챙겨 드린 건 아닙니다. 마 장주 오해하지 마십시오^_^

45번: 답설궁_명월루

사태가 점점 심각해지는 것 같군요…….

46번: 지나가는행인_갑

그러게요, 조금 불안하네요……. 당분간 다들 조심합시다. 잘 알아보고 드세요. 부모님께 말씀드려야겠어요.

47번: 지나가는행인_을

@봉황울음소리 원글러님, 수고스럽겠지만 잘못 먹으면 무슨 동물로 변하는지 말씀해 주세요. 그러면 적어도 실수로 무고한 사람을 다치게 하는 일은 줄일 수 있잖아요. 정말 누군가 동물로 변했다고 해도…… 유심히 살펴보면 피해를 막을 수 있지 않겠습니까?

48번: 뮬란이여자라니

윗분 정말 착하시네요.

49번: 선물은백금만받아요

'일생 동안'이라는 말 곱씹을수록 너무 무서워요. 님, 도대체 사람이에요? 귀신이에요? 답장 좀 해 주세요! 악몽 꿀 것 같단 말이에요!

50번: 귀신무서워

마음에 부끄러운 일을 하지 않으면, 귀신이 찾아와도 겁날 일이 없습니다. 무서울 게 뭐 있겠어요.

51번: 선물은백금만받아요

여러분, 안녕하세요. 저 왔어요. @뮬란이여자라니 일깨워 줘서 고마워요. 그 간식을 먹으면 공작으로 변해요. 꽁지를 펴는 그런 공작.

52번: 봉황울음소리

그건 수컷 공작새입니다. 당신이 꽁지를 펴는 건 남자이기 때문이고, 여자가 먹으면 암컷 공작새로 변해서 꽁지를 펴지 못하겠지요.

53번: 욕심없는중산이리

아아아! 공작새여서 다행이네요! 한시름 덜었어요! 공작새면 사람들이 해칠 위험이 덜하잖아요. 돼지나 닭, 오리, 거위 따위가 아니어서 천만다행이에요. 이런 동물로 변하면 잡아먹혀도 억울함을 호소할 데도 없잖아요.

54번: 지나가는행인_갑

하하, 공작새로 변하는 게 어떤 느낌인지 문득 궁금한데요.
55번: 사생지전꼬마제자

QAQ 요 며칠 사존이 보이지 않아요……. 이 게시물 지금 봤는데, 너무 놀라서 정신이 멍해지네요…….
56번: 바보허스키

헐!
57번: 사생지전꼬마제자

세상에, 설마 공작새로 변해서 날아간 건 아니겠죠!
58번: 지나가는행인_갑

설마 님의 사부님이 드신 건 아니겠죠…….
59번: 장주님은벼락부자

모르겠어요! 산을 발칵 뒤집었는데도 못 찾았어요! 책상에 쪽지 남긴 것도 없고, 옷장 안에 옷도 그대로 있고, 먼 길 떠난 것 같지는 않은데! 아! 어떡하죠! 게다가 단 음식을 엄청나게 좋아하세요! 그런데 함부로 남의 간식에 손대실 분은 아닌데…… 악, 머리가 터질 것 같아요!
60번: 바보허스키

@바보허스키 우선 진정 좀 하세요. 님이 생각한 것처럼 그렇게 심각한 상황이 아닐 수도 있습니다. 사존과 원글러가 가까이 삽니까? 가깝지 않으면 간식을 가져갔을 리가 없지요.

61번: 뮬란이여자라니

QAQ 그러네요, @봉황울음소리 집이 어디세요?

62번: 바보허스키

@수진계동물연구회 당분간 공작새들을 주의 깊게 봐 주세요. 사람처럼 구는 공작새가 있다면 사람이 변한 것일 가능성이 커요.

63번: 선물은백금만받아요

그럴 필요 없다. 내가 알기론 사람마다 달라. 원글러는 공작새로 변하지만 다른 사람은 그렇지 않을 수도 있어.

64번: 돈이면다돼

윗님, 그게 무슨 말이에요…….

65번: 접객마

64번님, 그 말 책임질 수 있어요? '내가 알기론'이라니요? 이런 거 잘 아시나 봐요? 아니면 저보다 내막을 더 많이 알고 계신 건가요?

그리고 @바보허스키 전 촉 땅에 삽니다.

66번: 봉황울음소리

그러니까 돼지, 개, 소, 양, 고양이, 말, 토끼, 원숭이, 뭐로 변할지는 사람마다 다르다는 거다.

그리고 거기 위에. 그 간식에 대해서는 내가 훨씬 많이 알아.

67번: 돈이면다돼

허, 이 자신만만한 말투는 대체 뭐지. 제가 누군지 아세요?

68번: 봉황울음소리

화약 냄새(콜록콜록)가 나서 노파심에 하는 말인데요, 여기서는 싸움을 금지합니다. 인신공격하면 계정을 삼 일간 차단합니다.

69번: 제1게시판_[일상]_관리자3호

너는 물론, 네 친아버지가 누군지도 알지.

70번: 돈이면다돼

아아아악! 그럼 어떡해요! 님들 알아듣게 좀 얘기해요! 원글러님 촉 땅에 사시는구나! 저랑 사존은 지금은 촉 땅에 살진 않지만 그쪽에 지인이 많아요. 선물로 받은 걸 드신 거면 어떡하죠 QAQ, @돈이면다돼 님, 정말 내막을 잘 아세요? 그럼 어떤 동물로 변할지를 결정하는 요인이 뭔지도 아세요? QAQ 지금이라도 가서 일일이 조사해 보게 알려 주세요. 한 생명을 구하는

게 7층 불탑을 짓는 것보다 낫다는 말도 있잖아요. 제발 살려 주세요 TAT

71번: 바보허스키

정말 효심이 지극한 제자네요, 감동입니다.

72번: 저승의꼬치장수

야옹, 야옹, 야옹~

73번: 채포

@돈이면다돼 ……당신이군요?

74번: 봉황울음소리

맞아, 나다.

75번: 돈이면다돼

제기랄, 부계정 놀이가 그렇게 재밌나?

76번: 봉황울음소리

저기요, 저 좀 봐 주시면 안 될까요! 이렇게 매정하게 굴지 말고요! @돈이면다돼 님, 원글러랑 무슨 일이 있었는지는 모르겠지만 사적인 감정은 나중에 해결하면 안 될까요? 저 조급해 죽겠다고요, 제 사존 어쩌면 좋죠 QAQ

77번: 바보허스키

단어 사용 좀 조심하지, 교양 없이.
78번: 돈이면다돼

죄송합니다 QAQ
선장님, 잠시 짬을 내시어 제 댓글 좀 봐 주세요. 사존께서 위험에 빠지셨습니다. 자비를 베푸시어 가르침을 주시면 정말 감사하겠습니다.
감사합니다!
79번: 바보허스키

풉, 분명 슬픈 일인데, 바보허스키님 얘기 들으니까 자꾸 웃음이 나오네요.
80번: 진심똑똑해

하하하하!
81번: 사생지전꼬마제자

님들 웃지 마세요, 한시가 급한 일입니다. @바보허스키 지금 어떤 심정일지 십분 이해합니다만, 제가 약에는 문외한이라 도움을 드리지 못할 것 같군요. 정말 죄송합니다.
82번: 묠란이여자라니

충분히 잘하셨습니다. 너무 자책하지 마세요.

83번: 선물은백금만받아요

윗분, 여러 번 봤는데, 누구……?
84번: 물란이여자라니

제가 누군지 모르셔도 됩니다. 전 이렇게 지켜보는 것만으로도 좋으니까요.
85번: 선물은백금만받아요

와…… 이거 지금 고백인가요?
86번: 강동당_화약미

고백 현장 직관~
87번: 지나가는행인_갑

고백은 나중에 하면 안 돼요? QAQ 저 정말 조급해 죽을 것 같단 말이에요! 누가 저 좀 봐 주세요 QAQ 이대로 가다간 미쳐 버릴 것 같아요. 미쳐 버리면 무슨 짓을 저지를지 몰라요…….
88번: 바보허스키

@선물은백금만받아요 님, 죄송합니다. 실례지만 저는 좋아하는 사람이 있습니다.
그리고 우리 @바보허스키 얘기 좀 들어 줍시다. 지금은 이 일이 급선무니까요.

89번: 뮬란이여자라니

그래요, 그래요, 여성분 말씀 들어야죠.
90번: 지나가는행인_갑

저기, 끼어들어서 죄송한데요, 돈이면다돼님이 말한 '단어 사용 좀 조심하지, 교양 없이'는 바보허스키님께 한 말이 아니라 원글러, 그러니까 봉황울음소리님한테 한 말 같은데요.
91번: 지나가는행인_을

오? 저도 다시 돌아가서 꼼꼼히 봤는데 정말 그런 것 같네요. 보면 바보허스키님 조급함이 묻어 있긴 해도 상스러운 말을 한 건 없어요.
오히려 원글러님이 돈이면다돼님에게 제기랄이라고…….
92번: 옥량촌여신

하하하하, 바보허스키님 정말 순진하시네요. 괜히 사과하셨네.
93번: 지나가는행인_갑

@뮬란이여자라니
좋아하는 사람 있다는 거 알아요, 그 사람도 님을 좋아하고요.
이번 달에 인터넷에 접속할 수 있는 시간을 다 써 버려서 저는 이만. 다음에 또 보러 올게요.
좋은 하루 보내시길.

94번: 선물은백금만받아요

……왠지 선물은백금만받아요님이 안쓰럽네요.
95번: 옥량촌여신

인터넷 요금 낼 돈이 없어서 그래요? 간편 송금 보내 줄까요? 그만한 돈은 아무것도 아니에요. 젊은이를 위해서 좋은 일 좀 하는 거죠 뭐.
96번: 접객마

돈 문제가 아니에요. 제가 있는 이곳은 우회 접속할 수 있는 시간이 제한되어 있거든요.
97번: 선물은백금만받아요

? 우회 접속이라니…… 백금 오라버니 외국인이에요? 외국인이시면 @매함설_공식계정
매함설님 이분 좀 도와주세요.
98번: 옥량촌여신

님들 쓸데없는 얘기 좀 그만하면 안 돼요? QAQ 제발 저 좀…… 저…… 지금 진정이 안 돼요…….
99번: 바보허스키

다들 바보허스키님 좀 봐 줍시다. 부탁해요.

도와줄 수 있는 만큼 도와줍시다. 수다는 나중에 떨어도 되잖아요.

100번: 뮬란이여자라니

바보허스키님 일은 @돈이면다돼 님께 맡겨야겠어요. ID 봐요, 얼마나 패기 넘치는지. 믿을 만할지도. 그런데 갑자기 말이 없네요…….

101번: 지나가는행인_갑

허언증 전용 계정인가 보죠. 허풍을 계속 떨기가 버거워서 도망간 것 같아요.

102번: 우리장문님돈많아

매함설 공자는 개인적인 일 때문에 바쁘십니다. 저는 고객서비스센터 상담원입니다.

매 공자와 사귀고 싶으신 분들은 성별이 '여'인지 확인하신 후 1번을 눌러 주십시오.

그리움의 고통을 해소하고 싶으신 분들은 2번을 눌러 주십시오.

애정 문제를 상담하고 싶으신 분들은 3번을 눌러 주십시오.

매 공자의 카자흐어 취미반에 등록하고 싶으신 분들은 4번을 눌러 주십시오(남자는 받지 않습니다).

변심한 남자를 두들겨 패고 싶으신 분들은 @매한설_공식계정으로 연락하세요.

103번: 매함설_공식계정

꺼져.

104번: 매한설_공식계정

……선물은백금만받아요님이 왜 우회 접속하는지 알 것 같네요. 외국에 계신 거 아닌 것 같은데요.

@선물은백금만받아요 님, 개인 쪽지 확인해 주세요. 제가 요즘 장사 때문에 정신이 없어서 접속 시간이 많이 남았는데, 조금 나눠 드리죠.

105번: 저승의꼬치장수

……!

감사합니다. 이 도사님!

그리고 그때 아버지 일은…… 정말 죄송합니다.

106번: 선물은백금만받아요

별말씀을^_^

지나간 일은 마음에 두지 마세요.

재밌게 놀아요. 저는 이만 장사하러 가 보겠습니다.

107번: 저승의꼬치장수

우연히 게시물 보고 한마디 남깁니다. 저도 그 약물에 대해 조금 알고 있어요. 연구 제작에 참여했거든요. @바보허스키 조급해하지 마세요. 관련 자료 개인 쪽지로 보내 드릴게요.

108번: 인터넷기술덕분이라네

우리장문님돈많아님, 아이디 확인했다. 그쪽도 단어 사용에 주의하는 게 좋겠군. 도망가지 않았고, 허풍도 아니니까.

잠깐 약 먹으러 다녀왔다. @바보허스키

먹은 사람의 성격, 외모, 취향, 이 세 가지 요소에 따라 다르다. 한번 상상해 봐, 사존이 동물로 변한다면 어떤 동물로 변할지. 사존에 대해 잘 알고 있다면, 처음 떠오르는 그 동물이 거의 맞을 것이다.

109번: 돈이면다돼

오, 정말 알고 계시네요? 설마 체면 때문에 아무렇게나 둘러댄 건 아니겠죠?

110번: 우리장문님돈많아

…….

111번: 돈이면다돼

@우리장문님돈많아 안녕하세요^_^ 고월야 처벌대로 와 주시겠어요? 장문께서 보자 하십니다.

112번: 의부님말씀이맞습니다

아아, 알겠습니다. 고마워요.

113번: 우리장문님돈많아

별말씀을요^_^
114번: 의부님말씀이맞습니다

……왠지 우리장문님돈많아님 다시 못 돌아올 것 같은 예감이 드네요.
115번: 예언가

하하, 고월야 장문이 너무 위압감을 줘서 그런가 봐요. 그건 그렇고, 시간이 꽤 흘렀는데 바보허스키님 왜 말이 없죠? @바보허스키 사존이 대체 무슨 동물을 닮았는데요? 알려 주시면 유심히 살펴볼게요.
116번: 옥량촌여신

시골뜨기가 감히 본좌를 태그하다니. 그래도 네가 마음씨 착하고 안목도 그다지 형편없지 않은 걸 봐서 이번 한 번은 봐주지. 본좌의 사람이 무슨 동물로 변하든 신경 꺼. 본좌가 알아서 할 테니까.
117번: 바보허스키

엥?
118번: 지나가는행인_갑

이거 지금 무슨 상황이에요?

119번: 지나가는행인_을

바보허스키님 말투가 왜 갑자기 바뀌었죠? 계정 해킹당한 건가?
120번: 접객마

처음부터 본좌의 계정이었다. 어리석은 백성들!
121번: 바보허스키

잠깐! 이 익숙한 말투…… 이런 어조…… 이 닉네임…….
설마 내가 생각하는 그 사람인가…….
122번: 봉황울음소리

그렇다면 어쩔 건데?
123번: 바보허스키

@바보허스키
이봐요! 왜 그렇게 사납게 굴어요. 저는 도와주려고 그런 건데. 참 나, 은혜를 원수로 갚아도 유분수지.
124번: 옥량촌여신

여기 원글러님 지인이 많네요. 하하, 세상 참 좁아요.
125번: 제자절찬모집중

위의 분, 지금 웃을 때가 아닙니다. 바보허스키가 누군지 알 것 같아요. 큰일 났어요.

126번: 봉황울음소리

급해요! 여러분, 주목해 주세요! 사생지전에 사정이 생겨 오늘부터 흰 고양이를 받습니다. 수사님들, 주인 없는 흰 고양이들을 본 문파로 가져오시면 한 마리에 5천 금씩 드릴게요.

127번: 사생지전_설자명

마차가 먼지를 일으키며 달려오니, 장문이 웃는구나. 아무도 모른다네, 흰 고양이가 오고 있음을[#25]

128번: 지나가는행인_갑

이야! 귀엽다! 실명으로 설몽×흰 고양이를 지지합니다!

129번: 강동당_화약미

재밌네. 강동당이 멸문당하고 싶은가 보군?

130번: 바보허스키

강동당 아무개, 혓바닥 함부로 놀리지 마요! 제정신이에요?

131번: 사생지전_설자명

왜 갑자기 흰 고양이를 모으십니까? 이미 귤색 고양이가 한

#25 마차가 먼지를 일으키며 달려오니, 장문이 웃는구나. 아무도 모른다네, 흰 고양이가 오고 있음을 騎紅塵妃子笑, 無人知是荔枝來, 마차가 먼지를 일으키며 달려오니 양귀비가 웃는구나, 아무도 모른다네, 여지가 오고 있음을. 중국 당(唐)대 시인 두목(803-852)의 시 〈화청궁을 지나며〉에 나오는 한 구절을 각색

마리 있잖아요. 다른 고양이를 키울 여력이 없습니다.
132번: 사생지전_선기 장로

장로님, 개인 쪽지 확인해 주세요.
133번: 사생지전_설자명

확인해 봤는데 쪽지 들어온 거 없군요.
134번: 사생지전_선기 장로

부계정에 보냈나 봅니다.
135번: 사생지전_탐랑 장로

왜들 그래요, 그냥 재미로 짝 좀 지어 본 건데. 바보허스키님, 뭘 그렇게 죽자고 덤벼요. 제가 님 남편을 빼앗은 것도 아니고. 흥! 재수 없어!
136번: 강동당_화약미

화 낭자, 좋은 말로 할 때 그만하세요.
137번: 여자를_아낄줄아는_설산_매화

하하, 이 시점에서 문득 궁금해지네요. 한 마리에 5천 금이라. 흰 고양이가 얼마나 흔한데. 사생지전 이대로 파산하는 거 아닌가요?
138번: 지나가는행인_을

야옹, 야옹, 야옹 QAQ
139번: 채포

거봐요, 채포가 울잖아요……. 어떻게 채포 생각은 하나도 안 하고 흰 고양이를 데려올 수 있죠? 채포는 이제 사생지전의 귀염둥이가 아닌가요?
140번: 옥량촌여신

파산할 리가요. 저희를 후원해 주는 @고월야_강야침이 있는 걸요.
141번: 사생지전_설자명

…….
142번: 고월야_강야침

이건 또 무슨 전개죠? 강 장문이 왜 사생지전에서 이렇게 멍청한 짓거리를 하는 걸 후원해요? 지금 저만 이게 사업 기회란 걸 모르고 있나요? 흰 고양이로 단약이라도 만들 수 있어요?
143번: 접객마

고양이로 단약을 만들다니!
도포산장 멸문당하고 싶나?
144번: 바보허스키

……바보허스키님 말투가 완전히 변했네요……. 영혼이 바뀐 것처럼…… 걸핏하면 멸문시키겠다고 으름장을 놓네요……. 자기가 무슨 멸문 전문가인 줄 아나 봐요…….
145번: 장주님은벼락부자

몇 마리나 필요하지?
146번: 고월야_강야침

헐! 정말 준다고요?
147번: 진심똑똑해

고월야 그렇게 돈 쓸 데가 없어요? 딱 봐도 밑지는 장사인데 왜 투자해요? 후원자는 무슨, 아낌없이 주는 물주 아버지지!
148번: 나도_물주아버지가_있으면_좋겠다

강 장문! 사양 산업이 하나 있는데, 장래성이 없긴 하지만 한번 들어 보시고 자선 사업 좀…….
149번: 석양의_실버레이싱_클럽

강 장문! 미분양 매물이 하나 있는데, 장래성이 없긴 하지만 투자를 고려하심이…….
150번: 유풍문_묘지뷰_분양사무실

강 장문! 프로젝트가 하나 있는데, 무조건 떼돈 벌 수 있습니다. 불법이긴 한데, 저희와 함께 이 사업에 뛰어들지 않으시겠습니까…….

151번: 수진계꽃미남영화제작사

와! 설몽×흰색 고양이 지지한다는 말 취소요!

설몽×강희로 바꿀게요!

152번: 강동당_화약미

강희×설몽이 아니고요?

153번: 옥량촌여신

@제1게시판_슈퍼관리자 149번부터 152번까지 계정 차단하시오. 영구 차단.

154번: 고월야_강야침

강 장문, 원칙적으로 회원 계정을 함부로 영구 차단할 수 없습니다. 양해 바랍니다.

155번: 제1게시판_슈퍼관리자

149번부터 152번까지 차단하시오. 하나당 10만 금.

156번: 고월야_강야침

강 장문, 원칙적으로 회원에게 돈을 요구할 수 없습니다. 게

다가 강동당_화약미님은 VIP 장문 회원입니다. 원칙적으로 장문의 계정은 차단할 수 없습니다.

157번: 제1게시판_슈퍼관리자

관리자님, 안녕하세요. 저의 양아버지께서 연로하셔서 얘기를 명확하게 하지 못하셨네요. 149번에서 152번 댓글까지의 계정을 차단해 주시면, 문제가 해결될 때까지 총 댓글 수에 따라 댓글 하나당 10만 금을 드린다는 말씀입니다. 예를 들어 문제가 해결될 때까지 댓글이 모두 200개 달렸다고 가정하면 200×10만 금=2천만 금을, 댓글이 2,000개 달린 후에야 문제가 해결됐다, 그러면 2,000×10만 금=2억 금을 귀 게시판에 드리는 겁니다.

그런데 얘기를 안 하고 넘어갈 수가 없네요. @고월야_강야침 아버지, 돈 낭비입니다. 그리고 누구나 잘못을 저지를 때가 있는데 개과천선할 기회는 줘야죠.

다시 한번 생각해 보세요.

158번: 의부님말씀이맞습니다

그래, 다시 생각해 봐야겠다.

@제1게시판_슈퍼관리자

158번도 계정 차단하시오.

159번: 고월야_강야침

[알림] '강동당_화약미', '석양의_실버레이싱_클럽', '유풍문_묘지뷰_분양사무실', '수진계꽃미남영화제작사', '의부님말씀이

맞습니다'님은 규정 위반으로 댓글 기능이 영구 비활성화되었음을 알려 드립니다.

160번: 제1게시판_슈퍼관리자

……

161번: 지나가는행인_갑

……

162번: 장주님은벼락부자

하하, 이게 바로 말로만 듣던 '이의 있어도 찌그러져 있어'인가요?

163번: 선물은백금만받아요

'의부님말씀이맞습니다'는 풀어 주시오. 어린아이니 겁만 주면 되니까. 정말로 벌할 필요 없소.

164번: 고월야_강야침

알겠습니다. 지금 바로 풀어 드리겠습니다.

165번: 제1게시판_슈퍼관리자

……역시 아버지는 아버지네요. 다른 계정은 여자도 얄짤없이 영구 차단하면서 '의부님말씀이맞습니다'는 1분도 안 돼서 바로 풀어 주는 것 좀 봐요.

166번: 옥량촌부녀회_지역특산품전문점

아버지, 감사합니다. 그런데 화를 내셔도 할 말은 해야겠습니다. 계속 이렇게 나가다간 고월야 재정이 적자가 될 겁니다.

167번: 의부님말씀이맞습니다

……다시 차단.

168번: 고월야_강야침

알겠습니다. 지금 바로 차단하겠습니다.

169번: 제1게시판_슈퍼관리자

풉, '의부님말씀이맞습니다'님은 차라리 닉네임을 '의부님말씀은다틀려'로 짓지.

170번: 장주님은벼락부자

관리자님도 관리자가 아니라 '지바차(지금 바로 차단하겠습니다)'로 하는 게 나을 것 같은데요.

171번: 진심똑똑해

아! 가난이 제 상상력을 제한하네요! 강 장문, 물주 아버지!

172번: 나도_물주아버지가_있으면_좋겠다

물주 아버지! 아들 필요하지 않으세요?

173번: 나도_물주아버지가_있으면_좋겠다1

강 아버지! 저를 아들로 받아 주세요!
174번: 나도_물주아버지가_있으면_좋겠다2

아버지! 저를 좀 봐 주세요! 말 잘 들을게요! 아버지께서 하시는 일은 다 옳아요! 쓰고 싶으신 대로 쓰세요! 절대 '의부님말씀이맞습니다'처럼 행동하지 않을게요! 아버지! 제가 아버지의 잃어버린 아들입니다!
175번: 나도_물주아버지가_있으면_좋겠다3

요즘 사람들은 이렇게 줏대가 없다니까요! 부끄러운 줄도 모르고!
돈만 많으면 아버지예요? 지나가던 개가 웃겠네요!
저 좀 봐 봐요! 저는 당신들과 달라요!
176번: 강희는울아빠

하하하, 위의 분 장난꾸러기! 나도 부계정 하나 만들어야지~
177번: 울아빠는강희

당신들 염치라는 게 있습니까?
178번: 봉황울음소리

……아, 원글러님 드디어 출현, 게시물이 무슨 내용이었는지

까먹을 뻔했네요……. 강희 팬클럽인 줄…….

179번: 지나가는행인_갑

죄송하지만 너무 황당하군요. 제1게시판은 각 문파 교류의 장인데, 다짜고짜 장문의 계정을 차단하다니. 그것도 영구적으로. 그럼 앞으로 강희의 심기를 건드리는 회원은 무조건 차단당하는 겁니까? 조금 전까지 원칙이 어쩌고저쩌고하시더니 지금은요? 원칙은 어디 갔습니까?

그리고 계정을 차단한 이유가 '규정을 위반해서'라고 하셨는데, 무슨 규정을 위반했다는 거지요? 게시판 관리자, 저도 그거 해 봐서 압니다. 납득할 만한 해명을 내놓으시지요.

180번: 묘란이여자라니

10분 전에 새로 추가된 조항이 있으니 확인 바랍니다. [제131조: 본 게시판의 최대 투자자를 존중해 주세요.]

181번: 제1게시판_슈퍼관리자

정말 기가 막히네요. @고월야_강야침 남궁류처럼 혼자서 권력을 휘두를 셈입니까? 유풍문의 교훈을 모르지 않을 텐데요.

182번: 묘란이여자라니

휴…… 왜 늘 총대를 메요…….

183번: 선물은백금만받아요

강희, 무슨 말이라도 해 보십시오.

184번: 뮬란이여자라니

아이고, 저 여자 제정신이야? 돈 있으니까, 최대 투자자니까, 존중 좀 해 달라는데 뭐가 어때서요.

185번: 나도_물주아버지가_있으면_좋겠다

관리자가 언제 '다짜고짜' 차단했어요? 분명 '돈 받고' 차단했구먼. 우리 아버지가 돈으로 통쾌함을 사겠다는데, 님들이 무슨 상관이에요?

186번: 울아빠는강희

……이 게시판 콘셉트 정말 알다가도 모르겠네요.

187번: 사생지전_설자명

이외에도 장문이 모르는 일이 많습니다.

그건 그렇고, 꽤 많은 사람이 고양이를 데려왔어요. 가서 받으세요. 잘 기록하고 돈을 주세요.

188번: 사생지전_선기 장로

합법적으로 돈을 쓰는 것이니 군소리들 마시오.

189번: 고월야_강야침

유풍문이 세력에 기대어 사람을 업신여기더니 고월야는 재력에 기대어 제멋대로 구는군요.

강 장문, 본성이 나쁘지 않아도 이대로 가면 언젠가는 쓴맛을 볼 겁니다.

190번: 뮬란이여자라니

강 장문, @뮬란이여자라니 발언 금지시킬까요?

191번: 제1게시판_슈퍼관리자

@뮬란이여자라니 어디서 훈계를.

@제1게시판_슈퍼관리자 그럴 필요 없소.

@사생지전_설자명 돈은 보냈다.

192번: 고월야_강야침

내가 못 살아! 제기랄, 누가 귤색 고양이를 하얗게 염색해서 사기 쳤어요!

193번: 사생지전꼬마제자

……그걸 못 알아본다고? 염색해도 몸매는 그대로잖아요.

194번: 사생지전여제자

QAQ 사람과 사람 사이의 기본적인 신뢰는 다 어디 갔나요?

문 입구에 물통 갖다 놨어요. 무조건 씻겨 보고 들여보낼 거예요!

195번: 사생지전꼬마제자

음…… 지금 봤는데요, 쭉 읽다 보니…… 아니, 아무도 이상한 점 발견하지 못했어요?
196번: 수진계의_셜록홈스

네? 뭘요?
197번: 옥량촌여신

하하! 말하지 않았을 뿐 저도 발견했어요! 셜록홈스님, 강희가 149번부터 152번까지만 차단하고 153번을 놔줬다고 얘기하고 싶은 거죠? 자기를 '공' 위치에 넣어 주니까 돈 많은 우리 강 여사가 칭찬인 줄 알았나 봐요~
198번: 돈많은강여사안무서운부계정

……돈 많은, 돈 많은 강 여사?
푸하하하하!
199번: 비웃을때도부계정으로

[알림] '돈많은강여사안무서운부계정', '비웃을때도부계정으로' 님의 계정이 차단되었습니다. 키워드 '돈많은강여사'는 금지어로 지정되었습니다. 해당 키워드가 포함된 아이디로 회원 가입을 하실 수 없습니다. 해당 키워드가 포함된 댓글은 삭제됩니다.
부계정으로 인신공격하는 행위를 엄금합니다. 오늘부터 실명을 사용하지 않을 경우 회원 가입이 제한됩니다.

200번: 제1게시판_슈퍼관리자

……이렇게까지 앞잡이 노릇 하고 싶어요? 강희도 아무 말 안 하는데…….

201번: 지나가는행인_갑

그게 아니라, 153번만 차단되지 않은 건 저도 알고 있는데요. 제가 얘기하고 싶은 건 그게 아니에요.

사생지전에서 왜 갑자기 흰 고양이를 수집할까요? 다들 뜬금없는 얘기라고 그냥 넘기셨나 보네요.

잠시만요. 제가 정리해서 올릴게요.

202번: 수진계의_셜록홈스

랄랄라~ 팝콘각~~

203번: 강동당_화약미

……관리자, 203번 계정 차단당한 거 아니었나? 지금 내 눈이 잘못된 것인가, 게시판이 잘못된 것인가?

204번: 고월야_강야침

제 실수입니다! 분명 정지시켰는데! 제가 조작을 잘못했나 봅니다. 다시 해 볼게요! 죄송합니다. 죄송합니다!

205번: 제1게시판_슈퍼관리자

헤헤~ 상상도 못 했죠, 저 다시 왔어요~!
206번: 강동당_화약미

거슬리니까 당장 차단하시오.
207번: 고월야_강야침

휴, 시간이 흘러도 여자를 아낄 줄 모르는 남자는 변하지 않네요. 사실 이런 남자들과 얘기할 때는 도리를 따질 필요 없어요. 감정적으로 접근해서 적당히 양보하면 알아차릴 거예요. 그렇게 성내지 않아도 된다고요.
208번: 여자를_아낄줄아는_설산_매화

강 장문, 에러가 난 것 같습니다……. 좀 전에 계정을 차단당한 사람들 가운데서 같이 영화 사업을 하자고 제안한 사람을 제외하고 모두 차단이 해제됐어요. 게다가 다시 차단하려고 해 봐도 안 되네요…….
정말 죄송합니다. 지금 바로 기술팀에 연락해서 조치하겠습니다.
209번: 제1게시판_슈퍼관리자

필요 없소. 짐작이 가는군.
@의부님말씀이맞습니다
네 짓이냐?
210번: 고월야_강야침

네, 제가 그랬어요.
211번: 의부님말씀이맞습니다

이제 컸다고 나는 안중에도 없구나.
잘났다, 아주.
212번: 고월야_강야침

실례합니다. 구경 좀 할게요.
213번: 지나가는행인_갑

고마워요. @의부님말씀이맞습니다
오라버니~ 계정을 살려 주신 은혜 평생 잊지 않겠습니다~ 뽀뽀 쪽~.
214번: 강동당_화약미

절대 아버지를 무시하려는 거 아닙니다. 아버지는 아주 훌륭하세요. 수진계를 통틀어 가장 자상하고 가장 착하고 가장 달콤하신 분이죠. 그러나 아무리 아버지라도 과오를 저지르는데 제가 어찌 보고만 있겠어요.
사실 아버지도 옳고 그름을 알고 계시잖아요. 그러니 '물란이 여자라니'님을 봐줬겠죠.
215번: 의부님말씀이맞습니다

OMG, 내가 지금 뭘 본 거지? 강희가 수진계를 통틀어 가장 자상하고 가장 착하고 가장 달콤한 사람이라니요? 제 눈이 잘못된 거예요? 게시판이 이상한 거예요? 아니면 '의부님말씀이맞습니다'님이 정신 나간 거예요?

216번: 지나가는행인_을

……@한린안과_응급진료 의사 선생님, 여기 환자 있어요.

217번: 진심똑똑해

정말 어이없네. 의부님말씀이맞습니다, 필터를 얼마나 쓰면 그렇게 보이지? 수진계를 통틀어 가장 자상하고 가장 착하고 가장 달콤한 사람은 누가 봐도 본좌의 사람이야!

218번: 바보허스키

바보허스키님 중2병 말기네요.

219번: 지나가는행인_갑

강희와…… 달콤하다…… 는 공존할 수 없는 단어들이에요.

220번: 사생지전꼬마제자

한마디 보탤게요. 강희는 '달콤하다'와 공존할 수 없을 뿐만 아니라 '착하다', '자상하다', '고결하다', '정직하다', '부드럽다', '정답다', '아련하다', '친밀하다', '슬프다', '동정하다', '자애롭다' 등의 단어들과도 공존할 수 없어요. 강희와 이런 아름다운 단어들은 두 가지 백신 프로그램처럼 서로 공격해서 컴퓨터를 마비

시키죠.

221번: 장주님은벼락부자

잘 알지도 못하면서 함부로 말하지 마세요.

222번: 의부님말씀이맞습니다

이런 병은 안과를 태그할 게 아니라 정신과를 태그해야죠.

그런데 제가 봤을 땐 가망이 없어요. 그냥 포기해요.

223번: 욕심없는중산이리

한린안과_응급진료 서비스센터입니다.

녹내장은 1번을 눌러 주세요.

백내장은 2번을 눌러 주세요.

고도근시는 3번을 눌러 주세요.

노안은 4번을 눌러 주세요.

실명은 한린성수 핫라인3838748으로 연락해 주세요.

필터 제거가 어려울 시에는 정신과로 문의하시길 바랍니다.

224번: 한린안과_응급진료

하하, 제 말이 맞죠. 정신과로 가야 한다니까요.

225번: 욕심없는중산이리

@의부님말씀이맞습니다 오라버니, 혹시 강희가 그렇게 말하라고 협박했어요? 불쌍해……. 제 계정을 풀어 줬으니까 특별

히 받아 줄게요. 강동당으로 와서 제 호위가 되어 주세요. 만났는데 잘생겼다, 그럼 제 서방도 아예 불가능한 건 아니에요~ 기회를 줄게요~.

226번: 강동당_화약미

공개 구혼 현장.

227번: 지나가는행인_갑

관심 감사합니다. 아무도 저를 협박하지 않았고, 강동당에 입문할 생각도 없어요. 계정을 풀어 준 건 단지 그쪽이 장문이기 때문이에요. 그러니 다시는 @ 하지 마세요. 우리는 친하지도 않습니다.

228번: 의부님말씀이맞습니다

님들, 저 왔어요!

지금 막 집에 도착했어요. 아까는 핸드폰으로 자판 치기 불편해서~.

126번과 127번 발언에 주목해 주세요.

위의 분, 지금 웃을 때가 아닙니다. 바보허스키가 누군지 알 것 같아요. 큰일 났어요.

126번: 봉황울음소리

급해요! 여러분, 주목해 주세요! 사생지전에 사정이 생겨 오늘부터 흰 고양이를 받습니다. 수사님들, 주인 없는 흰 고양이들을 본 문파로 가져오시면 한 마리에 5천 금씩 드릴게요.

127번: 사생지전_설자명

이 두 사람이 댓글을 남긴 시간은 채 1분도 차이 나지 않아요. 앞의 내용과 결합해서 보면, 원글러인 '봉황울음소리'님이 간식이 온데간데없이 사라진 걸 발견하고, 그 간식을 먹으면 동물로 변한다고 알렸어요. 곧이어 '바보허스키'님이 사존이 보이지 않는다고 제보했어요. 처음에는 '봉황울음소리'님도 그렇고 다른 사람들도 그렇고, 다들 무관심했어요. 그런데 이때 '봉황울음소리'님이 갑자기 '큰일 났어요'라고 했어요.

자, 다들 생각해 보세요. 큰일 났다고 한 건 '바보허스키'님의 정체를 눈치챘기 때문이에요. 그 말인즉 '바보허스키'님의 정체를 알게 된 후 바로 '바보허스키'님의 사존이 누구인지 알았다는 거죠. '바보허스키'님의 사존과 '봉황울음소리'도 친밀한 사이라는 얘기예요. '봉황울음소리'님도 '바보허스키'님의 사존을 걱정하고 있을 거예요.

그리고 보시면, '봉황울음소리'님이 조급해하기 시작한 후 1분도 안 되어 '사생지전_설자명'님이 불쑥 나타나 뜬금없이 흰 고양이를 수집한다고 했어요. 님들, 우연이라고 하기엔 너무 절묘하지 않아요?

그래서 저는 '봉황울음소리'가 '사생지전_설자명'님의 부계정이 아닐까 하고 감히 짐작해 봅니다. 평소에 남에게 별로 관심이 없는 설자명을 이렇게까지 조급하게 만들고, 고양이로 변할

가능성이 큰 사람…… 저는 한 사람밖에 떠오르지 않아요.
여러분도 저와 같은 사람을 떠올렸는지 모르겠네요.
229번: 수진계의_셜록홈스

와우…… 예리하네요……. 저는 별생각 없이 넘겼는데…….
230번: 지나가는행인_갑

듣고 보니 정말 그러네요!
저는 곧바로 북두선존 초 종사가 떠올랐어요!
231번: 지나가는행인_을

초만녕+1
232번: 강희는울아빠

저도 초 종사밖에 없다고 생각해요. 맞히라고 낸 문제네요.
233번: 진심똑똑해

그런데…… 그런데 초 종사가 남의 물건을 훔칠 사람 같지는 않은데요?
234번: 옥량촌여신

훔쳐 먹은 게 아닐 수도 있잖아요. 누가 모르고 선물했다거나 다른 이유가 있을 수도 있잖아요.
235번: 진심똑똑해

헐! 셜록홈스님 말대로라면 '봉황울음소리'는 설자명이고 실종된 사람은 초만녕, 그럼 바보허스키는…… 답, 답…….

236번: 장주님은벼락부자

……무서워서 먼저 물러갑니다.

237번: 강동당_화약미

저, 저는 이번 달 인터넷 요금 납부하러 가야 해서, 이만 물러갑니다.

238번: 강희는울아빠

저 배터리 없어요, 님들 안녕히 계세요.

239번: 울아빠는강희

이제야 본좌가 무서운가? 어리석은 백성들 같으니라고!
@사생지전_설자명
고양이 찾는 일은 어떻게 됐어?

240번: 바보허스키

TAT 폐하, 죽을죄를 지었습니다. 고정하시옵소서. 제발 게시판을 차단하지 말아 주십시오…….

241번: 지나가는행인_갑

와! 정말 맞혔어요?

봉황울음소리님이 정말 설몽이라면, 조금만 더 파면 다른 사람들의 부계정을 알아내는 건 일도 아니겠는걸요.

242번: 지나가는행인_을

일부러 부계정을 캐는 행위를 엄금합니다. 이 점 유의 바랍니다.

243번: 제1게시판_슈퍼관리자

@바보허스키

진전이 하나도 없어, 정말 그냥 고양이들이야. 오히려 채포가 좀 이상해졌어. 같은 종족이 자기 영역에 들어오니 안절부절못하면서 나를 에워싸고 야옹야옹 우네. 아무리 쫓아내도 소용없다니까. 한 시간 전에 사람을 시켜 달래라고 했으니 걱정하지 마. 화황각의 동물 전문가를 청해서 채포의 고양이 언어를 분석해 달라고 해 놨어. 지금 기다리는 중이야.

244번: 사생지전_설자명

죄송한데 채포가 누구죠……?

245번: 장주님은벼락부자

사생지전 왕 부인이 기르는 귤색 고양이예요. 살이 쪄서 늘 새끼를 밴 것처럼 보이죠.

246번: 진심똑똑해

아직도 뒷산 냇물의 멸치를 좋아하는지, 그립네요.
247번: 두약꽃만발

하하, 다 제 복이 있는 법이니 너무 걱정하지 마시오.
그건 그렇고, 우리 여기 넷째 형님이 댁에서 연회를 베풀고 있다고 하니 다 같이 갑시다. 맛있는 게 많을 거요.
248번: 내가바로최고미남

네, 좋아요.
249번: 두약꽃만발

여러분, 이제 고양이를 보내지 않으셔도 됩니다.
@고월야_강야침
이제 돈을 보내지 않아도 돼요. 남은 돈은 돌려드리겠습니다. 떼어먹을 생각은 추호도 없어요.
250번: 사생지전_설자명

무슨 상황이야! 누구 맘대로? 죽든지 살든지 상관하지 않겠다는 거야?
251번: 바보허스키

아버지 기분이 언짢아서 로그아웃하셨어요. 말씀 전해 드릴 테니까 걱정하지 마세요, 설 장문.
252번: 의부님말씀이맞습니다

설자명, 당장 나오지 못해! 말을 똑바로 해. 왜 갑자기 고양이를 보내지 말라는 거야?

253번: 바보허스키

……종남산에 광석 캐러 다녀왔다. 무슨 상상을 하는 게냐?

@바보허스키

한 시간이면 집에 도착한다.

254번: 흰옷만백벌있음

!

돌아왔어?

255번: 바보허스키

옥형 장로의 부계정 구경 좀 해야지~

256번: 사생지전꼬마제자

……셜록홈스님의 댓글을 자세히 보지 않아 부계정이 폭로된 걸 모르고 있는 것 같은데 위의 분 군이 일깨워 주네요.

257번: 그저구경하고싶을뿐

방금 말을 하다 말았는데요, 화황각 사람과 처리할 문제가 좀 있어서요.

여러분, 안녕하세요. 경보 해제합니다. 제 간식을 먹은 사람은 없어요. 채포 배 속에 들어갔네요……. 우리 집 채포가 밤에 어슬렁거리다가 호기심에 몰래 먹었나 보네요. 동물이 먹으면 머리가 좋아져요. 아까부터 자기가 먹었다고 말하고 싶었던 모양이에요. 덕분에 총명해졌어요. 화황각 사람이 채포의 야옹야옹을 분석해서 알았어요.

한마디로 해프닝입니다. 그래도 고마워요.

그리고 부계정은 아무래도 좋아요. 어차피 부계정으로 떳떳하지 못한 짓거리를 한 게 없으니까. 아마 대화를 꼼꼼히 보다 보면 여러 사람의 부계정을 캐낼 수 있을 거예요. 악의적으로 이용하는 사람이 있을 것 같아 3분 뒤에 게시글을 삭제해 달라고 했으니까 협조 좀 부탁합니다.

258번: 사생지전_설자명

삭제되기 전에 댓글을 하나라도 더 남겨서 강희 돈을 한 푼이라도 더 뜯어내야지. 약 올리는 건 늘 즐거워~.

259번: 지나가는행인_갑

하하하, 함께해요~.

260번: 지나가는행인_을

님들 정말 찌질하네요. 3분 안에 쓸데없는 댓글 3천 개를 더 달아도 강 장문에겐 껌값이라고요. 차라리 이 게시글을 따로 저장해서 느긋하게 음미하는 게 더 재미있지 않겠어요?

261번: 진심똑똑해

음…… 찬물 끼얹고 싶지는 않은데요, 이 게시글은 복사 금지예요. 관리자가 선수 쳤어요.

262번: 옥량촌여신

아아앙, 몰라, 몰라! 게시글이 삭제되기 전에 옥형 장로에게 고백할래요!

263번: 사생지전꼬마제자

저도요! 저도 옥형 장로에게 고백할래요!

264번: 사생지전여제자

저도 끼워 줘요!

265번: 장주님은벼락부자

윗분은 도포산장의 반역자입니까?

저도 끼겠습니다!

아, 맞다. @흰옷만백벌있음

새로운 도면 다 그리셨습니까? 제게 상업적으로 사용할 수 있는 권한을 위임해 주실 수 있을까요? 같이 부자됩시다.

266번: 접객마

……대체 무슨 일이 있었던 겁니까.

267번: 흰옷만백벌있음

아무것도 아니야. 설몽의 지능이 로그아웃됐을 뿐이다.
집에 도착했어?
268번: 바보허스키

허허, 흰옷만백벌있음님 대답 좀 해 주시죠.
269번: 접객마

@바보허스키
문이나 열거라.
270번: 흰옷만백벌있음

저와 함께 떼돈 벌 사람 없으십니까……? 돈을 더 벌어서 도포산장 홈쇼핑을 열려고 하는데, 제 안목을 믿어 줄 사람 어디 없나요? QAQ
271번: 접객마

아무도 안 믿어요. 딱 들어도 돈 못 벌 것 같네요.
272번: 진심똑똑해

맞아요. 저는 차라리 우리 아버지의 강남 제약업에 투자할래요.
@고월야_강야침
이렇게 죽을 각오로 끈질기게 구애하는데, 아버지, 저 좀 봐 주시죠?

273번: 울아빠는강희

꺼져.
274번: 고월야_강야침

……희한하네요, 강 장문은 좀 전에 로그아웃하고 쉬러 가지 않았어요? 위의 분 설마…….
275번: 옥량촌여신

본 게시글은 곧 삭제되니 댓글을 자제해 주시길 바랍니다. 연락하고 싶은 분들은 따로 개인 쪽지를 이용해 주세요. 여러분의 적극적인 참여 감사합니다.
276번: 제1게시판_슈퍼관리자

잠깐만요, 옥량촌여신님을 태그하고 싶어요.
정말 아름다우시네요. 제게 친구 추가를 할 수 있는 영광을 주시겠습니까?
277번: 여자를_아낄줄아는_설산_매화

위의 분 규정 위반으로 계정 하루 차단 조치합니다.
댓글 남기지 마시라고 분명히 말씀드렸습니다. 3초 뒤에 삭제됩니다.
3, 2…….
278번: 제1게시판_슈퍼관리자

아아아아! 잠깐만요! 옥형 장로를 더 보고 싶다고요!
279번: 사생지전꼬마제자

냉수 먹고 속 차리시지.
맞아. 이건 본인 댓글이 아니야. 본좌가 누군지 한번 맞혀 보든가.
280번: 흰옷만백벌있음

……딱 봐도 알겠네요…….
281번: 사생지전꼬마제자

@제1게시판_슈퍼관리자
차단하려면 얼마든지 하세요. 계정 하나 더 있으니까.
@옥량촌여신
낭자, 저예요. 저는 진심으로 낭자와 친구가 되고 싶어요. 낭자만 좋다면 언제든지 찾아오셔도 돼요. 여자를_아낄줄아는_설산_매화 이 계정 추가해 주세요. 지금 이 계정은 자주 안 써요. 기다릴게요 ^_^
282번: 다신_형제대신_죄를_뒤집어쓰지_않으리

여기까지.
283번: 제1게시판_슈퍼관리자

====본 게시글은 삭제되었습니다====

====10초 후 자동으로 첫 페이지로 이동합니다====

====이 링크를 클릭하면 첫 페이지로 이동합니다====

– 〈누가 설몽몽의 간식에 손댔을까?〉 끝 –

외전 4장 설몽몽 맞선기

최근 도포산장의 마 장주가 수진계를 풍미할 법기, 해우(解憂) 족자를 만들었다.

사용 안내서에는 호방한 필체로 큼지막하게 쓰여 있었다.

[신무가 손에 있으니, 연분은 걱정 없네.]

처음 이 법기에 대해 들었을 때 설몽은 사생지전의 검술 훈련장에서 검술을 연마하고 있었다. 설몽은 새하얀 손수건을 꺼내 용성을 깨끗하게 닦고는 법기를 추천하는 도포산장 제자를 홱 돌아보며 퉁명스럽게 말했다.

"무슨 헛소리야. 접객마가 이따위 물건을 내게 추천하는 이유가 대체 뭐라더냐?"

"음, 그게…… 저희 마 장주께서 그러시더군요. 설 장문께선 밤낮으로 일만 하시다 보니 밖에 나가서 여수사들을 만날 여유가 없으실 거라고. 사존이신 초 종사로부터 지혜를 많이 얻은 덕분에 최근 몇 년간 법기를 만드는 기술이 나날이 좋아졌으니 반드시 사생지전에 보답해야 한다고요……. 이 해우 족자도 장주께서 온갖 정성을 기울여 설 장문을 위해 만드신 겁니다.”

설몽이 격노하며 용성을 휙 휘둘러 손수건을 반으로 갈랐다.

“날 위해 만들었다고? 정말 어이없군. 나한테 여자가 부족해 보인다는 건가?”

도포산장 제자는 혈기왕성하고 위풍당당한 설 장문을 조심스럽게 위아래로 훑어보더니, 침을 꼴깍 삼키고 신중하게 말했다.

“남자가 부족하면 남자도 찾을 수 있습니다. 연만 닿는다면…….”

설몽은 잠시 얼떨떨해하다, 이내 얼굴이 붉으락푸르락해졌다. 그는 칼을 칼집에 넣고 검술 훈련장의 세찬 바람을 맞으며 꼿꼿하게 서서 버럭 소리 질렀다.

“여봐라!”

“네, 장문!”

설몽이 눈썹을 확 추켜세우며 매섭게 말했다.

“손님을 배웅하거라!”

“네!”

한 세대를 주름잡은 거상 접객마가 단순히 젊은 남녀를 짝지어 주기 위해 이런 걸 만들었을 리가 없다. 마 장주가 ‘해우 족자’를 만든 것도 사실이오, 이 해우 족자가 수사들에게 동반자를 찾아 줄 수 있는 것도 참이지만, 설 장문을 위해 만들었다는 건 새빨간 거짓말이었다.

설몽을 끌어들이려는 목적은 단순했다.

여수사들을 모으기 위해서다.

천열 전쟁 후, 수진계는 천지개벽과 같은 변화를 맞이했다. 사생지전이 일약 대문파 반열에 오르면서 '아무거나 순위'도 많이 바뀌었다. 설몽은 여러 항목에서 순위권에 들었고 처녀들이 꿈에 그리는 사내가 되었다.

서민적인 장사꾼 마 장주도 불티나게 팔리는 '아무거나 순위'에 아주 관심이 많았다. 그리하여 달빛이 어둡고 바람이 세게 부는 어느 날 밤, 마 장주는 수박을 와그작와그작 씹어 먹으며 흥미진진하게 새로 나온 명단을 살펴봤다.

[영걸 순위 1위, 초만녕. 현재 상황: 은퇴함.

영걸 순위 2위, 묵미우. 현재 상황: 은퇴함.]

마 장주는 수박씨를 연거푸 뱉더니 심복에게 탄식하며 말했다.

"참, 이 두 사람이 독신이었다면 무슨 수를 써서라도 끌어들였을 텐데. 그러면 여자들이 서로 '해우 족자'를 구하려고 미친 듯이 달려들었을 텐데 말이야. 아쉬워 죽겠네."

마 장주는 책자에 있는 초만녕의 초상화를 보여 주며 감탄해 마지않았다.

"봐 봐, 예전엔 몰랐는데 아무리 봐도 싫증 안 나는 얼굴이란 말이야. 얼마나 신선의 기품이 넘치고 얼마나 순수한지."

"장문, 제가 미적 감각이 좀 없어요. 그러니 저에게 품평하게 하지 말아 주세요."

마 장주가 고개를 끄덕이며 수긍했다.

"하긴, 네가 보는 눈이 좀 없긴 하지. 그럼 나 혼자 좀 더 궁리해 보마."

그렇게 잠시 생각하는가 싶더니 다시 고개를 들고 물었다.

"그럼 매함설을 영입하는 건 어떻겠느냐?"

심복이 차분하게 대답했다.

"법기를 사용하지 않아도 여자들이 줄을 서니 흥미를 못 느낄 것 같은데요."

"아아, 맞는 말이네."

그러고는 또 잠시 생각하더니 물었다.

"그럼 강희는 어때?"

"강희는 불법도 마다않는 암상인입니다. 장문은 사람됨이 올바르고 심성이 착하시니 되도록 그런 사람과는 거래를 하지 마세요. 피땀 흘려 힘들게 번 돈까지 날리지 않게 조심하셔야 합니다. 게다가 강희 성격에 자기를 미끼 삼아 여수사들에게 해우족자를 사게 했다는 걸 알면, 돼지우리에 처넣어 암퇘지와 함께 청춘 시절을 보내게 만들지도 몰라요."

마 장주는 흐뭇해서 심복의 머리를 쓰다듬으며 말했다.

"아우야, 난 말이야, 너의 이런 입바른 소리가 참 좋아."

그 후로도 몇 번이나 이리 뒤적, 저리 뒤적거린 후에야 마 장주는 결심한 듯 말했다.

"아니면…… 설몽으로 하자. 부자 명단에도 이름이 없고 키 명단에도 이름이 없지만, 외모 명단에서는 상위권이야. 게다가 새로 두각을 나타낸 장문이잖아. 혼기도 찼고……. 한번 해 볼까? 사람을 보내서 구슬려 볼까?"

이리하여 설몽은 도포산장 제자가 함부로 지껄이는 말을 듣게 된 것이었다.

설몽은 버럭 화를 냈다.

장문 자리를 이어받은 후로 성격이 많이 유해져서, 사생지전 사람들은 오랜만에 설몽이 화를 내는 모습을 보았다.

선기 장로가 무척 관심 어린 말투로 물었다.

"존주, 왜 그러십니까? 무슨 고민거리라도 있으십니까?"

설몽이 이를 부득부득 갈며 투덜거렸다.

"도통 이해가 안 돼서요. 이 세상에 동반자가 없는 사람이 쌔고 쌨는데, 왜 하필 마 장주는 저를 염두에 두는 걸까요?"

영민한 선기 장로는 마 장주가 설몽의 약점을 건드렸다는 걸 알아채고 서둘러 말했다.

"존주는 장문이시니 모두의 주목을 받는 것이 당연합니다."

"그럼 왜 강희는 주목하지 않는 거죠?"

"……강 장문은 용모가 여전하지만 아무래도 나이가 있으니……. 젊었을 때는 주목을 많이 받았습니다."

그 말을 들은 설몽은 왠지 기분이 더 언짢아졌다. 어머니가 생각나 마음이 아팠다. 저도 모르게 젊은 날 강야침의 박정하고 거만한 모습이 그려지면서, 어머니의 마음을 얼마나 슬프게 했을지 생각했다.

그러나 강희와의 비밀을 다른 사람에게 털어놓고 싶지 않아 대상을 바꿔 낮은 소리로 웅얼거렸다.

"그럼 왜 매함설에게는 관심을 보이지 않는데요?"

선기 장로는 웃으면서 넌지시 말했다.

"존주, 매 선장이 가정을 이루면 수진계 전체에 다시 피바람이 일어날지도 모릅니다."

"……그럼, 그럼, 그럼 그……."

설몽은 '그럼'만 되풀이할 뿐, 다른 사람을 더 대지 못했다. 예전에 설정옹이 얼른 장가들라고 잔소리할 때에는 초만녕과 묵연을 방패로 내세울 수라도 있었는데, 지금 그들을 언급하면 더욱 쓸쓸하고 처량해질 것 같았다.

설몽은 큼지막한 돌덩이가 가슴에 걸린 것처럼 숨이 턱 막혔다.

그렇게 한참을 씩씩거리던 설몽은 눈까지 시뻘게져서 투덜거렸다.

"그래도 이러는 게 어딨어요! 본 장문이 장가를 들든 말든, 언제 장가를 들든 남들과 무슨 상관이 있는데요! 정말 한가한 사람들이네요! 저 갈게요!"

그러고는 사존의 흉내를 내며 콧대 높게 옷소매를 탁 뿌리치고 떠났다.

설몽은 진심으로 마 장주의 이번 창조물이 쫄딱 망하기를 바랐다.

그러나 바람과는 달리, 그의 도움 없이도 '해우 족자'는 몇 달 만에 전국에 열풍을 일으켰다.

그런 결과에 대해 설몽은 몹시 분하게 여겼다.

"어떻게 돌아가는 세상인지, 참 다들 할 일도 없다니까요."

"꼭 그렇게만 볼 일이 아닙니다."

선기 장로는 공정했다.

"두 달 전이 신년이었잖아요. 존주도 아시잖습니까? 명절이면 집안 어른들이 어김없이 자손들의 혼인을 재촉하잖습니까? 마장주의 해우 족자가 젊은 남녀들의 발등에 떨어진 불을 꺼 줬나 봅니다. 그러니 없어서 못 파는 것도 이상한 일은 아니지요."

"……."

"게다가 듣자니 무척이나 정교하게 만들어져서 동반자를 찾는 용도가 아니더라도 장난감으로도 아주 훌륭하다고 합니다."

"예를 들면요?"

"말로는 표현하기 어렵습니다만."

선기 장로가 부드럽게 말했다.

"탐랑 장로도 소일거리 삼아 하나 샀는데, 말로는 무료하다고 하지만 찾아가 보면 열에 아홉은 그 족자를 들고 있더군요."

설몽이 의아해하며 물었다.

"탐랑 장로는 후처를 맞을 마음이 없다고 했잖아요?"

"네, 당연히 재취할 생각은 없다고 했습니다."

선기 장로가 빙그레 웃으며 말했다.

"어린애처럼 신기한 물건을 좋아해서 그 족자로 시간을 때우는 것일 뿐이지요."

"……."

탐랑이 어린애 같다고?

설몽은 아무 말도 하지 않았다. 선기와 탐랑은 거의 동시에 사생지전의 막료가 되었다. 탐랑은 음흉한 말투 때문에 사람들과 그다지 친하지 않았고, 초만녕과는 물과 불처럼 서로 적대시했다. 초만녕에게 말을 걸고, 탐랑이 수다를 늘어놓게 만들 수 있는 사람은 선기밖에 없었다.

태연하게 늘 비웃는 듯한 표정을 짓고 있는 탐랑을 이렇게 어린아이에 비유하는 사람은 아마 문파 전체를 통틀어 선기밖에 없을 것이다.

선기 장로가 빙긋 웃으며 말했다.

"존주, 궁금하시면 재미 삼아 하나 사 보는 게 어떠십니까?"

"……크흠."

설몽이 헛기침을 한번 하더니 오만불손하게 말했다.

"한 문파를 이끄는 수장으로서 어찌 그런 저열한 물건을 궁금해하겠어요? 싫습니다."

다음 날 밤.

사생지전의 단심전. 등불은 훤히 밝지만 단향목 대문은 굳게 닫혀 있었다. 설 장문은 오늘 밤엔 폐관 수련을 할 거라며 상급 제자들에게 문 앞을 지키도록 했다. 그리고 옥형 장로가 남병산에서 방문하러 오지 않는 이상 하늘이 무너져도 아무도 들어오지 못하도록 명령했다.

제자들은 설 장문의 부지런함에 감탄하고 전력으로 문파를 다스리는 모습에 깊이 감동해, 차질 없이 최선을 다해 지키고 있겠노라고 맹세했다.

그러나 아무도 몰랐다. 설 장문이 수련은커녕 새로 개축한 단심전의 높은 의자에 앉아 수중의 족자를 진지하게 살펴보고 있을 줄은. 족자엔 큼지막하게 네 글자가 쓰여 있었다.

[해우 족자]

그렇다. 마 장주의 인기 상품, 법기였다.

오늘 막 받았다.

존주의 체면 때문에 설몽은 일부러 선기 장로 이름으로 주문했다.

혈기왕성한 설 장문은 해우 족자를 손에 들고 신기해서 요리조리 살펴봤다. 특수한 옥으로 만들어진 그 법기는 안에 영류가 가득 차 있고, 옅은 금빛의 작은 해서체로 된 글귀를 띄울 수 있었다. 외관만 봐도 아주 정교하고 아름다웠다.

설몽은 법기를 사용하기 위해 족자에 적힌 주석에 따라 속으로 봉인을 해제하는 주술을 외웠다.

"등불은 새벽 서리를 벗 삼아 켜져 있고, 외로운 이는 넓은 침상에서 홀로 아침을 맞이하네. 밤새 얼마나 그리웠을꼬, 천 리 먼 곳에 떨어져 있는 임이."

어딘가 처량하고 비참한 시구를 외우고 나니 족자에 다음과 같은 글귀가 나타났다.

[대지가 소생하니 제비도 짝을 이루었는데, 선장님은 아직도 독수공방하고 계십니까?]

"……."

[도포산장을 믿고 스스로에게 기회를 선물하십시오. 어색하게 중매쟁이와 대면하지 않아도 됩니다. 상하수진계의 거리를 좁혀 드리겠습니다. 더는 달빛이 은은하게 비치는 꽃 숲에서 사랑을 속삭이는 이들을 부러워하지 마십시오. 해우 족자가 많고 많

은 사람 중에서 당신의 인연을 찾아 드리겠습니다.]

설몽은 기가 막혀 말이 나오지 않았다.

[선장님, 우선 사용할 이름을 지어 주십시오.]

응?

이름까지 지어야 해?

고지식한 설몽은 혹여나 법기에게 자기 목소리가 잘 안 들릴까 봐, 그것을 두 손으로 받쳐 들고 성실하게 대답했다.

"나는 이름이 있다. 성은 설씨고 이름은 몽이야. 설몽이라고 부르면 돼."

법기는 아무런 반응이 없었다.

설몽이 계속해서 순순히 대답했다.

"설자명이라고 불러도 되고."

이번에는 반응이 있었다. 또 글귀가 한 줄 나타났다.

[마 장주의 안내입니다. 족자를 사용할 때에는 별명을 사용해 주십시오. 예를 들면 '접객마', '동장유' 같은 것들입니다. 본 법기는 서호 도포산장에서 제작한 것이므로 '고월야 땡땡땡'과 같은 별명은 완곡히 사양하오니 양해 부탁드립니다.]

설몽은 글귀를 읽어 보더니 미간을 찌푸리며 중얼거렸다.

"강희가 또 마 장주를 건드렸나?"

이렇게 중얼거리긴 했지만 고월야와 도포산장 사이의 원한이니 어차피 상관없는 일. 설몽은 어머니가 기르던 고양이가 융단 위에서 발바닥을 핥는 모습을 지켜보며 대충 아무 이름이나 생각나는 대로 지었다.

"그럼 그냥 채포라고 해."

그러고는 고양이의 머리를 톡톡 두드리며 말했다.

"미안, 이름 좀 빌리자."

채포는 쌀쌀맞게 고개를 돌리고 계속해서 등의 털을 핥았다.

설몽은 이놈의 짐승이 경멸에 가득 찬 눈동자로 자기를 쳐다보며 뭔가를 말하는 것 같아 잠시 곰곰이 생각했다. 그리고 문득 깨달았다. 사생지전에 어머니가 기르던 고양이의 이름이 채포라는 걸 모르는 사람이 없는데, 이 이름을 지으면 대놓고 '나요' 하고 티를 내는 셈 아닌가? 그래서는 안 되지.

설몽은 채포의 머리를 어루만지며 감탄했다.

"역시 네가 생각이 깊구나."

"야옹……."

그리하여 설 장문은 다시 고민에 빠졌다. 그는 대청 안에 어머니가 생전에 기르던 두약 화분을 한 번 보고, 또 아버지가 벽에 걸어 둔 수향(水鄕) 그림을 한 번 보더니, 결국 창의력이라고는 쥐뿔도 없는 이름을 지었다.

"왕소설(王小薛)[#26]이라고 해."

이름 지을 줄 모르는 건 사생지전의 전통인가 보다. 설정옹이 사매에게 '설아'라고 한 것도 그렇고, '아아아'와 '와아악'이라는 절벽 이름도 그렇고, 묵연의 신무 '견귀'며 설몽이 지금 지은 '왕소설'까지.

서로 뭐라 할 만한 처지가 아니었다.

왕소설이라는 별명도 충분히 귀에 거슬리는데, 하필이면 법기가 오해까지 했다. 법기는 설몽의 별명을 듣더니 다음과 같은

#26 왕소설(王小薛) 王小薛. 설몽의 성 '설(薛)' 앞에 나이 어린 사람을 친근하게 부를 때 붙이는 소(小)를 붙인 '소설'이라는 이름에 중국에서 가장 흔한 성씨 중 하나는 왕(王)을 더한 이름

금색 글귀를 띄웠다.

[좋습니다. 왕소설(王小雪) 선군이시군요.]

"……."

[?]

"왕소설(王小薛)이라고! 왕소설(王小雪)이 아니라."

이번에는 이런 글자가 나타났다.

[개명 주술은 현재 조정 중입니다. 죄송합니다, 왕소설 선군. 당장은 이름을 수정할 수 없습니다.]

설몽은 화가 치솟았다. 자기가 잘못 들어 놓고 수정할 수도 없다니?

그렇다고 이런 물건짝에 성낼 필요까진 없었다. 어차피 심심해서 한번 해 보는 것뿐이니 이름이 무엇이든 뭐가 대수랴.

설몽이 성가시다는 듯 말했다.

"됐다, 됐어. 왕소설이면 또 어때. 여자 이름 같기는 한데, 됐다."

[왕소설 선군, 선군의 심성과 취향을 알아보기 위한 절차이니 해우 족자의 안내에 따라 다음 질문에 대답해 주시길 바랍니다. 그러면 족자가 선군과 가장 잘 어울리는 가인을 물색해 드릴 겁니다. 하루빨리 좋은 인연을 만나서 짝을 이루시길 바랍니다.]

설몽은 좋은 인연을 만나서 짝을 이루는 일에는 별로 흥미가 없었지만, 해우 족자가 과연 어떤 사람을 그의 눈에 들 만한 사람이라고 판단하고 소개해 줄지 궁금하긴 했다.

그래서 거드름을 피우며 말했다.

"물어봐."

[첫 번째 질문입니다. 사랑 때문에 아파해 본 적 있습니까?]

……첫 번째 질문부터 엄청 화끈하네.

설몽이 턱을 매만지며 대답했다.

"없어."

[좋습니다. 그럼 두 번째 질문입니다. 사랑해 본 적 있습니까?]

"없어."

[좋습니다. 세 번째 질문입니다. 몰래 흠모해 본 적 있습니까?]

"없어."

[좋습니다. 네 번째 질문입니다. 고백받은 적 있습니까?]

"없어."

법기는 이번에는 '좋습니다'라고 하지 않고 잠시 머뭇거리더니 이런 글귀를 띄웠다.

[혹시 같은 말만 반복하는 주술에 걸렸습니까?]

설몽은 조금 언짢아졌다.

"없는 걸 없다고 하지, 반복 주술이라니. 그럼 없는 걸 있다고 해?"

[죄송합니다. 제가 잘못했습니다. 다섯 번째 질문입니다. 올해 몇 살입니까?]

설몽은 나이를 공개하기 싫어서 우물우물 넘겼다.

"이십 대야."

[좋습니다. 이십 대 왕소설 선장, 지난 이십 몇 년 동안 사랑에 아파해 본 적 없고 사랑해 본 적 없고 몰래 흠모해 본 적 없으며 고백받은 적 없고.]

"응."

[좋습니다, 왕소설 선장. 그럼 여섯 번째 질문 드리겠습니다.

그 전에 궁금한 게 있습니다. 시원시원한 사람이 좋습니까, 아니면 빙빙 돌려서 말하는 사람이 좋습니까?]

설몽이 눈썹을 확 추켜세우며 말했다.

“쓸데없는 소리. 당연히 시원시원한 사람이지, 누가 에둘러 말하는 사람을 좋아해?”

[좋습니다.]

그 말을 들은 법기가 무척이나 시원시원하게 물었다.

[일곱 번째 질문입니다. 혹시 아주 못생겼습니까?]

“…….”

잠시 침묵이 흐르고, 단심전 밖 제자들은 장문이 집기들을 마구 깨부수고 채포가 놀라 울부짖는 소리를 듣게 되었다.

도포산장의 법기 제조 기술은 확실히 많이 발전했다. 해우 족자는 설몽이 마구 깨부숴도 멀쩡했다. 게다가 완강하게 금빛을 번쩍이며 남은 질문들도 대답하게끔 꼬드겼다. 그러더니 맨 마지막에는 도술로 만들어진 엽자패[#27] 20장이 동동 떠오르더니 설몽의 손바닥으로 하나하나 날아들었다.

아니, 사실 엽자패는 아니고 엽자패처럼 생겼을 뿐이었다. 패에는 그림 대신 수사들의 상황이 모호한 말들로 적혀 있었다.

[못생기지도 않았는데 이십여 년 동안 혼자 지내신 왕소설 선군, 축하드립니다. 저의 점괘에 따르면 세상에서 선군과 가장 잘 어울리는 혼령은 이 20장의 엽자패 속에 숨어 선군의 발굴을 기다리고 있습니다.]

솔직히 설몽은 그 말을 곧이듣지 않았다.

#27 엽자패 葉子牌, 서양의 포커와 비슷한 룰을 가진 '엽자희'라는 놀이에 쓰이는 길쭉한 종이 패

당시 색정 조롱박 안에서도 자기 얼굴밖에 안 보였는데, 이 세상에 자기 눈에 들 만한 사람이 있을까 싶었다. 그러면서도 내심 궁금해서 서둘러 그 20장의 엽자패를 살펴봤다.

설 장문이 '왕소설 선군'이라는 별명을 사용한 만큼 다른 사람들도 당연히 대범하게 진짜 이름을 사용했을 리가 없었다. 첫 번째 패는 '약영'이라는 선인이었다.

해우 족자에는 이렇게 쓰여 있었다.

[약영 선장. 안개가 걷히고 반짝이는 모습을 드러내니, 향기가 그윽하고 부드러워라.

지위가 높고 돈이 많으며, 뒤죽박죽이 된 장부 정리에 능하고 집안을 잘 이끈다. 세속에 물들지 않고 별로 나다니지 않는다. 구애를 하는 사람이 많았지만 약영 선장은 언제나 진중한 태도로 모든 유혹을 뿌리쳤다. 모두가 우러러보고 손에 넣고 싶어 하지만, 높이 피어 있어 꺾기 어려운 꽃이다.

취미: 화초 재배, 환자 돌보기.]

다른 건 아직 보지도 않았는데 설몽은 크게 놀랐다.

경국지색의 차갑고 도도한 미녀였다. 게다가 세속에 물들지 않고 자립심이 강하며 남자한테 의지하려 하지 않았다. 철들고 살림을 잘 하며 마음씨가 착하고…… 무엇보다도 취미가 어머니 왕 부인과 아주 비슷했다!

얼마나 보기 드문 일인가!

어머니를 신단에 모셔 놓고 우러러보는 스물넷 효자 설몽은 어려서부터 어머니 같은 여자라면 아내로 들여도 되겠다고 생각했다. 그런 여자라면, 어머니가 그들 부자를 살뜰히 보살폈던 것처럼 대해 줄 게 분명했다.

인정하긴 싫지만 설몽은 마음이 조금 흔들렸다.

그런데 한편으로는 의심도 들었다. 수진계에 정말 이렇게 보기 드문 선인이 있다면 왜 여태까지 몰랐을까?

그리고 어렴풋이 이상한 직감이 들었다.

설몽은 금빛으로 반짝이는 엽자패를 들고 다시 한번 읽어 봤다. 그런데 볼수록 어디선가 비슷한 사람을 본 적 있는 것 같았다.

누구일까?

잘 기억나지 않았다…….

설몽은 그저 수진계를 사로잡은 해우 족자에 대해 알아나 볼 생각이었지, 진지하게 사용할 생각은 없었다. 족자가 추천한 엽자패 속의 선인들과 만나 볼 생각은 더더욱 없었다.

설몽 같은 사람이 꽤 많았다. 마 장주는 계속 이대로 가서는 안 되겠다고 생각했다. 명색이 법기인데 잘 사용해야지, 재미 삼아 한번 해 보고 사용하지 않는다면 어디 구석에 처박혀 먼지만 쌓여 갈지도 몰랐다.

그리하여 법기는 며칠 후 엄청나게 좋은 조건을 내걸었다.

[오늘부터 삼 개월 동안 해우 족자를 이용해 적극적으로 동반자를 찾는 분은 도포산장 귀빈 명단에 올려 드립니다. 삼 개월 후 짝을 찾지 못해도 마 장주께서 가장 열성적인 선장 한 명을 선정해, 도포산장 최고의 선물을 증정할 예정입니다. 여러분의

적극적인 참여 바랍니다.]

법기에 이 정보가 뜨자마자 상하수진계가 발칵 뒤집혔다.

온통 그 얘기뿐이었다.

"도포산장 최고의 선물을 준다잖아요! 선물이 뭔지 봤어요?"

지나가는 행인1은 구두쇠였다.

"당연히 봤죠! 끝내주던데요! 최고급 법술 서적 180권에 최고급 영석 1,000개, 도포산장 할인권 100장, 도포산장 기밀 등급 법기 설계도 10장까지…… 정말 어마어마하던데요! 역시 양심 상인의 모범, 수진계 제2의 거상다워요!"

지나가는 행인2는 뜻이 있는 사람이었다.

"돈만 많은 게 아니라 패기까지 넘친다니까요? 돈이 부족하지 않은 사람이야 많지만 기밀 등급 법기 설계도까지 상으로 턱 내주다니, 연구하고 싶지 않은 사람이 어디 있겠어요?"

지나가는 행인3은 목적이 분명했다.

"에휴, 속물들. 저 좀 보세요, 전 다르다고요……. 전 보석, 법술, 설계도 따위에는 하나도 관심 없어요. 그런데 듣자니, 선물 상자에 희귀한 춘화와 색정 화본 500권도 들어 있대요……. 흐흐흐, 게다가 한 번도 세간에 전해진 적 없는 것들이래요. 그것만 손에 넣으면 남은 생은 살맛 나겠네요!"

사람들이 그를 흘겨보며 한탄했다.

"정말 못났다!"

마 장주의 이 보물 상자는 수진계의 거의 모든 수사의 약점을 정확히 건드린 셈이었다. 재물을 노리는 사람도, 색을 노리는 사람도, 지식을 노리는 사람도…… 매혹될 수밖에 없었다.

게다가 짝을 찾지 못해도 되었다. 해우 족자를 적극적으로 사용하기만 하면, 삼 개월 뒤에 여전히 혼자여도 추첨에 참가할 수 있었다.

별 제한은 없고 유혹은 많아지니, 한번 해 볼까 생각만 하던 수사들도 보물 상자를 노리고 적극적으로 사용하기 시작했다.

불쌍한 사생지전 존주, 이 시대의 군주 설몽, 설자명도 그중 한 사람이었다.

설몽은 다시 엽자패를 뒤적거렸다.

설몽은 진작 족자가 추천해 준 선인들을 한번 쭉 훑어봤다. 다 괜찮았는데 선입견 때문인지 '약영'이 가장 좋아 보였다.

해우 족자가 말하는 적극적인 참여라 함은 상대를 만나는 것이었다.

그런데 만나는 방법이 조금 독특했다. 마 장주의 의도는 '영혼의 동반자'를 찾게 하는 것이었다. 그래서 외모를 맨 마지막에 고려했다. 그렇다면 외모로 사람을 평가하는 것을 막을 방법은 무엇일까?

해결 방법은 아주 낭만적이었다.

두 사람은 약속 장소에 나갈 때, 목소리와 얼굴을 실제와 다르게 들리고 보이게 하는 도포산장의 특제 향낭을 달고 나가야 했다. 서로 상대의 모습이 실제와 다르다는 걸 알기 때문에 오롯이 외모 이외의 것들에 집중할 수 있었다.

향낭을 떼어 내면 허상이 사라지고 상대의 진짜 모습이 보였다.

마 장주가 재물을 탐하긴 해도 이 일에 제대로 마음을 쓴 것도 사실이었다.

그야말로 상하수진계의 외톨이들에게 영혼의 짝을 찾아 주기 위해 전심전력을 다했다.

결국 설몽은 약영 선인과 만나기로 했다.

평생의 동반자를 찾기 위해서라기보다는 도포산장의 선물 상자를 노린 것이었다. 동기는 불순해도, 설 장문도 어쨌든 장문 자리에 오른 이였다.

젊었을 때는 아무것도 신경 쓰지 않고 여자들과 거리에서 서로 욕하며 싸우기도 했지만, 장문 자리에 오른 후에는 나름대로 태도와 마음가짐에 신경을 썼다.

선기 장로가 늘 하는 말을 빌리자면 이랬다.

"존주, 존주의 말과 행동은 존주를 대표할 뿐만 아니라 사생지전을 대표하기도 합니다."

사생지전에 먹칠하지 않기 위해 설몽은 이번 만남을 진지하게 준비했다.

솔직히 이번이 태어나서 처음으로 여수사와 단둘이 만나는 것이었다. 그러니 긴장하지 않는다면 거짓말이었다. 설 장문은 겉으로는 냉담하고 태연한 척했지만, 속으로는 엄청 조마조마했다. 약속 전날 그는 잠자리에 누워 약영 선인의 엽자패를 들고 요리조리 수도 없이 살펴봤다. '지위가 높고 돈이 많으며'라는 말이 엄청 신경 쓰였다.

부유한 여자였다.

하지만 상관없었다. 설몽은 속으로 스스로에게 기운을 북돋웠다. '아무거나 순위'의 부자 명단에는 이름을 올리지 못했지만 어찌 됐든 산을 몇 채나 소유한 남자 아닌가. 고작 이름 없는 여자일 뿐이다. 아무리 부유해 봤자 나보다 부유할까? 지위가 아무리 높은들 나보다 높을까?

그럴 리가.

그래, 내일 만나면 무조건 제일 화려한 곳에 데려가서 풍성한 식사를 해야지. 상대의 기를 확실히 꺾어 누가 수진계에서 가장 멋진 사람인지 똑똑히 보여 줘야지!

설 장문은 맞선 상대와 재산을 비교하는 비뚤어진 생각을 품은 채, 약영 선인이 부러움 가득한 눈빛으로 숭배하는 마음을 담아 이렇게 말하길 바랐다. '왕소설 오라버니, 정말 부자시네요!' 그러고는 만족스러운 미소를 머금고 널찍한 침상에서 용성을 끌어안은 채 어렴풋이 잠이 들었다.

다음 날, 설몽은 아침 일찍 일어났다. 그는 약속대로 도포산장의 특제 향낭을 달고 그 여자를 만나기 위해 어검비행으로 양주성으로 갔다.

떠나기 전에 설몽은 특별히 선기 장로를 불러 양주에서 가장 그럴싸한 찻집이 어딘지 물어보고, 가격도 넌지시 물어봤다. 아깝긴 했지만 자신과 사생지전의 체면을 위해서라면 그 정도는 아까워도 참을 만하다고 생각했다. 한마디로, 절대 부잣집 아낙네에게 우스운 꼴을 보이지 말아야겠다고 다짐했다.

해우 족자를 통해 '희화각' 세 글자를 상대에게 전달할 때 설몽은 오만한 표정이었다.

양주성에서 가장 호화스러운 찻집이라고! 어때, 두 손 두 발 다 들었지!

설몽은 상대가 규방에서 일어나 족자에 나타난 약속 장소를 보고, 새빨간 입술을 달싹이며 눈을 동그랗게 뜨곤 '정말 품위 있는 남자네…….' 하고 부드럽게 중얼거리는 모습이 눈앞에 보이는 것만 같았다.

온갖 상상을 하고 있는 그때, 해우 족자가 반짝였다.

[그래요.]

……그래요?

끄, 끝이야?

설몽은 화가 난 나머지 검에서 떨어질 뻔했다! 아니, 기쁨과 놀라움을 표현하지는 않더라도 적어도 고맙다는 말 정도는 해야 하는 거 아닌가? 대체 뉘 집 딸이길래 이렇게 예의가 없지!

씩씩거리며 검을 타고 장강 위를 날고 있는데, 해우 족자에서 또 빛이 났다. 약영 선인이 또 편지를 보내왔다.

[희화각은 오늘 만석이라는데 괜찮으면 다른 데서 만날까요? 장소는 제가 정하겠습니다.]

설몽은 언짢았던 기분이 조금 풀렸다.

오호…… 이 낭자 경우가 바르네. 처음 남자와 만나는데 자기가 계산하겠다니. 좀 전의 '그래요'는 사존처럼 표현이 서툴러서 그랬나 보군.

초만녕을 떠올리자 설몽은 자세를 바로잡아 꼿꼿이 앉았다. 그래, 사람이 너그러워야지. 더군다나 상대는 여자이지 않은가. 설사 예의가 없다고 해도 참고 양보해야지.

그래서 해우 족자에 이렇게 답을 보냈다.

"제가 사기로 했으니까 옮기지 말죠."

잠시 후, 상대가 또 짤막하게 한마디 보내왔다.

[그래요.]

"……."

처음에는 발을 동동 굴렀는데 두 번째는 무덤덤하니 별로 화가 나지 않았다. 설몽은 용성에 걸터앉아 늘씬한 다리를 흔들흔들하며 강남 수향 쪽으로 쭉 날아갔다.

얼마 안 돼 양주성에 도착했다.

약속 시간보다 일찍 도착한 설몽은 시끌벅적한 거리에서 한가로이 두리번거렸다. 양주성은 고월야의 관할 구역이었다. 사람들로 북적이고 여러 가지 꽃들이 비단처럼 쫙 깔린 모습이 더없이 평화롭고 풍요로워 보였다. 특히 길 양쪽에서 발가락을 손질하는 늙은이와 꽃을 파는 아주머니들이 어머니와 비슷한 억양으로 손님을 끄는 소리를 들으니, 저도 모르게 친근감이 들면서 긴장이 풀렸다.

설몽은 탕화[#28]를 파는 노점에서 사탕을 사서 쪽쪽 빨며 여기저기 구경하다가, 약속 시간이 되자 곧장 수서호[#29] 옆에 있는 희화각으로 갔다.

역시나 손님들로 복작거렸다.

자세히 보니 손님 대부분이 도포산장의 변신 향낭을 차고 있었다. 마 장주의 성대한 행사에 적극 동참하는 사람이 꽤 많은 모양이었다. 게다가 다들 억지로 체면을 내세워 가장 비싼 곳으로 몰려들었다.

설몽은 기가 막혀서 손님들로 꽉 찬 찻집 실내를 쭉 훑어보다

#28 탕화 糖畫, 설탕으로 그림을 그려 굳혀 만든 사탕
#29 수서호 瘦西湖, 장쑤성 양저우시 교외에 있는 호수

가 마중 나온 심부름꾼에게 말했다.

"2층 별실을 예약했다. 성은 설…… 에헴, 왕, 왕씨."

그러고는 잠시 멈추더니 쭈뼛쭈뼛 보충했다.

"왕소설."

심부름꾼은 요즘 맞선 보러 오는 수사들을 하도 많이 봐서 무감각해졌는지 우스꽝스러운 그 이름에 눈 하나 깜짝하지 않았다. 왕소설이 뭐가 대수랴. 조대근,[#30] 두계안[#31] 같은 별명도 들어봤는데. 심부름꾼은 아무렇지 않게 설몽을 위층으로 안내했다.

"'바람' 방입니다. 말씀하신 대로 창가 별실로 준비했습니다."

누가 강남 사람들은 고상하고 멋을 안다고 했는지. 말이 별실이지, 양쪽에 대나무 발을 드리워 만든 조그마한 공간이었다. 촘촘하고 정교한 대나무 발 너머로 정갈하게 가꿔진 화초들이 언뜻언뜻 보였다. 그런대로 운치는 있지만 실속이 하나도 없었다. 조금만 크게 얘기해도 주변에 다 들렸다.

하지만 이미 왔는데 어쩌겠는가?

설몽이 자리에 앉자마자 약영 선인이 해우 족자로 편지를 보내왔다.

[중요한 거래 손님을 배웅하고 이제 출발합니다. 조금 늦을 것 같아요.]

"……."

설몽은 그 말을 읽고 또 읽었다. 문득 고수를 만났다는 생각이 들었다.

정말 너무한다. 나타나기도 전에 부를 과시하고 있다! 장신구

#30 조대근 大根. 남자의 성기가 굵고 크다는 의미
#31 두계안 鷄眼. 티눈

를 치렁치렁 두른 것도 아니고 집이며 땅 같은 거로 비교한 것도 아니지만, 자기한테는 아침 댓바람부터 큰 거래를 한 손님도 있고 시간은 금이라는 태도도 취해 보였다. 한가하게 반나절이나 싸돌아다닌 자신과 너무 대비됐다!

설몽은 심부름꾼이 따라 준 차를 한 모금 마셨다.

결코 만만치 않은 여자다. 이번에는 꼼짝없이 한 방 먹었지만, 오기만 하면 제대로 본때를 보여 줘야겠다고 설몽은 생각했다.

이 설자명이 절대 가난하지 않다는 걸 똑똑히 보여 줘야지!

기다리다 지칠 때쯤, 마침내 심부름꾼이 접대하는 소리가 들려왔다.

"'바람' 방입니다. 이쪽으로 모실게요."

이 여자, 오긴 왔네.

설몽은 귀찮은 표정을 싹 거둬들이고 자세를 고쳐 앉았다. 그러고는 듬직한 남자인 척 아버지 흉내를 내며 눈을 들어 올려 바깥을 내다봤다.

급하지도 느리지도 않은 여유로운 발걸음 소리가 들려오더니 대나무 발 뒤로 어렴풋한 형체가 보였다. 발을 들어 올리자, 기룡 무늬가 새겨진 은으로 된 수연[#32]통과 두약꽃이 수놓인 담청색 살담배[#33] 주머니가 먼저 눈에 들어왔다. 담뱃대를 살짝 잡은 손은 가늘었고, 팔은 육감적이었다. 손목에는 앙증맞은 붉은 점이 하나 있었다.

어디서 본 적 있는 손 같은데, 기억이 희미하여 도무지 생각나지 않았다. 어디서 봤나 생각에 잠겨 있는데, 그때 상대가 방

#32 수연 水烟, 물담배
#33 살담배 썬 담배

으로 들어왔다.

해우 족자에는 이렇게 쓰여 있었다.

[향낭을 몸에 지니면 도술이 겉모습을 변화시켜, 상대의 눈에는 원래의 모습에 상대의 상상이 더해진 모습으로 비치게 됩니다.]

쉽게 얘기하면, 설몽의 눈에 보이는 약영의 모습은 원래 모습이 아니라 설몽이 원하는 모습에 가깝다. 다만 원래 모습이 조금 섞여 있을 뿐이다.

전에 설몽이 약영 선인은 어머니를 닮았을 거라고 상상했기 때문에, 대나무 발 뒤에서 걸어 나온 여자의 얼굴에서 정말로 왕 부인이 언뜻언뜻 보였다.

뽀얀 피부를 가진 여자는 무척 단정하고 얌전해 보였다. 살짝 찌푸린 미간에는 부드럽고 연약한 기운이 어려 있었다.

설몽은 가슴이 철렁 내려앉아 벌떡 일어섰다. 하긴 흥분할 만도 하다. 누구라도 자기 어머니를 닮은 사람이 눈앞에 나타나면 가짜라는 걸 알아도 묘한 기분이 들 것이다.

'어머니'라는 말이 목구멍까지 올라온 그때, 다행히 심부름꾼이 별실 안까지 따라 들어와 설몽은 문득 정신을 차렸다.

"당신……."

"왕소설 씨?"

약영이 먼저 입을 열었다. 얼음처럼 차가운 목소리였다. 도술 때문에 변조되긴 했지만 얼굴과 달리 목소리는 왕 부인과 영 딴판이었다.

"네, 접니다."

약영은 둥글고 큰 눈으로 설몽을 위아래로 훑어봤다.

그 순간 설몽은 왠지 모르게 이상한 느낌이 들었다. 상대가 까다롭고 쌀쌀맞으며, 약간 귀찮은 듯한 눈빛으로 보고 있다는 느낌을 떨칠 수가 없었다.

"제가 기억력이 별로 안 좋아서 이름을 잘못 부를 때가 종종 있습니다."

약영이 양해를 구하듯이 말했다.

"왕 선장이라고 부르지요. 어떻습니까?"

분명 의문문이었는데 의견을 묻는 말투가 아니었다.

독단적이라는 느낌마저 들었다.

설몽은 이런 사람을 어머니 같다고 생각한 자신이 한심하게 느껴지기 시작했다.

실망은 실망이고, 장문의 체통은 지켜야 했다. 선기 장로의 세심한 지도하에, 사람을 대하는 설자명의 태도는 옛날에 비할 바가 아니었다. 하여 설몽은 한 문파의 수장답게 목청을 가다듬고 기품 넘치게 말했다.

"그럼요. 만나서 반갑습니다, 약……."

설몽은 원래 '약영 낭자'라고 부를 생각이었다. 그런데 기발한 생각이 많은 마 장주는 사람들에게 진정한 영혼의 동반자를 찾게 하려고 특제 향낭에 여러 가지 법술을 넣었다. 향낭을 지니고 있으면 상대의 본래 얼굴을 볼 수 없을 뿐만 아니라 상대가 몇 살인지, 키가 얼마나 큰지, 뚱뚱한지 날씬한지도 알 수 없었다…….

심지어 성별까지.

결국 '낭자'라는 두 글자는 허리춤에 매단 향낭의 함구 주술 때문에 입 밖으로 나오지 못했다.

마치 마 장주가 팔을 흔들며 이렇게 외치는 것 같았다. 나이, 키, 몸매, 외모, 그리고 성별은 동반자를 찾는 데 중요한 게 아닙니다!

선장님들, 껍데기만 보지 말고 마음을 보세요!

이때까지도 설몽은 마 장주의 의도를 알아채지 못하고 이놈의 향낭이 고장 났구나 싶어 미간을 확 찌푸리며 고쳐 말했다.

"약영 선장."

"네."

약영이 당연하다는 듯이 대답하고는 큰형님 같은 자세로 맞은편에 척 앉았다.

"……."

이것 보세요, 자매님. 인사도 안 하세요?

부잣집 아낙네는 설몽을 힐끔 보더니 고개를 까딱하며 말했다.

"앉으시지요, 서 계시지 않아도 됩니다."

"……?"

예전 같았으면 길길이 날뛰며 고래고래 소리를 질렀을 테지만, 설몽은 꾹 참았다.

하수진계에서 최고로 멋진 남자이자 산을 여러 채나 가지고 있는 존주로서, 아버지를 대신해 사생지전을 발전시킬 성숙한 남자로서,

그래, 여자와 똑같이 굴어서는 안 되지.

속으로 이런 생각을 하며 설몽은 맞은편 자리에 앉았다. 그러

고는 허리를 꼿꼿이 펴고 두 손으로 희화각 차림표를 쓱 밀어 주며 물었다.

"뭐 마실래요?"

약영은 뭘 마실지 뭘 먹을지에 대해서는 별로 관심이 없어 보였다.

"마음대로 해요. 나는 상관없으니까."

그러더니 자단나무로 만든 기룡 무늬 의자에 등을 기대고 앉아 수연통에 살담배를 넣었다.

"……대마초인가요?"

"조제법이 달라서."

약영이 고개도 들지 않고 말했다.

"주변 사람에게는 영향이 없어요."

"그게 아니라, 어린 나이에……."

"누가 그럽니까? 내가 어리다고."

설몽이 눈이 휘둥그레져서 물었다.

"몇 살인데요?"

약영은 손끝으로 불꽃을 탁 켜서 수연통에 불을 붙이고는 무신경하게 한 모금 쭉 들이빨더니, 연기를 조금씩 내뱉으며 말했다.

"당신과는 상관이 없는 것 같은데."

"……."

"더군다나."

약영은 갸름한 턱을 들어 설몽의 허리춤에 매단 향낭을 가리키며 말했다.

"마 씨가 이것저것 금지 규칙을 잔뜩 만들어 놔서 향낭을 풀기 전에는 그 물음에 대답할 수가 없네."

약영이 무심하게 말을 이었다.

"그냥 앉아 있다가 가죠. 어차피 동반자 따위를 찾으려고 나온 것도 아니니까."

설몽은 경악을 금치 못했다. 제기랄, 감히 내 대사를 뺐다니?

맞선. 이런 일은 두 사람 다 마음이 없는 경우, 거절할 기회를 선점하는 게 무엇보다 중요하다. 늦게 말하는 쪽은 체면이 말이 아니니까.

설몽은 무안해 죽는 줄 알았다.

무안한 동시에 상대가 경험이 많은 고수라는 생각이 들었다. 그렇지 않고서야 어떻게 선수를 치는 자가 유리하다는 걸 알겠는가?

중매쟁이에게 이끌려 맞선을 천 번은 봤을 것이다. 천 번 다 거드름을 피우다 남자들에게 거절당했을 것이다!

틀림없어!

설몽은 얼굴이 새파랗게 질려 이를 부득부득 갈며 말했다.

"그럼 저는 뭐 선보러 나온 줄 아세요? 솔직히 저 배경 빵빵해요. 저랑 혼인하고 싶어 하는 사람들이 양주에서 촉 땅까지 줄을 섰다고요!"

약영이 담담하게 쳐다봤다.

이 말을 하기 전까지 설몽은 자기가 제왕 같았다.

그런데 정작 내뱉고 나니 비웃는 듯한 상대의 시선이 느껴졌다.

문득 자신이 멍청이 같다는 생각이 들었다.

이어지는 약영의 무덤덤한 말투는 멍청이 같다는 생각을 점점 더 확고하게 만들어 주었다.

약영은 다시 담배를 한 모금 빨아들이더니 흔히 있는 일이라는 듯 옆에서 기다리고 있는 심부름꾼에게 말했다.

"이 선장님께 요대한매를 내오거라."

설몽이 눈을 부라리며 말했다.

"저더러 주문하라면서요?"

"내가 이 집 단골이라서."

부잣집 아낙네가 전혀 동요도 없이 되받아쳤다.

"요대한매는 달콤하고 뒷맛도 달짝지근한 술이라서 당신 같은 풋내기들에게 딱일 겁니다."

설몽은 더욱 화가 났다.

차와 요리가 올라왔지만 설몽은 당최 먹고 싶은 마음이 들지 않았다. 맑은 찻물과 영롱하게 반짝이는 떡이 무척이나 먹음직스러웠지만 설몽은 조금도 마음이 동하지 않았다.

"왜 안 먹어요?"

설몽이 씩씩거리며 말했다.

"전 돈이 많아서 낭비가 취미예요. 그러니 신경 끄시죠?"

그 말을 들은 약영은 눈을 거슴츠레하게 뜨고 자욱한 담배 연기 속에서 한참을 바라보더니 물었다.

"왕 선장님, 혹시 서호 도포산장 사람입니까?"

"아닌데요."

"그럼 임기 거상?"

"그것도 아닌데요."

"……양주 고월야 제자?"

"고월야? 고월야가 뭐가 대단하다고."

설몽이 경망스럽게 말했다.

"제자는 말할 것도 없고, 걔네 장문 강희가 선물 꾸러미를 들고 찾아와도 거들떠도 안 보는 사람이에요, 제가."

그 말을 들은 약영은 무엇 때문인지 눈썹을 살짝 추켜세웠다.

"표정이 왜 그래요? 못 믿겠어요?"

약영은 코웃음을 치더니 대꾸도 하지 않고 살담배를 태우는 데에만 집중했다. 그렇게 한참을 담배만 피우더니 대뜸 이런 말을 했다.

"그렇게 대단하면 더 시켜 주시지요. 난 오늘 아침도 못 먹었으니까."

진작 눈꼴사나웠지만 여자 쪽에서 적극적으로 먹을 걸 달라는데 거절할 이유도 없었다. 설몽이 차림표를 집어 들며 물었다.

"뭐 먹고 싶은데요?"

"영롱18선. 올 때마다 그걸로 주문합니다."

설몽이 그러든지 말든지 하는 표정으로 말했다.

"그래요, 시켜요…… 캑캑캑캑!"

가격표를 언뜻 본 설몽은 하마터면 눈알이 튀어나올 뻔했다.

"올 때마다…… 이걸 먹는다고요?"

약영이 심드렁하게 말했다.

"그거랑 청명절 전에 딴 부드러운 잎으로 만든 금성춘로 한 주전자."

설몽은 가슴에 피가 잔뜩 맺혀, 새끼 고양이 한 마리가 살짝 건드리기만 해도 사방팔방으로 피를 뿜어낼 것만 같았다.

자기가 직접 약속 장소를 이곳으로 정한 게 아니었다면 눈앞의 약영이라는 사람이 희화각의 여자 심부름꾼이 변장한 게 아닌가, 미인계가 아닌가 의심될 정도였다.

밥 한 끼 먹는데 설 장문의 돈 주머니가 반으로 훅 줄었다. 출혈이 너무 큰 나머지 희화각을 나올 때는 휘청휘청할 정도였다.

"어디 불편합니까?"

약영이 미간을 살짝 찌푸리고 이렇게 묻자, 얼어 죽어도 곗불은 안 쬐는 설 장문은 애써 정신을 차리며 손사래를 쳤다.

"불편하다니요? 아니요, 아니요. 불편하지 않아요. 너무 편안한데요."

"아프면 약을 드시지요."

"아프긴 누가 아파요! 본 장…… 에헴, 너무 건강해서 탈이에요!"

"그래요?"

약영의 목소리는 약초 물에 담근 것처럼 말할 때마다 은은한 약 냄새가 풍겼다.

"아랫도리가 허하고 허리와 무릎에 힘이 없으며 손바닥과 발바닥에 열이 많고 가슴은 답답하네요."

설몽은 상대가 자신을 껍데기부터 뼛속까지 속속들이 들여다보고 있는 것 같은 느낌이 들었다.

"병을 감추고 치료를 꺼리시다니, 실로 바람직하지 않군요."

"……."

설몽은 자신의 상상이 완전히 틀렸다는 생각이 들었다. 의약을 좋아한다고 모두 어머니처럼 마음을 따뜻하게 해 주지 않는다는 걸, 이렇게 바늘방석에 앉은 것 같은 기분이 들게 하는 여자도 있다는 걸 깨달았다!

그런데 가장 바늘방석에 앉은 것 같은 기분을 들게 만드는 건 해우 족자의 규칙이었다. 족자에 따르면, 두 사람은 만나면 적어도 세 시진은 함께 있어야 했다. 안 그러면 적극적인 만남으로 쳐주지 않았다.

기왕 왔겠다, 돈도 썼겠다, 셈에 넣어 주지 않으면 너무 손해였다.

게다가 이 여자는 처음부터 대놓고 호감이 없다는 티를 냈다. 자존심이 상할 대로 상한 설몽은 속으로 굳게 다짐했다.

남은 두 시진 반 안에 무조건 신비한 부자의 모습을 보여 주리라. 그래, 돈방석에 앉은 부자 말이야!

사람을 깔보는 부잣집 아낙네가 땅을 치고 후회하게끔 만들리라. 적어도 이 여자의 실패한 사랑 역사에 제대로 한 획을 그으리라!

그런데 양주에서 제일 으리으리한 희화각에 데려왔는데도 꿈쩍을 안 하니, 어딜 가야 깜짝 놀랄까?

설몽은 고심 끝에 문득 절묘한 장소를 떠올렸다.

스스로 사기를 북돋운 설몽은 대부호의 자세로 턱을 치켜들고 잔뜩 무게를 잡으며 말했다.

"오다가다 만난 사이니 제 몸은 약 선장께서 걱정 안 하셔도 되고요. 어찌 됐든 반나절은 더 때워야 하는데 계속 여기 멍청하게 서 있을 순 없잖아요. 우리 좋은 곳으로 가서 안목 좀 넓혀 보는 게 어때요?"

잠시 침묵하던 약영이 물었다.

"어디로 말입니까?"

설몽은 상대를 장야회로 데려갔다.

그건 양주 항구 근처에 우뚝 솟아 있는 3층짜리 목조 건물로, 양주성에선 모르는 사람이 없는 장물 판매장이었다. 소문에 따르면 공개적으로 내놓을 만한 것이 못 되는 수진계의 물건들이 대부분 결국 이곳에 모인다고 한다. 그리고 이 암시장이 이렇게 흥행할 수 있는 건 고월야에서 뒤를 봐주고 있기 때문이었다.

어릴 때 한번은 강남으로 여행을 떠난 적이 있었다. 왕 부인은 길을 떠나기 전에 그를 붙잡고 이것저것 신신당부하더니, 마지막에 이 한마디를 보탰다.

– 몽아, 양주성의 장야회는 별로 좋은 곳이 아니다. 물건값이 비싼 건 물론이고, 파는 물건들이 조금…… 조금…….

그녀는 입을 떼기 어려운지 얼굴을 붉히더니 헛기침을 한번 하고 말했다.

– 여비도 넉넉하지 않은데 들어갔다가는 탈탈 털리고 나올 게다. 그러니 장야회를 보면 무조건 멀리 피해 돌아가거라. 알겠지?

설몽은 어머니 말이라면 무조건 듣는 착한 아들이었다. 순진한 설몽은 어머니의 말에 담긴 속뜻을 알아채지 못하고 궁금해서 물었다.

– 그럼 장야회는 돈 많고 멍청한 사람들이 가는 곳이에요?

옆에서 듣고 있던 설정웅은 호탕하게 웃더니 이미 약관의 나이가 된 아들에게 말했다.

– 아이고, 사실 그렇지도 않다. 네 어머니는 아직 네가 어린 애인 줄 알고 낯 뜨거워서 말을 못 하는 것 같은데, 이 아버지는 다르단다. 어떤 일은 말이야…….

미처 말하기도 전에 왕 부인이 팔꿈치로 그의 가슴을 팍팍 쳤다.

– 컥컥!

설정웅은 가슴을 움켜잡고 서둘러 말을 바꿨다.

– 어떤 일은 말이야, 확실히 너는 알면 안 되는 거란다…….

설몽은 어리둥절해하며 부모님을 번갈아 봤다. 그런데 두 사람은 어색한 미소만 지어 보일 뿐, 아무 말도 하지 않았다. 도무지 영문을 알 수 없어 멍하니 서 있던 그때, 마침 사매가 사존을 도와 약재를 캐러 가자고 찾아왔기에 어리벙벙한 채로 따라갔었던 기억이 있다.

그날부터 설몽은 마음에 단단히 새겼다. '장야회'를 보면 피해 돌아가야 한다. 물건이 터무니없이 비싸고 돈을 탕진하는 지름길이며 피둥피둥 살찐 부자들만 가는 곳이다.

하지만 이젠 달랐다. 체면을 세우기 위해, 그리고 장문도 되었겠다, 시야를 넓혀야겠다고 생각한 설몽은 약영을 데리고 그 기세가 웅장한 금홍색의 건물 앞으로 갔다. 가는 길에 약영이 정말 장야회로 갈 거냐고 재차 확인할 때마다 설몽은 우스운 꼴을 보이지 않으려고 턱을 높이 쳐들고 손을 휙 저었다. 그 모습은 마치 꽁지를 활짝 편 공작새 같았다.

"그쪽이 희화각의 단골이면 저는 장야회의 귀객이에요. 거기로 갑시다."

약영의 표정이 어딘가 오묘했다.

그러나 다음 순간, 장야회의 늙은 집사 앞에서 설몽은 날벼락을 맞은 것처럼 발목부터 머리끝까지 시뻘게졌다.

"귀, 귀빈 옥패라니? 어, 어머니께서 그런 말씀은 없으셨는데. 아무나 들어갈 수 있다고 하셨다!"

늙은 집사가 흘겨보며 말했다.

"양주에 안 온 지 십 년이 넘으셨나 보네요? 규율이 생긴 지가 언젠데. 귀빈 옥패를 지참하신 나리와 부인들만 입장해서 거래하실 수 있습니다. 옥패가 없으면 돌아가세요."

"나, 나, 난……."

설몽은 접시 물에 코를 박고 죽어 버리고만 싶었다. 있는 허풍 없는 허풍 다 떨었는데, 이제 와서 옥패가 없다고 하면 제 얼굴에 침 뱉는 꼴이 아닌가?

설몽은 한참을 더듬거리더니, 얼굴을 붉히며 목에 핏대를 세우고 고래고래 소리 질렀다.

"기억력이 나빠서 잠시 잊었다! 생각났어! 그랬지 참!"

늙은 집사는 팔짱을 끼고 서서 그 모습을 지켜봤다. 이런저런 사람을 많이 본 집사는 순진하고 유치한 설몽의 저열한 변명에 헛웃음이 나왔다.

"그런데 급, 급, 급하게 나오다 보니 집에 놓고 왔다!"

"아이고, 저런. 두 분, 오늘은 이만 돌아가시지요."

설몽은 사람을 업신여기는 저 늙다리가 괘씸해 씩씩거렸다. 난감하고 억울해서 어찌할 바를 모르던 그때, 어떤 손이 불쑥 끼어들었다. 귀한 도자기처럼 보드라운 그 손은 곱고 윤이 나는 옥패를 쥐고 있었다.

"내가 챙겼다."

늙은 집사는 옥패를 보더니 흠칫했다. 얼굴을 가득 뒤덮은 깊은 주름마저 놀라움과 황송함, 아첨으로 싹 펴질 지경이었다.

"천, 천, 천자호(天字號)[#34] 귀빈 옥패네요?"

약영이 담담하게 말했다.

"어서 문을 열지 않고 뭐 하느냐."

"네, 네, 네!"

꽃무늬를 새긴 자단목 대문이 양쪽으로 열렸다. 늙은 집사는 안절부절못하며 약영 마님에게 절이라도 올릴 기세였다. 약영은 담청색의 옷소매를 탁 뿌리치더니 피곤하다는 눈빛으로 얼이 빠져 서 있는 설몽을 돌아보며 조롱 섞인 말투로 말했다.

"왕 선장, 경험이 많으시니 앞장서시지요?"

#34 천자호(天字號) 최고 귀빈을 의미

"……."

장야회 대문에 들어서기 전까지만 해도 설몽은 뻔뻔하게 밀고 나갈 생각이었다.

"앞장서는 게 뭐 대수라고!"

그러나 들어서자마자 당혹감을 감추지 못했다.

장야회, 이 무슨 개떡 같은 곳이람! 이게 사람을 해치는 게 아니면 뭐야! 저 시녀들 꼴 좀 봐! 저런 것도 옷이라고 입고 있나! 구미호 모양으로 치장한 사람도 있다니! 가슴이며 다리, 허리를 다 드러내 놓고, 눈을 어디에 두란 말이야! 양주의 책임자가 강야침이지? 강야침, 이 개돼지만도 못한 나쁜 인간! 버젓이 번화가 한복판에서 이렇게 미풍양속을 해치는 작태가 벌어지는데, 가만 놔두다니!

약영은 설몽이 난처해하는 걸 알아채고 빙긋 웃으며 말했다.

"왕 선장, 불편하면 다른 곳으로 가도 됩니다. 무리하지 마시지요."

"누가, 누가 무리했다고 그래요? '아무거나 순위'라고 들어 봤어요?"

"조금은."

설몽은 꼴에 자존심만 세 가지고 거들먹거리며 말했다.

"제, 제, 제가 이래 봬도 수진계 풍류 순위에서 1등이라고요!"

"……매함설이 아니고?"

"제가 워낙 떠벌리는 걸 싫어하는 성격이라 명단에서 빼 달라고 한 거예요!"

"명단에서 뺄 수도 있다고요?"

약영이 비웃듯이 말했다.

"돈을 얼마나 찔러 줬길래?"

"무슨 상관이에요?"

설몽은 눈을 한번 흘기고는 목에 힘을 주고 앞으로 걸어갔다. 내내 귓불이 불그레하고, 몇 번이나 같은 쪽 손발을 같이 내밀기는 했지만.

기괴한 복장을 한 개놈들이 요상한 개똥을 파는 곳. 설몽은 이 한마디로 장야회를 정의 내렸다.

엉덩이에 바람이라도 쏘일 기세인 요염한 여자들은 시선을 내리깔고 쳐다보지 않으면 별로 자극적이지도 않았다. 문제는 그들이 내놓고 파는 물건이 대체 무엇인지 도통 알아볼 수 없다는 것이었다. 심지어 물건 사라고 외치는 소리도 무슨 말인지 알아들을 수 없었다.

모르는 글자는 하나도 없는데, 이상하게 이어 붙이면 이해가 되지 않았다.

"해당문집 양장본이요, 용 아홉 마리가 봉황 한 마리와 얽히는 이야기입니다. 용 두 마리가 같이 동굴에 들어가요. 내용이 알차니 절대 놓치지 마세요. 작가 서명도 증정합니다."

"대근군이요, 대근군, 무 하나로 힘을 키워 보세요. 우리 집 대근군은 독보적인 법술로 '수진계 청년 영웅호걸 크기 순위'에 있는 선군들의 크기로 만들어 드립니다. 초 종사와 같은 자극을 느끼고 싶으신가요? 곤륜의 쌍둥이와 함께 하늘을 나는 기분을 맛보고 싶으신가요? 이 무 하나면 색다른 체험을 하실 수 있습니다. 절대 잊지 못하실 겁니다."

이것 봐, 이것 봐!

이게 다 무슨 소리냐고?

마음이 아무리 어수선해도 겉으로는 침착한 척해야 했다. 약영을 힐끔 보니, 비웃는 듯한 눈으로 그를 쳐다보고 있었다. 오기가 생긴 설몽은 아예 좌판 앞으로 성큼성큼 걸어가 단골인 척하며 노련하게 말했다.

"이 무를 열 개 사겠다."

"……."

"……."

가게 주인과 약영은 할 말을 잃었다.

설몽이 눈을 부릅뜨고 물었다.

"왜? 뭘 쳐다봐?"

그러고는 코를 비비며 버럭 소리 질렀다.

"내 얼굴에 뭐 묻었어?"

주인은 한참을 아무 말도 못 하더니, 이윽고 진지하게 설명했다.

"손님, 저희 집 대근군은 '청년 영웅호걸 크기 순위'에서 10위 안에 든 사람들을 본떠서 만듭니다. 효력이 엄청나서 거의 그들과 다름없이 됩니다. 이리와 호랑이 같은 삼사십 대[#35]가 아니라면 하나만 사는 걸 추천합니다."

설몽은 한 마디도 알아듣지 못하고 비단 함 안에 고이 놓여 있는 희고 토실토실한 무를 멍하니 내려다봤다. 이 대근군이라는 물건이 봉인 해제되면 어떻게 변하는지, '청년 영웅호걸 크기 순위'는 또 뭔지, 이리와 호랑이 같은 삼사십 대는 어떤 건지 도통

#35 이리와 호랑이 같은 삼사십 대 여성의 삼사십 대에는 성적 욕구가 강하다는 말

알 수 없었다.

아랫사람에게 묻는 걸 부끄러워하지 않는 건 좋은 자세다.

하지만 설몽에게는 그런 자세가 없었다.

자주적으로 사고하는 남자가 가장 멋지다고 생각하는 설몽은 잠시 혼자 머리를 굴려 봤다. 어렴풋이 알 것도 같았다. 이 대근군이라는 무는 천 년 묵은 산삼처럼 봉인 해제되면 효력이 엄청 강해지나 보다. 삼사십 대 수사들은 종종 수행하다가 난관을 만날 때가 있는데, 그럴 때 이리나 호랑이가 그러듯 영력이 깃든 산삼으로 보신해야 한다. 그런데 이 대근군은 약효가 너무 강해서 보통 사람은 하나만 먹어도 바로 경맥이 통하는 모양이었다.

완벽한 해석이다!

설몽은 속으로 환호하며 고집을 꺾지 않았다.

"……하나를 누구 코에 붙이라고?"

"……두 개를 사셔도 되긴 되는데, 3위 안에 든 사람은 사지 마세요. 저는 암상인이지 악덕 상인이 아닙니다. 그러니 설명은 제대로 해 드릴게요."

설몽이 참지 못하고 버럭 소리를 질렀다.

"이 사람이……! 손님이 달라면 줄 것이지!"

"너무 많습니다."

주인이 이마에 송골송골 맺힌 땀을 닦아 내며 난감해했다.

"몸이 버티지 못할 겁니다."

"흥."

설몽은 목에 힘을 주고 말했다.

"내가 못 먹어 본 줄 아나 본데 두 개는 물론, 스무 개도 두어 날이면 동난다."

그제야 주인은 입을 닫았다.

그는 경외하는 눈빛으로 설몽의 입술을 보더니 시선을 점점 아래로 옮겨 설몽의…….

"네놈이 지금 어딜 보는 거야!"

설몽이 잔뜩 경계하며 주인을 노려봤다.

"장사꾼이면 장사나 똑바로 하고, 보지 말아야 할 곳에는 눈길 돌리지 마."

주인은 재빨리 설몽의 아랫도리에서 시선을 거둬들이고 헛기침을 한번 했다.

"정말 타고나셨네요. 소인, 탄복했습니다. 그, 그럼 바로 열 개를 포장해 드리겠습니다. 모두 묵 종사의 크기로 드릴까요?"

"?"

묵 종사의 크기라니, 이건 또 무슨 소리야?

묵연 그 개자식이랑 무슨 상관인데?

설몽은 궁리 끝에 뛰어난 이해력으로 무슨 말인지 알아냈다.

영류를 감당하는 능력을 말하는 게 아닐까? 그거라면 절대 인정 못 하지. 청년 영웅호걸의 영류 감당 능력을 말하는 거라면 나도 묵연보다 못하지 않은데.

생각이 여기에 이르자, 설몽은 대뜸 얼굴을 굳혔다.

"아니, 설 장문 크기로."

그 말을 들은 가게 주인은 잠시 얼떨떨해하더니 어이없다는 듯이 말했다.

"농담도 잘하십니다. 설 장문이 어떻게 10대 선군에 들겠습니까?"

설몽이 더욱 펄쩍 뛰었다.

"설자명이 없다고?"

주인은 도무지 영문을 알 수 없어 되물었다.

"왜 설자명이 있어야 하는데요?"

설몽이 핏대를 세우며 따져 물었다.

"왜 설자명이 없냐고!"

두 사람은 목이 터져라 싸우느라, 옆에서 강 건너 불 보듯 하며 미간을 잔뜩 찌푸리고 있는 약영을 보지 못했다.

약영은 새까만 눈으로 설몽을 위아래로 훑어보더니 갑자기 다가와 설몽의 팔을 꽉 잡았다.

설몽이 고개를 확 돌리며 왈칵 성을 냈다.

"남녀칠세부동석이라 했거늘, 왜 붙잡아요!"

"……이 무가 어떤 용도로 쓰이는지 알기나 하고 이러는 겁니까?"

"당연하죠! 인삼처럼 영력을 보충하는 데 쓰이는 거잖아요!"

"……."

"……."

잠시 후, 약영이 주인을 돌아보며 말했다.

"이 요물을 하나 개봉할 테니 값은 고월야 장부에 적거라."

그러고는 손을 들어 허공을 슥 갈랐다. 그러자 비단 함에 붙어 있던 봉인 부적이 '펑' 하고 뜯겨 나갔다.

특이할 것 없는 평범한 무는 순식간에 눈부신 빛을 내뿜으며 모두가 지켜보는 가운데 살아 있는 듯한…… 사소한 부분까지 섬세한…… 정교하고…… 거대한…….

옥세[#36]로 변했다.

게다가 저절로 움직이는.

설몽은 그대로 굳어 버렸다.

그는 얼굴이 대뜸 새파랗게 질려서는 주인에게 손가락질하며 버벅거렸다.

"너, 너, 너, 이 변태 놈!"

주인은 화들짝 놀라선 억울해하며 씩씩거렸다.

"산다면서요, 모자란다면서요……."

"아아아아악!"

설몽은 자기가 조금 전에 무슨 말을 했는지 되짚어 볼 여유가 없었다. 시퍼렇게 질렸던 얼굴이 순식간에 벌겋게 달아올랐다. 그렇게 퍼렇게 질렸다가 벌겋게 달아오르기를 반복하더니 머리를 감싸 쥐고 뛰쳐나갔다. 그런데 몇 걸음 못 가서 그만 어떤 단단한 몸에 부딪치고 말았다.

앞을 가로막은 건 다름 아닌 약영이었다.

그런데 어째 감촉이…… 여자 같지 않은데?

약영이 매섭게 노려보며 말했다.

"설몽?"

설몽이 화들짝 놀라 되물었다.

"어떻게 알았어요? 당신 누구예요?"

약영은 두말하지 않고 설몽의 옷깃을 왈칵 움켜잡아 장야회에서 끌어냈다. 설몽이 아무리 소리치고 반항해도 꿈쩍도 하지 않

#36 옥세 玉勢, 옥으로 만든 남성 성기 모형

았다.

약영은 그를 인적이 드문 강가 정자까지 끌고 가 확 내동댕이쳤다.

약영이 너무 꽉 잡는 바람에 설몽은 숨이 막혀 목을 잡고 컥컥거렸다.

"이 개자식! 당신, 당신, 당신, 컥, 당신 대체 누구야?"

그때, 약영이 손을 휙 들었다. 그러자 손끝에서 퍼런빛이 번쩍하며 두 사람의 허리춤에 매달려 있던 도포산장 향낭이 동시에 산산조각 나 버렸다.

설몽이 경악하며 고개를 들었다. 너무 놀라고 창피해서 그대로 정자 기둥에 머리를 박고 싶었다.

"당신?"

환영이 모두 사라지고, 그 자리에 훤칠하고 준수한 남자가 서 있었다. 은색과 청색이 섞인 화려한 비단옷에는 공작 견사로 고월야의 봉황 문양이 수놓아져 있었다. 그러나 아무리 사치스러운 옷도 그것을 입고 있는 사람의 품격에 비할 바가 못 되었다. 짙은 눈썹에 오뚝한 콧날, 우아하고 아름다운 입술 선, 둥글고 큰 눈에는 타고난 거만함이 어려 있었다.

"강야침?"

이 약영 선군이 고월야의 장문, 수진계 제일의 부호 강희가 아니면 누구란 말인가?

부잣집 아낙네…… 아, 아니, 강야침은 입을 열자마자 설몽의 말문을 막히게 했다.

"정말 실망스럽군."

"?"

설몽이 그에게 멱살을 잡힌 채 끌려오는 바람에 힘이 다 빠지지만 않았더라면 당장이라도 달려들어 그를 죽여 버렸을 것이다. 멀쩡하게 생긴 사람이 어떻게 눈 하나 깜짝하지 않고 저런 뻔뻔한 말을 하는지!

"한 문파를 이끄는 장문이라는 사람이 앞으로 나아갈 생각은 하지 않고 이런 곳에서 빈둥거리다니, 될 말이냐?"

정신이 번쩍 든 설몽은 줄기침을 하며 목을 주무르던 손을 내리고 강희를 노려봤다.

"당신이 뭔데 날 훈계해요? 당신이나 잘하시죠."

강야침이 발끈했다.

"젊은 나이에 제대로 된 경로를 통해 명문 여수사들을 사귈 생각은 하지 않고, 마방지[#37] 그 간상[#38] 놈의 꼬임에 넘어가서 남녀 관계를 문란하게 하는 해우 족자인가 뭔가를 사다니, 정말 한심하구나!"

설몽도 발끈했다.

"그러는 당신은요? 나잇살이나 먹은 사람이 어머니한테……. 얌전하게 고월야나 재정비할 것이지, 얼굴 하나 믿고 후배들에게 집적거리기나 하고! 맞선 상대가 당신 아들보다 어릴 수도 있다는 생각 못 해 봤어요? 물론 내가 당신 아들이라는 말은 아니지만, 그러니까 내가 하고 싶은 말은, 당신이야말로 한심하다는 거예요."

강희는 화가 치밀어 옷소매를 탁 뿌리치고 이를 부득부득 갈

#37 **마방지** 芳之, 마 장주
#38 **간상** 간사한 장사꾼

았다.

“맞선 보려고 나온 게 아니다.”

“그럼 왜 왔는데요? 아, 알겠네요. 경쟁 상대인 마 장주의 법기를 연구하러 나온 거로군요? 마 장주가 간상이라고요? 그럼 당신네 장야회는요? 정말 뻔뻔하기 짝이 없네요!”

“내가 뻔뻔하면, 넌? 사내대장부가 뭐? 소설? 누굴 망신시키려고?”

“내가 누굴 망신시키든 무슨 상관입니까!”

“무엄하다!”

“헛소리!”

“설몽!”

“강희!”

“왕소설!”

“강약영!”

소 수레를 끌고 느릿느릿 지나가던 노파가 두 사람을 힐끔 보더니 옆에 있는 영감에게 물었다.

“영감, 저 어린 부부는 왜 싸운대요?”

“할멈, 눈이 침침한 모양이구려. 형제잖소.”

“엥? 저 은청색 옷을 입은 사람, 여자 아니에요?”

“사내요, 얼굴이 곱상할 뿐이지. 동생보다 머리 하나는 크네.”

“…….”

“…….”

설몽이 화가 나서 펄쩍 뛰며 고래고래 소리 질렀다.

“나이를 먹었으면 점잖게 하고 다녀요, 좀! 사람들이 오해하지 않게!"

강희가 냉소를 띠고 말했다.

"우리 약학 문파는 늘 젊게 보였다. 억울하면 고월야로 들어오든가."

설몽이 화를 주체하지 못하고 꽥 소리 질렀다.

"아악! 꼴도 보기 싫어요! 저 노파가 제대로 봤네요! 내가 왕소설이라고 한 건 해우 족자에 착오가 생겨서 그런 거고, 약영이라니, 당신 별명이야말로 가식적이고 여자애 같네요!"

"내가 약영이라고 지은 건……."

"뭣 때문인데요?"

약영[#39]이 무성하게 핀 모습을 좋아해서다.

그런데 문득 왕초청이 제일 좋아하는 꽃이라는 게 떠올라, 오해를 더할까 봐 입을 꾹 닫았다.

"거봐요! 당신은 가식 덩어리예요. 인정할 건 인정하시죠!"

강희는 설몽에게, 자신보다 지위가 높거나 나이 많은 사람과 대화할 때 어떻게 해야 하는지 버르장머리를 톡톡히 가르칠 생각으로 손을 번쩍 들어 손가락을 그의 코앞에 가져다 댔다. 하지만 곧 이 멍청한 녀석과 여기서 언쟁을 벌이는 게 오히려 체면을 구기는 일이라는 생각이 들어, 화가 머리끝까지 치밀었지만 애써 손을 다시 내렸다.

그때 가슴에 통증이 몰려왔다. 강희는 재빨리 소매로 입을 가리고 연거푸 기침을 했다.

설몽은 처음에는 그가 사레들린 줄 알고 고소해했다. 그러다

#39 약영 두약꽃

가 기침을 점점 더 세게 하고 눈이 풀려서는 눈물이 그렁그렁한 모습을 보고는 당황해서 물었다.

"이봐요…… 왜 그래요?"

강희는 눈이 시뻘게질 정도로 줄기침을 하더니, 손을 바르르 떨며 담뱃대를 들어 몇 모금 깊게 빨았다.

설몽이 경악하며 물었다.

"기침을 하는데 담배를 피워요?"

강희는 아랑곳하지 않고 몇 모금 더 빨아들였다. 그러자 놀랍게도 증상이 호전되었다. 그는 잠시 숨을 헐떡이더니 천천히 몸을 일으켰다. 그러고는 홱 돌아서 정자 쪽으로 걸어가 흐르는 강물을 한참이나 말없이 바라봤다.

"사생지전으로 돌아가."

"그때 입은 상처가……."

"세상에 이 강야침이 고치지 못하는 병은 없다. 내 일이니 상관하지 말거라."

겨우 좀 누그러지려는데 강희가 찬물을 확 끼얹었다. 설몽은 부드럽지도, 그렇다고 쌀쌀맞지도 않은 얼굴로 제자리에 멍하니 서 있었다. 답답해 미칠 지경이었다.

강희는 다시 한번 수연통을 깊게 빨아들이더니 연기를 조금씩 내뱉으며 말했다.

"그리고 너도 이제 나이를 먹을 만큼 먹었으니 제대로 된 사람을 만나 가정을 이뤄야지. 이렇게 사람들의 심리에 영합하기 위한 맞선에 정력을 낭비하지 말거라. 상대방의 근본을 제대로 알아야 한다. 인품, 집안 형편, 술법, 용모, 어느 것 하나 대충 넘겨서는 안 된단 말이다."

그러고는 잠시 멈추더니 눈썹을 확 추켜세우며 말했다.

"절대 마방지 그 사람의 해우 족자로 해결할 수 있는 문제가 아니다."

설몽이 눈을 부릅뜨고 쏘아붙였다.

"강야침, 사랑이 병이라고 했던 사람이 누구였더라? 다른 사람이 내 혼인을 재촉하는 건 이해하겠는데, 그쪽이 뭔데 그런 말을 해요?"

강야침이 고개를 반쯤 돌리고 냉담하게 말했다.

"맞아, 사랑은 병이다. 그런데 그건 나한테나 해당하는 말이지."

"……."

"너는 다르다. 너한텐 사랑이 병이 아니라 불임이 병이다. 너는 장가들어야지."

"?"

설몽은 아버지가 강야침이 아니라 설정옹이어서 정말 다행이라는 생각이 들었다. 강야침처럼 남에게 다른 잣대를 들이미는 놈은 또 처음이었다. 자기 얘기할 때는 딴소리만 늘어놓고, 이제 와서 무조건 혼인해야 한다니!

강야침은 역시나 개자식이다!

사생지전으로 돌아온 설몽은 씩씩거리며 '약영'이라고 적혀 있는 엽자패에 커다랗게 '×' 표를 하고 갈기갈기 찢어 버렸다.

맞선을 보지 말라고? 보면 어쩔 건데!

설몽은 절대 마 장주의 선물 상자가 강희 손에 들어가는 꼴을 손 놓고 지켜볼 수 없었다.

그리하여 설몽은 다시 엽자패를 꺼내 나머지 사람들을 쭉 살펴봤다.

해우 족자가 남자를 추천할 수도 있다는 걸 알게 된 설몽은 이번에는 잘 걸러 내서 신중하게 선택하기로 했다. 적어도 나이가 얼추 비슷한 여자여야 할 것 아닌가!

나 설자명은 절대 패배를 인정하지 않아!

고심 끝에 선택한 두 번째 엽자패는 '냉궁[#40]'이라는 사람이었다.

아무리 해우 족자가 남녀를 가리지 않고 제멋대로 짝지어 준다고 해도 냉궁에 들어갔는데 사내자식일 리는 없지 않은가? 이번에는 무조건 처량하고 비참한 처지에 놓인 낭자이리라.

엽자패는 냉궁 낭자를 이렇게 묘사했다.

[냉궁 선장. 성격이 괴팍하고 직설적이다. 생각이 남다르고 어리석다.

추운 겨울 쓸쓸하게 홀로 남겨진 후로 장장 십여 년을 독수공방한 경험 때문에 냉궁 선장은 사랑에 남다른 집착을 보인다. 게다가 가벼운 정신 질환을 앓고 있어 쉽게 자기 부정과 자기 의심에 빠진다. 가장 너그럽고 자상한 사람만이 그의 마음의 상처를 어루만져 주고 사랑의 불씨를 되살릴 수 있다.

취미: 자극적인 일.]

정상적인 사람이라면 이런 맞선 상대를 만나면 멀찍이 도망갔

#40 **냉궁** 冷宮. 옛날에 총애를 잃은 왕비가 거처하던 쓸쓸한 궁궐

을 것이다. 그러나 심성이 착한 설몽은 그러지 않았다.

상대가 여자라는 확신이 들어서인 것도 있지만, 행간 곳곳에 어딘가 불쌍한 기운이 흘러서이기도 했다.

독수공방, 집착, 자기 부정, 마음의 상처.

어휴, 얼마나 불쌍한가! 이런 여자를 버리다니! 매몰차기가 강희 저리 가라네! 수진계의 인간쓰레기!

어차피 맞선 보는 게 목적인 것도 아닌데 아무렴 어떠랴. 조건이 이렇게 형편없는데 이 여자를 선택하는 사람이 있을까? 선택받지 못하면 더 큰 상처를 입고 더 심한 자기 부정에 빠질 텐데, 얼마나 가슴 아픈 사연인가.

'자극적인 일'을 좋아하는 것으로 보아 성격이 과격한 것 같은데, 상심이 큰 나머지 자해라도 하면?

설몽은 도저히 모른 체할 수 없었다. 설정옹의 간곡한 가르침이 귓가에서 맴돌았다.

– 불쌍한 백성들이 우환이 참 많구나. 여력이 있다면 최선을 다해 돕거라.

정의롭고 인정 많기가 아버지 못지않은 설몽은 결국 위대한 결정을 내렸다. 좋아! 냉궁 낭자에게 따뜻한 불씨를 가져다주는 거야!

설몽은 즉시 생각한 걸 실행에 옮겼다. 그는 곧바로 해우 족자를 통해 냉궁 낭자에게 사흘 뒤 촉 땅의 무상진에서 만나자고 서신을 보냈다.

곧 냉궁 선인과 만나기로 한 날이 되었다.

이번에는 친구나 사귀고, 그릇된 길에 들어선 젊은 부인을 다독여 줄 마음으로 약속 장소에 나왔기 때문에 상대와 비교하고 승부를 볼 생각이 없었다. 그러다 보니 약…… 퉤! 강희 그 개새끼, 사기꾼, 쌍놈의 자식과 만날 때와는 많이 달랐다.

무상진은 설몽의 관내에 있는지라 어느 집 음식이 맛있는지, 어느 집 술이 좋은지, 어느 집 간식이 실속 있는지 훤히 꿰고 있었다.

설몽은 자주 가는 가정식 요리점을 약속 장소로 정했다. 볶음요리와 퐁당탕이 일품이었지만, 구석진 곳에 있어서 찾기가 쉽지 않았다. 다시 서신을 보내 냉궁 낭자에게 정확한 위치를 설명해 주려는데 복도에서 살짝 잠긴 여자 목소리가 들려왔다.

"이봐, 주인장. 왕소설을 만나러 왔다."

"왕소설이요?"

여자가 짜증스레 대답했다.

"손님 말이다."

주인장이 미처 대답하기도 전에 설몽이 발을 들어 올리고 들여다봤다.

느티나무로 만든 술 진열장 옆에 스물일고여덟 정도로 보이는 늘씬한 여수사가 서 있었다. 먹물을 쏟아 놓은 것 같은 긴 머리카락, 희미한 보랏빛이 스민 까만 눈동자, 연기처럼 가느다란 속눈썹, 굉장히 아름다웠다. 여자는 검은색 장포를 입고 있었다. 잘록한 허리에 늘씬한 다리, 묘한 분위기, 두리번거리는 모습에선 거친 매력이 흘러 넘쳤다.

향낭이 원래의 모습과 목소리에 근거해 만들어 낸 환영이었지만, 실제로도 몸매와 용모가 상당히 뛰어난 미인이라는 걸 알 수 있었다.

냉궁은 설몽을 곁눈으로 힐끔 보더니 성큼성큼 다가와 말을 걸었다.

"그쪽이 날 보자고 했나?"

"네, 제가 보자고 한 겁니다."

"좋아, 안목이 있군."

그러고는 예사롭지 않은 분위기를 풍기며 설몽 맞은편에 척 앉아 다리를 꼬고 팔짱을 꼈다. 위풍당당하고 거만한 자세였다.

설몽은 상대가 한없이 처량한 모습으로 나타나서 가슴에 맺힌 원한을 주절주절 털어놓고 갈 줄 알았다. 그런데 이렇게 강한 여자일 줄이야. 솔직히 설몽은 질질 짜는 여자를 다룰 줄 몰랐다. 사랑의 상처를 받을 대로 받고도 이렇게 굳세다니, 설몽은 오히려 상대에게 존경심과 약간의 호감이 생겼다.

하지만 설몽은 남 칭찬을 잘 못 하는 녀석이었다. 태어나서 지금까지 그가 칭찬한 사람은 세 손가락이면 다 꼽을 수 있었다. 아버지, 어머니, 그리고 사존. 한참을 궁리한 끝에 설몽은 겨우 이 한마디를 궁리해 냈다.

"참 단단하네요."

"……."

앉자마자 팔짱을 끼고 창밖을 내다보던 냉궁은 그 말을 듣더니 새까만 눈동자를 되록되록 굴리며 매가 살찐 토끼를 노려보듯 설몽을 빤히 봤다.

"그런 것도 보인다고?"

'남자에게 차이고도 이렇게 위풍당당한데, 바보가 아닌 이상 마음이 단단하다는 걸 어떻게 모르지?'

설몽이 고개를 끄덕끄덕했다.

그러자 냉궁이 코를 쓱 만지더니 의기양양하고 음산하게 웃으며 말했다.

"하긴, 사람들이 다 그렇지 뭐. 그걸 노리지 않으면 돈이나 지위를 노리고."

그러고는 의자 등받이에 기대 두 팔을 뒤로 젖히고 턱을 까딱했다.

"주문해."

여자는 세상을 발톱에 낀 때로 여기는 듯한 오만불손한 기운을 풍겼다. 평범하기 그지없는 세 글자도 여자가 내뱉으니 무슨 어명 같았다. 설몽은 기분이 확 상해 상대를 노려봤다.

"뭘 봐?"

냉궁의 냉담한 눈에는 타고난 유혹의 눈빛이 서려 있었다. 냉궁은 다리를 꼬고 앉아 새하얀 손가락으로 꽉 여민 옷깃을 잡아당기며 성가시다는 듯이 말했다.

"재미라도 보려고?"

설몽은 경악을 금치 못했다!

"뭐, 뭐, 뭐, 뭐라고요?"

냉궁은 얼굴빛 하나 변하지 않고 양갓집 총각 설몽에게 두 번째 정신적 공격을 퍼부었다.

"왜 그런 눈으로 봐? 재미라도 보게?"

설몽은 숨이 턱 막혔다.

얼굴이 붉으락푸르락해지다가 결국 고개를 번쩍 쳐들었다.

"이, 이, 이런, 이 뻔뻔한! 다, 다, 다, 당신, 자중하세요!"

냉궁은 반쪽 눈썹을 추켜세우고 보조개가 폭 패게 씩 웃었다.

"그러려고 날 찾은 게 아닌가? 해우 족자, 임과 하룻밤이면 근심 걱정 싹 사라지네."

"다, 다, 당신 허튼소리 그만해요!"

평소 같았으면 설몽은 진작 용성을 빼 들어 결투를 벌였을 것이다. 그러나 냉궁의 아픈 상처를 잘 아는 설몽은 그릇된 길로 들어선 여자 하나 구제한다는 마음으로 애써 참았다.

하지만 화가 머리끝까지 나는 건 어쩔 수 없었다.

"무슨 말을 그렇게 해요? 그, 그런 의도는 전혀 없다고요!"

"어? 그래?"

냉궁은 그제야 흥미를 좀 보이며 내내 꼬고 있던 다리를 내려놓고 자세를 고쳐 앉았다.

"좋아, 내 생각과 같군. 그나저나 난 금분세좆[#41]했다. 네가 재미 보고 싶다고 해도 내가 안 해."

설몽은 귀를 틀어막고 울부짖었다. 해우 족자가 냉궁이 만들어 낸 신조어를 미처 식별하지 못해 냉궁이 성별을 폭로하게 놔뒀지만, 설몽은 너무 당황한 나머지 그조차 알아차리지 못했다.

"아아아아! 그렇게 상스러운 말 좀 안 하면 안 돼요?"

"쯧쯧, 그렇게 안절부절못하는 순수한 모습을 보니 누가 생각

#41 금분세좆 금으로 만든 대야에 손을 씻고 은퇴한다는 의미의 '금분세수'를 변형한 말

나는군.”

냉궁이 말했다.

“알았어, 안 할게. 대신 뭐 좀 도와줘.”

설몽이 겁에 질려 바짝 긴장하며 물었다.

“뭘요?”

냉궁이 무덤덤하게 말했다.

“내 연인이 되어 줘.”

“…….”

설몽은 하마터면 상을 엎을 뻔했다.

“맞선 보러 온 게 아니라면서요?”

“성급하기는. 말 좀 끝까지 들어 봐.”

냉궁이 눈을 흘기며 말했다.

“가짜로. 연인인 척만 해 달라고.”

“……왜요?”

냉궁이 갑자기 눈빛이 돌변하더니 상을 ‘탁’ 치고 몸을 앞으로 기울이며 나지막이 말했다.

“누구 화나서 죽는 꼴이 보고 싶어서.”

“누구요?”

“내 진짜 연인.”

“…….”

연인에게 버림받고 독수공방을 오래 하더니 정신이 이상해졌나? 여태 그 바람둥이와 정리를 못 했다고?

그런 남자를 일찌감치 차 버리지 않고 구구절절, 꾸물꾸물, 이렇게 사람을 사서 연인인 척 연기까지 시켜서 화를 돋우려 하다니. 이놈의 냉궁 낭자, 머리가 어떻게 된 거 아니야?

"싫어?"

"……."

"솔직히 요 며칠 여럿 만나 봤는데 불순한 의도를 가지고 진짜 연인 행세를 하려고 들더라고. 그것도 아니면 듣자마자 도망가고."

"……."

"싫으면 됐어. 더 얘기할 것도 없군. 내가 알아서 다른 방법을 생각해 보지."

무슨 방법? 격하게 자해라도 하시게?

머리가 지끈지끈 아팠다.

설몽은 관자놀이를 주무르더니 손을 휘휘 내젓고는 차림표를 펼쳤다.

"알았어요, 알았어. 아버지가 그랬어요, 한 생명을 구하는 게 7층 불탑을 짓는 것보다 낫다고. 약속할게요. 됐어요?"

냉궁이 눈을 반짝이며 물었다.

"정말?"

"군자 일언 중천금이라고, 거짓말하면 개예요. 그쪽이 꽁해 있지만 않는다면야."

설몽이 한숨을 내쉬며 말했다.

"먹으면서 얘기합시다. 이것부터 좀 봐요. 뭐 먹을래요?"

냉궁이 손을 번쩍 들어 말렸다.

"시킬 필요 없어."

요리를 시키지 않으면 손가락 빨게? 이런 생각을 하고 있는 그때, 냉궁이 손가락을 탁 튕겼다.

"주인장, 이 집에서 제일 비싼 거로 본…… 크읍, 한 상 내오너라!"

설몽은 얼굴이 잔뜩 일그러졌다.

어디서 굴러온 무식한 촌뜨기람! 이 무슨 듣도 보도 못한 주문 방법이지?

설몽이 소리를 버럭 질렀다.

"아니, 이 사람! 음식 낭비하는 게 얼마나 부끄러운 일인지 몰라요?"

"그 말, 나랑 같이 사는 사람도 자주 하거든."

냉궁이 눈을 가늘게 뜨고 말했다.

"그러니 오늘 한번 흥청망청 낭비나 해 보겠다. 말리지 마. 안 그러면 가게를 통째로 사 버릴 테니까."

설몽은 상대의 기세에 완전히 압도당했다.

"……당신 도포산장 사람이에요?"

"아니."

"……임기 거상?"

"아니."

"……양, 양주 고월야?"

냉궁이 냉소를 지으며 말했다.

"고월야가 다 뭐야. 시중들 주제도 못 되지."

"……."

어디서 많이 들어 봤는데?

요리와 퐁당탕은 시간이 좀 걸리고, 밑반찬은 바로 올라왔다.

설몽은 도자기 접시에 담긴 홍고추돼지위무침을 보며 말했다.
"혹시 임안 쪽에서 왔어요? 매운 거 못 먹어요?"
"못 먹긴."
냉궁이 발끈했다.
"환장하지."
그러더니 한 젓가락 듬뿍 집어 눈 하나 깜박이지 않고 입에 욱여넣었다.
"오래간만에 먹으니까 끝내주네."
설몽이 궁금해서 물었다.
"그렇게 좋아하는데 평소에는 왜 안 먹어요?"
"나랑 같이 사는 그 인간이 못 먹거든."
"네? 자기가 싫어하니 매운 거 못 먹게 한다고요?"
매운 음식을 좋아하는 설몽은 그 말을 듣자마자 버럭 했다.
"말도 안 돼요! 원앙솥으로 시키면 되지!"
"못 먹게 하는 건 아니고, 내가 안 먹어."
설몽이 눈을 동그랗게 뜨고 물었다.
"왜요?"
냉궁은 해명하려다가 한두 마디로 안 될 것 같아서 입맛을 한 번 다시고는 퉁명스레 말했다.
"내가 제정신이 아니라 그냥 억지 부리는 거지 뭐."
이거다, 해우 족자가 말한 자기 부정과 자기 의심.
"됐어. 그건 그렇고."
냉궁이 화두를 바꿨다.
"어떻게 내 연인인 척할지나 얘기해 보지."

"안 되는 건 아닌데……."

설몽이 물었다.

"근데 화를 돋우려는 목적이 뭐예요?"

냉궁은 콧방귀를 뀌더니 사나운 표정으로 이를 부득부득 갈며 말했다.

"내가 선물한 향낭을 잃어버렸다!"

'수년 동안 냉대했다면서? 선물한 향낭을 잃어버리는 것쯤은 이제 익숙해질 때도 되지 않았나…….'

그런데 미처 입을 열기도 전에 냉궁이 한마디 보탰다.

"칠석에 선물한 건데!"

'독수공방하게 만든 거에 비하면 별것도 아니구먼…….'

냉궁은 안색이 점점 나빠지고 말투도 점점 사나워졌다.

"내가 언제 그런 걸 또 선물할 사람으로 보이냐? 금은보화를 선물하면 시큰둥해할 거고, 병갑 도감은 너무 뻔하고, 그래서 손수 향낭을 만들어서 선물했는데, 글쎄 이 인간이 고마운 줄도 모르고 그걸 잃어버렸다고!"

'흠…… 상태가 좀 심각한 것 같은데.'

냉궁은 여기까지 말하고는, 화가 난 것 같기도 하고 난감한 것 같기도 한 얼굴로 입술을 오므리더니 주저주저했다. 잠시 후, 불평이 끝난 줄 알았던 냉궁이 갑자기 탁자를 쾅 내리쳤다.

"잃어버린 것도 약 오르는데, 제기랄, 다른 사람이 선물한 걸 떡하니 달고 다니다니. 그게 무슨 뜻이겠어? 일부러 내 화를 돋우려는 거 아니겠어?"

설몽은 잠시 멍하니 있다가 눈을 확 부릅뜨고 물었다.

"다른 사람의 향낭을 받았다고요? 그럼 호, 혹시 다른 사람에게 한눈판 거?"

"그게 아니면 내가 시간이 남아돌아서 화를 돋우려 하겠나? 똑똑히 알려 줄 것이다. 세상에 본…… 에헴, 나를 사모하는 사람이 얼마나 많은지, 그렇게 소중한 줄 모르다가 다른 사람에게 가 버릴 수 있다고. 내 마음을 돌리러 당장 튀어 오지 않으면 난 세상에서 영영 사라질 테니까. 어디 그 잘난 놈과 잘해 보라 그래!"

"!"

사존처럼 정의감이 투철한 설몽은 경악과 분노를 금치 못했다. '농락하다', '아내를 버리다', '외도를 하다', '변덕이 심하다', '동쪽 집에서 밥 먹고 서쪽 집에서 잠자다'와 같은 말들이 홍수처럼 머릿속에 밀려들었다.

"정말 말도 안 돼요!"

그러다가 좀 전에 냉궁이 홧김에 '세상에서 영영 사라질 테니까'라고 했던 말이 떠올라 가슴이 철렁 내려앉았다. 역시나 자해하는 경향이 있구나.

스스로를 망치지 못하게 막아야 해!

설몽이 의분에 차서 말했다.

"걱정하지 마세요, 제가 제일 못 참는 게 바로 간에 붙고 쓸개에 붙는 지조 없는 놈들이에요. 제게 맡겨요. 제가 당신 체면을 세워 줄게요. 땅을 치고 후회하게 만들어 줄게요!"

그러고는 잠시 멈췄다가 잔뜩 화를 내며 진지하게 말했다.

"지피지기 백전백승이라는 말도 있잖아요. 두 사람 사이에 무슨 일이 있었는지 말해 줘요. 마음의 준비 좀 하게!"

냉궁이 미간을 찌푸렸다.

"나와 그 사람 사이의 일은 한두 마디로 정리할 수 있는 게 아니다."

"……아, 그럼 제가 물을 테니까 대답만 하세요."

설몽은 간만에 상대의 마음을 헤아려 다정하게 말했다.

"말하기 난감한 부분은 건너뛰어도 돼요. 어때요?"

냉궁이 잠시 생각하더니 고개를 끄덕였다.

"그래."

그동안 퐁당탕과 볶음 요리가 속속들이 올라왔다. 한 상 가득 차려진 요리는 반지르르하니, 먹음직스럽고 매혹적인 향기를 풍겼다.

둘은 식사를 하면서 얘기를 나눴다.

"두 사람, 만난 지 얼마나 됐어요? 지금은 어때요?"

냉궁은 사각사각하고 부드러운 마늘종돼지콩팥볶음을 한 젓가락 집어 우걱우걱 씹어 먹더니, 젓가락을 내려놓고 설몽을 바라보며 말했다.

"나와 그 사람 사이는 좀 남달라서 깜짝 놀랄 수도 있는데, 그래도 듣겠나?"

"제 출생의 비밀보다 놀라운 일은 없을걸요. 얘기해 보세요."

냉궁이 갑자기 흥미를 보이며 바짝 다가와 물었다.

"오? 그래? 출생의 비밀이 뭔데?"

"……작전을 세우겠다는 거예요, 말겠다는 거예요?"

냉궁이 호기심 어린 시선을 거두고 헛기침을 두 번 하더니 말했다.

"알았어, 내 얘기부터 하지."

그러고는 거침없이 털어놓기 시작했다.

아니나 다를까, 첫마디부터 놀랍기 그지없었다.

"나랑 같이 사는 그 사람, 내 사존이다."

"……."

설몽은 문득 별로 유쾌하지 않은 기억이 떠올라 차를 한 모금 마시고 놀란 마음을 진정했다.

그런데 두 번째 마디는 더욱 놀라웠다.

"사실 오래전에 이미 혼례를 올렸지."

찻잔을 잡고 있는 설몽의 손이 파르르 떨렸다.

세 번째 마디는 도저히…….

"우린 매일 그 짓을 했다, 혼인하기 전부터. 혼인한 후에는 더욱 무절제하게 밤낮으로 음탕한 짓을 즐겼어."

설몽이 차를 '풉' 하고 내뿜었다.

"컥컥, 컥컥!"

해우 족자가 냉궁 선인을 '직설적'이라고 하긴 했지만, 여자가 이 정도로 직설적일 줄은 몰랐다.

냉궁은 어휘 선택에 노력을 기울이며 꿋꿋하게 말했다.

"그 사람, 밤일을 잘 못해. 나나 되니까 데리고 살지. 내가 또 그쪽으로는 타고났으니까. 어느 순간 푹 빠져서 헤어 나오지 못하더라고. 입으로는 싫다고 하는데 매일 밤 격렬하게 서너 번은 해. 일고여덟 번 할 때도 있다. 침상, 마당, 화청, 온천, 가리지 않고……."

"그만해요!"

설몽은 겨우 기침을 멈추고 얼굴이 시뻘게져선 뿜어낸 물을 닦으며 말했다.

"그렇게 자세하게 묘사할 필요 없어요. 부부 생활이 원활하다는 거 알겠으니까."

"그래, 우리는 부부 생활이 아주 원활하지. 매일 밤 서너 번은 기본이고 일고여덟 번 할 때도 있으니까. 다른 사람은 못 해도 난 가능하다. 침상, 마당, 화청, 온천, 가리지 않는다고……."

"……."

"제기랄."

냉궁이 갑자기 화를 버럭 내며 탁자를 탕 내리쳤다.

"우리가 애를 낳을 수 있었다면 벌써 아들딸을 줄줄이 낳고 행복하게 살았을 거야. 그랬다면 그 촉새 같은 놈이 함부로 설치지 못했을 텐데."

설몽은 잠시 멍해졌다. 아, 아이를 못 낳아서 굴러온 돌이 그 허점을 파고들어 박힌 돌을 빼내려고 했구나.

그러고 보면 어머니도 더는 아이를 가질 수 없는 몸이었는데, 그래도 설정옹은 서로 돕고 의지하며 어머니와 한평생을 함께했다. 아버지 같은 남자도 정말 드물다.

설몽은 너무 안쓰러워서 격분하며 물었다.

"몸조리 잘해서 치료해 볼 생각은 안 해 봤어요? 고월야 강야침은 사람은 영 별로인데 의술은 그런대로 괜찮아요. 한번 시도……."

"흥, 왜 안 해 봤겠어? 남들은 절대 불가능하다고 하지만, 내

명은 내게 달렸지 하늘에 달린 게 아니다. 남들에게 달린 건 더더욱 아니고. 그 사람과 아이를 낳기로 결심한 이상 물불을 가리지 않았지. 그래서 강야침을 찾아가 물어보았다. 그런데 그놈의 강 미인이 고집이 얼마나 센지 죽어도 가르쳐 주지 않겠다더군. 사리 분별도 못 하는 놈!"

"……."

강희가 사리 분별도 못 하는 건 맞는데, 어디가 예쁘다는 거지? 어딜 봐서 '미인'이라는 거야?

그나저나 미인이라는 말을 걷어 내고 보면, 어딘가 익숙한 이야기인데…….

한참을 생각해 봐도 기억나지 않자, 설몽은 생각을 접고 냉궁을 타이르며 위로했다.

"강야침 그 개놈은 원래 박정하고 의리가 없어요. 그냥 간사한 장사치예요. 그러니 마음에 담아 두지 마세요. 그래서 나중에 어떻게 됐어요? 당신들 사이에 끼어든 그 사람은 누군데요? 당신 사존과 당신…… 음, 그런 쪽으로는 잘 맞으니 아직 당신을 사랑하는 것 같은데, 어쩌다가 변심했대요?"

그 말을 들은 냉궁은 이를 부득부득 갈았다.

"내가 없는 틈을 타서 빈틈을 파고든 거지."

설몽이 눈을 부릅뜨고 물었다.

"그럼 독수공방하는 동안 빼앗긴 거예요?"

냉궁은 어금니를 꽉 깨물었다.

"그래."

어찌 이럴 수가! 새 사랑의 웃음소리에 취해 옛사랑의 울음소리를 듣지 못하는구나!

설몽은 화가 나서 탁자를 '탁' 치고 벌떡 일어났다.

"악독하기가 강야침 저리 가라네요!"

냉궁은 궁금해서 고개를 갸웃하고는 가느다란 손가락으로 탁자를 톡톡 두드리며 물었다.

"강야침에 대해 잘 아나 봐? 무슨 사이지?"

"……."

설몽은 다시 자리에 앉아 잔에 찻물을 따르며 말했다.

"그 자식 아버지입니다."

"?"

"아, 홧김에 한 말이에요. 저와 강야침은 아무 사이도 아니에요. 말이 그렇다는 거죠. 강야침이 여수사들 사이에서 아주 파렴치한, 수진계의 인간쓰레기라는 걸 모르는 사람이 어딨겠어요."

말을 마치고는 퉤하고 침을 뱉었다.

냉궁의 눈이 휘둥그레졌다.

"그래? 강희가 남녀 사이의 일은 딱 질색한다고 들었는데. 여자들이 연서를 들고 찾아가도 약 처방을 줘서 돌려보낸다더군. 대놓고 '성인 여드름', '비만' 이렇게 적어서. 그런데 정말 여색을 즐긴단 말이야?"

설몽은 벙어리 냉가슴 앓듯 입만 벙긋벙긋했다.

"……아니에요. 간사하고 인품이 엉망이라고요."

"그건 그렇지."

설몽은 이 얘기를 계속했다가는 말이 빗나갈 것 같아 화두를 돌렸다.

“계속해서 당신 사존 얘기나 해 봐요. 왜 당신을 버렸는지, 또 당신은 미련이 남아 있으면서 왜 붙잡지 않았는지.”

“내가 그 사람한테 미련이 남았다고?”

냉궁이 코웃음 치며 말했다.

“웃기는 소리, 신경도 안 쓴다고.”

“…….”

그러고는 한참을 말없이 가만있더니 내키지 않는다는 듯 물었다.

“……내가 그 사람한테 미련이 남은 건 어떻게 알았지?”

“제가 아는 사람도.”

설몽은 난감하고 화나는 듯하면서도 어쩔 수 없다는 듯한 오묘한 표정으로 한참을 주저하다 딱딱하게 말했다.

“당신과 비슷하거든요.”

“그래? 그 사람은 어떻지?”

“흥, 관례를 치를 때만 하더라도 사존을 엄청 싫어했어요. 쌀쌀맞고 자기만 혼낸다면서, 자기는 사존이 안중에도 없다고 큰소리까지 쳤어요.”

냉궁이 땅콩을 까먹으며 흥미진진한 표정으로 물었다.

“그래서? 어떻게 됐는데?”

설몽이 팔짱을 척 끼고 눈을 흘겼다.

“어떻게 됐겠어요, 당연히 후회막급이었죠.”

“…….”

“울고불고 난리를 치면서 제발 돌아오라고 통사정을 했어요.

물불을 가리지 않고 온갖 수단 방법을 다 썼죠."

설몽이 말했다.

"그러니 새겨들으세요. 사람 일은 모르는 법이에요. 말을 하고 싶은 대로 다 하지 말고 여지를 남겨요."

정작 냉궁은 개의치 않고 의자 등받이에 척 기대어 앉아 턱을 쳐들고는 거들먹거리며 말했다.

"울고불고 난리 칠 필요 없어. 내 곁에 남겨 두기로 마음만 먹으면 방법은 얼마든지 있다고."

냉궁이 끝끝내 생각을 고쳐먹지 않자, 설몽은 차마 입이 떨어지지 않았지만 마음을 굳게 먹고 한 방 먹였다.

"그래서 잡았어요?"

의기양양했던 냉궁의 얼굴이 약간 굳었다.

다시 한 방.

"결국 버림받았잖아요?"

냉궁의 얼굴에 웃음기가 싹 사라졌다.

또다시 한 방.

"버린 거로도 모자라 당신이 없는 틈을 타서 다른 사람을 곁에 뒀잖아요?"

이번에는 서서히 분노가 피어올랐다.

"거봐요. 진작 허심탄회하게 대화를 나눴더라면, 한사코 고개를 숙이지 않고 뻗대지 않았더라면 당신 곁을 떠나지 않았을지도 몰라요."

냉궁은 허를 찔렸는지 풀이 확 죽었다. 여전히 정색하고 있었지만 눈동자에는 슬픔이 어려 있었다.

잠시 후, 냉궁이 입을 열었다.

"……그 사람, 나 때문에 떠난 거였어."

"……."

"떠나게 하려던 건 아닌데, 나는 항상…… 나는 항상……."

냉궁이 잠시 멈추더니 고개를 돌리고 눈시울을 붉혔다.

설몽은 당황해서 어찌할 바를 몰랐다. 아, 설마 우는 건 아니겠지? 태어나서 한 번도 여자를 달래 본 적은 없는데!

하지만 쓸데없는 걱정이었다. 여자는 잠시 눈시울을 붉히는가 싶더니 노발대발하며 거칠게 소리를 질렀다.

"가 버리라 그래. 뭐가 대수야? 그 사람 없이도 잘 살 수 있다고."

"……."

"이 얘기는 그만하지. 이 얘기만 하면 우울해지니까."

냉궁은 차를 한 잔 따라서 벌컥벌컥 들이켜더니 말했다.

"도덕군자인 척 점잔을 빼는 간악한 놈 얘기나 계속하지."

연적 얘기가 나오자 냉궁은 십여 년 동안 쌓인 울화가 한꺼번에 폭발한 것처럼 삿대질하며 뭔가를 말하려고 입을 빼금거렸다. 하지만 결국 화가 풀릴 만한 알맞은 말을 찾지 못하고 한숨을 푹 내쉬었다.

"……그놈이 나보다 나은 게 뭐가 있다고……."

"음…… 사존은 그 사람의 어디가 좋대요?"

냉궁이 발끈했다.

"사존이? 나보다 그놈을 더 좋아하기만 해 봐, 침상에서 쓴맛을 톡톡히 보게 할 테니!"

조금 지친 설몽은 관자놀이를 주무르며 말했다.

"그럼 어디 한번 말해 봐요. 제삼자라면, 예를 들어 저라면, 그 사람이 당신보다 나은 게 뭐라고 생각할 것 같아요?"

냉궁은 그제야 마지못해 생각하는 척했다.

그렇게 한참이나 골똘히 생각하더니, 침울해져선 말했다.

"다 나보다 못해."

"……."

"그놈과 나는 출신 성분이 별로 좋지 않아. 그런데 그놈은 노력도 하지 않고 빈둥빈둥 허송세월하려고만 하지. 하지만 나는 내 힘으로 천하를 평정했다. 그놈은 사존에게 좌판 음식을 사 주지만, 나는 10돈짜리 황금으로 물수제비를 뜨게 할 수도 있어."

설몽은 뻔뻔스럽게 허풍스런 소리를 해 대는 냉궁에게 한 소리 했다.

"그야말로 돌멩이를 떨어뜨려서 바다를 메우는 격이네요."

냉궁은 미심쩍어하는 설몽의 반응을 알아차리지 못하고 자신만만하게 말했다.

"어찌 됐든, 나는 유능하고 돈도 많아서 그를 먹여 살릴 수 있었다. 나와 함께 있을 때는 으리으리한 집에서 화려한 옷을 입고 제일 좋은 물건들만 쓰면서 살았다고."

설몽이 경악하며 물었다.

"당신 사존, 완전 '등처가'[#42]네요?"

"꼭 그렇게 듣기 거북하게 말해야 하나?"

냉궁이 기분 나빠하며 말했다.

"그만 좋다면야 억만금이 들어도 상관없어. 그런데 그놈과 있

#42 **등처가** 아내를 등쳐 먹는 남자

을 때는 어떤지 알아? 작고 허름한 초가집에 누더기 옷, 직접 심어서 먹어야 하고, 직접 만들어 써야 하고, 한마디로 쨰지게 가난하지. 그런데도 나보다 낫다고?"

악연을 많이 봐 온 설몽은 잠시 입장을 바꾸어 생각해 봤다.

"꼭 그렇게만 볼 일이 아니에요. 당신 사존은 당신에게 빌붙어 사는 게 싫을 수도 있잖아요. 예를 들어 볼게요. 이런 아버지가 있다고 생각해 봐요. 심성이 착하고 오랫동안 당신을 키워 주고 엄청 잘해 줘요. 그런데 그다지 부유하지는 않아요. 이런 아버지 어때요?"

냉궁이 별로 생각하지도 않고 단호하게 대답했다.

"좋지."

"그럼 이런 아버지는요……."

"왜 또 아버지야?"

냉궁은 설몽이 왜 자꾸 아버지를 예로 드는지 영문을 알 수 없어 물었다.

"왜 자꾸 아버지를 걸고넘어져?"

설몽이 눈을 부릅뜨고 쏘아붙였다.

"편, 편, 편해서요!"

그러고는 아랑곳하지 않고 계속해서 말했다.

"이런 아버지는 어때요? 원래 아버지처럼 심성이 착하지도 않고, 당신의 존재도 모르고, 어머니에게도 매정해요. 그런데 엄청난 부자예요. 어떨 것 같아요?"

냉궁이 벌컥 화를 냈다.

"그런 놈은 삶아 버려야지!"

"……뭘 그렇게까지. 제가 하고 싶은 말은, 당신은 돈으로 그 사람을 기쁘게 할 수 있다고 생각하지만, 정작 그 사람은 그냥 책을 읽는 것 같은 소소한 일상을 함께하고 싶은 걸 수도 있다고요……."

냉궁은 잠시 생각에 빠졌다. 낯빛이 점점 어두워졌다. 여전히 위엄이 넘치는 표정을 하고 있지만 눈동자에 서러움이 가득했다.

한참 후, 냉궁이 딱딱하게 말했다.

"……그래, 나 교양 없고 무식하다. 십 년이나 머리를 싸매고 공부해도 그놈이 오 년 동안 여기저기 돌아다니면서 배운 것만 못하니 원. 난 돈밖에 없는데 그 사람이 싫어하니 어쩌겠냐고."

설몽은 문득 냉궁이 주인에게 버려진 개 같다는 생각이 들었다. 빗속에 버려져 서러워 죽을 것 같은데도 몸을 꼿꼿이 펴고 아무렇지 않은 척하는 그런 개 말이다.

"이 얘기는 그만하고, 다른 것도 좀 얘기해 봐요."

냉궁이 고집스레 말했다.

"다른 것도 나만 못해."

"……예를 들면요?"

"나보다 까매."

설몽의 미심쩍은 눈빛에 냉궁은 기분이 언짢아졌다.

"뭘 봐? 지금은 이래도 예전에는 하얬다고. 이유는 말하자면 복잡해."

"그렇군요."

설몽이 무미건조하게 말했다.

"저도 별로 듣고 싶지 않아요. 그리고 또?"

"나보다 못생겼지. 옷 취향도 형편없고."

냉궁의 험담이 이어졌다.

"나보다 시원시원하지도 않아. 빙빙 돌려서 말하고 음흉해서 꾀가 많지. 나보다 키도 작아."

설몽은 왠지 모르게 냉궁이 마지막 말을 할 때 눈 가리고 아웅 하는 것처럼 느껴졌다.

계속해서 이렇게 묻는 것도 방법은 아니었다. 뭐랄까, 냉궁이 '나보다'로 시작하는 문장을 얼마나 많이 만들 수 있는지 시험하는 기분이었다. 게다가 냉궁 낭자는 자아 성찰 능력이 부족했다. 냉궁에게 다른 사람의 장점을 물어보면 대답을 못 한다. 물론 자기의 단점을 물어봐도 대답을 못 하는 건 마찬가지였다.

다른 방법으로 물어야 했다.

설몽은 문득 좋은 생각이 떠올랐다.

"이런 식으로는 안 되겠어요. 아니면 놀이를 하는 게 어때요?"

"무슨 놀이?"

"지금부터 저를 사존이라고 생각해요. 이런저런 요구를 할 테니까 당신이라면 어떻게 할지, 그 굴러온 돌이라면 어떻게 할 것 같은지 솔직하게 보여 줘요. 어때요?"

"……나이도 많지 않은 양반이 잘하는군."

냉궁은 갑자기 생기가 돌면서 자세를 고쳐 앉았다.

"좋다. 얼마든지."

둘은 말이 끝나기 무섭게 바로 연기를 시작했다.

"잘 들어요. 저는 당신 사존이고, 당신은 여전히 당신이에요. 지금 우리 앞에는 이 매운 볶음 요리들과 퐁당탕밖에 없어요.

다른 건 주문할 수 없어요. 어떻게 할 거예요?"

냉궁이 간단명료하게 말했다.

"음식점을 부수지."

"……."

"안 매운 요리를 만들어 줄 때까지 부수겠다."

"……."

냉궁은 곧장 배역에 몰입해 미간을 잔뜩 찌푸리고 지친 표정을 지었다.

"무슨 음식점이 담백한 음식을 못 만들어?"

그러고는 설몽을 힐끔 보며 물었다.

"지금 당신이 내 사존이라고 했지?"

"……네."

"그래, 뭐 먹고 싶어?"

매운 음식을 못 먹는 사람은 초만녕밖에 모르는지라 설몽은 초만녕의 입맛에 맞는 음식을 대충 몇 가지 둘러댔다.

"해분사자두, 우럭탕수육, 청경채두부볶음, 허화수."

그 말을 들은 냉궁은 잠시 눈빛이 멍해졌다.

"왜 그래요?"

"……아무것도 아니다. 여기서 잠깐 기다려. 내려갔다 오지."

설몽이 다급해서 외쳤다.

"가게를 때려 부수는 건 안 돼요!"

"가게를 부수지 말라고?"

냉궁이 눈을 가늘게 뜨고 말했다.

"사사건건 인정에 호소하는 성질은 못 고치는군. 알았어, 안 부수지. 그럼 주방장을 좀 만나겠다."

"주방장을 만나서 뭐 하려고요?"

"두 개의 선택지를 줘야지."

냉궁이 흉악한 표정으로 말했다.

"고추를 넣지 않고 내가 원하는 요리를 해 주든가."

"다른 선택지는 뭔데요?"

"고추를 넣고 손모가지를 잘리든가."

"……."

냉궁이 시원스레 말했다.

"갔다 오겠다."

정말 내려가서 한바탕 따질 기세인 냉궁을 보며 설몽은 울화통이 터져서 죽을 지경이었다.

"연기일 뿐이잖아요! 뭘 그렇게 죽자고 덤벼요? 됐어요, 됐어! 당신은 됐고, 당신을 궁지에 몰아넣은 그 사람 연기나 해 봐요. 그 사람이라면 어떻게 할 것 같아요?"

그러고는 서둘러 한마디 덧붙였다.

"그 사람도 때려 부수거나 손목을 자를 것 같으면 하지 말고요!"

"때려 부수기는커녕."

냉궁이 눈을 희번덕거리며 말했다.

"사존이 선물한 물건만큼이나 자기 명성을 중히 여기는 인간이지. 기다려 봐, 지금 바로 흉내 내 볼 테니."

냉궁은 눈 깜짝할 사이에 다른 사람이 된 듯이 감정을 이입했다. 배우를 하지 않은 건 그야말로 연극계의 큰 손실이었다.

순식간에 분위기가 싹 바뀌었다. 겉으로 드러났던 거친 성미와 오만은 모두 사라졌다. 사람은 그대로인데, 성격은 진중하고 과묵하며, 너그럽고 상냥하게 변했다.

냉궁은 부드러운 눈빛으로 설몽을 지그시 바라봤다. 그 눈빛에 설몽은 하마터면 뱀을 만난 개구리처럼 상을 엎고 도망갈 뻔했다. 제기랄, 매함설이 희롱할 때의 눈빛과 똑같잖아. 징그러워 죽겠네!

나지막하고 나긋나긋한 목소리에 설몽은 소름이 쫙 끼쳤다.

"사존……."

"악!"

설몽이 참지 못하고 소리를 질러 댔다.

"그만! 그만! 그만해요! 잠깐만요, 적응할 시간을 좀 줘요!"

역할극에 흠뻑 빠진 냉궁은 아랑곳하지 않고 꿋꿋하게 연기를 이어 갔다.

"제가 뭘 잘못했나요?"

"아악, 그만해요, 집어치워요!"

"저는 왜 이렇게 어리석을까요. 기쁘게 해 드리고 싶은데, 마음만 앞서서 도리어 신경을 긁네요. 사존…… 죄송해요."

"……."

설몽은 오글거려 죽을 지경이었다.

이대로 죽어 버리면 묘비에 꼭 이 말을 새겨야겠다고 생각했다.

'그릇된 길에 들어선 여자를 구제하다가 희생함'.

정작 여자는 역할에 재미를 들였는지, 가면을 벗을 생각이 전혀 없어 보였다.

"이 집 음식…… 사존 입맛에 맞지 않죠? 당장 내려가서 주방장에게 얘기하고 올게요."

설몽은 깜짝 놀라 발딱 일어나 냉궁의 손목을 덥석 잡았다.

"이봐요, 이봐요! 소란 피우지 않기로 했잖아요. 우리 무상진에서 함부로 날뛰는 꼴은 못 봐요."

"소란을 피우다니요? 함부로 날뛰다니요?"

냉궁은 아리따운 눈을 동그랗게 뜨더니 피식 웃음을 터뜨렸다.

"사존, 지금 무슨 생각을 하시는 거예요? 주방장이 담백한 음식을 만들 줄 모른다는데 제가 어찌 강요하겠어요? 걱정하지 마세요. 은량을 조금 쥐여 주고 주방을 잠깐 빌려 달라고 하면 돼요. 사존, 드시고 싶은 음식이 있으면 제가 직접 만들어 드릴게요."

냉궁은 원래부터 목소리가 듣기 좋았는데, 나긋나긋 말하니 더욱 감미로웠다.

"해분사자두, 우럭탕수육, 청경채두부볶음, 허화수, 이렇게 드시고 싶다고 하셨죠?"

"……."

이렇게까지 하니 설몽은 거절하기 힘들었다.

"해분사자두를 만들려면 갓 발라낸 게 알이 있어야 하고, 우럭탕수육은 전강 지방의 식초로 만들어야 맛이 좋아요. 그리고 청경채두부볶음은 신선한 제철 채소가 제격이고 허화수는 팥고물을 넣어야 부드러워요."

아니야, 아니야, 아니야.

설몽은 질색팔색하며 냉궁을 쳐다봤다. 당신이 제일 섬세하고 부드러워요, 됐죠? 그러니 그만하면 안 될까요?

"재료가 없으면 이따가 장에 다녀와야 할 것 같아요. 좀 오래 기다리셔야 할지도 몰라요."

말하면서 냉궁은 손을 뻗어 설몽의 머리를 살살 쓰다듬었다. 물론 허공에 대고 시늉만 했을 뿐 정말로 닿지는 않았다.

"탕원도 끓여 줄게요. 화내지 말고 기다려 주세요. 후딱 다녀올게요."

설몽이 직접 여자를 도와주는 건 이번이 처음이었다. 그런데 이 여자, 무책임한 놈과 사귀면서도 죽어도 후회하지 않는다.

설몽은 새삼 매함설이 참 대단하다는 생각이 들었다. 한 명을 상대하는 것도 인내심의 한계를 시험하며 온갖 재주를 다 부렸고 심지어 연기까지 했는데, 매함설은 대체 어떻게 꽃밭에서 그리 오랫동안 뒹굴면서도 유유자적한 삶을 살았을까?

나였으면 한 달 만에 머리가 허옇게 셌을걸!

설몽이 닭살이 돋아 말을 잇지 못했다. 그때 별실의 대나무 격자문이 좌라락 열렸다.

미처 상대의 얼굴을 똑똑히 보기도 전에, 포악한 금빛이 흐르는 버드나무 채찍이 번개처럼 날아와 곧장 냉궁의 손을 후려갈겼다.

냉궁은 고통을 참지 못하고 짧게 신음을 토하더니 버드나무 채찍을 보자마자 휙 돌아섰다.

"네가 어떻게……?"

설몽이 화들짝 놀라 엉겁결에 소리를 냈다.

"천, 천문?"

새하얀 명주옷을 입고, 머리카락을 하나로 높이 올려 말총머리로 묶은 사람이 매서운 기세로 별실에 들어섰다. 다름 아닌 초만녕이었다.

마 장주의 향낭을 달고 있는 관계로 초만녕은 설몽을 알아보지 못하고 곧장 '냉궁'에게 시선을 돌렸다. 북두선존은 이목구비가 뚜렷하고 우아한 얼굴에 귀찮은 기색을 여지없이 드러내며 불을 뿜었다.

"묵미우, 언제까지 소란을 피울 셈이냐?"

설몽은 너무 놀라 입이 다물어지지 않았다.

"묵묵묵…… 당신 묵묵묵……."

답선군이 성가시다는 듯이 말허리를 뚝 잘랐다.

"묵 종사 아니니까 제멋대로 부르지 마."

뭐가 다른데?

먹구름이 몰려오고 폭풍우가 휘몰아치는 것만 같았다. 이어 '냉궁'과 나눴던 대화가 떠올랐을 때는 하늘을 가르며 내리친 번개에 직격당해 정신이 얼얼해지고 온몸이 새까맣게 타 버린 기분이었다…….

세상에! 내가 무슨 말을 한 거지!

초만녕을 조강지처를 버리는 수진계의 파렴치한이라고 욕했다! 초만녕을 강희와 다를 바 없는 배신자요, 비열하고 뻔뻔한 놈이라고 욕했다!

여자 마음을 잘 아는 자상한 남자인 척, 별로 알고 싶지도 않은 남녀상열지사를 침상, 마당, 화청, 온천에서 했다는 얘기를 열심히도 들어 줬다. 아아아아아, 누가 망우단[#43] 한 알 줬으면! 강희가 준 거라도 바로 집어삼킬 텐데!

#43 망우단 忘憂丹. 근심스러운 기억을 지워 주는 단약

답선군은 꼼짝없이 천문에 맞았다. 그러나 단지 '어린 여자'를 함부로 만진 대가인 만큼 초만녕도 힘을 적절하게 조절했다. 답선군은 살갗이 조금 벗겨졌을 뿐, 크게 다치지는 않았다.

사람이 뻔뻔스럽고 얄밉게 굴기로 마음먹으면 천하무적이라고, 답선군은 살갗이 벗겨진 부위를 쥐어짜서 피가 스며 나오게 만들고는 일부러 초만녕 앞에 들이밀었다. 그러고는 한없이 유혹적이고 과장스럽게 자기 입술 가까이로 가져가더니, 혀끝으로 천천히 핥고 위협적으로 말했다.

"아주 좋아, 초만녕. 간이 배 밖으로 나왔구나. 오늘 본좌가 흘린 이 피, 똑똑히 기억해 두겠어."

"……."

"본좌, 반드시 네게 뜨거운 맛을 보여 줄 테야……."

천문이 초만녕의 손바닥에서 쉬익쉬익 소리를 내며 불꽃을 일으켰다.

"할 말 다 했느냐? 한 대 더 맞을 테냐?"

답선군이 벌컥 화를 냈다.

"초만녕! 본좌의 총애를 믿고 교만하게 굴지 마! 다시 천문을 휘두르면…… 본좌는……."

초만녕은 봉안을 가늘게 뜨고 싸늘하게 말했다.

"어쩔 셈이냐?"

답선군이 탁자를 쾅 두드리며 맞섰다.

"숨이 끊어질 때까지 박아 버리겠어!"

"……."

이 익숙한 대화에 설몽은 시간이 거꾸로 흐른 것 같은 느낌이 들었다. 지난번에 이놈의 사촌 형이 사존한테 박아 버리겠다고 큰소리칠 때도 옆에 있었는데, 이번에도 옆에 있다니! 이런 대화는 듣고 싶지 않다고!

초만녕은 대뜸 얼굴이 시퍼렇게 질려서 어찌할 바를 몰라 하며 설몽을 힐끔 보더니, 애써 화를 억누르며 목소리를 낮췄다.

"묵미우, 부끄러움도 모르는 뻔뻔한 놈! 당장 돌아가지 못해?"

"돌아가? 흥, 누구 맘대로!"

답선군이 냉담하게 말했다.

"천하가 다 본좌의 것인데, 미복 차림으로 민정을 살피고 미인에게 은총을 내리는 게 뭐가 어때서?"

그러더니 설몽을 와락 잡아당겨 어깨를 톡톡 두드리며 소개했다.

"인사해, 이 사람은 본좌의 새 애인이다. 이름은…… 에헴…… 이름이……."

처음에는 그냥 '임강선녀'나 '옥면미녀'같은 별명을 만들어 내려고 했다. 혼자 지내는 세월 동안 심심할 때마다 읽었던 책에서 배운 지식으로 이 정도 별명은 만들어 낼 수 있었다. 그런데 문제는 남병산에 은거한 후부터 답선군의 삶이 다시 다채로워졌다는 점에 있었다.

더 이상 혼자 무산전에서 쓸쓸하게 지내지 않아도 되었고, 외로워서 책을 읽거나 무술을 연습하는 것으로 시간을 때우지 않아도 되었다. 할 수 있는 일이 많아서 즐거웠다. 그로 인해 고상하게 정신을 함양하던 것에서 다시 저속한 모습으로 타락했다. 홀로 무산전을 지킬 때 읽었던 《주역(周易)》, 《시경(詩經)》 따위는 다시 펼쳐 보고 싶지 않았다. 어차피 초만녕도 돌아왔겠다,

얼마든지 그에게서 '내 마음은 영원히 변치 않는다'고 다짐받을 수 있었다. 더는 책 속에서 그의 그림자를 찾아내려고 애쓰지 않아도 되었고, 더는 그가 가르쳐 줬던 구절을 찾아내고 감동에 젖어 슬퍼했다가 기뻐했다가 하지 않아도 되었다.

배부른 답선군은 다시 타락한 삶으로 돌아갔다. 올해 읽은 책이라고는 《아무거나 순위》와 《수진계 염정사》가 다였다.

한참을 고심하여 생각을 짜낸 끝에 답선군은 설몽을 끌어안고 위풍당당하게 말했다.

"이름은 절세음부 융오천[#44]이다."

"……."

설몽은 사존보다 더 파랗게 질려서는 발끈했다.

"퉤! 절세음부는 개뿔! 너 이 변태 새끼! 개는 개소리밖에 못 한다더니! 나나나…… 나 아니거든!"

설몽은 너무 화가 난 나머지 말까지 더듬었다. 하고 싶은 말이 제대로 나오지 않자 아예 향낭을 풀어 버리려고 했다.

그런데 아침에 나오면서 옭매듭으로 묶어 놓은 탓에 아무리 해도 풀리지 않았다.

답선군은 설몽의 정체를 알아채지 못한 채 자기를 도와 초만녕의 화를 돋우려는 마음이 그대로인 줄 알고, 바짝 붙어 서서는 돈으로 회유하려 들었다.

"협조 좀 해. 내 향낭을 버린 놈이 바로 저 자식이라고. 일이 성사되면 사례는 톡톡히 하지. 최소 엽자금 100장, 어때?"

설몽은 화를 참지 못하고 꽥 소리 지르며 아예 주술로 향낭을

#44 융오천 隆傲天. 과거 한 남성향 소설의 남자 주인공. 머리도 안 쓰고 멋대로 행동해도 악역을 없애버리는 비현실적인 캐릭터. 만나는 여자들은 모두 그를 좋아하게 된다는 특징이 있다.

찢어 버렸다.

원래 모습으로 돌아온 설몽은 곧바로 용성을 빼 들고 의자를 걷어차며 답선군에게 달려들었다.

"묵미우! 네놈은 사람도 아니야! 이 개자식! 누구더러 절세음…… 퉤…… 음부래! 누구더러 융오천이래! 감히 사존을 화나게 해! 도망갈 궁리 하지 마! 내 오늘 네놈의 숨통을 끊어 놓을 테니까!"

강호에는, 세상에서 가장 비참한 직업은 장의사도 거지도 아닌 객잔 주인이라는 말이 있다.

예로부터 고수들은 객잔에 유독 애정이 깊었다. 객잔에서 몰래 정을 통하고, 객잔에서 싸움질을 하고, 객잔에서 시기와 질투를 했다. 답선군과 설 장문처럼 사생지전으로 돌아가서 결전을 벌여도 늦지 않은 집안일을 가지고, 그새를 못 참고 치고받고 싸우는 경우도 있었다…….

객잔 주인으로 보이는 한 노파가 다가와 버럭버럭 화를 냈다.

노파는 지팡이를 짚고 비틀비틀 걸어와서는 뜬금없이 자기소개부터 했다.

"나는 석용하(釋龍瑕) 할매다."

세 사람은 어리둥절해서 서로 쳐다보고만 있었다.

결국 답선군이 침묵을 깨고 으쓱대며 말했다.

"나는 묵미우, 수진계의 제왕이다."

그러고는 초만녕을 가리키며 소개했다.

"이 사람은 초만녕, 선존이다."

이어서 설몽.

"이쪽은…… 됐다. 이름도 없는 놈이니까."

"?"

그러더니 거들먹거리며 으름장을 놓았다.

"어때, 무섭지?"

석용하 노파는 무서워하기는커녕 지팡이로 바닥에 잔뜩 널브러져 있는 물건들을 쓱 건드려 보더니, 우렁차고 호쾌하게 이 한마디를 남겼다.

"너희들 개념이 없구나!"

설몽은 너무 창피해서 얼굴이 화르르 달아올랐다.

초만녕도 낯빛이 확 어두워졌다.

단 한 사람, 답선군만이 팔짱을 척 끼고 지려 하지 않았다.

"어허, 이 늙은이 봐라? 주제 파악 좀 하지. 본좌의 영웅적인 업적도 몰라? 천하에 내 영토가 아닌 곳이 어딨어. 멸망할 뻔한 세상을 구원한 게 누구더냐. 본좌가 아니었으면 이 객잔은 진작 폐허가 됐을 거다. 그런 본좌한테 지금 상 몇 개 부쉈다고 따지는 거야?"

곧바로 초만녕의 호통이 날아왔다.

"묵미우!"

기세가 한풀 꺾인 답선군이 헛기침을 한번 하더니 말했다.

"물, 물어 주면 되잖아. 얼마면 되는지 말만 해! 100냥이면 되겠지!"

노파는 돈을 주겠다고 해도 꿈쩍도 않고, 노기등등해서 어금니를 악물고는 그들을 노려보며 같은 말만 되풀이했다.

"너희들 개념이 없구나!"

"이봐, 할망구……."

설몽은 뭔가를 더 말하려는 답선군을 밀치고는, 난처해하며 다가가 사과했다.
"어르신, 정말 죄송합니다. 제가 성질이 급해서 화를 참지 못하고 실수로 탁자며 의자들을 부쉈습니다. 그것도 모자라 천장에 구멍까지 내 놨네요. 진심으로 사과드립니다. 피해 보상은 차질 없이 해 드리겠습니다. 어떠세요?"
그러고는 초만녕을 돌아보며 똑같이 물었다.
"사존, 어떠세요?"
초만녕이 미처 입을 열기도 전에 노파는 지팡이로 바닥을 탕탕 두드리며 성이 나서 말했다.
"개념이……."
"개념이 없구나."
답선군이 불쑥 끼어들어 눈을 흘기며 귀찮다는 듯이 말했다.
"어이, 할망구, 대체 어쩌자는 거야? 사과도 하고 보상도 해준다는데 뭐가 불만이어서 개념이 없네 마네 하는 거야. 아니 그리고, 이 사람 체면을 봐서라도 적당히 해야 하는 거 아니야? 본좌가 개념이 없는 건 그렇다 쳐. 설몽이 개념 없는 것도 좋다 이거야. 그런데 설마 이 사람이 누군지 모르는 건 아니겠지?"
그러면서 초만녕을 확 끌어당겼다.
"눈깔이 삐었어?"
초만녕은 소매를 탁 털며 답선군의 손을 떨쳐 내고는 눈썹을 추켜세우며 호통쳤다.
"저쪽으로 가서 가만히 있거라."
"싫어."

답선군은 놓아주기는커녕 더 바짝 당기더니 초만녕의 턱을 잡고 입술을 쓱 핥으며 나지막이 말했다.

"애교라도 부려 보든가."

"……."

설몽은 할 말을 잃었다.

"……꺼져!"

초만녕이 버럭 소리를 질렀다.

한편, 노파는 세상을 구한 선군의 체면을 세워 줄 생각이 전혀 없어 보였다. 노파는 계속해서 지팡이로 바닥을 치며 우물우물 되뇌었다.

"개념이 없구나!"

세 사람은 어찌해야 할지 몰라 서로 멀뚱멀뚱 쳐다봤다. 이번에는 초만녕도 어떻게 노파를 설득해야 할지 막막했다.

명성이 자자한 세 선군이 2층의 어스레한 구석에서 닭 한 마리 붙들어 맬 힘도 없는 노파와 대치하고 있는데, 계단 입구에서 우당퉁탕 발소리가 들려왔다. 그러더니 어떤 여자아이가 뛰어와 노파의 팔을 덥석 끌어안고 그들을 돌아보며 낭랑하게 말했다.

"죄송합니다! 죄송합니다! 저희 할머니는 듣지도 못하고 보지도 못해요. 그래서 세상이 어떻게 돌아가는지도 모르고, 당신들이 누군지도 몰라요."

설몽이 이제야 알겠다는 표정으로 중얼거렸다.

"어쩐지, 그래서……."

답선군은 잠시 멍해 있더니 불만스럽게 헛기침을 한번 하고 낮은 소리로 중얼거렸다.

"진작 말하지……."

"네?"

여자아이가 이상하다는 듯이 눈을 몇 번 깜빡였다.

"그럴 리가 없는데요. 할머니는 사람들과 얘기하기 전에 꼭 먼저 말씀하시거든요."

"뭘?"

"나는 귀도 먹고 눈도 먼 할매다."

"……."

"……."

답선군이 확 돌아보며 물었다.

"누가 저 할망구 이름이 '석용하[#45]'라고 오해했어?"

설몽이 어이가 없어서 쏘아붙였다.

"누구긴 누구야, 네놈이지!"

가게를 박살 냈는데 목수는 없고, 하늘은 당장이라도 비를 쏟을 것처럼 점점 어두워졌다. 결국 세 사람은 자발적으로 남아서 큰비가 내리기 전에 서둘러 수리했다.

기갑 대종사 초만녕, 어려서부터 온갖 고생을 다 한 답선군, 종종 설정옹을 도왔던 설몽까지, 이 세 사람이 힘을 합치니 탁자며 의자, 지붕을 고치는 일은 식은 죽 먹기였다.

마지막으로 부러진 대들보를 고치자마자 쏴 하고 폭우가 쏟아졌다. 순식간에 무상진은 자욱한 물안개에 뒤덮였다. 노파의 손녀딸은 빗줄기가 점점 굵어지자 객잔에서 하룻밤 묵고 다음 날

#45 석용하 원래는 '是聾瞎(귀가 먹고 눈이 멀다)'라고 했으나 발음이 같아서 착각한 것

비가 그치면 돌아가라며 그들에게 청했다.

사실 초만녕 일행에게 결계 하나 내리는 것쯤은 일도 아니었다. 그렇긴 하지만 조금 번거롭기도 하고, 또 세 사람은 꽤 오랫동안 별일 없이는 모이지 않았다.

비는 그들을 곤경에 빠뜨리지 못했다. 그들을 난감하게 만드는 건 마음이었다.

초만녕은 자기를 빤히 쳐다보는 설몽을 보더니 한숨을 푹 내쉬며 어린 주인장에게 말했다.

"그럼 신세 좀 지겠습니다."

"천만에요! 별말씀을요!"

노파와 달리 여자아이는 그들이 누군지 알아보는 눈치였다. 소녀는 얼굴이 발그레해져선 좋아라 하며 저녁 식사를 준비하러 깡충깡충 뛰어갔다.

식사하는 내내 분위기가 묘했다.

언젠가 묵연이 그랬다. 그들은 더 이상 같은 지붕 아래에서 살 수 없다고. 지금 생각해 보니 맞는 말이었다. 설몽은 두 사람이 사무치게 그리웠다. 그림자처럼 붙어 다니던 때로 돌아가고 싶은 마음은 굴뚝같았지만, 깨진 그릇을 다시 붙여 봤자 스스로를 속이는 것에 불과했다. 그들은 이제 아무 일도 없었던 것처럼 옛날로 돌아갈 수 없는 사이가 되었다.

두 사람 사이를 모른 척할 수 있을까? 당연히 그럴 수 없다.

설몽은 초만녕과 이야기를 나눠 보려고 해도 자꾸만 어색한 느낌이 들었다. 특히 예전에 도포산장에서, 자신과 장막을 하나 사이에 두고 묵연에게 당했다는 말을 들은 후에는 더 그랬다.

시간도 오래 지났고 정신이 완전히 무너지는 것 같은 충격도 퇴색되었지만, 두 사람 옆에 앉아 있으니 저도 모르게 그 대목이 떠올라 걷잡을 수 없이 상상의 나래를 펼치게 되었다…….

초만녕과 묵연이…….

사존과 사촌 형이…….

윽…….

사실 설몽은 그때 초만녕이 묵연에게 너무 심하게 괴롭힘을 당해 감히 반항하지 못한 게 아닐까 생각했다. 묵연 이 자식은 정말이지 믿을 수 없는 놈이니까. 그러나 도저히 물어볼 용기가 나지 않아, 몇 번이고 초만녕을 바라보며 우물쭈물 말을 꺼내지 못했다.

“사존…….”

“음?”

“……고기 많이 드세요.”

잠시 후.

“사존…….”

“그래.”

“……고기 많이 드세요.”

좀 더 시간이 흐른 후.

“사존…….”

“…….”

“……아니에요, 고기 많이 드세요.”

설몽은 도무지 용기가 나지 않아 아무 말도 하지 못했다. 답선군은 평소와 다르게 설 장문이 북두선존에게 알랑거리게 내

버려 뒀다. 오히려 전혀 신경 쓰지 않고 뼈다귀를 핥는 데에만 열중했다.

세 사람은 말없이 밥만 먹었다. 결국 초만녕이 이런 요상한 분위기에 숨이 막혀 먼저 일어섰다.

"방으로 돌아가겠다."

"그래."

답선군이 퉁명스럽게 말했다.

초만녕은 굳은 얼굴로 소매를 탁 뿌리치고 돌아섰다. 참다못한 설몽이 젓가락을 탁 내려놨다.

"묵미우!"

답선군이 뼈다귀를 쩝쩝 발라 먹으며 귀찮다는 듯 물었다.

"왜?"

"너……."

설몽이 어금니를 악물고 소리쳤다.

"이 아무것도 모르는 자식!"

"본좌가 또 뭘 잘못했는데? 절 도장?"

"……뭐라고?"

"절세음부, 절 도장."

설몽은 하마터면 발딱 일어나 답선군을 목 졸라 죽일 뻔했다. 둘은 탁자를 사이에 두고 서로 노려보며 씩씩거렸다. 설몽이 탁자를 쾅 내리쳤다.

"네가 뭔데 사존을 배신해!"

"참 나. 이봐, 설몽. 앞잡이 노릇도 적당히 해야지. 향낭을 풀기 전에 뭐라 그랬어? 사존이 본좌에게 못 할 짓을 했다고 길길이 날뛰지 않았어? 수진계의 파렴치한이고, 강희 저리 가라라며? 네 입으로 그랬잖아."

"네가 제멋대로 사실을 왜곡해서 그런 거잖아!"

설몽이 화를 주체하지 못하고 고래고래 소리 질렀다.

"독수공방하게 버려두기는. 사존은 그때 분명 이미…… 이미……."

이미 우리와 세상을 구하기 위해 흩날리는 재가 되었잖아.

오해가 풀리고 자초지종을 알게 되었지만, 설몽과 답선군에게 그 기억은 여전히 절대 건드려서는 안 되는 역린으로 박혀 있었다.

답선군이 눈을 부릅뜨고 으름장을 놓았다.

"그만해."

"나도 더 얘기하고 싶지 않아."

그렇게 한참을 서로 노려보다가 설몽이 입을 열었다.

"어쨌든 사존이 배반했다는 말은 죽어도 못 믿어. 네가 말한 굴러온 돌은 분명 네가 가공해 낸 사람일 거야!"

"본좌는 거짓말을 하지 않았다!"

"그럼 그 사람이 누군데?"

"묵 종사 그 위선자 자식이지!"

"너……."

설몽은 말문이 턱 막혔다. 잠시 갈피를 잡지 못하고 어리둥절해하던 설몽은 한참 만에야 탁자를 쾅 내리찍으며 벌떡 일어나 소리쳤다.

"이런 정신병자 같으니라고!"

설몽은 기가 막힌다는 얼굴로 말했다.

"그러니까 뭐야, 여태까지 아까운 시간을 낭비하면서 네놈이 제 얼굴에 침 뱉는 걸 들어 줬던 거야? 자기 자신을 질투하다니, 이 미친놈아! 너너너⋯⋯ 고월야에나 가 봐! 내가 강희와 약속 잡아 줄까? 내 이름 대면 싸게 해 줄 거다!"

"오?"

답선군은 이런 쪽에 유난히 촉이 좋은 남자다. 낱낱이 파헤치겠다는 듯이 고개를 번쩍 들더니 단번에 허를 찔렀다.

"네 이름을 대면 왜 싸게 해 주는데?"

"그게⋯⋯."

"두 사람, 언제부터 그렇게 친했어?"

"그게 내가⋯⋯."

설몽은 한참이나 어물어물하며 말을 잇지 못했다. 두 번의 생을 산 답선군이 모르는 게 있다면, 그건 아마도 설몽의 출생의 비밀일 것이다. 답선군은 당연히 설몽과 강희가 무슨 사이인지 알지 못했다. 새하얗게 질렸다가 벌겋게 달아올랐다가를 반복하며 벙어리 냉가슴을 앓는 설몽을 빤히 쳐다보던 답선군은 문득 깨달았다.

'아! 그렇구나!'

나이도 많고 고결하여 범하기 어려운 초만녕을 좋아하는 자신을 놓고 봤을 때, 다른 남자들도 분명 이런 취향일 거라 생각한 답선군은 단단히 오해하고 설몽을 다시 봤다. 사람 그렇게 안 봤는데⋯⋯.

"알겠으니까 말하지 않아도 돼."

답선군이 갑자기 포악한 기운을 싹 지우더니 술을 한 잔 가득 따라서 한입에 털어 넣고는 빈 잔을 높이 들어 올리며 칭찬해 마지않았다.

"아우야, 못 본 사이에…… 허, 용이 됐구나. 솜씨가 좋네! 축하해!"

"?"

설몽은 확실히 답선군의 인격을 가진 묵연과 접촉이 너무 적었다. 정직한 사촌 형 묵 종사에게 익숙해진 설몽은 아주 중요한 점을 놓치고 있었다. 답선군이 말하는 '솜씨가 좋다'라는 말은 흔히들 알고 있는 것과 조금 다른 뜻을 가지고 있다는 걸.

설몽은 어리벙벙해서 답선군이 건네는 술을 한 잔 받아 마시고 취해 곯아떨어졌다. 그는 끝까지 답선군이 말한 '아우야, 솜씨가 좋네'가 대체 뭘 칭찬하는 건지, '축하해'는 또 뭘 축하한다는 건지 알지 못했다.

답선군은 성가셔 죽겠다는 표정으로 술에 취한 설몽을 방으로 질질 끌고 가 침상에 던지고는 아무렇게나 대충 이불을 덮어 주었다.

"주량은 여전하네."

답선군은 설몽을 방에 눕히고 초만녕의 방으로 돌아가는 대신 주인장에게서 술을 몇 주전자 사서, 계단 입구에 자리를 잡고 앉아 혼자 울적함을 달래며 마셨다.

마실수록 답답하고 억울했다.

그가 복도 끝에 있는 객방을 매섭게 노려봤다. 벌써 불이 꺼져 있었다. 초만녕은 그가 돌아오지 않았는데도 달래러 오거나 기다리지 않고 아무렇지 않게 잠들었다.

답선군은 어금니를 꽉 깨물었다. 묵 종사였다면 좋은 말로 어르고 달랬겠지?

생각할수록 괘씸해서 또 한 주전자를 벌컥벌컥 들이켰다.

설몽은 그가 묵 종사와 다름없다고 했고, 초만녕은 그가 묵 종사와 한 사람이라고 했다. 묵 종사 본인도 그들은 별반 다르지 않고, 그저 같은 사람의 다른 성장 단계일 뿐이라고 했다.

틀렸다!

답선군은 고집스럽게 다르다고 생각했다! 초만녕의 태도만 봐도 알 수 있었다! 그렇지 않으면 왜 그가 선물한 향낭을 버리고 그 위선자가 선물한 누더기 조각을 달고 다니겠는가?

교양이 없고 배움이 짧다고 모두가 속이고 있는 게 틀림없다! 세상 사람들이 모두 그를 등졌다!

초만녕 그 자식마저 자신을 전혀 신경 쓰지 않는다! 무상진까지 찾으러 오긴 했지만 사정하는 말 한마디도 없다! 칠석 선물을 잃어버리고 사과도 없다! 서재의 책을 샅샅이 뒤져서 좋아하는 문구를 수놓아 선물했건만. 남들은 사고 싶어도 못 사는, 세상에 하나뿐인 향낭인데!

사리 분별도 못 하고!

마시다 보니 알딸딸해서 난간을 끌어안았다. 얼굴에는 온통 '본좌는 기분이 나쁘다'라고 쓰여 있었다. 정신이 흐리멍덩한 그때, 어디선가 방문이 열리는 소리가 들리더니 누군가 다가와 옆에 섰다.

고개를 들어 보니, 엷은 안개 같은 희미한 불빛 아래에 반평생 증오하고, 십 년을 집착하고, 두 번의 삶 동안 간절히 사모했던 준수한 얼굴이 있었다.

그가 나지막이 웅얼거렸다.

"초만녕……."

이름을 한 번 불렀을 뿐인데도 메말랐던 가슴이 촉촉이 젖어 왔다. 팔고장한화와 상관없이 그는 언제나 초만녕에게 강렬한 욕망을 품어 왔다. 심장이 온통 욕망에 젖은 것 같았다. 욕망 외에도 서러움, 따뜻함, 슬픔, 사랑 같은 것들이 잔뜩 들어차 있었다. 설마 초만녕이 그를 사랑하지 않는 걸까? 사실 초만녕에 대한 그의 마음은 다른 인격의 자신보다 손톱만큼도 부족하거나 작지 않았다.

그런데 답선군이라고 별수 있으랴. 십 년을 꼭두각시로 살았고 나중에는 산 송장이 되었다. 팔고장한화는 그의 피와 살을 모조리 갉아 먹었다. 그는 오랫동안 어둠 속에 갇힌 사납고 악독한 용처럼 고독과 포악함을 벗 삼아 지내는 일에 익숙해져, 다시금 바깥세상의 따뜻한 햇볕과 마주하니 더럭 겁이 났다.

그리하여 악룡은 흉악하게 으르렁거리며, 상처투성이지만 여전히 날카로운 발톱을 드러내고, 본좌는 너희들과 한패가 되는 것을 하찮게 생각한다는 티를 팍팍 낼 수밖에 없었다.

그러나 사실은 다시 한 생을 살 수 있는 자신이 무척이나 부러웠다.

명백한 사실이 하나하나 눈앞에 놓여 있고, 모두가 묵 종사가 바로 너라고, 너희들은 한 몸이라고 해도 인정하고 싶지 않았다. 끝까지 세상과 대항하고 싶었다.

'아니야, 본좌는 그 자식과 달라.'

계속해서 스스로를 속이고 있었다. 그건 단지 무산전에서 수도 없이 꾸었던 꿈 때문이었다. 꿈속에서 그는 처음부터 다시 시작했고, 곁에는 초만녕이 있었다. 그러나 꿈에서 깨어나면 모든 게 사라지곤 했다.

그는 장막이 휘날리는 커다란 침상에 홀로 누워 있었다. 꿈에서 깨어난 자신이 죽도록 미웠다. 꿈속의 초만녕이 곁에 없는 게 한스러웠다.

'본좌는 묵 종사가 아니야!'라고 떠들어 댈 때마다, 사실 속으로는 누가 좀 달래 주기를 바랐다. 궁녀 수천 명을 잡아다가 매일 '폐하께선 곧 묵 종사이십니다. 폐하와 그는 한 몸입니다'라고 한 백 번씩 외치게 하고 싶었다. 그래야 안심이 될 것 같았다.

"무슨 술을 이렇게 많이 마셨느냐?"

미간을 잔뜩 찌푸린 초만녕의 얼굴이 시야에 들어왔다. 초만녕이 부축하려는데 묵연이 손을 뻗어 그를 확 잡아당겼다.

"묵연, 또 무슨 짓…… 읍……."

그는 아랑곳하지 않고 우악스럽게 초만녕을 꽉 껴안더니 진하고 강렬하게 입을 맞췄다. 입맞춤이 점점 뜨거워질 때쯤 뭔가를 떠올렸는지, 갑자기 누군가를 모방하듯 부드럽게 행동했다.

"본좌도 할 줄 알아……."

그는 답선군의 번민과 술 냄새가 뒤섞인 입맞춤을 하며 어렴풋이 중얼거렸다.

"별로 어렵지도 않네."

초만녕은 그의 말을 알아듣지 못한 채 뻣뻣하게 몸이 굳었다. 복도는 숨을 곳 하나 없이 휑했다. 초만녕은 누가 볼까 봐 그에게서 벗어나려고 발버둥 쳤다. 그러나 답선군에게 단단히 붙잡혀 어쩔 수 없이 거친 입맞춤을 고스란히 받아 내야 했다. 답선군은 거리낌 없이 계단에서 그 짓을 하고도 남을 사람이었다.

초만녕이 점점 거세게 저항하자 답선군은 평소와 달리 갑작스럽게 입맞춤을 끝내고, 옅은 보랏빛을 띤 눈동자로 그의 촉촉한 입술을 지그시 내려다보았다. 그러더니 여운이 남은 것처럼 천천히 다가가 입술을 살짝 갖다 댔다. 그러고는 잠시 가만히 있다가, 강아지가 먹이를 주는 주인에게 잘 보이려는 것처럼 다시 살며시 입을 맞췄다.

"……."

그렇게 연거푸 세 번 입을 맞추고는 멈췄다. 눈동자는 갈망으로 촉촉해졌지만 애써 자제하며 초만녕을 꼭 끌어안았다.

답선군은 한숨을 푹 내쉬며 몽롱하게 말했다.

"말해 줘, 본좌가 또 꿈을 꾼 건 아닌지……."

늘 오만불손하던 남자가 모처럼 비음 섞인 목소리로 웅얼거리며 어깨에 기댔다. 잠시 얼떨떨해하던 초만녕은 그제야 조금은 알 것 같았다.

묵연이 어떤 인격으로 나타나든 초만녕처럼 그를 잘 아는 사람은 없었다.

초만녕은 손을 뻗어 묵연의 등을 쓰다듬으며, 어린아이에게 하는 것처럼 부드럽게 타일렀다.

"꿈 아니다. 이제 자야지. 가자, 같이 방으로 돌아가자."

답선군은 정신이 흐리멍덩한 상태에서도 고집을 부렸다.

"싫어, 안 잘 거야. 안 가."

초만녕이 어쩔 수 없다는 듯이 말했다.

"……왜 또 소란을 피우는 것이냐?"

기분이 나빠진 답선군은 웅얼웅얼 생떼를 썼다. 무척 서운했던 모양이었다.

"칫, 불도 끄고 본좌를 찾으러 오지도 않았으면서……."

상대는 분명 인간계의 제군인데, 술에 취해 가슴팍을 파고드는 모습을 보고 있으면 마치 아름다운 후궁이 질투하며 총애를 갈구하는 것 같은 묘한 착각이 들었다.

초만녕은 머릿속을 점령한 황당한 생각에 스스로도 어이가 없었다.

"너한테서 배운 거다. 네가 늘 그랬잖느냐, 불을 꺼야 들어올 엄두를 못 내던 사람이 들어온다고."

"웃기는 소리."

비몽사몽간에도 건방진 건 여전했다.

"본좌가 무서울 게 뭐가 있다고……."

소리가 점점 낮아졌다.

"초만녕……."

"응?"

"만녕……."

"……."

마지막에는 풋풋한 소년 시절과 다름없이 나지막이 불렀다.

"사존……."

초만녕은 잠시 말없이 가만히 있다가 그의 머리를 쓰다듬었다.

"그래."

"내일 잠에서 깨어날 때도 제 옆에 계실 거예요?"

초만녕은 눈을 지그시 감고 은거한 다음부터 부쩍 자주 하게 되는 말을 했다.

"자렴, 영원히 옆에 있을 테니."

답선군은 그제야 진정됐다. 잠시 후, 고른 숨소리가 들려왔다. 술에 취한 답선군은 안심하고 단잠에 빠졌다. 초만녕은 조심스레 그를 부축해서 방으로 돌아갔다. 침상에 누워 있는 사람은 용모가 단정하고 난폭한 기운이 하나도 없었다. 처음 제자로 받아들였던 그때 종이우산을 들고 지렁이를 구하던 소년과 다름없는 모습이었다.

고화가 시들었으니 다시는 악몽을 꾸지 않을 것이다.

다만…….

"어떻게 본좌가 선물한 향낭을 잃어버린 거야!"

답선군은 잠에 취해서도 여전히 투덜거렸다.

"맞선 볼 거야! 선물을…… 도포산장의 선물 상자를…… 받고야 말 거야…… 500권……."

진귀한 춘화집이 500권이나 있다고.

다행히 뒷말을 얼버무리는 바람에 초만녕은 듣지 못했다.

초만녕은 답선군이 춘화집을 얻기 위해 맞선을 본다는 사실을 모르는데도, 잠꼬대를 하며 끝까지 물고 늘어지는 남자를 보자 머리가 지끈지끈 아파 이마를 감싸 쥐었다.

그는 차마 설몽에게 묵연이 선물한 향낭을 버릴 수밖에 없었던 이유가, 답선군이 부끄러운 줄도 모르고 향낭에 염정 소설[#46]에

#46 **염정 소설** 통속적인 연애 소설

나오는 구절을 버젓이 수놓았기 때문이라는 말을 할 수 없었다.

묵 종사의 인격이 수놓은 '평안경'을 놔두고 누가 음탕한 구절을 수놓은 향낭을 고르겠는가…….

그리고 차마 묵연에게 사실 답선군의 작품다운 그 말도 안 되는 향낭을 버리지 않고, 자기만 열 수 있는 나무 상자에 고이 보관해 두었다고 말할 수도 없었다.

예전에 선물했던 물건들을 하나도 버리지 않고 한데 모아 두고 있다고 말할 수도 없었다.

다음 날, 설몽은 새벽같이 일어났다.

간만에 초만녕과 같은 지붕 아래에 있으니, 사존이 좋아하는 음식을 사다가 대접해야겠다고 생각했다. 그런데 내려가 보니 창가 자리에 이미 풍성한 아침 식사가 차려져 있었고, 묵연이 그 옆에서 수저를 놓고 있었다.

묵연이 그를 보더니 활짝 웃으며 말했다.

"일찍 일어났네?"

"……."

묵연이 사흘에 한 번씩 인격이 바뀐다는 걸 알고 있는데도 직접 보니 느낌이 이상했다. 설몽은 한참을 제자리에 굳은 채로 서서 묵연을 멍하니 바라보다가, 정신을 차리고 짤막하게 대답했다.

"……응."

"어제 일은 비웃지 마. 가끔 그래."

설몽은 머리를 긁적이며 마지못해 말했다.

"됐어, 어디 하루 이틀이야?"

그러고는 탁자 옆으로 다가가 쭉 살펴보며 물었다.

"주인장에게 주방을 빌린 거야?"

"응."

묵 종사가 빙그레 웃으며 바삭하고 노릇하게 구운 고기만두를 설몽 앞에 내려놓았다.

"죽도 끓였어. 부뚜막에 있는데 거의 다 됐을 거야. 나랑 같이 가서 떠 오자."

"그래."

설몽이 짧게 대답하고 묵연을 따라 주방에 들어섰다.

솥뚜껑을 열어 보니 통통한 새우와 생선 살을 넣은 쌀죽이 진한 향을 풍기며 보글보글 끓고 있었다. 묵연이 세 그릇을 뚝딱 담아내는 동안, 설몽은 옆에서 조미료를 찾았다.

반으로 자른 반숙 달걀을 김이 모락모락 나는 죽에 얹고 깨와 다진 파를 뿌린 다음 참기름을 몇 방울 떨어뜨렸다. 그야말로 색, 향, 맛 모두 완벽했다.

설몽이 궁금증을 참지 못하고 물었다.

"답…… 음, 어제의 너도 요리할 줄 알아?"

"알지, 요리 솜씨가 나 못지않아."

묵연이 말했다.

"그런데 성깔을 부리지. 사실 대부분은 그가 생각해 낸 조리법들인데, 정작 그는 만들지 않고 내가 만들 때까지 기다린다니까."

설몽은 혼잣말로 뭐라 중얼거리다 또 물었다.

"그런데 사존은 왜 답선군의 향낭을 버리고 네가 선물한 걸 남겼대?"

반숙 달걀을 자르던 묵연의 손이 멈칫했다.

"우리는 한 사람이야. 창피하니까 얘기하지 않을래."

설몽이 눈을 동그랗게 뜨고 말했다.

"내 앞에서 창피한 짓을 한 게 어디 한두 번이야? 갑자기 웬 내숭? 어제 나한테 절세음…… 음부라고 할 때는 창피하지 않던? 그러고 보니 그걸 아직 안 따졌네……."

묵 종사는 정말 변덕이 죽 끓듯이 하고 제멋대로였다.

"우리는 서로 다른 두 사람이야. 답선군이 돌아오면 그때 따져."

"?"

"아, 맞다."

마지막 그릇에 고명을 올리고 묵연은 문득 뭔가 떠올랐는지 제법 진지하게 말했다.

"알려 줄 게 있어."

설몽은 갑자기 엄숙해진 묵연에게 압도당해 말까지 더듬었다.

"말…… 말해."

"네가 어떻게 생각하는지, 둘이 어떻게 된 건지는 모르겠지만, 왜 갑자기……. 휴, 사생활이니까 더 캐묻지 않을게."

"응?"

"너는 아직 젊으니까 다양하게 시도해 볼 수 있지만, 그 사람은 너보다 나이도 많고 경험도 풍부하고 지위도 높은데, 너와 함께하는 게 쉽지 않을 거야. 그 열화 같은 성격 좀 죽이고 너그러이 감싸 줘. 비밀 지켜 줄게. 곤란한 게 있으면 사존이 없을 때 남병산으로 찾아와도 좋아."

묵연이 설몽의 어깨를 톡톡 두드리며 말했다.

"나처럼 선보는 척하며 화를 돋우지 말고."

"……무슨 낯짝으로 그런 말을 해?"

설몽이 멈칫하더니 고개를 설레설레 저었다.

"아니지, 너 지금 무슨 소리를 하는 거야?"

묵연은 너그러운 형인 척하며 부드러운 눈빛으로 설몽을 바라봤다.

"괜찮아, 형도 다 겪어 봐서 네 맘 알아. 사존도 그렇고 강 존주도 그렇고, 둘 다 자존심이 하늘을 찌르고 오만한 사람들이야. 네가 어리니까 말다툼하더라도 먼저 사과해. 가화만사성[#47]이라는 말도 있잖아."

설몽은 대뜸 얼굴이 새하얗게 질렸다.

"너, 너 알고 있었어? 어떻게 알았어? 나와 그 사람은…… 나는…… 난 아니야!"

"어제 딱 보니까 알겠더라. 그래서 축하한다고 했던 거고."

설몽이 경악하며 물었다.

"티 많이 나?"

묵연이 웃으며 어깨를 토닥거렸다.

"사실…… 그렇지도 않아. 그런데 조금 절제가 필요한 것 같긴 해."

설몽은 완전히 무너졌다.

충분히 절제하고 있다고 생각했는데, 묵연은 어떻게 단번에 강희와 자신이 부자 사이라는 걸 알았을까?

#47 가화만사성 집안이 화목해야 모든 일이 잘된다는 뜻

다행히 설몽은 묵연보다 먼저 주방을 나와서, 묵연이 고개를 가로저으며 탄식하는 말을 듣지 못했다.

"이상하네, 그사이에 무슨 일이 있었던 거야. 설몽은 대체 어쩌다가 강야침과 눈이 맞은 거야……. 분명 여자를 좋아했는데……. 휴, 당최 알 수가 없네……."

설몽은 두 사람과 작별할 때까지도 알지 못했다. 묵연이 그를 산전수전 다 겪은 자신과 같은 부류로 오해하고 있다는 사실을.

헤어지기 전에 설몽은 묵연을 붙잡고 잔뜩 긴장해서 경고했다.

"나와 강야침 일 절대 떠벌리지 마!"

내가 그 개자식 아들이라는 말은 절대 하지 마!

묵연이 손을 번쩍 들고 진심으로 맹세했다.

"비밀 지켜 줄게."

네가 강 장문과 놀아났다는 말 절대 하지 않을게.

형제는 이럴 땐 손발이 척척 맞았다. 둘은 이상하게 쳐다보는 초만녕을 옆에 두고 서로 고개를 끄덕끄덕하고는 형은 초만녕을 데리고 남병산으로 돌아가고, 동생은 아침 햇살이 드리운 빗물을 밟으며 안개가 자욱한 사생지전으로 돌아갔다.

설몽은 그 뒤로도 계속해서 일고여덟 명과 맞선을 봤다. 그런데 맞선 상대들은 향낭을 푼 후의 모습이 지나치게 못생겼거나, 그렇지 않으면 향낭을 풀기도 전에 설몽과 죽기 살기로 싸웠다.

설몽은 마 장주의 법기에 의심을 품기 시작했다.

열한 번째 수사가 애교 넘치는 목소리로 이렇게 말했을 때는 완전히 무너졌다.

"저는 답선군이 너무 좋아요. 답선군의 황후가 되고 싶어요.

정 안 되면 귀비라도요. 듣자니 답선군이 그렇게 아이를 좋아한다면서요? 저도 아이를 엄청 좋아하는데, 우리는 정말이지 하늘이 맺어 준 인연 같아요. 저를 아내로 맞아 준다면 해마다 낳아 줄 수 있는데. 만족할 때까지 낳아 줄 수 있는데~."

무너지기만 한 게 아니라 화가 치밀었다.

"다, 당신, 이 여자가! 묵연과 초 종사가 무슨 사이인지 몰라요?"

"당연히 알죠."

여자가 교태를 부리며 말했다.

"저는 초 종사를 질투하지 않아요. 초 종사 아이도 낳아 줄 수 있는걸요."

설몽은 화가 나서 탁자를 확 뒤집어엎었다.

"알면서 왜 훼방을 놔요! 제정신이에요?"

"이봐요, 왜 사람을 욕하고 그래요?"

"욕으로 끝날 것 같아요? 다시 초 종사에게 군침 흘렸다가는 맞아 죽을 줄 알아요!"

여수사가 버럭 화를 냈다.

"감히 저를 때리겠다고요?"

"못 때릴 것 같아요? 그리고 머리가 어떻게 된 거 아니에요? 답선군을 좋아한다는 사람이 왜 해우 족자로 다른 사람 시간을 낭비시켜요? 능력 있으면 남병산에 가서 답선군 앞길을 막지 그래요?"

여수사는 소매를 걷어붙이며 표정을 싹 바꾸더니 매섭게 말했다.

"왜 안 그랬겠어요? 당당하게 들이댔다가 뻥 차였어요!"

"하하하하하하!"

"왜 웃어요? 간절히 바라면 언젠가는 답선군과 맞선을 보게 될 거라고요!"

설몽이 냉소를 지으며 말했다.

"그래요, 지금 당장 답선군을 대신해서 뻥 차 줄게요!"

"으악!"

이렇게 암담하고 오해뿐인 맞선이 되풀이되자 설몽은 결국 폭발해 버렸다. 설몽은 '도포산장이 내 청춘을 망치네'라는 필명으로 《수진계 법기 명단》의 해우 족자에 비추천 후기를 잔뜩 남겼다. 게다가 후기마다 천 자가 넘는 경험담을 구구절절 덧붙여 접객마가 만든 법기의 진상을 만천하에 고발했다.

그러나 꿈에도 생각지 못한 일이 일어났다. 후기를 쓸 때 너무 감정 이입하는 바람에 수사들의 폭발적인 인기를 얻게 될 줄이야.

물론, 우스갯거리 삼아 돌려 보는 거였지만.

심지어 그의 후기를 모아 책으로 엮은 사람도 있었다. 8월 18일에 정식으로 판매하기 시작했다 하여 아예 책 제목을 《818》로 지었다.

책의 목록은 이랬다.

[818, 나의 아름다운 친아버지

818, 나의 요염한 사촌 형

…….]

등등.

남의 불행이 가장 흥미로운 법. 《818》은 순식간에 수진계에서 가장 잘나가는 책이 되었다. 심지어 '도포산장이 내 청춘을 망치네' 협객이 맞선을 많이 봐서 사람들에게 더 많은 즐거움을 가져다주기를 호소하는 사람도 있었다.

얼마 못 가 강희가 그 책을 금서로 지정했다. 다행이라면 다행이었다.

강야침은 버럭 화를 내며 살벌하게 명령했다.

"이게 다 뭐냐. 당장 태워 버려!"

"네! 장문!"

고월야의 앞잡이들은 곧바로 시중에 돌아다니는 《818》을 모조리 사들여 양주성 교외에 구덩이를 하나 파서 몽땅 불살라 버렸다.

《818》을 태워 버리자 해우 족자가 더 불티나게 팔렸다. 설몽은 울화통이 터져 실명으로 마 장주에게 편지를 보내, 근면 성실하고 사랑스럽고 착하고 순진한 마 장주에게 악담을 퍼부었다.

족히 만 자는 됐지만 핵심은 하나였다.

접객마! 알아서 잘해라! 만족스러운 답을 내놓지 않으면 사생지전은 도포산장과 거래를 끊겠다! 다시는 사존의 기갑 도면을 구경할 생각 하지 마!

기분 좋게 돈을 세고 있던 근면 성실하고 사랑스럽고 착하고 순진한 마 장주는 편지를 받고 너무 놀란 나머지 그대로 뒤로 넘어갈 뻔했다.

그래서는 안 되지!

거래를 끊는 건 그렇다 치고, 편지를 보낸 사람이 설몽인 것도 별일 아니었다. 문제는 그의 걸작을 못마땅하게 생각하는 사람이 있다는 점이었다. 그럼 《818》 그것도 고월야에서 악성 경쟁을 위해 짜고 친 행위가 아니었단 말인가!

마 장주는 속상하고 목이 메었다.

조금 답답하기까지 했다.

세상에 그가 공들여 만든 '해우 족자'에 만족하지 못하는 손님이 있는 걸 결코 용납할 수 없었다!

그리하여 마 장주는 필살기를 꺼내 들었다. 그건 바로 수후[#48]였다.

수후는 도포산장의 제자들을 일컫는 말이다. 보통은 목소리가 나긋나긋하고 용모가 빼어나며 성격이 좋은 여제자를 가리켰다. 마 장주가 그들에게 정해 준 수행 목표는 이것이었다.

"한마디 말로 손님을 장수하게 하고, 한 가닥의 미소로 우정을 후하게(두텁게) 만들라."

'장수하다'와 '후하다', 줄여서 수후.

설몽이 그렇게까지 화를 내니, 매사에 착실하고 진지한 마 장주는 이 사안을 대단히 중시했다. 그래서 즉시 산장의 수후 장로 보심계에게 직접 사생지전으로 가서 설 장문의 비위를 맞추라고 특명을 내렸다.

수단 방법 가리지 말고 설몽을 만족시켜서 마음을 돌리게 해라!

그러나 새로 부임한 수후 장로 보심계는 마 장주처럼 각오가 굳세지 못했다. 보심계는 젊고 살갑고 겁이 많고 애교 부리는

#48 **수후** 壽厚, 애프터서비스를 뜻하는 '售後'와 발음이 같음

걸 좋아하는 어여쁜 여수사였다. 사실 보심계는 한때 '오만방자한 명문 공자 순위' 2위에 오른 설몽을 두려워하고 있었다. 설 장문에게 두들겨 맞고 싶지 않았다. 흑흑…….

고민이 많아진 보 낭자는 상심한 나머지, 최근에 해우 족자를 통해 알게 된 수사에게 이 사실을 털어놓았다.

보 낭자가 입이 싼 게 아니라 '망매지갈[#49]'이라는 선장이 너무 믿음직스러워서였다. 부드럽고 신중하고 익살스러우면서도 경망스러운 느낌이 없었다. 친근하면서도 도발적인 말투는 조금만 과하면 능글맞고 조금만 덜하면 밋밋하게 느껴질 텐데, 막 데운 찻물처럼 딱 좋았다.

게다가 사람의 속마음을 잘 이해하고, 남을 돕기를 즐겼다.

'망매지갈'은 보 낭자의 딱한 사정을 듣고 잠시 생각하더니 이렇게 전갈을 보냈다.

[걱정하지 마시고 이 일은 제게 맡기세요.]

보심계가 크게 감동하며 되물었다.

"정말요?"

망매지갈 선장의 말투는 평소처럼 부드럽고 자상했다.

[물론이지요. 군자 일언 중천금이라고, 걱정 말고 설 장문은 제게 맡기세요. 제가 해결해 줄게요.]

이날, 설몽이 친히 홍련수사를 청소하고 있는데 갑자기 제자가 뛰어와 전했다.

"장문! 도포산장에서 사람을 보냈습니다!"

#49 망매지갈 望梅止渴. 매실을 생각하며 갈증을 해소한다는 뜻

설몽은 요즘 도포산장이라는 말만 들어도 골치가 아팠다. 그는 초만녕이 남긴 줄칼을 깨끗하게 닦아 대나무 통에 툭 던져 넣고는 버럭 소리를 질렀다.

"당장 꺼지라고 해!"

"여, 여잡니다!"

"여자면 뭐? 어쩌라고?"

그동안 선을 보면서 설몽은 깨달은 바가 있었다. 남자든 여자든 밉살스러운 건 마찬가지였다.

"여자여도 꺼지라고 해! 다시는 도포산장의 법기를 안 받을 거니까. 냉수 마시고 속 차리라고 해!"

그러고는 초만녕의 탁자를 닦기 시작했다.

"그리고 가서 마운에게 전하라고 해. 앞으로 강야침하고만 거래하는 한이 있더라도 절대 그쪽과는 거래하지 않을 거라고! 물건들이 하나같이 엉터리야!"

장문의 화를 고스란히 견디던 어린 제자가 억울해서 말했다.

"그, 그런데 도포산장의 수후 제자랍니다."

"수후 제자?"

설몽이 얼굴을 잔뜩 찡그리며 물었다.

"그게 뭔데?"

"사과하러 오셨다고……."

그러고는 침을 꼴깍 삼키고 계속해서 말했다.

"때려도 좋고, 심부름을 시켜도 좋고, 화가 풀릴 때까지 하고 싶은 거 다 하시랍니다."

"……."

'그럼 무술 훈련장의 말뚝과 다를 게 뭐야?'

설몽은 속으로 생각했다.

불만은 불만이고, 사과하러 왔다고 하니 마지못해 만나러 갔다.

단심전에 가 보니, 아니나 다를까 낯선 여자가 기다리고 있었다. 금빛 치맛자락을 하늘하늘 늘어뜨리고, 옅은 갈색 머리카락을 옥비녀로 곱게 말아 올렸다. 눈처럼 새하얀 피부는 어둠 속에서도 부드럽게 빛났다.

여자는 쪼그리고 앉아 채포와 장난을 치고 있었다. 평소에 사람을 거들떠보지도 않던 녀석은 여자와 제법 잘 어울렸다. 배를 척 뒤집어 깐 채 기분 좋은 소리를 내며 느긋하게 즐기고 있었다.

인기척을 들은 수후 낭자가 돌아보더니 벌떡 일어나 수줍어하며 인사를 건넸다.

"설 장문, 말씀 많이 들었습니다."

"……."

'낯이 익은데?'

설몽은 변신 향낭을 달고 있지는 않은지 여자를 위아래로 꼼꼼히 살펴봤다. 환술 때문은 아닌 것 같은데 어쩐지 눈에 익었다.

뽀얀 피부에 색이 옅은 눈동자와 머리카락, 뚜렷한 이목구비. 상당히 아름답고 차가운 얼굴이었다. 그런데 태어나기를 가만있어도 웃는 눈이라 화려하지만 요염하지 않고 사랑스러웠다.

설몽은 유난히 까다로운 사람이었다. 태어나서 지금까지 '아름답다'라고 할 만한 여자는 어머니 왕 부인밖에 없었다.

인정하기는 싫지만 수후는 확실히 그런대로 예쁜 얼굴이었다. 자신보다는 못하지만.

둘은 잠시 서로 멀뚱멀뚱 쳐다봤다. 수후 낭자가 웃으며 자기 소개를 하려 하자, 설몽이 갑자기 손을 번쩍 들어 멈춰 세웠다.

"잠깐만."

그러고는 한쪽에 있는 제자에게 말했다.

"이리 와 봐."

제자가 가까이 다가오자 설몽이 목소리를 낮춰 물었다.

"저 사람 정말 사과하러 온 거 맞아?"

제자가 어리둥절해하며 대답했다.

"네, 그럼요."

설몽이 엄숙하게 말했다.

"마운이 비열하게 미인계를 쓰려는 건 아니겠지? 내가 해우 족자 피해자들을 대신해 항의하는 걸 막으려고?"

"……."

'해우 족자의 유일한 피해자는 장문이잖아요? 장문 외에는 다들 잘만 노는데요? 《818》도 너무 재밌고!'

하지만 속으로만 생각할 뿐 감히 입 밖에 내지 못했다.

제자는 눈치껏 주먹을 불끈 쥐고 설몽을 격려했다.

"장문, 정의는 반드시 승리합니다. 미인계는 물론이고, 삼십육계를 몽땅 들이밀어도 장문은 절대 권력에 굽히지 않으실 거잖아요!"

설몽은 크게 고무되어 제자의 어깨를 톡톡 두드리며 감격해서 말했다.

"네 말이 맞아! 진짜 금은 불에 달궈지는 걸 두려워하지 않고, 진짜 사나이는 여자가 들러붙는 걸 두려워하지 않는 법이지. 할 테면 해 보라 그래. 내가 눈 하나 깜짝하나! 멀리하고 쌀쌀맞게 굴고 괴롭힐 거다. 알아서 떨어져 나가게. 일찌감치 사생지전에서 꺼지게!"

그러고는 수후를 돌아보며 물었다.

"이름이 뭡니까?"

"저요?"

수후 낭자가 빙그레 웃으며 말했다.

"천한 이름을 말씀드리기 부끄럽네요. 그냥 수후라고 부르세요."

"그…… 그래요!"

설몽이 잔뜩 경계하며 성가시다는 듯이 손을 휘저었다.

"해우 족자에 대한 제 생각은 절대 변하지 않을 겁니다. 그 일 때문에 온 거라면 시간 낭비하지 말고 얼른 돌아가세요."

그런데 수후가 전혀 개의치 않고 너그러이 씩 웃었다.

"사과만 드리려고 온 건 아닙니다. 도포산장에 저 같은 수후 제자가 얼마나 많은데요. 전 자진해서 사생지전에 온 거랍니다. 해우 족자 문제도 있지만 제가 사생지전에 온 이유는……."

빤히 쳐다보는 여자의 눈빛이 왠지 모르게 익숙했다. 설몽은 고양이에게 걸린 쥐처럼 등골이 오싹해지면서 당장이라도 희롱당할 것 같은 위기감을 느꼈다.

그가 잔뜩 경계하며 혹시라도 무슨 일이 일어나면 산 밑으로 냅다 차 버리려고 준비하고 있는데, 수후가 활짝 웃으며 고혹적인 자태로 말했다.

"설 장문이 수진계에서 가장 뛰어나고 단정하며, 가장 대범하고 자극적인……."

"뭐라고요?"

"아이참, 가장 멋진 수사라고요."

여자가 웃으며 말했다.

"오래전부터 흠모했어요. 제가 자진해서 온 거랍니다."

솔직히 설몽은 여자가 필요 없다고 생각했다.

그러면서도 수후의 말이 구구절절 맞는 말이라고 생각했다. 이렇게 솔직한 여자는 왠지 마음이 갔다.

웃는 낯에 침 못 뱉는 법. 게다가 온순하고 진실하기까지 하여 쫓아내려니 난처했다. 그래서 설몽은 어쩔 수 없이 상대가 당분간 사생지전에 머물면서 '몸소 마 장주를 대표하여 진심으로 사죄'하게 내버려 뒀다.

며칠 동안 수후는 줄곧 분별 있게 굴었다. 허락 없이는 절대 설몽 앞에서 알짱거리지 않았고, 조용히 사생지전의 일을 거들었다.

사생지전에는 할 일이 넘쳐났다. 큰 전쟁을 겪은 후 줄곧 승승장구했지만 여전히 '왕 할머니네 고양이가 나무에 올라갔다가 내려오지 못하고 있다'라는 등의 자질구레한 일을 마다하지 않았다.

설몽이 어릴 때, 이런 일은 주로 사매가 도맡았었다. 가끔은 묵연이 심심해서 한두 건 처리하기도 했다. 장문을 이어받은 설몽은 제자들이 백성들의 삶에 깊숙이 들어가고, 선한 일은 크고 작음을 막론하고 모두 의미가 있다는 도리를 알길 바랐다. 그리하여 사생지전의 장로들에게 돌아가면서 제자들을 보내 이런 사소한 임무를 맡게 하라고, 미리 언질을 해 두었다.

이번 달은 탐랑 차례였다.

초만녕을 제외하면 탐랑 문하에 제자가 제일 적었다. 게다가 전부 자기 같은 사람들만 뽑아서 하나같이 성격이 괴팍했다.

탐랑 문하의 제자들은 하산하여 왕 할머니의 고양이를 내려주는 일 따위는 절대 하지 않으려고 했다. 그러면서도 장문의 명령이니 거역할 수 없어 선기 장로 문하의 만만한 제자들을 돈으로 유혹하거나 몽둥이로 협박하여, 울며 겨자 먹기로 자기들을 대신해 다녀오게 했다.

그러다 보니 선기처럼 온화한 사람이 탐랑을 찾아 따지는 일도 종종 있었다.

그런데 수후가 온 뒤로부턴 완전히 달라졌다.

무슨 대단한 매력이 있는지, 두어 마디 말로 탐랑 문하의 제자들이 앞다퉈 달려가 도와주게 만들곤 했다.

이 밖에도 맹파당 아주머니를 도와 요리를 한다든지, 내하교 사자상을 닦는다든지, 장서각의 책을 정리한다든지…… 온갖 심부름을 흔쾌히, 그리고 훌륭하게 해냈다. 장로들은 물론 맹파당의 강아지와 왕 부인의 고양이까지, 숨을 쉬는 것들은 모두 그녀에 대해 칭찬 일색이었다.

수후는 한 문파의 대선배답게 지혜롭고 신중했다.

"좋아!"

셋째 날이 되자, 설몽은 도저히 가만히 앉아 있을 수가 없었다.

수후의 뛰어난 수완을 지켜본 설몽은 그녀에게 문파를 다스리는 법에 대해 가르침을 청해야겠다고 생각했다. 그런데 도저히 체면을 내려놓고 다른 문파에서 온 낭자와 이런 얘기를 나눌 수가 없었다.

한창 망설이고 있는데, 회랑을 지나가던 어린 제자들이 저들끼리 수군대는 소리가 들려왔다.

한 제자가 말했다.

"수후 낭자 정말 너무 아름다워. 휴, 사생지전에 얼마나 머물지? 서너 달 머물면 고백할 텐데!"

다른 제자가 눈을 흘기며 말했다.

"사람이 분수를 알아야지. 수후 낭자는 우리 장문을 몰래 흠모하고 있잖아. 모르겠어?"

설몽은 흠칫 놀랐다. 그때 마침 제자들이 모퉁이를 돌아 걸어오고 있었다. 설몽은 재빨리 들고 있던 검보로 얼굴을 완전히 가리고 귀를 쫑긋 세웠다.

"어? 그래?"

"왜 그렇게 눈치가 없어? 다른 사람들과 얘기할 때도 두어 마디 만에 설 장문 얘기를 꺼내잖아. 내가 보기에 그동안 잔심부름 외에 한 거라곤 두 가지밖에 없는 것 같아."

"뭔데?"

제자는 손가락까지 꼽아 가며 말했다.

"첫째, 설 장문 칭찬. 둘째, 설 장문 염탐. 아주 입에 침이 마르도록 칭찬한다니까. 묵 종사보다 잘생겼다는 둥, 마 장주보다 똑똑하다는 둥, 강야침보다 재물 운이 좋다는 둥, 초 종사보다 착하다는 둥……. 제일 어이없는 건, 글쎄 설 장문이 키도 크고 몸매도 좋다잖아. 눈이 삔 거 아니야?"

"?"

설몽은 화가 치밀었다.

구구절절 맞는 말이구먼, 너희야말로 눈이 삐었네!

"염탐도 참 가지가지 해요. 장문이 좋아하는 요리부터 요즘 장문의 기분까지. 어제 보니까 장문이 매함설을 어떻게 생각하는지까지 묻더라고."

"응? 그건 왜 묻는대?"

"당연히 장문과 매 사형이 죽마고우이기 때문이지. 남자의 마음을 얻으려면 주변 사람들의 마음부터 공략하라는 말도 있잖아. 내가 보기에 수후 낭자, 진짜인 것 같아. 그러니 일찌감치 꿈 깨. 장문에게서 뺏을 궁리하지 말고. 네가 뺏을 주제나 돼?"

제자들이 중얼거리며 멀어졌다.

설몽은 제자리에 굳어서 얼굴을 가리고 있던 검보를 천천히 내렸다.

수후는 나보다는 못하지만 어찌 됐든 상당히 훌륭한 낭자다. 이렇게까지 칭찬하는데…….

밥 한 끼 사 주면서 문파를 어떻게 다스리면 좋을지 조언 좀 구하는 것쯤은…… 그다지 창피한 일이 아니지 않을까?

어쨌든 수후는 안목이 있으니까.

생각이 여기에 이르자, 설몽은 바로 수후 낭자가 지금 어디에 있는지 사람들에게 수소문했다. 수후가 장서각에 있다는 정보를 입수한 설몽은 옷매무새를 정리하고 목청을 가다듬은 다음 장서각 쪽으로 걸어갔다.

한편 장서각 안에서는…….

도포산장 수후 낭자 보심계의 흑기사, 변장술의 대가, 일명 '망매지갈', 곤륜 답설궁의 대사형이자 수진계 제일의 풍류랑 매함설이 《상고결계도록(上古結界圖錄)》을 열중해서 읽고 있었다.

원래는 홍련수사에 보관하고 있던 책이었다. 나중에 초만녕이 남병산에 은거하자, 설몽에게 서신을 보내 제자들이 자유롭게 공부할 수 있도록 홍련수사의 책을 모두 장서각으로 옮기라고 했다. 《상고결계도록》과 함께 옮겨 온 책들로는 《초목집(草木集)》, 《촉중유기(蜀中游記)》, 《임기유풍문금보(臨沂儒風門琴譜)》 등 여러 권이 있었다.

음악에 조예가 깊은 매함설은 사실 결계술에 별로 흥미가 없어, 원래대로라면 《임기유풍문금보》를 뒤적거렸을 것이다. 그런데 지금, 내용이 심오하여 이해하기 어려운 결계술 책을 들고 흥미진진하게 읽고 있었다. 게다가 턱을 매만지며 흐뭇해하며 고개를 끄덕이는 것으로 보아, 깊이 공감하는 것 같았다.

어떻게 공감하지 않을 수 있겠는가?

《상고결계도록》에 춘화가 잔뜩 그려져 있는데!

총명한 매함설은 이 그림들이 초만녕과 아무런 상관이 없다는 걸 알고 있었다. 그는 장난이 심했던 묵연이 몰래 남긴 작품이라는 걸 한눈에 알아보았다. 각 장면이 더할 나위 없이 훌륭하고, 구상이 경이로운 그림들이었다.

인정하긴 싫지만 묵연은 재기가 넘치는 젊은이였다. 여러 해 동안 기루에 들락날락한 매함설은 웬만한 사람은 눈에 차지 않았다. 그런 그도 묵미우 선생의 작품에 깊은 감명을 받았다.

그를 더욱 감동시킨 것은 초만녕의 책에 감히 이렇게 방탕한 그림을 그리고도 지금까지 멀쩡히 살아 있다는 사실이었다. 정말 놀라운 사람이다.

한참을 훑어보던 매함설은 저도 모르게 '푭' 하고 웃음을 터뜨렸다.

'묵미우, 정말 재미있네. 묵미우와 그렇게 오랜 세월 어울려 다니면서 물들지 않은 설몽은 더 재미있고.'

'재밌다'는 매함설이 흥미로운 사람을 만났을 때 하는 말이었다. 설몽을 알게 된 후로 매함설은 설몽보다 더 놀리기 좋은 사람을 본 적이 없었다. 매함설이 보기에 설몽은 지나치게 충동적이고 참을성이 없으며, 단순하고 건망증이 심해서 마치 복어 같았다. 살짝 건드리기만 해도 화가 나서 당장 터져 버릴 것처럼 부풀다가도, 얼마 못 가 멍청하게 싹 잊고 의기양양해서 이리저리 헤엄쳐 다녔다.

매함설은 재미 들린 고양이처럼 심심하면 한 대씩 툭툭 쳤다. 설몽이 화를 낼수록 즐거웠다.

한번은 설몽이 참다못해 물은 적이 있다.

"아니, 매함설, 나한테 원한이라도 있어?"

매함설은 속으로 생각했다. 내 은인의 아들이니 원한이야 없다만, 케케묵은 빚은 있지. 너는 절대 기억하지 못할 거다.

어린 시절 두 사람이 처음 만났을 때부터 설몽은 그에게 돼먹지 못한 짓을 저질렀다.

매함설에게 여자 옷을 입혔던 것이다.

그때 매함설은 얼굴이 포동포동하고 팔다리가 짤막한 어린아이였다. 한번은 사존 명월루 일행을 따라 사생지전에 갔다. 겨울이라 하얀 털모자를 쓰고 두꺼운 외투를 걸쳤다. 모자가 커서 걸핏하면 미끄러져 내려 옅은 금빛 머리카락과 푸른 눈을 가렸다. 그래서 설몽은 이국적인 외모의 꼬마 제자를 미처 보지 못했다.

답설궁을 떠나 다른 문파를 방문한 게 그때가 처음이었다. 어린 나이에 처음 다른 지역에 오다 보니, 사람들이 쇄엽성 억양을 비웃을까 봐 꼭 필요한 경우가 아니면 말을 하지 않고 속눈썹을 늘어뜨린 채 구석만 찾았다. 나중에 매력을 발산하고 다닐 때와는 전혀 다른 모습이었다.

그런 매함설이 어쩌다가 설몽에게 억하심정이 생겼을까?

모든 게 묘음지의 자욱한 안개에서 시작되었다.

곤륜 답설궁 근처에는 온천이 많았는데, 제자들은 방에 나무통을 놓고 씻는 것보다 온천에서 목욕하는 걸 더 즐겼다. 매함설도 마찬가지였다.

그날 저녁 매함설은 원래 중원 사람으로 변장한 매한설과 함께 목욕하러 묘음지로 가려고 했다. 그런데 아무리 기다려도 형이 돌아오지 않아 어쩔 수 없이 혼자 가게 되었다.

매함설은 겉옷을 벗어 들고 어디에 둬야 할지 몰라 머리에 얹은 채, 꽃잎이 깔린 자갈을 밟고 안으로 걸어 들어갔다. 문득 생기 넘치는 목소리가 어렴풋이 들려왔다.

"사매, 사매는 햇볕을 좀 많이 쬐야겠다. 몸이 너무 마른 데다 얼굴도 너무 하얘. 나처럼 이래야 보기 좋지. 사매는 여자애 같아. 휴, 나중에 커서 그 누구냐…… 무상진에서 기름떡 파는 무씨 아저씨처럼 될까 봐 걱정이야. 그 아저씨가 아내보다 작지,

아마?"

곧바로 야들야들한 목소리가 들려왔다.

"당연히 소주님이 제일 멋지죠. 제가 어떻게 소주님과 비교가 되겠어요?"

그때 매함설은 표준어를 제대로 배우지 못해 '소주'가 무슨 뜻인지 몰랐다. 알았더라면 상대가 은인의 아들이라는 걸 바로 알았을 텐데. 아쉽게도 매함설은 알아듣지 못하고 이름이 '소주'겠거니 생각했다.

칭찬을 받은 설몽은 흐뭇해서 상대를 격려했다.

"사매, 난 사매의 이런 솔직함이 참 좋아. 사매도 언젠가는 키가 클 거야. 나를 따라 해 봐. 내가 햇볕을 쬐면 사매도 쬐고, 내가 우유를 마시면 사매도 마시고! 너무 실망하지 말고!"

"그런데……."

"거참, 그런데는 무슨 그런데야? 내가 그렇다면 그런 거지. 정 안 되면, 나중에 정말 키가 무씨 아저씨만 해지면 내가 지켜줄게. 싸울 때 내 뒤에 숨어, 알겠지?"

사매가 빙그레 웃었다.

"그럼 미리 소주께 감사드립니다."

"우린 형제잖아. 그런 말 할 필요 없어."

매함설은 그들의 대화를 들으면서 가까이 다가갔다. 나이가 자기와 엇비슷해 보이는 아이 둘이 꽃잎이 흩날리는 자그마한 온천에 몸을 담그고 있었다. 한 명은 빨간 입술에 희고 가지런한 이, 배꽃 같은 피부를 가진 가녀리고 예쁘장한 아이였다. 다른 한 명은 등을 돌리고 있어서 얼굴이 보이지 않았다. 그 아이는 목욕할 때에도 은빛이 번쩍번쩍하는 사생지전의 속발관[#50]을 하고 있었다. 매함설의 상식으로는 도저히 이해가 가지 않았다.

잊어버리고 풀지 않은 건가? 아니면 일부러 하고 있는 건가?

촉 사람들은 다 저렇게 이상한가?

이런 생각을 하고 있는 그때, 사매가 그를 발견하고 잔뜩 경계하며 말했다.

"소주, 저 사람은……."

등지고 있던 다른 아이가 홱 돌아봤다.

매함설과 설몽의 첫 대면이었다.

이 무슨 운명의 장난인지, 설몽이 고개를 돌리는 순간 마침 묘음지에 안개가 자욱하게 피어올랐다. 매함설은 설몽의 얼굴을 제대로 보았지만, 설몽은 매함설의 얼굴을 똑똑히 보지 못하고 하얀 피부와 동그란 눈, 또렷한 이목구비만 보고 여자인 줄 알았다.

공교롭게도 그즈음 여제자가 홍련수사에서 목욕하는 초만녕을 훔쳐본 일이 있었다. 설몽은 대뜸 '악' 하고 비명을 지르고 고래고래 소리 질렀다.

"빨리, 빨리, 빨리! 게 아무도 없느냐! 정말 간이 배 밖으로 나왔구나! 또 훔쳐보다니! 얼른! 저 변태를 잡아라! 당장 잡아라!"

매함설은 제압당해 끌려가면서도 어리둥절했다.

엥……?

내가 왜 변태야?

촉 땅에서는 낯선 남자와 같이 목욕하면 안 되나?

#50 **속발관** 束髮冠. 머리카락을 둥글게 매듭지어 고정하는 머리 관

그때 당시 워낙 혼란스럽고, 또 시간도 오래 지나서 세세한 부분까지는 매함설도 잘 기억나지 않았다. 결국 그는 말투가 어눌하고 당황해서 말을 더듬는 바람에 소주를 훔쳐보러 온 변태로 오해받아, 정의감 넘치는 사생지전 사형들에게 붙잡혀 염라전에 갇혔다.

밀고 당기고 하는 바람에 매함설은 옷을 묘음지에 떨어뜨렸다. 그 옷이 나중에 어디로 갔는지는 알 수 없었다.

매함설은 옅은 금색의 긴 머리를 풀어 헤친 채 벽옥 같은 눈을 동그랗게 뜨고 '단심가감, 사생불변[#51]'이라는 문구가 걸려 있는 정전에 멍하니 서 있었다. 아무리 생각해 봐도 도대체 뭘 잘못했는지 납득할 수 없었다.

한참 후, 사생지전의 한 사형이 옷을 가져왔다. '소주가 보냈다'라고 했다. 책도 한 권 가져왔다.

펼쳐 보니 여제자가 입는 옷이었다.

책은 더 기가 찼다. 《여덕(女德)[#52]》이라니.

"……."

참을성이 강한 매함설은 평소에 화를 잘 내지 않았다. 그런데도 이번에는 머리 꼭대기까지 화가 났다.

쇄엽성은 쇄엽성의 풍속이 있고 답설궁은 답설궁의 규칙이 있으며 촉 땅은 촉 땅의 관습이 있다는 걸 모르지는 않았다. 예컨대 쇄엽성을 떠나기 전, 돼지고기를 극도로 싫어하는 매함설에게 사존 명월루가 미리 주의를 준 바 있었다. 세상은 천태만상

#51 단심가감, 사생불변 丹心可鑒, 死生不改. 눈에 보일 정도의 참된 마음이 죽으나 사나 변함없이 이어진다는 뜻
#52 여덕(女德) 여인이 마땅히 갖춰야 할 품성

이라, 너는 싫어하지만 다른 사람은 좋아할 수도 있다고 말이다. 그래서 매함설은 줄곧 촉 사람들은 어떤 습관이 있는지 관찰하려고 애를 썼다. 그는 절대 족발을 맛있게 뜯고 있는 중원 사람 앞에서 '메스껍다'라고 떠들지 않을 터였다.

구역질이 나도 속으로만 생각하고 공손하게 소금을 건넬 것이다.

그리고 집에 돌아가서 죽어라 손을 씻겠지.

그런데 이 '소주'는 그야말로 횡포하기 짝이 없는 폭군이었다. 멀리서 온 벗을 반갑게 맞아 주지는 못할망정, 여자 옷과 《여덕》으로 모욕하다니.

고작 목욕탕에 잘못 들어갔을 뿐이지 않은가? 말로 해도 될 일을 꼭 이렇게 난폭하게 해결해야 했을까?

처음 사회에 진출한 이방인 매함설은 도무지 이해가 가지 않았다. 더 생각하고 싶지도 않았다. 그때 그는 얇디얇은 홑겹 옷을 입고 있었는데, 그마저도 오물이 군데군데 묻어 있었다. 하지만 사내대장부는 발등에 떨어진 불을 피할 줄 안다고, 매함설은 수치스러움을 무릅쓰고 '소주'가 보낸 옷을 걸치고 금색의 긴 머리를 대충 둘둘 말아 올렸다. 머리카락 몇 올이 새하얀 볼에 흘러내렸다.

그리고 《여덕》은 가차 없이 불을 지피는 데 썼다. 불꽃이 화르르 피어오르는 순간, 매함설은 속으로 칼을 갈았다. 오늘의 모욕감은 영원히 잊지 않으리라. 언젠가 '소주'가 나를 건드리면 죽여 버리리라!

진짜 난감한 건 다음 날 아침이었다.

명월루는 그들 형제에게 규칙을 하나 정해 줬다. 당분간은 형 매한설과 하루씩 번갈아 가며 본모습으로 사람을 만나게 했다.

매한설이 소식을 듣고 염라전으로 찾아왔을 때, 매함설은 비참하게 짓밟힌 소녀처럼 옷이 헝클어진 채 누렇게 뜬 얼굴로 구석에 쪼그리고 앉아 있었다.

"……이게 무슨 꼴이야?"

"형이 오늘 할 꼴이야."

"……."

"자, 나는 밤새 즐길 만큼 즐겼어. 이 옷, 향이 꽤 좋더라. 우리 얼른 바꿔 입자."

"매함설!"

형이 버럭 화를 냈다.

"너 또 무슨 사고를 친 거야!"

매함설은 가끔 형이 너무 안됐다는 생각이 들었다. 운도 지지리도 없지. 매번 자기가 친 사고를 수습하는 건 형의 몫이었다.

이번도 예외는 아니었다.

밤새 여장을 하고 염라전에서 불을 쬔 것도 억울한데 형은 '소주'에게 더 모진 박해를 당했다. 염라전 간수의 명령에 따라 장서각으로 가서 책을 닦아야만 했다.

매한설이 억지로 은남색 여제자 옷으로 갈아입었을 때, 매함설은 화가 치밀어 미칠 지경이었다.

매함설이 이를 부득부득 갈며 말했다.

"언젠가 '소주'가 나를 건드리면 죽여 버릴 거야."

형 매한설은 자초지종을 듣자마자 동생의 말에서 '전제 조건'

을 과감하게 삭제해 버렸다.

매한설이 음산하게 말했다.

"기다려, 책을 다 닦고 죽여 버릴 테니까."

그러고는 짤막한 다리를 재빨리 움직여 장서각으로 갔다.

당시 곤륜 답설궁의 몇몇 오만하고 횡포한 사형들도 명월루와 함께 사생지전에 머물고 있었다. 그들은 장문의 사랑을 독차지하는 매함설을 눈엣가시처럼 생각했다. 그중 가장 옹졸한 사형은 매 사제가 사생지전 사람에게 벌을 받고 있다는 소식을 듣고 흥분해선 장서각으로 촐랑거리며 뛰어갔다.

여제자 옷을 입고 굳은 얼굴로 나무 사다리에서 책을 닦고 있는 매 사제의 모습을 본 그는 배를 끌어안고 웃더니 일당을 모두 불러다가 합심하여 무안을 줬다.

"매 사제…… 아니, 매 사매, 너 정말 예쁘다. 으하하하하!"

"사생지전의 사람을 어떻게 건드렸길래 이런 수모를 당하고 있어?"

"얼른 이 사형에게 말해 봐. 대체 누구야? 사형이 가서 그분께 꽃다발을 드려야겠어!"

차갑고 말수가 적은 매한설은 더는 참지 못하고 사형들과 치고받고 싸우기 시작했다. 그러나 아직 어려서 무술을 완전히 익히지 못한 데다 혼자서 여럿을 상대하다 보니, 결국 동문 인간 쓰레기들에게 제압당하고 말았다.

"너 이 자식, 제정신이야? 하루는 상냥했다가 하루는 살기등등했다가 왜 그리 오락가락해? 사형이 버릇을 고쳐 줄까?"

"옷을 찢어 버리자. 답설궁 사람이 사생지전의 옷을 입어서야 되겠어?"

엎치락뒤치락하고 있는 그때, 어디선가 칼날을 휙휙 휘두르는 소리가 들려오더니 시퍼런 곡도가 날아와 나무 바닥에 깊숙이 꽂혔다! 답설궁의 인간쓰레기들이 화들짝 놀라 뒤로 물러서서 돌아봤다.

"설, 설몽?"

장서각 문 입구에 용모가 수려한 사내아이가 오만한 자태로 서 있었다. 사생지전의 은남색 갑옷을 입고 말총머리로 높게 묶은 사내아이가 성가신 듯 검은색 보호대를 찬 손가락으로 팔짱 낀 팔을 톡톡 두드렸다.

"감히 사생지전에서 사람을 괴롭히다니, 내 아버지 허락 받았어? 내 허락 받았어? 내 사존 허락 받았냐고?"

"……."

"어서 꺼지지 못해!"

약자에 강하고 강자에 약한 그들은 감히 장문의 아들을 건드리지 못하고 굽실굽실하며 우르르 꽁무니를 뺐다.

설몽은 굳은 얼굴로 뚜벅뚜벅 다가왔다. 철판을 박은 신발이 나무 바닥에 닿으면서 삐걱삐걱 소리를 냈다. 한 손으로 용성을 잡고 도도한 자세로 뽑아내려고 했지만 어림없었다.

"……."

"……."

설몽은 뻘쭘해서 헛기침을 한번 하더니 주뼛주뼛 두 손으로 잡고 겨우 자기 키만 한 칼을 뽑아냈다.

그는 매한설이 어제 묘음지에서 잡은 '변태'라는 걸 알아보지 못했다. 매한설은 당연히 설몽을 알지 못했다. 둘은 잠시 멀뚱멀뚱 서로를 바라봤다. 매한설은 머리카락이 헝클어지고 입가에 피가 흘렀다. 겉옷이 너덜너덜 찢겨 곤륜 답설궁의 얇은 명주실 옷이 훤히 드러났다. 상대의 처량한 몰골을 바라보며 설몽은 어찌해야 할지 몰라 머리를 긁적였다.

"동문끼리 싸우다니, 정말 말도 안 돼."

그러고는 자기 겉옷을 벗어 매한설에게 촤라락 덮어 줬다.

매한설은 눈앞의 사내아이를 바라보며 생각에 잠겼다. 아무리 봐도 은인 설정옹과 닮은 얼굴은 아니었다. 주먹만 하고 정교한 얼굴에 오뚝한 콧날, 흑백이 분명한 동그란 눈, 행동 하나하나에 타고난 오만함이 넘쳐흘렀다.

매한설이 주저하며 물었다.

"네가…… 설몽이야?"

"응."

설몽이 의기양양해서 말했다.

"어때? 무예가 뛰어나지? 명불허전이지?"

이 말까지 들으니 은인의 아들이라는 게 확실해졌다.

매한설이 고맙다고 말하려던 그때 설몽이 하하 웃으며 쐐기를 박았다.

"본 소주, 이래 봬도 아직까지 누구한테 져 본 적이 없다고!"

"……네가 소주라고?"

"이제 알았어?"

"'소주'라는 게 사람 이름 아니었어?"

그날 밤, 방으로 돌아온 매한설에게 매함설이 깜짝 놀라며 물었다.

"은인의 아들이라니?"

동생보다 침착한 형은 말없이 짐 가방에서 《쇄엽곤륜 및 표준어 모음집》을 꺼냈다. 형제는 바짝 붙어 앉아 책을 펼쳐 봤다.

"소주란."

매함설이 읽었다.

"나이가 어린 주인을 말한다. 또는 성인인 주인이 (혹은 국가, 가족 등 제도에 따라) 지정한 후계자를 말한다."

"……."

"……."

둘은 한참이나 아무 말도 하지 못했다. 잠시 후, 매함설이 긴 침묵을 깨고 물었다.

"그래도 죽일 거야?"

잠시 생각하던 형은 자기 어깨에 걸쳐진 옷을 보더니 금색의 속눈썹을 내리깔며 차갑게 말했다.

"네 생각은 어떤데?"

매함설은 고개를 끄덕이더니 외국 고양이 같은 새파란 눈을 동그랗게 뜨고 말했다.

"알겠어. 그럼 그 애랑 잘 지낼게. 안 죽이면 되지 뭐."

"……."

"괴롭히는 건 괜찮지? 형, 어제 봤잖아, 날 어떻게 괴롭혔는지."

매한설이 잠시 생각하더니 동생에게 딱 한마디 했다.

"……너무 심하게 굴진 마."

그 후로 매함설은 자주 설몽을 찾아가 함께 놀았다. 그렇게 두 아이는 친구가 되었다.

그런데 매함설은 설몽이 너무 어리석어 보였다. 하루는 형이고 하루는 자기인데, 설몽은 한 번도 수상하게 여기지 않고 그저 변덕이 심하구나 생각하는 것 같았다. 오히려 늘 설몽과 붙어 다니는 설아라는 아이가 눈치를 챘는지 의심 가득한 눈으로 빤히 보곤 했다.

매함설은 설아처럼 똑똑한 사람을 별로 좋아하지 않았다. 설몽처럼 늘 우쭐대지만 멍청한 사람이 더 취향에 맞았다. 놀리는 맛이 있으니까.

그런데 문제가 하나 있었다.

"오늘은 너랑 같이 자지 않을 거야!"

"응?"

매함설은 대나무 베개를 안고 푸른 바다 같은 눈으로 물끄러미 바라보며 물었다.

"왜?"

설몽이 노기등등해서 말했다.

"어젯밤에 나를 침상에서 떨어뜨렸잖아! 기억 안 나?"

"……."

'형, 어떻게 된 거야? 괴롭히지 않기로 해 놓고선. 오밤중에 침상에서 밀어내다니?'

매함설은 빙그레 웃었다. 그때는 아직 활짝 피지 않아서 지금처럼 요염하지는 않았지만 얼추 매 공자의 모습을 갖췄다.

"오늘은 안 그럴게. 오늘은 내가 바깥쪽에서 잘게. 그래도 마음이 놓이지 않으면 널 꼭 끌어안고 잘게."

안, 안고 잔다고?

설몽은 잠시 멍하니 상상해 보더니 대뜸 그에게 베개를 확 집어 던졌다.

"야! 너네 곤륜 사람들은 왜 이렇게 다 변태야? 썩 꺼져!"

지금 돌이켜 봐도 절로 웃음이 나왔다. 입을 가리고 껄껄거리고 있는데, 삐걱 소리와 함께 문이 열렸다. 인기척을 쫓아 돌아보니 흐릿한 불빛 아래 설몽이 주저주저하며 걸어왔다.

"에헴…… 그, 이봐."

매함설은 책장에 얹었던 다리를 내리고 자세를 고쳐 앉으며 미소 띤 얼굴로 맞이했다.

"장문."

설몽이 헛기침을 한번 하더니 얼굴이 시뻘게져선 힐끔힐끔 곁눈질했다.

매함설은 의아해하며 빙그레 웃었다.

매함설은 사람을 수도 없이 만나 봤다. 남자든 여자든 그를 보자마자 얼굴을 붉히는 수사들은 많았다. 물론 그게 뭘 의미하는지 그는 잘 알고 있었다.

그런데 설몽이 여장을 한 자신을 그런 얼굴로 바라보리라고는 꿈에도 생각하지 못했다. 그가 알고 있는 설자명은 그런 사람이 아니었다. 설자명은 오만하고 순수하며 얼굴만 반반했지, 머리는 텅 비어 여자 마음을 얻는 법을 몰랐다. 하루 종일 하는 일이라고는 무술 연마, 아니면 거울을 끌어안고 자기 얼굴을 요리조리 비춰 보는 것이었다.

그런 그가 여수사 때문에 얼굴이 발그레해지다니?

그 '여수사'가 다른 사람이 아니라 심심해서 변장한 자신이긴 했지만 매함설은 이상한 기분이 들었다. 마치 답설궁에서 키우던 흰색 파사[#53] 고양이를 보는 느낌이었다. 새끼 때부터 키워서 언제까지나 멍청하고 귀여울 줄만 알았는데, 어느 날 충격적인 장면을 목격하고 말았다. 귀엽게만 생각했던 고양이가 다른 길고양이와 교미를 하는 게 아닌가. 게다가 한 마리도 아니고 두 마리와 뒤엉켜 재미를 보고 있었다. 심지어 옆에는 그 놀라운 광경을 지켜보는 고양이가 한 마리 더 있었다. 자기 차례를 기다리고 있는지, 그들의 행동에 놀랐는지는 모르지만.

세 번째 고양이는 어땠는지 모르지만, 매함설은 경악을 금치 못했다. 아무리 생각해 봐도 그 까닭을 알 수 없었다. 천진난만하고 사랑스럽고 멍청했던 고양이는 어디로 갔을까?

얼굴이 벌겋게 달아오른 설몽을 보고 있노라니 매함설은 저도 모르게 그때의 기분이 떠올랐다. 점점 더 난감해하며 우물쭈물하는 설몽을 바라보며, 매함설은 속으로 어떻게 하면 설 장문을 완곡하고 부드럽게 거절할 수 있을지 생각했다.

사실은 여자를 좋아한다고 말할까, 아니면 불치병에 걸려 살 날이 얼마 남지 않았다고 말할까?

여수사들을 찰 때 입만 열면 술술 나오던 대사였다. 분명 수도 없이 많이 했던 말인데, 번지르르하게 늘어놓을 수 있는데, 이 순간에는 왠지 위축되면서 입이 떨어지지 않았다.

#53 파사 波斯. '페르시아'의 음역

고민하고 있던 그때, 설 장문이 주저하며 물었다.

"후…… 저기……."

"……."

"그 뭐냐, 사생지전에 온 지도 꽤 됐네요. 물어볼 게 있는데."

"장문, 말씀하세요."

매함설은 애써 침착하고 부드러운 표정을 지었지만, 머리가 펑 하고 터져 버릴 지경이었다.

여자를 좋아한다? 불치병에 걸렸다? 여자를 좋아한다? 불치병에 걸렸다?

설몽이 어찌할 바를 몰라 하며 입을 열었다.

"그, 뭐냐면……."

"네?"

"휴."

설몽이 눈을 질끈 감고 주먹을 꽉 쥐더니 큰 소리로 물었다.

"채포의 배를 맘대로 만지는데 왜 할퀴지 않죠? 어떻게 한 거예요?"

"……."

설몽은 얼굴이 노을처럼 새빨개졌다.

매함설은 저도 모르게 눈썹을 추켜세우고 물었다.

"……그게 다예요?"

"네……."

설몽은 머리를 긁적이더니 또 뭐가 생각났는지 계속해서 물었다.

"그리고 어떻게 탐랑과 선기 문하의 제자들을 화해시킨 거예요?"

"……."

'미안, 내가 과대평가했네.'

사람을 많이 만나 봤지만 설몽 같은 남자는 또 처음이다.

설 장문이 여태까지 독신으로 지낸 건 우연이 아닌 실력이었다.

속으로는 이렇게 생각했지만, 그래도 매함설은 어떻게 탐랑 문하 제자들과 선기 문하 제자들의 싸움을 중재했는지를 차근차근 설명하고, 짐승을 길들이는 요령을 공유했다.

"고양이는요, 예뻐할수록 주인 알기를 우습게 알아요."

매함설은 옅은 미소를 지으며 말했다. 분명 부드러운 표정에 말투도 친절했지만 어딘가 박정한 느낌을 주었다.

"그러니 장문, 귀엽다고 오냐오냐하면 안 돼요. 단단히 후려잡고, 많이 괴롭혀야 해요. 절대 장문의 손에서 벗어날 수 없다는 걸 인지시켜야 해요. 그러면 그 털북숭이 녀석이 얌전해질 거예요."

"……도망가면요?"

매함설이 웃으며 대답했다.

"쫓아가죠."

"저항하면요?"

"확 붙잡아 버리죠."

"물면요?"

"때리죠."

빙그레 웃고 있는 수후의 모습에 설몽은 저도 모르게 등골이 오싹해졌지만 침을 꿀꺽 삼키고 물었다.

"……설마 채포를 때린 건 아니죠?"

매함설이 '풉' 하고 웃음을 터뜨렸다.

"농담이에요. 저는 절대 강요하지 않습니다."

설몽은 그제야 안도의 한숨을 내쉬었다. 이 말을 하지 않았다면 정말 수후가 무섭게 느껴졌을지도 몰랐다.

매함설은 속눈썹을 들어 올려 그윽한 눈빛으로 설몽을 쳐다보며 말했다.

"장문, 그러고 보니 도포산장에 고양이를 길들이는 비법이 있는데, 어때요? 관심 있어요?"

무술에 미쳐 있는 설몽은 '비법'이라는 이름이 붙은 것들에 유독 관심이 많았다. 묵연이 누구보다 순수한 설자명이 음란 서적을 읽게 하려면 제목을 《춘화의 비법》, 《비법 염정록》, 《홍련수사 비법서》로 바꾸면 되겠다고 생각했을 정도였으니…… 휴, 아니다. 아무리 비법이라도 마지막 것은 절대 건드리지 않을 놈이다.

매함설은 상냥하게 웃으며 은근히 설득했다.

"배우고 싶죠? 장문은 제가 존경하는 사람이니 특별히 알려드릴게요."

"……."

설몽은 결국 고양이의 하얀 뱃살과 '비법'의 유혹을 뿌리치지 못하고 고민 끝에 매함설이 파 놓은 함정에 빠졌다.

"그렇군요……. 그럼…… 그럼 배우, 배우죠 뭐."

"그럼 잘 들으세요. 우선 고양이들은 독특한 천성이 있다는 걸 아셔야 됩니다."

매함설이 설몽을 지그시 바라보며 의미심장하게 말했다.

"호기심이 고양이를 죽인다는 말도 있잖아요. 고양이의 약점은 지나친 호기심 때문에 위험을 모르고 달려드는 거예요."

설몽이 배움의 의지를 활활 불태우며 눈을 둥그렇게 뜨고 물었다.

"그래요?"

"네."

매함설이 가늘고 긴 손가락을 펴 보이며 계속해서 말했다.

"자, 보세요. 사람이 이렇게 손가락을 갖다 대면 녀석들은 바로 다가와서 킁킁대요. 그때 덥석 잡으세요. 바닥에 눌러 제압하고 다리를 들어요. 그러면 녀석들은 나른해서 기분 좋은 울음소리를 낼 겁니다."

매함설은 설몽이 눈치를 채고 길길이 날뛰는 모습을 보려고 일부러 더 자극적인 말을 했다.

그런데 원숭이도 나무에서 떨어질 때가 있다고, 필요 이상으로 단순한 설몽은 온종일 미녀들에 둘러싸여 있는 매함설이 자기를 놀리는 줄도 모르고 온 정신을 집중해서 들었다. 그뿐만이 아니라, 적극적으로 질문까지 했다.

"싫어하지 않을까요?"

"……."

놀리는 데 실패한 매함설은 포기하지 않고 애써 미소를 유지하며 말했다.

"당연히 싫어하죠."

"그럼 어떡해요?"

"달래면 되죠."

설몽이 손을 휘휘 저었다.

"소용없어요. 사람 말 못 알아들어요."

"말은 필요 없어요. 움직이기 시작하면 고양이는 금세 기분이 좋아져서 저항하지 않아요. 오히려 애교 어린 눈으로 쳐다보며 저절로 자세를 바꿔 가면서 협조한다니까요. 좋아서 소리를 내기도 하고요……. 해 보셨어요?"

설몽이 턱을 잡고 잠시 생각하더니 물었다.

"가르랑가르랑?"

매함설은 아무것도 눈치채지 못한 설몽을 보니 놀려 주고 싶은 마음이 더 커졌다.

"네, 가르랑 소리를 내요."

"그런데 배에 손이 닿기만 해도 으르렁거리던데요? 턱까지밖에 못 만졌어요."

"방법이 틀려서 그래요. 제대로 만지지 못해서."

매함설은 잠시 뭔가를 생각하더니 부드럽게 말했다.

"허락해 주시면 제가 직접 보여 드리겠습니다."

"음……."

남녀칠세부동석이라고는 하나 학업을 전수해 주고 궁금증을 풀어 줄 때는 예외다. 설몽은 얌전하고 부드러우며 단정한 수후 낭자가 올바른 사람이라 생각하여, 잠시 망설이다가 결국 고개를 끄덕였다.

촉 사람은 사소한 일에 얽매이지 않으니까.

그런데 수후 낭자는 강남에서 온 것 같은데…….

그리하여 설몽은 매함설이 손을 드는 순간 서둘러 선을 그었다.

"잠깐! 저는 고양이를 길들이는 방법을 배울 뿐이에요. 분명히 말해 둘게요. 그쪽을 어떻게 할 생각은 없어요."

매함설이 빙그레 웃었다.

"그럼요."

"당신을 모욕할 의도는 더더욱 없어요."

매함설은 웃음을 참느라 갈비뼈가 부러지고 눈물이 나올 지경이었다.

"알아요. 저 이래 봬도 도포산장의 제자로, 제대로 된 문파 출신이에요. 미인계를 쓸 생각은 조금도 없어요. 몇 번 만졌다고 울며불며 책임지라고 할 생각은 더더욱 없고요. 장문, 뭘 그렇게 긴장하세요?"

설몽은 어정쩡하게 서서 목청을 가다듬고 말했다.

"에헴…… 그럼 시작하죠."

매함설은 옆으로 비켜서며 설몽에게 자리를 내줬다.

"장문, 가까이 오세요."

설몽이 다가서자 매함설이 손을 들고 진지하게 말했다.

"보세요, 고양이를 혼낼 때는 천천히 다가가 녀석의 궁금증을 자아내야 해요. 먼저 다가와 손가락 냄새를 맡게 하는 거예요."

그러고는 손가락을 설몽의 코끝에 가져다 대고 잠깐 기다렸다가 턱까지 내렸다.

"그다음 살살 긁어 줘요."

매함설은 설몽의 성격을 잘 아는지라 많이 만지지는 않고 살짝만 건드렸다. 그것만으로도 속으로 쾌재를 불렀다. 어라, 때리지 않네.

때리지 않았을 뿐만 아니라 매함설이 '수후'를 너무 그럴듯하게 연기해서 전혀 의심이 들지 않았는지, 손을 들어 제 턱을 만지작거리며 물었다.

"이렇게요?"

"좀 더 세게 만지는 게 좋아요."

"이렇게요?"

"계속 세게 해도 안 돼요. 아홉 번은 살살하고 한 번은 세게 하면 그만두려 해도 그만둘 수 없다는 말도 있잖아요."

"……그런 말이 있어요? 한 번도 못 들어 봤는데."

매함설이 웃으며 대답했다.

"몇몇 책에만 있어요."

설몽은 반신반의하며 제 턱을 몇 번 더 긁더니 요령을 터득했는지 기뻐서 물었다.

"그다음은요?"

"그다음은 말이죠."

매함설은 백옥 같은 손가락을 천천히 아래로 내리더니 설몽의 허리에 있는 은색의 사자 머리 요갑[#54]에서 멈췄다.

"고양이는 기분이 좋으면 알아서 배를 뒤집어 깔 거예요. 당신을 믿는다는 얘기죠."

"그때 만지면 돼요?"

"안 돼요."

매함설이 빙그레 웃으며 말했다.

"저처럼 배 위에서 멈춰야지, 정말 만져서는 안 됩니다. 이렇

#54 요갑 腰甲. 허리 부분을 둘러서 보호하는 갑옷

게요."

그러고는 손가락을 살포시 설몽의 허리 위에서 왔다 갔다 하며 멀어졌다 가까워졌다 했다. 설몽은 처음에는 언제 진짜로 만질지 몰라 바짝 긴장한 채로 상대의 손에서 눈을 떼지 못했다. 그러나 한참이 지나도 수후 낭자가 계속해서 애매한 거리를 유지하며 헛손질만 하니 서서히 경계가 풀렸다.

그런데 그때 매함설이 갑자기 허리를 잡고 확 끌어당겼다.

"그다음 불시에 이렇게……."

매함설이 말을 채 마치기도 전이었다.

예상치 못하게 허리를 잡혀 화들짝 놀란 설몽은 그대로 끌려가 매함설의 몸 위에 넘어지고 말았다.

"……."

"커컥컥컥!"

장서각에 얇게 쌓였던 먼지가 훅 일어 줄기침이 나고 시야가 흐릿해졌다. 설몽은 아무것도 모르는 고양이처럼 어리둥절한 표정으로 한참이나 그대로 엎어져 있은 후에야 제정신으로 돌아와 매함설이 밑에 깔린 걸 발견했다. 오래된 장서각의 나무마루가 삐걱삐걱 소리를 냈다.

고개를 숙여 보니 수후 낭자의 옷이 흐트러지고 귀밑머리가 헝클어진 채, 옅은 눈동자가 아찔하게 말려 올라간 속눈썹에 반쯤 가려져 있었다. 낭자는 이상야릇한 표정으로 뭔가를 말하려는가 싶더니 다시 입을 닫았다. 설몽은 그제야 단단히 잘못됐음을 깨닫고 서둘러 일어나려고 했다.

그러나 조급할수록 실수가 잦은 법. 설몽은 허둥지둥 일어나

다가 두 번이나 발을 삐끗하는 바람에 오히려 매함설의 몸에 대고 두어 번 비비적거렸다.

매함설은 눈썹을 살짝 추켜세우고 더 오묘한 표정을 지었다.

겨우 일어선 설몽은 귀밑까지 시뻘게져서 더듬거렸다.

"그, 그 뭐야, 누, 누님, 미미미미안해요."

"……."

설몽은 성격 때문에 어려서부터 여복이 없었다. 동년배들은 그를 아예 거들떠보지도 않았고, 오히려 나이가 많은 누나들이나 아주머니들의 사랑을 듬뿍 받았다. 그러다 보니 설몽은 습관적으로 여자를 부를 때 '아주머니' 아니면 '누님'이라고 불렀다. 너무 긴장한 나머지 매함설이 변장한 어여쁜 소녀를 '누님'이라고 불러 버린 것이다.

매함설은 알 수 없는 표정으로 설몽을 훑어보며 속으로 한탄했다.

'이러니 여태까지 여자 손 한번 못 잡아 봤지. 싸다, 싸.'

여자를 부를 땐 아흔 살 이상은 선고, 다섯 살 아래는 꿀단지라고 부르고, 그 사이는 뚱뚱하든 날씬하든 미인이라 불러야 하거늘, 삼십 년 가까이 살면서 이렇게 쉬운 이치도 깨우치지 못했다니.

설몽은 여전히 더듬거리며 사과하기에 급급했다.

"누누누님, 어디 다치지는 않았어요? 다행히 제가 별로 무겁지 않고, 또 누님도 튼실해서……."

"……."

매함설은 지금 설몽 앞에 있는 사람이 자신이 아니라 여자였다면 진작 따귀 세례를 날렸을 거라고 생각했다.

다행히 설몽은 '튼실하다' 같은 단어로 여수사를 표현하는 건 실례라는 것을 깨닫고 고쳐 말했다.

"그, 그게 아니라 살짝 건드려도 부서질 것 같지는 않다, 두껍…… 아, 그냥 입을 닫을게요. 하여튼 괜찮죠?"

매함설은 잠시 그대로 바닥에 누워 있다가 복잡한 표정으로 일어나 앉았다.

"……괜찮아요. 이렇게 격한 반응을 보일 줄 몰랐을 뿐이에요."

둘은 다시 어색한 침묵에 빠졌다. 잠시 후 매함설이 물었다.

"저 때문에 놀랐죠?"

"놀란 건 아니고."

설몽은 얼굴이 시뻘게져서 무슨 말을 하면 좋을지 몰라 한참을 망설이다가 말했다.

"이런 식으로 채포를 길들인 거예요?"

"네."

매함설이 웃으며 말했다.

"제 손을 거치면 하나같이 온순해져요."

"오……."

"좀 전에 제가 가르쳐 드린 비법, 제대로 배우셨나요?"

"얼추……."

"그럼 됐어요. 장문만 좋다면 제게 넘어지신 것쯤이야 뭐가 대수겠어요."

설몽은 더는 아무 말도 하지 못했다. 아름다운 여자가 상냥한 목소리로 이렇게 말하는데 누군들 사르르 녹지 않겠는가.

설몽은 저도 모르게 수후를 곁눈으로 힐끔힐끔 훔쳐봤다. 마음이 조금씩 흔들리기 시작했다. 마운이 쓸데없이 만들어 낸 해우 족자는 영 별로지만, 그의 수후 제자는 제법 괜찮다는 생각이 들었다. 침착하지, 성격 좋지, 가식적이지 않지, 정직하지, 일도 열심히 하지, 온통 고객의 요구를 만족시킬 마음뿐이지.

여태까지 설몽은 여자라는 종족은 유리로 만든 사람처럼 약하고, 걸핏하면 울고불고 난리를 피운다고 생각했다. 남자가 밀어 넘어뜨리기라도 하면 바로 이를 악물고 발을 동동 구르며 엉엉 울거나 목이 터져라 소리를 질러 댄다.

"어딜 만져! 이 변태 새끼!"

그런데 이 수후 낭자는 '해우 족자'에 대한 부정적인 인상을 지우기 위해 자기가 본의 아니게 덮쳤을 때도 그냥 넘어갔다. 물론 어떻게 해 보려던 건 아니었지만, 마음씨 착한 설몽은 먹고살기 위해 어쩔 수 없이 고분고분 비위를 맞추는 불쌍한 여자에게 연민의 감정을 느꼈다.

그래서 설몽은 잠시 망설이다가 결국 입을 열었다.

"……이렇게 합시다. 밥 먹을 시간도 됐고 하니 저와 같이 식사하는 게 어때요? 고, 고양이를 길들이는 비법을 전수해 준 것에 대한 보답이라고 생각해요."

그가 서둘러 덧붙였다.

"해우 족자 얘기도 나눌 겸. 뭐가 됐든 밥부터 먹어요."

그러고는 불쌍한 심부름꾼 아가씨에게 손을 내밀어 부축하려고 했다.

그런데 매함설은 일어나지 않고 바닥에 앉은 채로 시선을 설몽의 손에서 얼굴로 옮기더니 엷은 미소를 띠며 말했다.

"장문, 먼저 가세요. 저는 좀 더 앉아 있다가 갈게요."

수후가 시원찮은 반응을 보이자 설몽은 자신감이 훅 떨어졌다.

"……혹시 아까 다친 거예요?"

매함설은 눈썹을 추켜세우고 잠시 침묵하더니 싱긋 웃으며 말했다.

"다친 건 아닌데, 한 군데가 부어올랐어요. 괜찮아요, 건드리지 않으면 금방 가라앉을 거예요."

착한 설몽은 자기 때문에 다쳤다는 말을 듣더니 더욱 죄책감에 어쩔 줄 몰라 했다.

"그랬군요……."

설몽은 입술을 깨물고 미안해하며 말했다.

"그럼 사람을 불러서 봐 달라고 할게요."

"……괜찮아요. 괜히 폐를 끼치는 것 같아 싫어요."

설몽은 더더욱 수후 낭자가 처량하고 철든 사람처럼 느껴졌다.

"그, 그럼 어디가 부었어요? 늘 가지고 다니는 약이 있으니까 발라 줄까요?"

그가 미안해하며 말을 이었다.

"아니면 좀 주물러 줄까요? 그것도 싫어요?"

아무것도 모르고 안절부절못하는 설몽의 모습을 보고 있노라니 사랑스럽다는 생각마저 들었다. 매함설은 웃음을 참느라 한참을 아무 말도 못 했다. 입을 열었다간 배를 끌어안고 폭소를 터뜨릴 것만 같았다.

그 바람에, 설몽의 눈에 매함설은 입을 앙다물고 눈물이 그렁그렁해서 속사정 때문에 말을 잇지 못하는 여자로 비쳤다.

여자는 그를 물끄러미 바라보며 입술을 점점 더 세게 오므리고 어딘가 이상한 표정을 지었다.

잠시 후, 여자가 고개를 숙이고 헛기침을 한번 하더니 말했다.

"장문이 만지면 점점 더 부어오를지도 몰라요."

"네? 내 손에 독이라도 있어요?"

"……아니요."

"없으면 됐죠 뭐."

설몽의 순수하고 진지한 모습을 보니 놀리고 싶은 마음이 점점 더 커졌다. 당장 놀라서 허겁지겁 도망가거나 버럭버럭 화를 내는 꼴을 감상하고 싶었다.

매함설은 반들반들한 유약을 칠한 것처럼 반짝반짝 빛나는 눈동자로 설몽을 지그시 바라보며 수줍게 말했다.

"정 그러면 도와줘도 되기는 한데, 미리 말해 둘 게 있어요……."

그때, 누군가가 장서각의 문을 똑똑 두드렸다.

매함설이 얼굴을 찡그리며 말을 멈췄다.

돌아보니 선기 장로가 위아래로 푸른색 옷을 입고 문 입구에 서 있었다.

"존주."

선기 장로는 설몽 뒤에 있는 매함설을 보더니 웃으며 말했다.

"수후 낭자도 있었군요."

"얘기할 게 좀 있어서요."

설몽은 조금 전에 자기가 얼마나 위험한 상황에 처했는지도 모르고 으쓱대며 물었다.

"왜요?"

"그게, 곤륜 답설궁의 매한설 선장께서 갑자기 찾아오셨습니다. 존주와 긴히 상의할 게 있다고 단심전에서 기다리고 계십니다."

설몽은 매한설을 만나지 못한 지 꽤 되었다. 매한설은 일이 없이는 찾아오지 않는 사람이었다. 게다가 시공의 문이 열렸던 당시 일전에서 매한설, 매함설 형제가 서로 신분을 바꾼 사실이 드러나면서 수진계 전체가 세상에 매 선장이 두 명 있다는 걸 알게 되었다. 전에 동생에게 상처를 받은 여수사들은 너도나도 형을 어떻게 해 볼 궁리를 했다.

그들의 눈에 매한설은 준수하고 침착하며 헤프지도 않고 연애사도 없어서, 매함설의 완벽한 대체품이었다.

매한설은 이 때문에 골치가 아파 최근 세상에 모습을 거의 드러내지 않았다.

마지막으로 설몽과 만난 건 명월루의 명을 받고 설몽에게 특상품 천산설연을 전해 주러 왔을 때였다. 그때 마침 강동당의 새로운 여자 장문도 와 있었다.

화약미는 장문이긴 하지만 영기가 비범한 엽망석이나 부드럽고 현숙한 왕 부인, 위엄 있는 용언과는 달리, 앞서 임시 장문이었던 황소월이 죽은 뒤 장로들과 돌아가면서 잠자리를 가진 대가로 추대를 받아 장문 자리를 꿰찬 괴짜였다.

화약미가 열두 명의 강동당 장로들과 잤다는 소문이 항간에 나돌았지만, 정작 본인들은 까맣게 모르고 있었다. 어쩌다 소문이 그들 귀에까지 들어가도, 화약미가 흑흑 쥐어짜기만 하면 멍청한 남자들은 의분에 차서 울부짖곤 했다.

"우리 미미가 얼마나 순결한데! 바깥의 천박한 여자들과는 다르다고! 다시 그딴 헛소문 퍼뜨리기만 해 봐!"

매한설은 화약미를 기인이라고 여기며, 정말이지 누가 더 음탕한지 동생과 한판 붙어 보면 좋겠다고 생각했다. 매한설은 화약미가 어떤 물건짝인지 알고 있었지만 설몽은 알지 못했다.

설몽은 항간에 떠도는 소문을 싫어했다. 물론 처음부터 싫어한 건 아니었다. 그런데 연거푸 초만녕과 묵연의 은거 일화를 열여덟 가지나 들은 후에는 진절머리가 나서 사생지전에서는 민간에 떠도는 잡담을 퍼뜨리지 못하게 했다. 그러다 보니 화약미가 남자를 이용해 먹는 데 도가 텄다는 사실에 대해 설몽은 들은 게 하나도 없었다.

그래서 천산설연을 전해 주러 온 매한설은 야릇하게 설 장문에게 집적대는 화약미를 차가운 눈초리로 지켜봤다.

"자명 오라버니, 정말 대단해요. 오라버니가 정말 존경스러워요!"

그녀의 칭찬이 이어졌다.

"자명 오라버니, 갑옷 한 번만 만져 봐도 돼요? 눈부셔!"

아첨이 부드러운 목소리를 타고 흘렀다.

"자명 오라버니, 저는 오라버니가 정말 대단한 것 같아요. 젊은 나이에 하수진계를 평정했는데, 힘들진 않으셔요?"

간지러운 말을 좋아하는 설몽은 낯간지러워하면서도 화약미의 달콤한 칭찬에 정신을 못 차리고 헤헤거렸다.

"……."

정말이지 눈 뜨고 볼 수 없는 진풍경이었다. 매한설은 설몽의 머리가 어떻게 된 게 아닌가 생각했다. 결국 그는 천산설연이 담긴 나무 상자를 탁자에 홱 집어 던졌다. 그 소리에 화약미가 화들짝 놀랐다.

정신을 차린 후 여자가 한 첫 번째 일은 풍만한 젖가슴을 지그시 누르며 그렁그렁한 눈으로 매한설에게 눈을 찡긋하는 것이었다.

"한설 오라버니, 손아귀 힘이 장난 아니네요. 깜짝 놀랐잖아요."

매한설은 쌀쌀맞게 노려보며 조롱하듯 말했다.

"저는 그쪽 같은 여동생을 둔 적이 없습니다."

망신당할 줄 몰랐던 화약미는 난감해하며 얼버무렸다.

"저, 저도 그냥 해 본 소리예요."

"늘 그렇게 아무렇게나 행동합니까?"

"……."

옆에 있던 설몽은 두고 볼 수 없어 말리고 나섰다.

"야야, 적당히 좀 해. 어쨌든 손님이잖아. 화 장문이 전쟁이 끝난 후에 지난 일은 모두 강동당에서 잘못했다는 걸 깨달았대. 진심으로 사생지전과 화해하러 왔어. 그렇죠, 화 낭자?"

설몽 앞에서 여유 만만했던 화약미는 자기 속셈을 훤히 꿰뚫고 있는 듯한 매한설과 눈을 마주치자, 불안한 마음에 목을 움츠리고 억지웃음을 지으며 얼버무렸다.

"그, 그럼요. 설 장문은 제가 가장 존경하는 분입니다. 제가 설 장문을 얼마나 우러러보는데요, 하하하하."

매한설이 냉소를 지으며 말했다.

"지난번에 고월야에서 강희에게도 똑같이 말했죠, 아마."

그 말을 들은 화약미는 낯빛이 확 변했다.

"함…… 함부로 말하지 마세요!"

"그러고는 강야침의 다리를 만졌죠."

"……."

설몽이 경악하며 되물었다.

"뭐라고?"

매한설이 무덤덤한 표정으로 말했다.

"여기 이 화 장문께서 고월야로 찾아가 똑같은 대사로 강 장문을 유혹했었지. 죽고 싶어 환장했는지 강 장문의 허벅지까지 만졌어. 그랬다가 성난 그에게 쫓겨났고. 그 후에 강 장문이 부인과 처방을 보냈다지."

"……."

"양주성에 이미 소문이 쫙 퍼졌다. 얼마 전에 볼일이 있어서 양주에 갔다가 들었어."

매한설은 여자라고 봐줄 생각이 없었기에 냉담하게 몰아붙였다.

"화 장문, 장문이 가장 존경하는 사람이 도대체 설자명이에요, 아니면 강야침이에요? 아니면 누가 상대해 주기만 하면 아무나 다 존경하나?"

매함설, 매한설, 이름은 한 글자밖에 다르지 않은데 형이라는 사람이 동생보다 훨씬 매몰찰 줄이야! 여자의 체면을 하나도 안 봐주다니! 화약미는 얼굴이 새빨개져서 마지막 한 가닥의 희망을 품고 한껏 불쌍하게 말했다.

"한설 오라버니, 다 헛소문이에요. 제 눈을 좀 보세요, 제가 거짓말하고 있는지 아닌지……."

매한설은 보란다고 정말 돌아봤다. 화약미는 속으로 쾌재를 부르며 촉촉한 눈을 깜빡이며 마구 추파를 던졌다.

“그만 깜빡여요.”

매한설은 전혀 동요 없이 심드렁하게 말했다.

“제 성격이 좀 냉담합니다. 특히 그쪽한테.”

“…….”

매한설, 멋대가리 없는 놈! 동생 시중들기에도 모자란 놈!

화약미는 더는 반박하고 싶지 않아 붉으락푸르락한 얼굴로 서둘러 작별 인사를 하고는 눈물을 질질 짜며 돌아갔다.

매한설은 기다란 손가락으로 나무 상자를 가리키며 제자리에 멍하니 서 있는 설몽에게 퉁명스럽게 네 글자를 던졌다.

“많이 먹어.”

설몽은 여전히 멍한 상태로 천산설연 상자를 힐끔 보고는 얼떨떨해하며 대답했다.

“어, 고마워.”

“그래.”

매한설의 벽색 눈동자에 비아냥과 불쾌감이 어려 있었다.

“이거 먹으면 머리가 좋아지거든.”

“?”

설몽이 문득 반응했을 때는 매한설이 저만치 멀어진 다음이었다. 설몽은 매한설의 뒤통수에 대고 씩씩거렸다.

“너너너! 감히 나를 욕해?”

사실 매한설은 동생 매함설보다 훨씬 믿음직스러운 사람이었다. 설몽이 장문의 자리를 이어받은 후 매한설은 줄곧 예의를 갖추고 분수를 지켰다. 그런데 그날은 뭘 잘못 먹었는지 예전처럼 실컷 비웃고는 뒤도 돌아보지 않고 가 버렸다. 그야말로 기분이 상할 대로 상한 채 헤어졌다. 설몽은 전생에 자기 몸에도 고화가 심어진 게 아닐까 의심했다. 그렇지 않고서야 어찌 저런 괴짜 형제와 그림자처럼 붙어 다녔겠는가.

하루를 함께 있는 것도 고역인데!

그 후로 매한설은 한 번도 사생지전에 오지 않았다. 이대로 죽을 때까지 서로 왕래하지 않으려나 보다 하고 있었는데, 오늘 갑자기 급한 일이 있다고 불쑥 찾아왔다. 조금 의외였다.

"또 머리에 좋은 걸 가져왔대요?"

선기가 어리둥절해하며 되물었다.

"무슨 말씀이신지?"

설몽은 헛기침을 한번 하고 속으로 생각했다.

'따지고 보면 나는 장문이고 매한설은 대사형일 뿐이잖아. 아직 명월루의 의발[#55]을 이어받지 않았잖아. 지위가 더 높은 내가 '후배'와 시시콜콜 따져서는 안 되지.'

그리하여 설몽은 목청을 가다듬고 물었다.

"아무것도 아니에요. 무슨 일로 왔대요?"

"듣기로는…… 도포산장에서 사고가 터졌답니다."

"네?"

설몽이 의아한 듯 눈을 부릅떴다. 그러고는 옆에 있는 수후낭자를 힐끔 보며 미간을 찌푸렸다.

"무슨 일인데요?"

#55 의발 衣鉢. 가사와 바리때. 불교 수행자의 의복과 식기를 가리키는데, 스승이 제자에게 전해 주는 깨달음이나 정법을 표시하는 물건의 의미로 사용됨

"자세한 건 매 선장께서 말씀해 주시지 않아서 잘 모르겠습니다만, 사고를 친 사람이 동생분이라고 하더군요."

그 순간, 왜인지 매함설이 눈썹을 확 추켜세웠다.

"……."

선기는 '그녀'의 반응을 눈치채지 못하고 주저하며 말을 이었다.

"그리고 장문도요."

"?"

매한설은 남이 아닌지라 단심전의 외전에서 기다리지 않고 후전의 정원 복도에서 잠시 쉬고 있었다. 설몽이 도착했을 때, 매한설은 복도 옆에 서서 새로 심은 해당화를 올려다보고 있었다.

그는 곤륜 답설궁 특유의 소매가 넓고 생사로 된 장포를 입고 있었다. 몸통에는 우아한 무늬가 수놓아져 있고, 소매 가장자리와 앞자락만 연한 하늘색 바탕으로 되어 있었다. 찰랑거리는 금발이 너무 눈부셔서인지 분명 수수한 옷차림인데도 따분하고 재미없어 보이지 않고, 오히려 깊이 잠들어 있는 설산처럼 보였다. 냉담하고 고고해 쓸쓸하게 보이지만, 그 아래에는 뜨거운 용암이 소리 없이 들끓고 있는 그런 설산처럼.

언제 터져 나와 가까이 있는 사람들을 뒤덮을지 몰랐다.

설몽은 쓸데없는 말을 하는 대신 헛기침을 한번 했다. 그 소리에 매한설이 고개를 돌렸다.

다시 헛기침, 인사를 건넨 셈이었다.

또다시 헛기침, 이전의 나쁜 감정을 털어 버린다는 의미였다.

네 번째 헛기침…….

매한설은 벽옥 같은 눈동자를 되록 돌리더니 덤덤하게 물었다.

"수탉이 우는 흉내를 내는 거야?"
"……."
"제법 그럴듯하네."
설몽은 상대가 네 번의 헛기침에 담긴 깊은 뜻을 알아채기는 커녕 오히려 비웃자, 저도 모르게 눈을 부릅뜨고 소리를 버럭 질렀다.
"매한설! 너!"
"너 나 할 때가 아니야."
매한설은 뒷짐을 지고 서서 이마의 물방울 모양 보석 장식을 반짝이며 말했다.
"네가 무슨 사고를 쳤는지 알고는 있어?"
어려서부터 어머니와 사존의 말이라면 절대적으로 따랐던 바른 아이로서 설몽은 '사고를 친다'라는 말을 본능적으로 경계했다. 설몽은 자신은 절대 사고를 치지 않을 거라고 생각했다. 사생지전의 사고뭉치는 영원히 묵연, 묵미우였으니까. 그래서 설몽은 바짝 긴장하며 되물었다.
"내, 내가 무슨 사고를 쳤다는 거야?"
"너 '도포산장이 내 청춘을 망치네'라는 이름으로 해우 족자에 비추천 글을 100개 넘게 달았지?"
"……그게 뭐?"
설몽은 토라져서 손을 허리에 대고 소리 질렀다.
"설마 마방지가 화를 못 이기고 서호에 뛰어들기라도 했어?"
매한설은 말없이 설몽을 노려봤다.
매한설의 섬뜩한 눈빛에 설몽은 저도 모르게 주눅이 들어 주저하며 물었다.

"설마? 아니지? 정말 뛰어들었어?"

"뛰어들기는 뭘 뛰어들어."

매한설은 허리에 얹은 설몽의 손을 노골적으로 노려보더니 사정없이 훈계했다.

"한 문파를 이끄는 수장으로서 행동거지를 조심해야지. 막돼먹은 아낙네처럼 그게 뭐야, 꼴사납게."

"?"

설몽은 발끈했다.

"아니, 매한설. 어쨌거나 한 문파를 이끄는 수장인데, 감히 나한테 그딴 식으로 말해?"

매한설이 그를 힐끗 보더니 비아냥거렸다.

"너랑 나밖에 없으니까 말해 주는 거야. 조언을 받아들이기 싫으면 계속 그러고 있어. 하루 종일 그러고 있어도 난 상관없어. 밥 먹을 때도 그러고 있지그래. 참, 제자에게 밥을 떠먹여 달라고 하는 거 잊지 말고."

"너, 너……."

설몽은 화가 치밀어 기절할 지경이었다.

매한설과 매함설, 둘 중에 누가 더 괘씸한지 가리기 힘들었다. 매함설은 수시로 그를 놀려 댔다. 보는 눈이 있든 없든 방탕한 꼬락서니를 하고 있어서 가끔은 창피해 죽을 지경이었다.

매한설은 달랐다. 다른 사람 앞에서는 그래도 체면을 세워 줬다. 그런데 보는 사람이 없거나 제 기분이 나쁘면 동생보다 더 얄밉게 굴었다.

게다가 매한설은 평소에 지나치게 점잔을 빼고 외부와 왕래가 거의 없다 보니 수진계에서 평판이 상당히 좋았다. 설몽이 아무리 노발대발하며 매한설의 독설을 비난해도, 사람들은 설 장문에게 연민 어린 눈빛을 보내며 타일렀다.

"아이고, 장문. 시간 나면 흰목이버섯연밥탕을 많이 드세요. 마음을 안정시키고 화기를 내리는 데 효과적이에요."

그랬다!

매한설이 괴롭힌다고, 얼굴이 특이하게 부었다고 하고, 영산논검 1등이 너무 바보 같다고 하고, 먹으면 머리가 좋아진다면서 천산설연을 건넸다고 해도 아무도 믿지 않았다!

설몽은 그야말로 벙어리 냉가슴 앓는 신세였다!

너무 화가 나서 어쩔 줄을 모르던 그때, 매한설이 정색하며 말했다.

"허튼소리 그만하고. 네가 남긴 그 비추천 후기가 문제가 됐어."

그러고는 잠시 멈추더니 옅은 금색의 눈썹을 확 추켜세우며 말했다.

"그리고 내 동생 놈도."

"대체 어떻게 된 거야?"

"간단히 말하면, 해우 족자의 모체가 요괴가 됐어."

설몽은 경악을 금치 못했다.

"뭐라고?"

"다 너와 내 동생 때문이지."

"뭐, 뭐로 변했는데?"

"간단히 말하면, 사람으로."

"사람의 모습으로 변했다고?"

"그래."

설몽은 조급해서 입을 쩝쩝 다셨다. 성격이 불같은 설몽에게는 이렇게 찔끔찔끔 털어놓는 것만큼 고역인 게 또 없었다.

"자세히 좀 말해 봐. 대체 무슨 상황이야?"

"간단히 말하면……."

"간단히 말하지 말고!"

설몽은 마음이 급해 펄쩍 뛸 지경이었다.

"복잡하게, 복잡하게 말해!"

매한설은 덤덤하게 그를 한번 보더니 느긋하게 말했다.

"좋지, 그럼 복잡하게 말할게. 마방지가 해우 족자를 만들 때 좀 더 지혜롭게 하기 위해서 모체에 아주 희귀한 지령석(智靈石)을 넣었는데, 그 지령석이 사람의 행동을 모방할 수 있어. 그래 봤자 어리석은 돌덩이라 한두 번으로는 따라 하지 못해. 그런데 어느 날, 함설이도 족자를 하나 샀어."

"……그래서?"

"그 녀석이 글쎄 신분을 100개나 꾸며 내서 500명과 대화를 나눴더라고. 그렇게 백 번을 반복하다 보니까 해우 족자의 모체가 습득이 된 거지."

"……."

역시, 매함설답다.

매한설은 어이없어하는 설몽을 보더니 눈썹을 살짝 추켜세우고 말했다.

"다 개 잘못이라고 생각하지 마. 함설이만 그랬더라면 아무 문제 없었을 거야. 그런 와중에 네가 비추천 후기를 100개 넘게 남겼지. 너의 신랄하고 매몰찬 말이 지능이 막 개화된 그것의 자존심을 제대로 건드려 버렸어. 그래서 자극을 받고 폭주하기 시작했어."

설몽이 놀라며 물었다.

"그럴 수도 있어?"

"그뿐만이 아니야."

매한설이 덤덤히 말했다.

"해우 족자 모체는 화가 난 나머지 사용자들의 영류를 모두 흡수해 버렸어. 게다가 너와 함설이의 행동을 모방하기 시작했어. 얼마 전에 마방지의 금제를 깨고 벼락의 힘을 빌려 사람의 모습으로 변했어. 남자가 됐는데, 법력이 상당히 뛰어나. 그리고 두 가지 불치병에 걸렸지."

"뭔데?"

"첫째, 구제 불능 바람기."

"그건 매함설을 따라 배웠겠지."

설몽이 이어서 물었다.

"다른 하나는?"

매한설은 잠시 멈추더니 속눈썹을 떨어뜨려 설몽을 내려다보며 옅은 입술로 의미심장하게 말했다.

"변태적인 자기애."

설몽은 제 허물을 모르고 고개를 끄덕이며 엄숙하게 말했다.

"매함설이 자기애가 강하긴 하지."

"……."

"나도 비추천 후기를 남기는 행동을 백 번 반복했는데 나를 따라 배우지는 않았군."

설몽은 안도의 한숨을 내쉬었다.

"그럼 지금은 어때? 접객마 혼자서는 그 요물을 제압하지 못하는 거야?"

그때 정원에 꾸며 놓은 바위 뒤에서 바스락거리는 소리가 들려왔다.

"누구야?"

꽃 그림자가 흔들리더니 잠시 후 부드럽고 아름다운 수후 낭자가 바위 뒤에서 걸어 나왔다. 옅은 색의 머리카락에는 마른 나뭇잎 하나가 붙어 있었다. 수후는 매한설에게 눈길도 주지 않고 웃으며 설몽에게 손을 흔들었다.

"장문, 지나가던 길이니까 신경 쓰지 마세요……."

살금살금 자리를 피하려는데 매한설이 싸늘한 목소리로 불러 세웠다.

"거기 서."

설몽이 얼굴을 찡그리며 설명했다.

"사생지전의 손님이야. 도포산장의 수후 제자. 괜찮은 사람이니 낭자한테 그렇게 무섭게 굴지 마."

매한설이 눈을 가늘게 뜨고 되물었다.

"낭자?"

"응."

"도포산장?"

"그래."

"수후?"
"그렇다니까."
매한설은 얼음처럼 차가운 얼굴로 계단을 내려와 수후 낭자 옆에 섰다.
"매함설."
"?"
설몽은 어리둥절해하며 두 사람을 번갈아 쳐다봤다.
"또 장난을 친 거야?"
"!"

매함설이 거울 앞에 앉아 탄식하며 얼굴에 난 상처를 살펴보고 있었다.
어떻게 설몽의 손아귀에서 살아남았는지 기억도 나지 않았다. 설몽은 죽일 듯한 기세로 달려들었다. 다행히 채포가 그동안 말린 물고기를 먹여 준 정 때문인지 용감하게 뛰쳐나와, 자신을 산 채로 와그작와그작 씹어 먹을 기세인 설자명을 막아 나선 덕분에 겨우 도망쳤다.
"정말 너무하네."
매함설은 입가의 멍 자국을 어루만지며 미간을 찌푸렸다.
옆에서 지켜보던 매한설이 쌀쌀맞게 말했다.
"맞아도 싸지. 그러게 누가 걸핏하면 괴롭히래?"
매함설이 거울에 비친 형을 노려보며 반박했다.
"형은 안 괴롭히는 것처럼 말한다? 기회만 잡았다 하면 죽어라 조롱하던 사람이 누구였더라. 더군다나 나는 걱정도 덜어 줬다고."
"무슨 걱정을 어떻게 덜어 줬는데?"
매한설이 냉담하게 물었다.
"화가 나서 미칠 지경이던데, 못 느꼈어?"
"알지."
매함설은 잠시 멈추더니 씩 웃으며 말했다.
"후, 솔직히 화내는 모습이 너무 재밌잖아. 나도 가만 놔두고 싶다고. 그런데 자꾸만 '놀려 주십시오' 하고 부르는 걸 어떡해?"
그러고는 히죽거리며 일어나서 건들건들 탁자에 기대어 서더니 매한설을 툭 치고 말했다.
"그냥 장난 좀 친 거지. 장난은 장난이고, 잘 보호할게."
"……."
"생각해 봐, 내가 사생지전에 있는 요 며칠 동안 걔가 얼마나 즐거워했는데. 오늘만 화냈어. 사흘 동안 즐겁게 해 주고 하루 화내게 했으니 이만하면 수후 역할 잘했네, 뭘."
매함설이 고양이 눈 같은 비취색 눈을 깜빡이며 눈웃음을 지어 보였다.
"그러니까 화 풀어."
"다음엔 그런 식으로 속이지 마."
"풋, 그래. 다음엔 다른 방법으로 놀려야지."
"너!"
"형도 끼워 줄게."
매한설이 성난 기색으로 호통쳤다.
"네가 친 사고니까 내일 마 장주께 뭐라고 말할지나 생각해 봐. 난 잔다."

"설몽 놀리기 한판 하지 않고?"

"왜? 얼굴에 상처 몇 줄 더 긋고 싶어?"

매함설은 입을 쩝쩝 다시더니 형의 침상에 벌렁 드러누워 한숨을 푹 내쉬었다.

"휴, 설몽을 놀리지 못하면 인생에 무슨 낙이 있겠어?"

매한설은 대뜸 얼굴이 어두워졌다.

"누가 신발 신고 내 침상에 누우래?"

설몽과 매함설이 저지른 일 때문에 도포산장이 곤경에 빠졌으니, 설령 그게 고의든 아니든 두 사람이 나서서 해결해야 했다.

그리하여 다음 날 아침, 설몽은 마지못해 매씨 형제와 함께 어검을 해 서호 쪽으로 날아갔다.

부엉이 문장이 여기저기 걸려 있는 도포산장 앞에 도착했을 때, 설몽은 깜짝 놀랐다.

화려하고 웅장한 산장 앞에 사람들이 모여 서서 붉은 칠을 한 목패를 들고 노기등등해서 뭐라 뭐라 소리를 지르고 있었다. 쩌렁쩌렁하기는 해도 각자 다른 말을 하고 있어서 도무지 그 내용을 알아들을 수가 없었다. 어안이 벙벙해 있던 그때, 알록달록 화려한 옷을 입고 짙게 화장한 여자들이 길모퉁이를 돌아 다가오고 있었다. 임안에 있는 기루란 기루의 기생 어미들이 다 모였다!

평소 같았으면 서로 머리채를 잡고, 물고 뜯고 싸웠을 기생 어미들이 보기 드물게 한목소리를 냈다.

"우리 집 간판 기생 돌려줘!"
"우리 집 명기 돌려줘!"
"우리 집 여자애들 돌려줘!"
"우리 집 심부름꾼 아이도 돌려줘!"
설몽은 머리털 나고 한 번도 이런 광경을 본 적이 없었다. 하늘도 땅도 두려워하지 않는 설몽이지만 저도 모르게 그 여자 부대가 무서웠다. 매함설이 당황하는 설몽을 보며 피식 웃더니 어깨를 툭툭 쳤다.
"괜찮아, 여자는 부드러운 동물이라 잡아먹지 않아."
말이 끝나기 바쁘게 어떤 기생 어미가 거대한 가슴을 마구 두드리며 다가왔다. 어찌나 격렬하게 두드리는지 살결이 출렁출렁 물결쳤다. 그 모습에 설몽은 눈이 휘둥그레졌다. 너무 무서워…….
기생 어미가 성나서 고함쳤다.
"도포산장은 하루속히 요물을 처단하라!"
"옳소!"
잠시 적응하니 사람들이 외치는 소리가 점점 똑똑히 들렸다.
"내 딸의 자존심을 돌려줘!"
"요물이 우리 집사람을 둥글넓적해서 기름떡 같다고 하는 바람에, 그녀가 눈물까지 흘렸다고요!"
"……이게 다 무슨 일이지?"
설몽이 혼잣말로 중얼거렸다.
매한설이 칼로 어깨를 툭 치고 말했다.
"뒷문으로 들어가자."
설몽은 아직 화가 덜 풀려 매씨 형제에게 말대꾸도 하기 싫었다. 하지만 앞문은 사람들로 물샐틈없이 막혀 있었고, 불쌍한 도포산장 제자가 그 앞에 서서 웃으며 비위를 맞추고 있었다. 그는 어쩔 수 없이 눈을 한번 흘기고는 마지못해 매씨 형제를 따라 뒤쪽으로 에돌아갔다.

"사생지전 장문 설몽, 곤륜 답설궁 제자 매한설, 매함설 형제가 마 장주님을 뵙기를 청합니다."

"아!"

뒷문을 지키고 있던 제자가 눈물이 그렁그렁해져서는 그들을 반겼다.

"설 장문! 매 선장! 드디어 오셨군요!"

설몽이 물었다.

"마 장주는? 밖에 저렇게 난리가 났는데 민심을 어루만지지는 못할망정 두문불출이라니?"

그 말을 들은 제자는 갑자기 눈물 콧물 범벅이 되어 말을 잇지 못했다.

"장, 장주께서…… 장주께서……."

늘 접객마의 심리 상태를 얕잡아 보고, 그가 자연으로 돌아가기를 열망하는 사람이라고 생각했던 설몽은 바짝 긴장하며 물었다.

"설마 서호에 뛰어들었어?"

"……."

제자가 엉엉 울며 설명했다.

"아니요, 아닙니다! 그게 아니고 어제, 어젯밤에…… 마 장주께서 나비가 되어 날아가셨습니다!"

그러나 도포산장의 화청에 들어서서 눈물겨운 사연의 주인공 마 장주를 보자마자 설몽은 영혼에서 우러나온 질문을 던졌다.

"제기랄, 이게 무슨 나비야?"

작은 꿀벌 한 마리가 윙윙 소리를 내며 사방으로 날아다니고 있었다.

너무 정신이 사나워서 손으로 때려잡으려는 설몽을 도포산장의 장로가 재빨리 막고 나섰다.

"안 됩니다! 그렇게 내리치시면 장문은 죽습니다!"

"……."

부지런한 꿀벌로 변신한 접객마는 공중에서 한 바퀴 빙 돌더니 자단목 탁자의 정중앙에 안전하게 내려앉아 꿀벌의 눈으로 설몽을 노려봤다. 설 장문에게 자신의 비참한 처지를 하소연하는 것 같았다.

"아니."

설몽은 목이 타서 침을 꼴깍 삼키곤 꿀벌을 가리키며 재차 확인했다.

"이게 정말 접객마라고요? 사람들의 질책을 피하려고 그럴듯한 이야기를 꾸며 내서 당신들을 속인 게 아니고요? 확실해요?"

"틀림없습니다. 정말입니다."

장로가 비통해하며 말을 이었다.

"어젯밤에 장주가 나비로 변하는 걸 제 두 눈으로 똑똑히 봤습니다."

"꿀벌이잖아요."

"장주는 나비로 변한 후에도 도포산장을 맴돌며 꽃가루받이를 하고, 할 수 있는 일을 찾아서 하고 있습니다."

설몽이 이를 악물고 거듭 말했다.

"……꿀벌이에요."

"설 장문, 의심하지 마세요. 이렇게 근면 성실하고 지혜로운 나비를 본 적 있으십니까?"

설몽은 답답해서 숨이 막힐 지경이었다.

"마지막으로 말합니다! 이 망할 것은 꿀벌이라고요!"

"나비가 되는 바람에 오늘은 장주께서 직접 접대하지 못하고 부득이 제가 세 분을 모시게 되었습니다. 소인 진욱연, 진 장로입니다."

그러고는 허리를 숙였다.

"우선 예를 올리겠습니다."

"……."

설몽은 진욱연이 사람 말을 못 알아듣는 게 아닐까 생각했다.

도포산장 제자들이 서둘러 다과를 내왔다. 세 사람은 진 장로와 함께 먹으면서 얘기를 나누고, 마 장주가 변한 꿀벌은 찻주전자 뚜껑에 얌전히 앉아 있었다.

어떻게 된 일인가 하니, 진 장로의 설명은 이랬다. 치정에 빠진 남녀의 생각을 모두 흡수한 해우 족자는 마음에 꼭 드는 동반자를 찾기를 간절히 바라기 시작했다. 그리하여 사람 형태로 변한 후, 그 소망은 '그것'의 집념이 되어 버렸다.

사실 별로 큰일도 아니었다. 동반자를 찾고 싶어 하는 다른 요괴를 찾아 붙여 주면 그만이었다. 그런데 문제는 '그것'이 설몽과 매함설을 모방하여 행동한다는 것이었다. 족자 요괴는 무척이나 까다로웠다. 대갓집 규수든 가난한 집의 고운 딸이든, 기루의 명기든 구멍가게 미녀든, 모두 성에 차지 않아 했다.

임안에서 가장 아름다운 젊은 부인은 '너무 뚱뚱해서' 싫고, 가장 맵시 있는 낭자는 '너무 음탕해서' 별로고, 기루의 명기는 '다리털이 있어서' 거절하고, 구멍가게 미녀는 '발 냄새가 난다'고 차 버렸다.

이치대로라면, 말을 이렇게 독하게 하는데 진작 여자들에게 몰매를 맞아야 마땅하다. 그런데 이 요물은 매함설의 매혹적인 기질로 법술을 수련해 온갖 수모를 당한 여자들도 상사병에 걸리게 만드는 재주가 있었다. 게다가 '그것'이 점찍은 여자가 마음에 둔 사람이 있으면, 그 사람의 모습으로 변해 여자를 눈물바람 날리게 만들었다.

여기까지 들은 설몽은 의분에 차서 소리쳤다.

"너무하잖아!"

그러고는 매함설을 노려보며 호통쳤다.

"잘 봐, 네가 무슨 사고를 쳤는지!"

"……."

매함설은 너무 어이가 없어서 말이 나오지 않았다.

"그런데 마 장주는 왜 꿀벌이 된 겁니까?"

진욱연은 한숨을 푹 내쉬었다.

"그게, 족자 요괴가 너무 많은 임안 백성을 건드렸어요. 민간에서부터 기루, 관가 아씨들까지 안 건드린 여자가 없을 정돕니다. 여자들에게 특별한 영향을 미치는 게 아닐까 싶은데, 족자 요괴가 건드린 여자들은 하나같이 성격이 크게 바뀌었어요. 춘

차루라는 기루의 명기만 보더라도, 원래는 말솜씨가 좋은 팔방미인이라 손님들을 기분 좋게 하는 재주가 뛰어났는데, 족자 요괴를 접대한 후에는 성격이 정반대로 바뀌어서 생각하는 대로 가식 없이 말하는 고집불통이 되었다지 뭡니까."

"그게 무슨 말이죠?"

"예전에는 손님만 보면 나리, 나리 하면서 '혈색이 정말 좋으십니다. 얼굴에 윤기가 흐르는 게 조만간 지위가 오르고 부자가 되시겠어요' 하거나 '나리, 어쩜 그렇게 기력이 왕성하세요? 저 정말 두 손 두 발 다 들었습니다. 첩을 80명은 거뜬히 거느리시겠어요'라고 간지러운 말을 잘했거든요."

매함설이 참지 못하고 웃음을 터뜨렸다.

"풋, 과장이 너무 심하네요."

"손님들이 좋아하니까요."

진욱연이 계속해서 말했다.

"그런데 요즘은 완전히 달라졌어요. 같은 손님에게 글쎄 '이 탐관 놈아, 양미간이 거무죽죽하고 얼굴에 살기가 가득 차 있으니 계집질 좀 작작해. 네놈의 액운이 나한테 옮겨 올까 봐 겁나니까'라고 하고, '영감탱아, 남들은 하룻밤에 일곱 번을 하는데 너는 한 번에 일곱 번 움직이면 끝나잖아. 쯧쯧, 쭈글쭈글해 가지고 무슨 거북이도 아니고. 나이를 처먹었으면 얌전하게 쭈그러져 있을 것이지, 기루에는 왜 기어 나와'라고 한다니까요."

"……."

"……."

설몽과 매한설은 기가 차서 아무 말도 못 하고 있는데 매함설이 낄낄 웃으며 듣더니 히죽거리며 말했다.

"그 기루, 곧 문 닫겠네요."

"진작 닫았죠. 그래서 도포산장에 찾아와서 저 난리인 거고요."

진욱연이 한숨을 푹푹 내쉬며 말했다.

"그래서 장주께서 조사해 봤더니, 글쎄 여자들이 모두 성격이 바뀐 겁니다. 쑥스러움이 많아서 집 밖에도 못 나가던 여자가 홀딱 벗고 길거리를 나돌아 다니고, 자태가 아름답고 꾸미기를 좋아하던 여자가 거울 앞에 앉아 제 가슴에 털을 그려 넣어 남성미를 과시하고, '이렇게 귀여운 토끼를 어떻게 잡아먹을 수가 있어요' 하던 여자가 앉은 자리에서 토끼 대가리 다섯, 오리 대가리 다섯, 거북 대가리 다섯을 먹어 치우고……."

"?"

진욱연은 말하다가 절망에 빠져 머리를 쥐어뜯었다.

"도저히 가만있을 수 없어서 마 장주께서 솔선수범으로……."

"요괴를 잡으러 갔나요?"

"아니요, 족자 요괴는 무력으로 굴복시켜서는 안 됩니다. 악귀가 아니라 머리가 나쁠 뿐이니까요. 사람의 목숨을 해친 적도 없고요. 게다가 무력으로 처단하는 날에는 자폭하여 해우 족자에서 나눴던 대화들을 수진계 전체에 퍼뜨릴 겁니다. 손님의 비밀을 유출해서는 안 되죠. 저희 도포산장은 악덕 상인이 아닙니다. 만에 하나 그런 일이 일어나면 산장의 평판이 하루아침에 떨어질 겁니다."

매함설이 고개를 설레설레 저으며 덧붙였다.

"그뿐이겠어요? 난리가 나겠지. 유부남, 유부녀들이 배우자

몰래 무슨 낯 뜨거운 말을 했는지 어떻게 압니까."

설몽은 머리가 지끈지끈 아팠다.

"그래서 접객마가 어쨌는데요?"

"장, 장주께서 직접 족자 요괴와 만나셨습니다. 여장을 하고 유혹해서 잘못을 뉘우치도록 타일러 보려고 했는데……."

"……접객마가 미인계를 썼다고요?"

설몽의 입가가 움찔거렸다.

"도포산장에 거울이 부족한가 보네요. 사생지전에서 큰 것으로 하나 선물할 테니 사양하지 마세요."

그 말을 들은 꿀벌은 화가 났는지 붕 날아올라 설몽 주위를 윙윙 맴돌았다.

진욱연이 꿀벌을 힐끔 보더니 난감해하며 이어서 말했다.

"그게…… 음, 저희 마 장주는 자태가 용맹하고 재기가 넘치지만, 족자 요괴의 요구가 워낙 까다롭다 보니 여장을 하고도 마음이 놓이지 않아 강야침에게 미혼향까지 샀어요. 그 미혼향으로 말할 것 같으면, 일다경[#56]만 켜 둬도 상대방의 마음을 현혹해 암퇘지도 선녀처럼 아름답게 보이게 한답니다."

그러고는 바짝 긴장하며 황급히 덧붙였다.

"물론 장주가 암퇘지라는 말은 절대 아닙니다!"

웽웽웽웽!

"그래서요? 미혼향이 효과가 없었어요? 강희 그 작자가 가짜를 판 거예요?"

"아, 아닙니다."

#56 일다경 —茶頃. 한 잔의 차를 마실 정도의 사이라는 뜻으로, 매우 짧은 시간을 이르는 말

진욱연은 난감해서 어쩔 줄 몰라 하며 말까지 더듬었다.

"그게…… 족자 요괴가 여장을 한 마 장주를 보자마자 '우웩' 하고 가 버리는 바람에 일다경이 채 안 돼서……."

비참하다.

설몽이 웃음을 참느라 고역을 겪는 그때, 매함설이 참지 못하고 가벼운 웃음을 터뜨렸다. 그러자 설몽이 고개를 홱 돌려 노려보며 호통쳤다.

"웃지 마, 정숙해!"

"족자 요괴에게 버림받으면 여자는 성격이 크게 변하고, 남자는 동물로 변하게 됩니다."

진욱연이 꿀벌을 처량하게 바라보며 말을 이었다.

"장로들이 밤새 온갖 방법을 다 써 봤지만 요술을 풀지 못했습니다. 도저히 어찌할 도리가 없어서 사람을 보내 도움을 청했습니다."

"도움이라뇨?"

설몽은 잠시 어리둥절해하다, 불길한 예감이 들어 물었다.

"누구에게요?"

말이 떨어지기 바쁘게 화청 밖에서 제자가 목청을 높여 보고했다.

"약학 문파 고월야의 존주, 강 장문께서 오셨습니다!"

강희는 오늘도 세상 사람 다 제정신이 아닐 때 홀로 깨어 있는 듯한 고결하고 도도한 자태였다. 그는 담청색 바탕에 은테를 두른 장포를 입고 있었는데, 은실과 물총새의 깃털에서 뽑은 비단실로 지은 것이었다. 겉에는 옅은 금색의 비단 덧옷을 걸치고 있었는데, 휘황찬란하고 눈부셨다.

강희의 옷차림은 늘 '나는 돈이 많으니 원한다면 뺏으러 와 봐'라고 말하는 것 같았다. 그러나 누구도 그럴 순 없었다.

강희의 준수한 얼굴에는 늘 '나랑 자고 싶어 하는 거 다 안다'라고 쓰여 있는 것 같았다. 그러나 누구도 그와 잘 수 없었다.

오만불손한 강희가 들어서자 도포산장 제자가 읍하며 인사했다.

"강 장문께 인사 올립니다!"

매씨 형제도 인사했다.

"강 존주께 인사 올립니다."

설몽은 팔짱을 끼고 외면하며 콧방귀를 탁 뀌었다.

설몽의 무례한 행동에 도포산장의 제자들은 경악을 금치 못했다. 도포산장은 고월야와 가까이 지내다 보니 강희가 성깔이 얼마나 더러운지 익히 알고 있었다. 그런데 손아랫사람인 설몽이 감히 강 장문을 들이받다니!

모두가 손에 땀을 쥐고 강 존주가 설몽에게 어떤 벌을 내릴지 기다리고 있었다.

그런데 강희는 설몽을 힐끔 보고는 이내 말없이 다른 데로 시선을 옮겼다.

"?"

강희와 입씨름을 벌이는 것에 익숙해진 설몽에게 강희를 도발하는 일은 본능에 가까웠다. 무시당한 설몽은 눈을 부릅뜨고 목청을 한번 가다듬더니 조금 전보다 훨씬 오만한 자세로 다시 한번 흥 하고 콧방귀를 뀌었다.

그런데도 강희는 설몽을 거들떠보지도 않고 말도 붙이지 않았다. 그는 방 안을 쓱 둘러보더니 진 장로에게 물었다.

"마방지는?"

진 장로가 미처 대답하기도 전에 설몽은 또다시 노기등등해서 큰 소리로 콧방귀를 뀌었다.

"……."

그제야 강희는 촉촉하고 둥그런 눈동자를 천천히 돌려 설몽을 봤다.

"설 장문, 비염인가?"

"내가……! 나, 나는……."

"비염이면 한 번만 더 흥, 해 봐라. 약을 줄 테니."

"당신! 당신, 당신……."

"말 더듬는 병을 고치는 약도 있다. 약효가 꽤 좋은데 필요하면 말하거라."

도포산장 제자들은 깜짝 놀랐다.

어떻게 강 장문에게 연거푸 세 번이나 콧방귀를 뀌고도 맞아 죽지 않을뿐더러, 강 장문의 세심한 관심과 살뜰한 돌봄까지 받을 수 있는 거지?

매한설도 무슨 생각에 잠긴 듯 설몽과 강희를 번갈아 보며 옅은 금색의 눈썹을 살짝 찡그렸다.

구경거리가 생겨 신이 난 수후 여제자들이 화청 밖에서 저들끼리 재잘댔다.

"아아아아아! 강 장문 너무 편애하시네! 소문이 진짜인가 봐! 《포악한 선존의 귀여운 아내》!"

그러자 다른 수후가 반박했다.

"무슨 소리! 분명 《나와 선존의 잠자리 이야기》구먼!"

또 다른 수후가 끼어들었다.

"너희들 눈이 멀었어? 매 선장의 표정 안 보여? 매 선장이 기분 나빠하잖아! 내가 버섯 책방에서 파는 《매씨 형제가 돼지를 희롱하네》를 읽어 보라고 했잖아!"

앞서 아옹다옹하던 수후들이 발끈했다.

"설 장문을 돼지라고 욕하지 마!"

그녀들이 말다툼을 벌이는 소리를, 다행히 당사자들은 듣지 못했다. 설몽은 강희 때문에 너무 화가 나서 어질어질했다. 분통을 터뜨리려는 찰나, 매함설이 막아 나섰다.

설몽이 눈을 부릅뜨고 따져 물었다.

"왜 저 사람 편을 들어?"

매함설이 두 손으로 설몽의 얼굴을 감싸더니 빙그레 웃었다.

"너 얼굴이 시퍼레졌어. 마음 좀 가라앉히게 여기 앉아서 홍차 좀 마셔……."

강희가 담담하게 두 사람을 흘겨봤다. 남들이 보기에 강야침은 수진계 제일의 종주로 위상이 상당히 높은 반면, 설몽은 제아무리 떠오르는 별이라도 고월야의 새끼손가락만도 못했다. 눈썰미가 있는 사람이라면, 매함설이 말리고 나선 건 괜히 원한을 사지 않도록 설자명을 도와주기 위해서라는 걸 알 것이다.

그런데 정작 설몽은 매함설의 깊은 마음 씀씀이를 알아채지 못했다. 강희는 속으로 고개를 설레설레 저으며 소란을 피우는 두 풋내기에게서 시선을 돌렸다.

강희는 굳은 얼굴로 진육연에게 퉁명스럽게 물었다.

"마방지는? 내가 온 지가 언젠데 아직 코빼기도 보이지 않는 거요?"

강희와 눈이 마주친 진 장로는 두려움에 벌벌 떨며 서둘러 설명했다.

"아닙니다, 아닙니다, 그런 게 아닙니다! 장주께서 일부러 푸대접하는 게 절대 아닙니다! 하도 병이 심해서……."

강희는 여전히 시큰둥한 채로 말했다.

"얼마나 심한데 그렇소? 걷지도 못하나?"

"아니요! 장문께선 요술에 걸려 나…… 나비가 되어 날아가셨습니다!"

"……."

강희와 고월야 수사들은 침묵에 빠졌다.

잠시 후, 강희가 눈을 가늘게 뜨며 입에는 노기를 가득 품은 채 조롱하듯 말했다.

"자네, 《후궁향비전(後宮香妃傳)》[#57]을 너무 많이 본 거 아닌가?"

강희의 매서운 눈빛에 진욱연은 겁을 먹고 목을 잔뜩 움츠렸다. 강 존주가 홧김에 자신을 용광로에 처넣어 가루로 만들어 버릴 수도 있다는 생각에, 재빨리 머릿속으로 어떻게 강 존주와의 사이를 좁혀 화를 면할까 궁리했다.

그는 고심 끝에 긴장하고 두려운 나머지 큰 소리로 이렇게 외쳤다.

"강 장문, 살려 주세요! 저희 둘 다 《후궁향비전》을 읽은 정을

#57 후궁향비전(後宮香妃傳) 後宮香妃傳, 소설이자 드라마로도 제작됐던 〈황제의 딸〉 여주인공들이 건륭제의 후궁이었던 위구르 출신의 향비를 그녀의 소원에 따라 황궁에서 몰래 내보내주고 황제에게는 '향비가 나비로 변해 날아갔다'고 거짓말한 장면이 있다. '후궁향비전'은 이를 연상시키기 위해 임의로 만든 소설 제목이다.

봐서라도! 용서해 주십시오!"

"……."

장내는 순식간에 물 뿌린 듯이 조용해졌다. 강희의 말에서 맹점을 발견하지 못했던 수사들도 문득 깨달았다.

그렇지, 강희가 《후궁향비전》을 읽어 보지 못했다면 어떻게 나비가 되어 날아가는 대목을 알고 있겠는가?

강 존주의 독서 취향이…….

강희는 진욱연의 옷깃을 와락 움켜잡고 한참을 노려보더니 확 밀어내고 음산하게 말했다.

"……당장 이 혓바닥을 뽑아 버려라."

고월야의 앞잡이가 재깍 대답했다.

"네!"

"아아악!"

진욱연이 처참하게 울부짖었다.

"장주! 살려 주세요! 살려 주세요! 제발 저를 살려 주세요!"

위기의 순간, 주전자 뚜껑에 앉아 있던 꿀벌이 용감하게 날아가 강야침 주변을 윙윙 맴돌았다.

강희가 성가셔서 미간을 확 찌푸리며 명령했다.

"이놈의 파리도 때려죽여."

"네!"

설몽은 더는 강희가 미쳐 날뛰는 꼴을 두고 볼 수 없었다. 그가 앞을 가로막고 있는 매함설을 확 밀치고는 고래고래 소리를 질렀다.

"죽이네 마네, 그만해요!"

그러고는 꿀벌을 가리키며 큰 소리로 외쳤다.

"이 꿀벌이 바로 접객마예요! 못 믿겠으면 춤 한번 춰 보라고 하든가!"

꿀벌은 살아남기 위해 처량하고 비참하게 탁자에 내려앉아 날개를 팔랑거리더니 뱅뱅 돌며 위로 날아올랐다.

"……."

강희가 흘깃 꿀벌을 쳐다보자, 설몽이 쏘아붙였다.

"이제 믿겠어요? 사람 살리라고 불렀더니 죽이려고나 들고. 빨리 뭐라도 해 봐요!"

강희가 꿀벌을 잠시 빤히 보더니 물었다.

"……이게 나비라고?"

진욱연이 목을 잡고 컥컥거리며 떨리는 목소리로 대답했다.

"맞, 맞는데요."

강희가 소매를 탁 뿌리치며 굳은 얼굴로 부하에게 분부했다.

"……진 장로의 눈부터 고치거라."

진욱연이 깜짝 놀랐다.

"네?"

"눈부터 고치고 마 장주를 진찰해라."

고월야 제자가 재까닥 대답했다.

"알겠습니다!"

한참을 살펴보던 고월야 제자가 진단을 내렸다. 마 장주는 확실히 족자 요괴의 특수한 법력 때문에 부지런하고 용감한 꿀벌이 된 것이었다. 다행히 오래 지속되는 법력은 아니라, 닷새 후면 절로 원래 모습으로 돌아와 계속해서 자기가 좋아하는 주판

알을 튕길 수 있었다.

"아……."

진단 결과를 들은 진 장로가 눈병을 치료하는 약을 두 손으로 받쳐 들고 긴장해서 물었다.

"닷새나 기다려야 합니까? 바로 약을 처방해 주실 수는 없는지요?"

"안 되는 건 아니지만 의미가 없소."

"왜요?"

"약을 만드는 데 엿새가 걸린다오."

"……."

마 장주는 어쩔 수 없이 당분간 서러운 대로 꿀벌로 살아야 했다. 한편 강희는 제 할 일을 다 하고도 떠날 생각이 전혀 없어 보였다.

그가 설몽을 나무랐다.

"마방지가 만든 법기를 건드리지 말라고 그렇게 얘기했거늘, 귓등으로도 안 듣더니 사고나 치고 다니고. 참 잘하는 짓이구나."

"무슨 상관이에요!"

설몽의 항의에 강희가 쌀쌀맞게 말했다.

"이 일은 상관해야겠다!"

"당신!"

설몽이 버럭 화를 냈다.

"한번 해 보자는 거예요? 상관하지 말라고 했으면 끼어들지 마세요! 어서 가요, 본 장문이 법술을 행하는데 옆에서 알짱거리지 말고!"

강희는 조롱 섞인 눈으로 설몽을 힐끗 봤다.
"착각도 병이다. 병 있으면 버티지 말고 치료해."
"?"
"누구는 좋아서 네 일에 끼어드는 줄 알아?"
강희가 비아냥거렸다.
"족자 요괴의 영향이 양주까지 미쳐서 그러는 거지, 너랑 전혀 상관없다."
설몽은 강희의 괘씸한 눈빛에 화가 나서 발을 동동 굴렀다.
"당신, 당신, 당신……! 감히 또 나를 갖고 놀아?"
"누가 너를 갖고 놀았다고 그러느냐? 족자 요괴는 임안 전체를 샅샅이 뒤져도 마음에 드는 미인을 찾아내지 못했는지, 어제 고월야 관내까지 쳐들어왔다."
강희는 옷소매를 탁 뿌리치고 서리처럼 차가운 얼굴로 위엄 있게 말했다.
"그것만 아니면 마방지가 죽든 말든 내 알 바 아니야."
옆에 있던 앞잡이가 냉큼 장문 대신 덧붙였다.
"그러니까요! 이 일은 강 존주께서 나서야 합니다. 모르셔서 그러는데…… 어젯밤에 그것이 글쎄 강 장문의 모습을 하고 양주성의 풍류장에서 연거푸 명기 일고여덟과 잠자리를 가지고 고월야 장문의 첫째 부인, 둘째 부인, 셋째 부인…… 여덟째 부인으로 봉하겠다고 큰소리까지 떵떵 쳤다지 뭡니까!"
"……."
"원수는 외나무다리에서 만난다고, 오늘 장문께서 외출하셨다가 그 여자들과 딱 마주치셨지 뭐예요. 여자들이 장문을 에워싸고 양주 백성들이 다 보는 앞에서 서방님, 서방님 그러는데, 와, 설 장문께서 못 보셔서 그렇지, 강 장문께서 화가 나셔서는 얼굴이…….”

강희가 버럭 화를 냈다.

“다 했느냐? 그 입 안 다물어?”

강희의 호통에 앞잡이는 흠칫하더니 바로 꼬리를 내렸다.

매함설이 눈을 내리깔고 낮은 소리로 웃다가 강희에게 걸렸다. 강희는 매서운 눈으로 매함설을 잠시 노려보다가 다시 시선을 설몽에게 돌렸다.

“하여튼 이 일은 내가 처리할 테니 너는 손 떼거라.”

진욱연은 강희가 직접 나서서 요괴를 처단하겠다는 말을 듣더니 기겁을 하며 황급히 말했다.

“강, 강 존주! 절대 무력으로 제압해서는 안 됩니다! 그러면 수진계 전체의 비밀을 몽땅 폭로하고 말 겁니다!”

오늘 밤 족자 요괴에게 초대장을 보내 불러들인 다음 약으로 기절시켜 부숴 버릴 계획이었던 강희는 그 말을 듣더니 저도 모르게 미간을 찌푸렸다.

“비밀이라니? 그래 봤자 주고받은 대화 내용이 다지 않소?”

“그것만이 아닙니다.”

진욱연이 설명했다.

“처음 해우 족자를 사용할 때 문답을 진행했잖아요. 족자가 파괴되면 그 내용이 고스란히 만천하에 드러나는 겁니다.”

그러고는 잠시 멈췄다가 조심스럽게 강희를 일깨워 줬다.

“강…… 강 장문께서도 족자를 사용해 보셨다면 문답을 하셨을 텐데요."

건망증이 심한 강희는 고개를 갸우뚱하고 한참이나 생각하다, 그제야 어렴풋이 떠올랐다.

당시 해우 족자는 확실히 상당히 은밀하고 변태적인 질문을 했었다.

– 좋아하는 사람이 있습니까?

– 왜 없습니까?

– 자녀가 있습니까?

– 왜 있습니까?

– 뜻밖의 임신이었습니까?

– 아이를 좋아하지 않는데 왜 낳았습니까?

– 남편에게 버림받았나요?

– 선군, 선군, 여기서 욕하시면 안 됩니다. 족자는 단지 선군께 관심을 표현할 뿐입니다. 도포산장의 노년 행복 법기를 추천합니다. 매주 선군처럼 고독한 홀어머니께 세 명에서 다섯 명의 외로운 선군을 소개해 드립니다. 하루빨리 행복한 재혼 생활을 누리시길 바랍니다.

젠장, 불쾌했던 기억이 모두 되살아났다.

예상치 못한 일에 강희는 조금 당황스러웠다. 무슨 일이 있어도 그 질문과 답이 사람들에게 공개되어서는 안 된다!

어두운 얼굴로 이마를 부여잡고 말없이 어떻게 그 요물을 굴복시키면 좋을지 생각하고 있는데, 그때 매함설이 공손하게 말했다.

"강 존주, 장문은 지체 높은 연장자이고, 또 이 일은 저와 설 장문의 과오이니 저희 둘이 좋게 좋게 처리하게 해 주세요. 존주께서 나설 일이 아닙니다."

강희는 어떻게 '좋게 좋게' 처리한다는 말인지 이해가 가지 않았지만, '당신이 나설 일이 아니다'라는 말을 듣고는 저도 모르게 눈을 부릅뜨고 매함설을 노려봤다.

"어쩔 셈이냐?"

매함설이 웃으며 대답했다.

"마 장주처럼 여장을 하고 유혹해 보려고요."

"……."

젊은 사람들이 왜 이렇게 하나같이 경망스러운지 정확히 알 수는 없었지만 남의 사돈이야 가거나 말거나, 강희는 무관심한 표정으로 매함설을 위아래로 훑어봤다. 좋아, 그럼 열심히 해 보라고 한마디 격려하고 떠나려고 했다. 그때 매함설이 웃으며 덧붙였다.

"설 장문에게 화장을 시키는 게 그렇게 어려운 일도 아니고요."

그 말을 들은 강희는 눈이 휘둥그레졌다.

설몽도 눈이 휘둥그레져서 따져 물었다.

"뭐? 지금 나더러 여자인 척 족자 요괴를 꼬시라는 거야?"

매함설은 빙그레 웃으며 부정하지 않았다.

"그래."

"하고 싶으면 너나 해!"

"우리 셋이 같이하지 뭐. 셋 중 한 명은 맘에 들어 하지 않겠어? 게다가…….”

말을 마치기도 전에 강희가 굳은 얼굴로 말허리를 뚝 잘랐다.

“그만하거라.”

매씨 형제와 설몽이 일제히 그를 돌아봤다.

강희는 무서울 정도로 냉랭한 기운을 내뿜고 있었다. 그는 얼음처럼 차가운 얼굴로 설몽을 한번 보더니 매함설을 돌아보며 냉랭하게 말했다.

“……저 아이는 안 된다. 내가 하마.”

아무도 강희가 여장에 일가견이 있을 거라고 믿지 않았다.

심지어 몇몇 사람들은 ‘여자’에 대한 강희의 인식이 책에만 머물러 있는 게 아닌가 의심했다. 진 장로가 조심스럽게 물었다.

“강 존주, 여자들이 존주와 어떻게 다른지 아십니까?”

강희는 태연하게 대답했다.

“당연히 알고 있소.”

“아…….”

진 장로가 의외라는 듯이 말했다.

“저는 장문께서 여자를 만나 보신 적이 없는 줄 알고…….”

강희가 쌀쌀하게 대답했다.

“누가 그러지?”

옆에서 듣고 있던 설몽이 왕 부인 얘기를 꺼내는 줄 알고 깜짝 놀라 서둘러 일어나서 말리려는 그때, 강희가 말했다.

“8척 신장을 가진 사람은 누구나 피부와 살이 있으니, 겉으로는 측량하고 만져서 알 수 있고 죽어서는 해부하여 살펴볼 수 있다.”

진 장로가 어리둥절해하며 물었다.

"……무슨 말씀이신지요?"

"아이참, 장문의 말씀은……."

고월야 앞잡이가 나섰다.

"여자 시체를 해부해 봤다는 뜻입니다."

"……."

실례했습니다. 약학 문파, 정말이지 너무 무섭네요.

진 장로는 한참이나 더듬거린 후에야 덜덜 떨며 물었다.

"그, 그럼 존, 존주께서는 여자들의 특징을 잘 아시겠네요?"

강희는 무덤덤하게 진 장로를 한번 보더니, 무표정한 얼굴로 자기가 변장하게 될 상대에 대한 이해를 선보였다.

"골격이 아담하고 목소리가 부드러우며, 피부에 유분이 많고 몸이 굴곡지며, 음부와 자궁 같은 특수 부위를 가지고 있지."

장내는 순식간에 쥐 죽은 듯이 조용해졌다.

강희는 자신만만하면서도 냉담하게 진 장로를 내려다보며 말했다.

"내 책 중에 《고월야 부인과 처방 모음》이라고 있소. 그림도 있으니 궁금하면 빌려주겠소."

"풋!"

매함설이 웃음을 터뜨렸다.

설몽과 매한설은 아무 말도 할 수 없었다.

이런 괴짜에게 고혹적인 절세미인인 척 족자 요괴를 속이게 할 생각을 하니 진 장로는 곡소리가 절로 나왔다.

"망했어, 아이고, 다 망했어……."

저기요, 대체 여장을 어떻게 하겠다는 거죠?

스스로 해부라도 하시게?

그날 밤.

도포산장의 등불이 밝게 빛나고 풍경은 바람에 흔들렸다.

강야침은 일찌감치 준비를 마치고 곁채에 앉아 있었다. 마운의 구상에 따라 강 장문도 방 안에 미향을 켜 두고 여장을 하고 족자 요괴가 오기를 기다렸다. 족자 요괴가 일다경만 머물러 주면 작전은 성공한 셈이다. 그러면 족자 요괴는 자유 의지를 잃고 암퇘지에게도 애정을 품게 된다. 그 기회를 틈타 잘 구슬려 굴복시키면 된다.

혹시라도 약속 장소에 나타난 족자 요괴를 놀라게 할까 봐 도포산장 제자들은 모두 어두운 곳에 숨었다. 초대장은 다른 사람이 썼다. 강 존주는 아예 쓸 줄 몰랐기 때문이다. 그는 반나절이나 궁리한 끝에 힘 있고 거칠게 '오거라' 이 한 마디를 적었다. 보기만 해도 무섭고 도망가고 싶게 만드는 초대장이었다.

다행히 도포산장의 수후 제자들이 듣기 좋은 말에 능해서, 강 장문을 대신해 사모하는 마음이 담뿍 담긴 편지를 후딱 써 준 덕분에 급한 불을 끌 수 있었다.

으슥한 구석에서 지켜보던 설몽은 확신 없는 목소리로 매한설에게 물었다.

"무슨 일 생기는 거 아니겠지? 강희가 어떤 꼴로 치장했는지 본 사람 있어? 뭘 어디에 발라야 하는지 제대로 알기나 할까? 정말 여장할 줄 아나?"

매한설이 가감 없이 솔직하게 대답했다.

"그럴 리가."

"……."

그 말에 더욱 불안해진 설몽은 침을 꼴깍 삼키고 결심한 듯 말했다.

"안 되겠다, 가서 확인해 봐야겠어. 내가……."

허리를 숙이고 나가려던 그때, 매함설이 확 잡아당겼다.

"쉿."

그러고는 복도를 가리키며 속삭였다.

"왔어."

달빛 아래, 족자 요괴가 장포를 걸치고 나타났다. 일부러 답설궁의 공법을 모방하려는 듯, 꽃잎과 나비가 주위를 맴돌았다. 요물은 조용한 뜰을 발길 가는 대로 걸었다. 삿갓에 가려져 얼굴은 보이지 않았지만 걸음걸이만 봐도 그다지 영리하지 않아 보였다.

강희가 있는 객방에서 은은한 대나무 피리 소리가 들려왔다. 족자 요괴는 잠시 경청하더니, 제법 잘 분다고 생각했는지 무척 만족스러운 표정을 지으며 다가가 문을 똑똑 두드렸다.

"낭자, 잠시 실례하겠습니다."

두 번이나 두드렸는데 강희는 아무런 대꾸도 없었다. 문이 잠기지 않고 그냥 닫혀 있는 것을 확인한 족자 요괴는 더는 체면을 차리지 않았다.

"낭자, 괜찮으시다면 들어가겠습니다."

이번에도 강희는 대답이 없었다. 설몽은 어딘가 이상해서 혼잣말로 중얼거렸다.

"이 목소리, 어디서 들어 본 것 같은데?"

족자 요괴가 문을 열고 들어가자 음악 소리가 멈췄다. 설몽은 왠지 모르게 불안한 마음이 들었지만 좋은 쪽으로 생각하기로 했다.

'휴, 어차피 강야침이 일다경만 버티면 돼. 일다경 안에 저 요물이 떠나지만 않으면 훈향에 취해 누구를 보든 사랑이 샘솟을 텐데 뭐. 그때 쳐들어가서 단번에 굴복…….'

생각을 마치기도 전에 펑 하고 굉음이 울려 퍼졌다.

설몽이 화들짝 놀라 말을 쏟아 냈다.

"어떻게 된 거야? 눈 깜짝할 새에 무슨 일이 일어난 거야? 설마 강야침이 변장한 여자도 구역질이 나올 정도인가!"

모두가 어안이 벙벙해서 지켜보았다. 그때 장포를 걸친 족자 요괴가 나무 문이며 탁자, 칼집에서 나온 신무의 빛과 함께 공중으로 솟아올랐다. 요괴는 이번에는 '우웩' 대신 '으악' 하고 비명을 지르며 모두가 지켜보는 가운데 바닥에 쿵 떨어졌다.

"아이고……."

족자 요괴가 처참하게 울부짖었다.

"으아아아…… 아파 죽겠네……."

곧이어 강야침이 칼을 들고 살기등등한 채로 뛰쳐나왔다. 매함설은 눈이 휘둥그레져서 매한설을 돌아봤다.

"지금 내 눈이 이상한 거야? 어디가 여장이라는 거지?"

"네 눈 멀쩡해."

매한설이 무표정한 얼굴로 저 멀리 강야침을 바라보며 말했다.

"여장 안 했어."

설몽이 반박하고 나섰다.

"했잖아!"

"……?"

"?"

"……어디를?"

설몽이 강희의 손목을 가리켰다.

"봐, 여자들이나 차는 백옥 팔찌를 찼잖아."

매씨 형제는 할 말을 잃었다. 잠시 후, 매함설이 웃으며 물었다.

"설 장문도 여자를 잘 아나 보지?"

매한설이 차갑게 비아냥댔다.

"내가 보기엔 강야침보다 나을 게 없어. 둘 다 입술만 칠하면 화장을 했다고 생각하는 사람들이야."

설몽이 잠시 어리둥절해하더니 멍청한 표정으로 물었다.

"……그럼 아니야?"

"……."

한편, 대체 족자 요괴와 무슨 일이 있었는지 강희는 눈썹을 사납게 추켜세우고 씩씩댔다. 신무 설황이 손에서 은빛을 번쩍이며 윙윙 소리를 냈다. 그가 바닥에 널브러져 있는 족자 요괴를 확 잡아채자 그 요물이 크게 소리 질렀다.

"아이참, 이 예쁜 것! 이렇게 포악하게 굴면 쓰나? 어떻게 나처럼 잘생긴 사람한테 손을 댈 수 있어?"

강희가 버럭 화를 냈다.

"죽고 싶어 환장했느냐!"

그때 족자 요괴가 쓰고 있던 삿갓이 흘러내려 얼굴이 완전히 드러났다.

순간, 사람들은 말문이 턱 막히고 말았다.

정말 맞아 죽어도 쌌다. 어젯밤에 강희의 모습을 하고 고월야에서 기생들을 사서 논 것만 해도 화가 나서 죽을 지경인데, 강장문의 얼굴이 여자들에게 먹힌다고 생각했는지 오늘도 강 장문의 얼굴로 공공연히 사기를 치고 돌아다니다니.

그런데 멍청한 족자 요괴는 자기가 희롱한 상대가 강야침 본인이라는 걸 전혀 눈치채지 못했다. 그러니 좀 전에 방에서 강희가 무슨 일을 겪었는지는 안 봐도 뻔했다.

아마 '자기'가 헤죽거리며 들어와 교태를 부리며 부드럽게 '낭자~'라고 부르는 모습을 봤을 것이다.

어쩌면 '자기'가 우쭐해하며 눈을 찡긋하는 모습을 봤는지도 모른다.

……어쩐지 잡아먹을 기세로 달려들더라니.

생각은 이래도, 강희가 화가 머리끝까지 나서 그대로 족자 요괴를 처형하려는 순간, 주위에 잠복해 있던 도포산장 제자들이 우르르 달려 나가 허겁지겁 뜯어말렸다.

"진정하세요!"

"강 존주! 때리는 순간 비밀이 폭로됩니다!"

"고정하세요, 강 존주!"

족자 요괴는 보기에는 우둔해도 도망갈 때는 누구보다 민첩했다. 상황이 묘하게 흘러가는 걸 보더니, 벌떡 일어나 순식간에 어둠 속으로 사라졌다.

요괴는 꽁무니를 빼는 와중에도 배역에 취해 큰소리를 쳤다.

"나 고월야 강야침, 다시 돌아올 거야! 으하하하하!"

"……."

강희는 화가 나서 길길이 날뛰었다.

평생 '자기'가 허둥지둥 쥐새끼처럼 도망치는 모습을 보지 못했겠지. 아니, 상상도 못 했겠지!

"망할 자식!"

제자들이 와글와글 모여들어 말렸다.

"강 장문, 강 장문……."

"다시 내 얼굴을 하고 돌아다니기만 해 봐!"

"강 존주, 강 존주……."

"간질, 임증,[#58] 장조,[#59] 코피, 해로,[#60] 탈낭,[#61] 풍로만격[#62]을 한꺼번에 겪게 해 주겠다."

강희는 온통 약학 문파 용어라 도통 알아들을 수 없는 말들을 마구 퍼부었다.

모두가 강희를 진정시키는 데에 열중하고 있는데, 설몽 혼자 진지하게 물었다.

"……풍로만격이 뭐야?"

매함설이 설명했다.

"의서에 나오는 4대 고질병인 것 같아."

설몽은 알 듯 말 듯 한 얼굴로 고개를 갸우뚱했다. 한쪽에서

#58 임증 淋症. 오줌을 잘 못 누고 요도와 아랫배가 아픈 병

#59 장조 臟燥. 신경 증상의 하나

#60 해로 解顱. 어린아이의 머리 숫구멍이 나이에 비해 제대로 닫히지 않는 병

#61 탈낭 脫囊. 음낭이 붓고 헐어 고환이 드러나는 병

#62 풍로만격 風勞滿膈. 중풍, 허로(몸이 쇠한 증상), 창만(배가 부푸는 병), 열격(음식을 못 넘기거나 토하는 병증을 통틀어 이르는 말)

매한설이 무표정한 얼굴로 말했다.

“쉽게 말하면 온갖 병에 시달리다 죽게 하겠다, 이런 뜻이야.”

강희가 너무 잔인하다는 생각이 들었는지 설몽은 얼굴을 바르르 떨었다. 그렇지만 딱히 뭐라 할 수도 없어서 계속해서 상황을 지켜봤다.

수후 제자들이 격노한 강희를 둘러싸고 구슬리며 위로했다.

“아이고, 됐으니 이제 그만하세요.”

“강 장문, 화 푸세요. 부디 진정하세요.”

그러나 강희의 화는 그렇게 쉽게 가시지 않았다. 강희는 원래부터 마음이 넓은 편이 아닌 데다 몇 달 동안 앓아눕더니 성격이 더욱 난폭해졌다. 게다가 요괴 놈이 자기 얼굴을 하고 돌아다니면서 망신살을 뻗치고 있으니 더더욱 화가 치밀어 저도 모르게 추태를 부렸다.

혼란한 와중에 난데없이 푸른빛이 번쩍했다. 제자들이 깜짝 놀라 뒤로 물러섰고, 그 바람에 강야침이 기우뚱하더니 그대로 바닥에 주저앉았다.

사람들은 눈빛으로 서로 원망하기에 급급했다.

엄마야, 너 왜 강 장문을 부축하지 않았어?

분명 네가 더 가까이 있었거든? 그런데도 내 탓이라고?

어? 그런데 저 푸른빛은 뭐지……?

그때 마 장주가 변한 꿀벌이 앵앵거리며 날아왔다. 잠시 멍하게 있던 진 장로의 낯빛이 어두워지더니, 그가 탈모가 진행되고 있는 자신의 머리를 부여잡고 큰 소리로 외쳤다.

“다 끝났어요, 망했다고요! 강 존주도 족자 요괴를 붙잡지 못해서 저주에 걸렸어요! 강 존주도 동물로 변할 거라고요!"

설몽이 경악하며 짚더미에서 발딱 일어났다.

"뭐라고?"

달빛 아래, 도포산장 제자들이 공손하게 계단을 마주하고 섰다.

계단에는 꿀벌 한 마리 외에 온몸이 새하얀 새 한 마리가 앉아 있었다. 학 같기도, 봉황 같기도 하고 어찌 보면 공작새도 좀 닮았는데, 어쨌든 인간 세상에는 없는 동물이었다.

당연히 인간 세상에 이런 새가 있을 리가 없지, 강 장문이 변한 것인데.

새는 목이 늘씬하고 눈동자가 유리구슬처럼 반짝였다. 보드라운 깃털은 서리가 내려앉은 것처럼 은빛이 감돌았다. 온통 새하얗고 꼬리털 끝부분만 옅은 푸른색을 띠었다.

"강 장문이 입은 옷과 비슷하네."

사람들 속에서 누군가 소곤거렸다.

낮은 소리로 감탄하는 여수사도 있었다.

"깃털 아름다운 것 좀 봐. 하나 뽑아서 두고두고 보고 싶을 정도야."

설몽만 직설적이고 진지한 사람이었다. 그는 엄숙한 얼굴로 강야침을 살펴보더니 영혼에서 우러나는 질문을 던졌다.

"이 닭 품종이 뭐예요?"

강야침은 매섭고 차가운 눈빛으로 대답을 대신했다.

"아니면 오리인가?"

다른 사람이 이렇게 물었더라면 진작 죽여 버렸겠지만 상대가 설몽이니 어쩔 수 없었다. 강희는 쌀쌀맞게 설몽을 한번 노려보고는, 더는 어리석은 속인들을 상대하고 싶지 않아 윤기 나는 날개를 활짝 펴 곧장 도포산장 밖으로 날아가 버렸다.

보아하니 다시는 돌아올 것 같지 않았다.

아마 죽을 때까지 도포산장에는 발길을 하지 않겠지.

사람들이 영웅을 우러러보듯이 경외하는 눈빛으로 설자명을 바라봤다. 설자명이 어리둥절해하며 물었다.

"저대로 고월야로 날아간다고?"

깃털을 뽑고 싶다던 여수사는 여전히 푹 빠져 헤어 나오지 못했다.

"강 장문 정말 아름답다. 지나간 자리에 은색 빛이 흘러."

옆에서 단짝이 일깨워 줬다.

"옷자락인 것 같은데, 못 봤어? 늘 질질 끌고 다니잖아……. 참, 저러고 다니다 자기 발에 밟히지나 않을지 모르겠네."

한창 수군덕대는데, 고월야의 두 앞잡이가 장문의 속마음을 읽고 엄숙한 목소리로 마당에 있는 사람들에게 경고했다.

"오늘 일은 절대 밖으로 새어 나가서는 안 됩니다. 누설하는 사람은 앞으로 난치병에 걸려도 고월야로 찾아올 생각 하지 말고, 알아서 살아남으시오!"

그러고는 부하들을 거느리고 강야침을 따라 양주 고월야로 돌아갔다.

하늘 아래 최고의 문파를 이끄는 강 장문마저 족자 요괴를 당해 내지 못하다니. 제대로 다치게 한 건 아니지만, 강희에게 이렇게 큰 수모를 안겨 줄 수 있는 사람이 몇이나 될까?

사람들은 깊은 수심에 잠겼다. 그도 그럴 것이 아홉 문파의 존주들 가운데서 마운과 강희가 실패했다. 게다가 두 사람은 각기 장점을 가지고 있어 절대 약한 세력이 아니었다. 그렇다면 이제…… 그들의 후배인 설몽과 매씨 형제가 나서야 하는데, 과연 순조롭게 그 요괴 놈을 굴복시킬 수 있을까? 글쎄다…….

도포산장은 한순간에 암담하고 처참한 분위기에 휩싸였다. 마장주가 변한 꿀벌마저 날개를 축 늘어뜨리고 더는 파닥이지 않았다.

그때, 방 안에서 강희가 남긴 물건들을 살펴보던 매함설이 실소를 터뜨렸다.

설몽이 돌아보며 말했다.

"이 상황에서 웃고 싶어? 뭔데 그래?"

"빨리 와 봐."

설몽은 화가 덜 풀려 매함설과 말을 섞고 싶지 않았지만 결국 궁금증을 참지 못하고 다가갔다.

매함설은 너무 웃어서 눈물이 그렁그렁한 채 웬 종잇장 하나를 들고 흔들며 말했다.

"이렇게 여장하는 사람은 또 처음 봤네. 하여간 강 존주 참 희한한 사람이라니까."

"뭔데……? 종잇장으로 무슨 여장을 한다고 그래?"

설몽이 어리벙벙해하며 매함설의 손에서 종잇장을 확 낚아챘다. 내용을 확인한 설몽은 말문이 턱 막히고 말았다.

이게 다 뭐야!

강희가 고월야의 처방전에 용이 날아오르고 봉황이 춤추는 것 같은 초서체로 이렇게 적어 놓은 게 아닌가!

[이 사람은 여자임을 증명합니다.
약학 문파 고월야 장문 강희.]

게다가 밑에는 새빨갛게 장문 전용 도장까지 찍어 놨다.

"……."

매함설은 애써 웃음을 참으며 설몽의 반응을 살폈다. 너무 참아서 갈비뼈가 부러질 지경이었다.

"제기랄."

설몽이 처방전을 마구 구기며 외쳤다.

"강야침 이거 바보 아니야?"

매함설이 낄낄거리며 가늘고 긴 검지를 입술에 갖다 대고 목소리를 낮추라는 손짓을 했다.

"선조[#63]야. 닭도 아니고 오리도 아니고 돼지도 아니야. 너도 봤잖아. 그리고……."

매함설은 웃음을 천천히 거둬들이고 생각에 잠긴 듯 설몽을 빤히 보더니 말했다.

"갑자기 든 생각인데…… 둘이 좀 닮은 것 같아."

"!"

설몽은 꼬리를 밟힌 고양이처럼 펄쩍 뛰며 머리를 마구 흔들었다.

"너너너, 무슨 개소리야! 난 그 사람이랑 완전히 다른 부류라

#63 선조 仙鳥. 불경에 나오는 상상의 새

고. 아무 상관도 없다고!"

"그래?"

매함설의 새파란 눈동자가 더 짙어졌다. 그는 잠시 가만히 있더니 더 뭐라 하지 않고 빙그레 웃었다.

"네가 족자 요괴에게 패하면 어떤 새로 변할지 궁금해지는데?"

"……."

설몽은 매함설의 이 눈빛 때문이라도 절대 실패하지 않으리라 다짐했다. 매함설은 자기 깃털을 다 뽑아서라도 여자의 환심을 살 사람이다. 그래, 그러고도 남을 사람이다!

나 설자명, 절대 지지 않겠어!

설자명이 절대 지지 않을 거라고, 절대 동물로 변하지 않을 거라고 굳게 믿는 사람이 그 자신 외에 더 있었다. 바로 도포산장의 장로들과 제자들이었다.

"이 족자 요괴는 설 장문과 매 선장의 취향대로 변한 것입니다. 그러니 요괴의 비위를 맞추려면 두 분께서 곰곰이 생각해 보셔야 할 것 같습니다. 어떤 여자여야 요괴가 보자마자 마음에 들어 할지 말이죠."

매함설이 싱긋 웃으며 말했다.

"저는 세상의 모든 여자들이 저마다 아리따운 곳이 있다고 생각하는 사람입니다. 요괴가 이리 까다로운 거로 봐선 저를 닮은 것 같지는 않군요."

그러면서 설몽을 돌아봤다.

"그러니 이 일은 설 장문의 고견을 청하는 게 좋겠습니다."

설몽은 잠시 말없이 생각하더니 입을 열었다.

"……이 세상에서 가장 훌륭한 여자는 제 어머니입니다."

그 말을 들은 매함설은 더는 웃을 수 없었다. 그는 이마 장식 아래 푸른 호수 같은 눈동자로 설몽의 옆모습을 바라보며 속으로 탄식했다.

사실 매함설이 수후인 척하고 옆에서 지낸 것도 설몽의 기분이 줄곧 별로여서 위로해 주고 싶은 마음에서였다. 가끔은 예전처럼 왁자지껄 떠들기도 했지만, 한 번 깨진 마음속의 뭔가는 다시 원래 모습으로 돌아갈 수 없었다.

그는 설몽을 즐겁게 해 주고 싶었고, 깨진 부분을 고쳐 주고 싶었다. 그동안의 정에 대한 나름의 보답인 셈이었다.

그런데 설몽의 상처는 쉬이 치유되지 않을 것 같았다.

매함설이 한숨을 푹 내쉬고 손을 번쩍 들었다.

"그건 저도 동의합니다."

진 장로가 난감해하며 말했다.

"그런데 왕 부인은……."

얘기할수록 마음만 아플 것 같아지자, 이번에는 매한설이 끼어들었다.

"다른 사람은 없어?"

"……없어. 다 나보다 못해."

"……그럼 구체적으로 생각해 봐. 없는 사람도 괜찮아."

매한설이 말했다.

"변장하면 되니까."

설몽은 내키지 않았지만 곰곰이 생각하기 시작했다.

한참을 궁리한 끝에 설몽은 희망 사항을 털어놓기 시작했다.

"첫 번째, 피부가 하얬으면 좋겠어요."

"네."

"두 번째, 눈이 커야 해요."

"좋아요."

"세 번째, 적어도…… 음, 그, 저기."

설몽이 조금 께름칙해하며 말했다.

"사매보다…… 사매보다 예뻐야 해요."

"……."

장로들도 처음에는 요구에 맞는 여자를 찾아 주려고 설몽의 말을 일일이 받아 적었지만, 열 몇 번째 조건까지 들었을 때는 아무도 적지 않았다.

설몽이 원하는 게 여자가 아니라 부처가 아닐까 싶었기 때문이다.

부처가 아니고서야 어찌 너그러운 마음으로 설자명을 품을 수 있겠는가? 이게 정말 스물이 훌쩍 넘은 사내가 한 말이란 말인가?

기본적으로 여자에 대해 크게 오해하고 있는 게 아닐까?

게다가 끝도 없이 주절주절 늘어놓고 있잖아?

"스무 번째, 진심으로 나를 우러러봐야 해요."

"스물한 번째, 근검절약. 빨래할 때 비누를 낭비하면 안 되고요."

"스물두 번째, 검소함은 미덕이죠. 조금만 먹었으면 좋겠어요. 한 끼에 두 그릇 이상 먹으면 곤란해요."

"스물세 번째, 여자가 연지를 찍고 분을 바르는 게 싫으니, 화장을 안 했으면 좋겠어요."

"스물네 번째, 하지만 예뻐야 해요. 자연적으로 입술이 빨갛고 피부도 희면서 볼은 살짝 발그레하면 좋겠어요."

"스물다섯 번째, 다리는 늘씬하고요."

"스물여섯 번째, 그렇지만 저보다 키가 크면 안 돼요."

결국 한 여제자가 눈을 치뜨고는, 하품을 하고 싶은 충동을 꾹꾹 누르고 있는 사람들 틈에서 더 이상 참지 못하고 고래고래 소리쳤다.

"그만해요! 진짜 기가 막히네. 그럴 거면 차라리 하얗고 다리 긴 두루미랑 혼인하지 그래요?"

설몽이 팔짱을 끼고 고개를 돌려 노려봤다.

"……대단하네, 내 눈길을 끌다니."

예전 같았으면 여수사들이 설몽에게 따지고 들었을 테지만, 지금 설몽은 어엿한 장문이었다. 여수사는 입술에 침을 한번 바르더니 바로 꼬리를 내렸다.

"설 장문, 제가 잘못했습니다. 잠꼬대한 거예요!"

설몽이 고개를 다시 돌리고 덧붙였다.

"스물일곱 번째, 잠꼬대해선 안 됩니다."

"……."

설몽이 370번째까지 열거했을 때 매한설이 말허리를 뚝 잘랐다. 모두가 안도의 한숨을 내쉬었다. 아무도 말리지 않았다면 아마 설 장문은 선 자리에서 날이 밝을 때까지 계속했을 게 분명했다. 매한설도 듣다 듣다 울화가 치민 것 같았다. 여전히 냉랭한 표정이긴 했지만 양미간에 짜증이 한가득 어려 있었다.

"그만해, 설자명."

"아직 남았는데."

매한설이 아랑곳하지 않고 담담하게 물었다.

"너 여와에 대해 알지?"

설몽이 얼떨떨해하며 물었다.

"무슨 뜻이야?"

"네가 하도 못살게 굴어서 죽은 게 아닌가 해서."

"……."

두 사람이 또 싸울 것 같아 보이자 매함설이 웃으며 손을 들었다.

"됐어 됐어, 진정들 해. 물어볼 게 있어. 설몽, 네가 절대 싫어서 내치지 않고, 싸우지 않고, 외면하지 않을 사람, 그런 사람이 있어?"

그러고는 잠시 멈췄다가 사람들에게 말했다.

"설 장문의 부인을 찾는 것보다 이게 빠를 것 같아서요."

설몽에게 한 시진이나 시달린 사람들은 너도나도 고개를 끄덕이며 공감했다.

설몽은 떨떠름해하며 눈을 흘겼다.

"어쨌든 너 같은 사람은 확실히 아니야."

매함설은 화도 내지 않고 허허 웃었다.

"알겠어."

설몽이 잠시 생각하더니 갑자기 똑바로 서서 눈을 번쩍 떴다. 절대 무시하지 못하는 한 사람, 그런 사람이 떠올랐다.

"생각났어! 내 사존 초만녕!"

무릎을 끌어안고 꾸벅꾸벅 졸고 있던 한 여수사가 화들짝 놀라 침을 닦으며 물었다.

"에? 뭐가 생겼다는 거예요? 누가 생겼어요? 초 종사 애가 생겼다고요?"

잠결에 '생각났어'를 '생겼어'로 들은 모양이었다.

"……."

자신을 귀신 보듯 매섭게 노려보는 설몽과 눈이 딱 마주치자 여수사는 겁을 먹고 숨을 '흡' 하고 들이마셨다. 그러더니 조용히 몸을 동그랗게 말고 제일 안쪽 구석으로 숨어들었다.

초만녕. 묵연. 도포산장.

설몽은 이 세 단어를 한꺼번에 떠올리니 생각하기조차 싫은 지난 일이 떠올랐다. 답선군은 그에게 초만녕이 도포산장에서 묵연과 그 짓을 했다고 했다. 그것도 제 면전에서 휘장 하나를 사이에 두고.

그 사실이 그의 마음에 준 상처는 이루 말할 수 없이 컸다.

시간을 되돌릴 수만 있다면 답선군이 첫 글자를 내뱉는 순간 바로 포효하며 말허리를 잘라 버리리라!

"그만해! 상상하게 되니까!"

그러나 지나간 일은 돌이킬 수 없고, 삶은 계속된다.

족자 요괴를 굴복시키기 위해 설몽은 어쩔 수 없이 진욱연 장로가 사존과 사촌 형에게 도움을 요청하는 서신을 보내는 것을 내버려 뒀다.

그리고 기다림이 시작되었다.

남병산은 서호 근처에 있어서 도포산장과 아주 가깝다. 어검을 하지 않고 설렁설렁 걸어 내려와도 한두 시진이면 넉넉히 닿을 수 있는 곳이다.

그런데 왠인지 날이 밝을 때까지 초만녕과 묵연은 아무런 소식이 없었다.

지혜로운 매함설이 서서히 모습을 드러내는 해를 보더니 몸을 일으켜 사람들에게 말했다.

"다들 들어가서 쉬세요. 오전까지 소식이 없을 것 같으니."

밤새 기다린 도포산장 제자들은 그 말을 듣자마자 말뜻을 따져 보지도 않고 입이 찢어져라 하품하며 쪽잠이라도 자러 뿔뿔이 흩어졌다.

단 한 사람, 설몽만이 얼굴을 찡그리고 꼬치꼬치 캐물었다.

"왜? 사존은 늦잠 자는 버릇이 없는데."

매함설이 빙그레 웃으며 말했다.

"사존에 대해 아는 게 하나도 없구나."

"허튼소리! 내기할래?"

"오호?"

매함설은 납득하지 못하는 설몽을 보고는 새를 어르며 놀듯이 물었다.

"뭘 걸 건데? 내 기억엔 돈도 많이 안 들고 나온 것 같은데. 밑천 있어?"

"안 가져왔다고 누가 그래. 기다려 봐……."

설몽이 이를 악물고 돈주머니를 뒤적거리기 시작했다.

사실 돈을 가져오지 않은 건 아니었다. 다만 장문 자리를 이어받은 지 얼마 안 되어 사람들 앞에서는 제법 그럴듯하게 행동하고 있지만, 아무래도 경험이 부족하다 보니 선기 장로는 그가 돈을 물 쓰듯 할까 봐, 혹은 화약미처럼 마음이 음흉하여 본심을 헤아리기 어려운 여자들에게 속아 빼앗길까 봐, 출납부는 장로들이 다 같이 꼼꼼하게 관리하게 했다. 그러다 보니 설몽은 장문이라는 존귀한 신분에도 불구하고, 매달 선기 장로에게서 얼마 안 되는 용돈을 타서 쓰는 형편이었다.

그 와중에 이번 달은, 말하기도 부끄럽지만, 강희와 맞선을 보는 데에 모아 놓은 돈의 반 이상을 써 버렸다.

그런데도 강희는 그를 업신여겼다! '약영'인 척할 때의 그 눈빛은 분명 가난하다고 깔보는 눈빛이었다!

거기다 답선군과의 맞선, 그리고 온갖 괴짜 남녀들과의 맞선까지……. 이 시대의 군주 설자명은 요염하고 천박한 연놈들에게 탈탈 털려, 뒷간에 갈 때도 뒤 닦을 종이가 넉넉한지 세어 봐야 하는 신세가 되었다.

그렇지만 초만녕의 명성을 위해서라면 아무리 가난하고 힘들어도 내기에 응해야만 했다!

정 안 되면 뒤 닦는 종이를 반으로 줄이지 뭐!

설몽은 온몸 구석구석을 샅샅이 뒤져서 동전을 한 움큼 꺼냈다. 다해 봐야 50문도 채 안 되었다. 그런데도 그는 억만금을 꺼내는 것 같은 기세로 탁자에 시원스레 내려놓았다. 동전 두 개가 데구루루 굴러 바닥에 떨어졌다.

"……."

"아침 식사가 끝날 무렵에 오신다에 걸겠다!"

설몽이 단호하게 말했다.

"……안 오시면?"

"이거 다 줄게!"

매함설은 초라한 동전 더미를 쓱 보더니 히죽 웃었다.

"초 종사가 그러셨지, 내기를 걸 거면 크게 걸라고. 이 푼돈은 됐고, 다른 걸 거는 건 어때?"

"다른 거 뭐?"

"홀딱 벗고 길거리 뛰어다니기. 기루에서 기예 팔기."

"?"

매한설이 얼굴을 찡그리고 호통쳤다.

"소란 피우지 마."

매함설이 손으로 입을 틀어막고 낄낄 웃었다.

"농담이야."

그러더니 고민하는 척하며 말했다.

"어디 보자……."

매함설이 팔짱을 척 끼더니 눈을 가늘게 뜨고 말했다.

"이렇게 하자……. 진 사람이 상대방의 요구에 따라 여장하기. 어때?"

"……."

기분이 언짢아진 설몽이 미간을 확 찌푸렸다.

"아니, 매함설, 내가 전에 너한테 억지로 여장시킨 적 있어? 왜 그렇게 여장에서 벗어나질 못해?"

그러자 매함설과 매한설이 동시에 알 수 없는 눈빛으로 빤히 쳐다봤다. 설몽은 그 시선에 등골이 오싹해져서 말까지 더듬었다.

"왜, 왜 그래? 농담이야. 그런 거 해 본 적 없어. 나, 난 늘 바르게 살았고, 약, 약자를 괴롭히지 않았어……."

"그래."

매함설이 싱긋 웃으며 말했다.
"네가 최고야."
"……."
왜 이렇게 불길한 예감이 들지…….

결국 설몽의 직감이 때때로 아주 정확하다는 게 증명되었다.
설몽은 희망에 부풀어 기다리다 절망에 빠졌고, 나중에는 완전히 무너졌다. 오후가 되어서야 산장 밖에서 제자가 큰 소리로 외쳤다.
"초 종사, 묵 종사께서 오셨습니다!"
초만녕은 옥관으로 머리를 높이 묶고 흰 옷자락을 휘날리며 들어섰다. 여전히 고고하고 냉랭한 선인의 모습이었다. 그런데 눈시울이 불그레하고 낯빛이 묘한 것이, 왠지 화가 난 것 같았다. 한편 묵연은 난감해하는 것 같기도 하고 재미있어하는 것 같기도 한 표정으로 초만녕과 한 걸음 떨어져서 따라 들어왔다.
사실 초만녕은 어젯밤에 이미 도포산장에서 보낸 전서구의 울음소리를 듣고 급한 일일까 봐 나가서 확인하려 했다. 그런데 하필 어젯밤에 묵연은 답선군의 인격이었다. 가뜩이나 남의 일에 간섭하기를 귀찮아하는 답선군인데 한창 재미를 보는 와중에 멈출 리가. 초만녕이 자꾸 그를 중단시키려 하자 답선군도 처음에는 '거의 끝나', '끝나고 봐'라며 어르고 달랬다.
그런데 묵연 이 개자식, 사기꾼! 거의 끝나기는 무슨, 끝나고 보기는 개뿔. 끝이 없잖아, 끝이! 마운의 새는 울다 지쳐서 죽어버렸는데, 답선군은 지친 기색이라곤 눈곱만큼도 없었다.

초만녕이 기어코 나가서 무슨 상황인지 확인하겠다고 고집을 피우자 답선군은 홧김에 아예 그를 침상에 묶어 버렸다. 게다가 단념시키기 위해 내놓고 말하기도 뭐한 약까지 먹였다. 그러니 한밤중에 다시 묵 종사로 돌아왔더라도 약에 취해 흐트러진 초만녕을 보고 가만있지 못했을 것이다.

다음 날 오후가 돼서야 깨어난 초만녕은 도포산장의 서신을 받고 족자 요괴가 임안에서 난동을 부리고 있다는 사실을 알게 되었다.

일이 지체된 건 분명 답선군의 잘못이었다. 하지만 따지고 보면 묵 종사가 됐든 답선군이 됐든, 모두 묵연 탓이었다. 그래서 하산하는 내내 초만녕은 그를 인형 취급하며 말을 섞지 않았다.

"초 종사, 묵 종사!"

"초 종사, 묵 종사께 인사드립니다!"

족자 요괴가 말썽을 일으키게 된 자초지종을 알고 있는 초만녕은 들어서자마자 설몽을 혼내고 싶었지만 그럴 수 없었다. 어찌 됐든 신분이 예전과 달라졌으니 체면은 지켜 줘야 했다.

그래서 그냥 미간을 살짝 찌푸리고 한마디 했다.

"어쩌다가 이렇게 엄청난 사고를."

불만이 가득했던 설몽은 정작 초만녕을 보니 불쾌한 기분이 싹 사라져, 서둘러 변명했다.

"사존, 족자가 저를 따라 했지, 제가 일부러 그런 게 아닙니다……."

묵연이 눈을 부릅뜨고 혼냈다.

"설몽, 무상진에서 나랑 헤어지고 계속 해우 족자를 가지고 놀았던 거야?"

"안 되냐?"

묵연은 눈이라도 흘기고 싶었지만 형제간의 '비밀' 때문에 대놓고 하지는 못하고 초만녕 뒤에서 입 모양으로 욕했다. 이 멍청한 놈아! 이렇게 싸돌아다니면서 바람을 피우면 강 장문에게 미안하지도 않아?

설몽이 어리둥절해하며 물었다.

"크게 좀 말해. 목쉬었어?"

"……."

아오, 멍청하기는!

탓하는 건 탓하는 거고, 설몽이 벌여 놓은 일은 모든 힘을 쏟아 수습해야 했다. 다만…….

"사존더러 여장을 하라고?"

설몽이 우물쭈물 대답했다.

"나도 그러고 싶지 않아. 아, 아니면 고월야에서 증명서를 받든지. 이 사람은…… 이 사람은…… 여……."

설몽은 초만녕의 엄숙하고 싸늘한 옆모습을 힐끔 훔쳐봤다. '이 사람은 여자입니다, 하고 쓰인 증명서'라는 말은 죽어도 할 수 없었다.

묵연은 눈을 커다랗게 뜨며 하늘이 무너진 것처럼 굴었다. 어떻게 초만녕이 그런 모습으로 사람들 앞에 서는 걸 보고만 있겠는가?

얼굴에 철판을 깔고도 제대로 말을 못 하는 설몽을 한참이나 말없이 지켜보던 묵연이 입을 열었다.

"내가 할게."

설몽이 어리벙벙해하며 고개를 들었다.
묵연은 진지했다.
"내가 대신 족자 요괴를 어떻게 해 볼게."
"네가? 여장을 하겠다고?"
"왜, 안 돼?"
"……형님아, 자기 자신에 대해 뭔가 잘못 알고 있는 거 아냐?"
묵연이 잠시 얼떨떨해하더니 상심한 듯 초만녕을 돌아보며 고자질했다.
"사존, 설몽이 저더러 못생겼대요."
열등감 가득한 말투였다.
한마디라도 붙이고 싶어 하는 묵연이 이번엔 방법을 바꿔 응석을 부리는 거라는 걸 초만녕은 잘 알았다. 그래서 묵연을 거들떠보지도 않았다. 그는 빠르지도 느리지도 않게 앞에 있는 죽엽청 차를 마신 후 눈을 들었다.
"이미 해법이 있는데 굳이?"
다들 어리둥절해했다.
초만녕이 묵연을 살짝 돌아보며 담담하게 말했다.
"네 건곤낭 좀 주거라."
하산한 이래 처음 거는 말이었다. 묵연은 마음이 사르르 녹아내렸다. 그러나 초만녕의 얼굴은 여전히 굳어 있었고, 또 무슨 부드러운 말도 아닌지라 실망스럽기도 했다. 그 순간 묵연은 어여쁜 마나님에게 욕을 먹으면서도 주머니를 털리는 영감처럼 기뻐해야 할지 슬퍼해야 할지 알 수 없었다.
수사에게 건곤낭은 국고나 다름없었다. 즉, 초만녕은 묵미우에게 국고를 요구한 것이다. 듣기 좋은 말을 한 것도 아니었다. 하지만 묵미우는 아무리 마음이 쓰려도 순순히 내놓을 수밖에 없었다.

어젯밤에 짐승 짓을 한 게 죄지.

모두가 '해법'이라는 게 대체 뭔지 궁금해서 초만녕이 묵연의 건곤낭을 뒤지는 모습을 빤히 지켜봤다.

그들은 종사들이 하나같이 정상이 아니라고 생각했다. 강희는 처방전으로 여장을 하더니 초만녕은 또 무슨 놀라운 행동을 할지……. 설마 '만야옥형, 북두선녀 초완영'이라고 쓰인 족자를 든 야유신들을 뒤에 세워 놓는 거 아니야?

터무니없는 추측이 난무하던 그때, 초만녕이 미간을 찌푸리며 못 참겠다는 듯 말했다.

"너저분하게 건곤낭에 뭘 넣고 다니는 것이냐."

"……."

묵연은 뻘쭘해서 코를 매만졌다. 예전에는 물건을 차곡차곡 정리해 넣었기에 꽤 깔끔했다. 그런데 혼백이 모두 돌아온 후부터 인격이 사흘에 한 번씩 바뀌면서 두 인격이 기 싸움을 하는 게 건곤낭에도 그대로 드러났다. 예를 들어, 답선군의 인격일 때 그는 남병산에 고추를 심겠다는 꿈을 꾸며 건곤낭에 몰래 고추씨를 넣었고, 묵 종사로 돌아오면 다시 몽땅 털어 내버렸다.

그러다 다시 답선군으로 돌아오면, 화가 나서 속으로 절대 혼자 당하지 않으리라 결심하며 건곤낭을 제멋대로 어질러 놓았고, 묵 종사가 수집해 온 온갖 물건들을 부수거나 전당포에서 돈으로 바꿔 멋진 옷을 사 입었다.

그러니 건곤낭이 너저분하지 않을 리가?

물건들이 마구 뒤섞여 있어서 향낭을 찾기 어렵자, 초만녕은 몇 가지 걸리적거리는 것들을 꺼내서 탁자에 내려놨다. 설몽이 궁금해서 기웃거렸다.

"《신마찰기(神魔札記)》."

묵연이 설명했다.

"내 책이야. 상고 시대 신과 마족의 이야기를 좀 더 알고 싶어서."

"오…… 괜찮네."

설몽이 다른 책을 집어 들었다.

"《조야사(照夜詞)》."

"선군들의 과거사를 기록한 책이야. 이 선배들은 명성도 다르고 평가도 갈리지만, 모두 패기와 집념이 있어. 여기 기록된 선군들은 밤하늘의 별들처럼 밝기는 다 다르지만 저마다 빛을 뿜으며 세상을 밝히지. 아주 흥미로워."

"……많이 진보했네."

설몽은 조금 의외라는 표정으로 말했다.

"술술 이야기도 나오고."

묵연이 히죽 웃으며 말했다.

"사존의 훌륭한 가르침 덕이지."

설몽이 또 다른 책을 집어 들었다.

"《암퇘지 산후조리법》."

묵연의 미소가 그대로 굳었다.

잠시 후 묵연이 딱 잘라서 단호하게 말했다.

"……답선군이 산 거야. 나와 상관없어."

"……."

내내 듣는 둥 마는 둥 하던 초만녕이 물었다.

"왜 산 게냐. 돼지를 기르지도 않는데."

"제가…… 아니, 답선군이…… 어떻게 된 거냐면요, 한번은 답선군이 변장을 하고 마을에 갔는데 가축 길들이기 대회를 했어요. 갑자기 무슨 자신감인지 그 길로 대회에 나갔다가 마을 어귀에 사는 왕 수의[#64]에게 참패를 당하더니, 화를 못 이기고 이 책을 사더라고요……. 잘 익혀서 내년에는 꼭 설욕하리라 다짐하면서……."

말을 하면 할수록 부끄러움이 밀려왔다. 도포산장의 어린 수사가 못 참고 키득거리는 소리를 들은 묵연은 민망해서 입을 닫고 안절부절못하며 초만녕을 바라봤다.

초만녕이 안 믿긴다는 듯 물었다.

"뭐 하려고…… 가축 길들이기 대회에 나간 것이냐?"

"상, 상금 때문이요."

묵연은 얼굴이 불그레해서 고개를 떨구고 웅얼거렸다.

"이기면…… 사존께 비운재(飛雲齋)라는 점포에서 가장 좋은 옷을 사 드릴 수 있으니까요."

초만녕은 어이가 없어서 말했다.

"강동당이 비운재와 가까워서 화약미가 옷이며 장신구를 여덟 상자나 보내오지 않았느냐. 그때는 두말없이 몽땅 태워 버리더니, 이제 와서 사러 가겠다고?"

#64 수의 獸醫. 수의사

"그건 다르죠."

묵연이 바로 불쾌해하며 반박했다.

"그 여자, 사존을 보는 눈빛이 이상했다고요. 그 여자가 무슨 속셈인지 모를 줄 알아요? 보내온 물건들은 또 어떻고요. 겉옷에, 머리 장식에, 몸에 딱 붙는 옷에……."

묵연은 말할수록 낯빛이 어두워졌다.

"사존에게 그런 옷을 입힐 생각은 꿈에도 하지 말라고 해요!"

"……."

묵연이 변명하자 초만녕은 어이없어하는 건지 난감해하는 건지 모를 눈빛을 지었다. 그러다 결국에는 새까만 눈동자가 다시 부드러움을 띠었다. 잠시 후, 초만녕은 입술을 한 번 오므리더니 뜬금없이 물었다.

"오늘은 전생의 너냐, 아니면 이번 생의 너냐?"

"당연히 이번 생의 저죠."

묵연이 얼떨떨해하며 되물었다.

"사존, 그건 왜 물으세요?"

"네 꼴을 좀 보거라."

초만녕의 눈에 마침내 옅은 웃음이 어렸다.

"전생과 다를 게 뭐냐."

늘 얼음처럼 차갑고 표정이 없는지라 그 미세한 웃음기를 다른 사람들은 알아채지 못했다. 그러나 묵연은 약간의 변화도 비바람이나 눈보라처럼 선명하게 느낄 수 있었다. 초만녕의 화가 풀리자, 묵연은 기다란 속눈썹을 늘어뜨리고 저도 모르게 양 볼에 보조개가 폭 패도록 씩 웃었다.

초만녕은 뭔가를 더 말하려는 듯싶더니, 사람들 앞이라 부끄러운지 다시 고개를 돌리고 묵연을 외면했다.

그러나 올 때와는 결이 다른 외면이었기에 묵연은 더 말하지 않고 헤헤 웃으며 얌전하게 한쪽에 섰다.

초만녕이 마침내 건곤낭에서 찾고자 하는 물건을 찾아냈다.

"변신 향낭."

초만녕은 가늘고 긴 손으로 향낭의 끈을 잡고 담담하게 설명했다.

"해우 족자에 끼워 파는 물건이죠. 이 향낭을 지니면 따로 변장할 필요 없이 다른 모습으로 보일 수 있습니다."

도포산장 사람들은 할 말을 잃었다.

초만녕이 잠시 멈칫하더니 믿을 수 없다는 듯이 물었다.

"……아무도 생각 못 한 겁니까?"

해우 족자와 변신 향낭을 만든 사람들이 일제히 고개를 가로저었다. 업은 아이 삼 년 찾는다는 말이 바로 이들을 두고 하는 말이 아닐까?

그렇게 변장 문제는 해결되고, 모두가 한숨을 돌렸다. 저녁때가 다 되어서 다들 배부터 채우고 다시 족자 요괴를 기다리기로 했다.

다들 문을 나서는데 매함설이 갑자기 설몽의 귓가에 바짝 다가서며 나지막이 말했다.

"설자명."

설몽이 잔뜩 경계하며 물었다.

"뭐야!"

매함설이 빙그레 웃었다.

"비밀 하나 알려 줄게."

설몽의 직감이 매함설의 비밀은 안 듣는 게 낫다고 말하고 있었다. 그런데도 설몽은 호기심을 참지 못하고 입을 열었다.

"무, 무슨 비밀?"

매함설이 무척이나 부드럽게 말했다.

"초 종사의 방법 말이야…… 사실 나도 쭉 생각하고 있었어."

설몽이 깜짝 놀라더니, 매섭게 그를 노려보며 버럭 화를 냈다.

"그런데 왜 입 닫고 있었어!"

"강야침이 여장을 하겠다잖아?"

매함설이 키득거리며 말했다.

"그 남자를 난감하게 만들어서 너를 즐겁게 해 주려고 그랬지."

"……."

욕설을 장전하고 있던 설몽은 그 말을 듣자 입만 쩝쩝 다실 뿐 아무 말도 할 수 없었다.

매함설이 싱긋 웃었다.

"고맙다고 안 해?"

"고맙기는 개뿔! 그럼 강희가 간 다음은? 왜 말 안 했어?"

"아, 나중에는……."

매함설은 잠시 멈추더니 손가락 끝을 입술에 갖다 대고 애정이 담뿍 담긴 푸른 눈으로 빙그레 웃으며 말했다.

"너를 난감하게 해서 나를 즐겁게 하려고."

"?"

"참고로 너 아까 내기에서 졌다. 약속 지켜. 기다릴게."

"꿈 깨!"
설몽이 참지 못하고 고성을 질렀다.
"기다리긴 뭘 기다려! 나더러 여장을 하라고? 다음 생에나 기대하시지! 냉수 먹고 속 차려!"
목소리가 어찌나 쩌렁쩌렁한지 사람들이 놀라서 힐끔거렸다. 몰랐던 사실을 알게 된 사람들이 나지막이 수군거리기 시작했다.
"와, 설 장문이 여장을 한다고?"
"싫다잖아. 안 하겠대."
"불쌍한 매 공자, 내기에서 이기고도 욕을 먹다니."
"딱하다……."
수군대는 소리에 설몽의 낯빛이 점점 더 어두워졌다. 잠시 가만히 있던 매함설이 히죽 웃으며 물었다.
"그렇게 싫어?"
"말이라고!"
"고집하고는."
매함설이 웃으며 팔짱을 척 끼더니 매한설을 툭 쳤다.
"형, 재 좀 봐. 재밌지?"
매한설이 복어처럼 볼을 부풀리고 씩씩거리는 설몽을 힐끔 봤다.
"재미없어. 그러니까 여장시키지 마."
"왜? 재가 좀 화끈하잖아."
"너! 너!"
"화끈하지."
매한설이 무표정한 얼굴로 말했다.

"너무 화끈해서 눈이 다 맵지. 눈꼴시다."

"?"

설몽은 폭발하기 일보 직전이었다!

매한설이 매함설보다 더 했다! 매함설은 그냥 화끈하다고 했는데, 매한설은 눈꼴시단다!

설몽은 화가 머리끝까지 나서 주위 시선도 아랑곳하지 않고 고함을 질렀다.

"매한설! 거기 서! 이리 와! 누가 눈꼴시다는 거야? 내가 여장한 거 네가 봤어? 보지도 않고 함부로 말하다니! 내가 못 할 줄 알아? 네가 그렇게 잘났으면 어디 한번 누가 더 예쁠지 겨뤄 보자!"

매함설이 웃었다.

"오, 정말 할……."

매한설이 말을 끊고 매함설의 팔을 잡아당겼다. 그러고는 설몽을 돌아보며 말했다.

"아니, 좀 전의 네 말처럼 네 여장은 다음 생에 기대해 보지."

"제기랄!"

정신이 번쩍 든 설몽이 매한설에게 삿대질하며 눈썹을 확 추켜세우고는 고래고래 소리 질렀다.

"내가 언제 다음 생에 한다고 했어?"

"좀 전에 네 입으로 그랬잖아. 그리고 이번 생에는 장문이나 잘해. 경박하게 굴 생각하지 말고."

설몽은 너무 화가 나서 말까지 더듬었다.

"네, 네가 감히…… 네가 감히…… 이런 식으로 나한테 말해……?"

"응, 감히."

매한설은 무덤덤하게 파란 보석 같은 눈을 깜빡이며 비웃듯이 놀려 댔다.

"그럼 그렇게 하는 거로. 너 우리한테 하나 빚졌다."

그러곤 그가 한마디 덧붙였다.

"다음 생에 기다리지요, 설 낭자."

설몽은 멍하니 있다가, 매한설이 고개를 돌린 순간 제정신으로 돌아와 마구 소리를 질렀다.

"뭐라고? 매한설! 거기 안 서? 제기랄, 너 오늘 죽을 줄 알아! 거기 서!"

혹시 모를 만약을 대비해 도포산장 진 장로는 설몽에게 족자 요괴와 만나기 전에 변신 향낭을 착용한 초만녕의 모습을 확인해 주길 청했다. 마음에 들지 않는 데는 없는지, 설몽의 미적 기준에 부합하는지 한번 봐 달라는 것이었다.

매한설에 대한 분노로 가슴이 터질 것 같던 차에 찾아온 진욱연에게 설몽은 버럭 화를 터뜨렸다.

"쓸데없는 소리! 마음에 들지 않을 게 뭐 있어요! 사존은 어떤 모습이든 최고입니다!"

"아이고, 설 장문. 초 종사는 장문의 사존이지, 족자 요괴의 사존이 아니지 않습니까?"

진욱연은 잠시 말을 멈췄다가 다시 이었다.

"그건 주관적인 생각이지요. 족자 요괴는 사사로운 정 따위 없습니다. 그러니 초 종사를 모르는 분이라 생각하시고 기준에 부합하는지 꼼꼼히 살펴봐 주시기 바랍니다."

"사존은 구석구석 모두 훌륭한데, 주관이라니요?"

설몽이 눈을 부릅뜨고 소리쳤다.

“전에 해우 족자가 나를 사존과 선보게 했다면, 누군지 모르는 상태에서도 사존을 세상에서 가장 뛰어난 사람이라고 여겼을 겁니다. 절대 틀림없어!”

설몽이 아무리 단호하게 말해도 진욱연은 고집을 꺾지 않았다.

“아니, 안 됩니다. 그래도 한번 확인해 보시지요.”

그러면서 설몽을 초만녕의 방 쪽으로 밀었다.

방문을 확인한 설몽은 그만 얼어붙고 말았다.

여, 여긴 그때 다 같이 도포산장에 머물렀을 때 사존이 썼던 방이잖아?

그때 설몽은 묵연과 초만녕이 뭘 하는지도 모르고 경솔하게 안으로 들어갔고, 묵연은 어쩔 수 없이 침상 휘장 뒤에 숨어야 했다. 나중에야 설몽은 그때 초만녕의 눈이 촉촉하고 얼굴이 상기되어 있었던 이유가 열이 나서가 아니었음을 깨달았다…….

그만! 지난 일은 돌아보고 싶지 않다.

설몽은 같은 실수를 되풀이하지 않기 위해 이번에는 자기가 왔다는 걸 팍팍 티를 내야겠다고 생각했다. 특히 묵연! 절대 묵연이 염치없고 방탕한 짓을 하게 놔둘 수 없지! 절대!

그리하여 설몽은 문 앞에서 왔다 갔다 하며 일부러 큰 소리로 헛기침을 했다. 혹시라도 인기척이 들리지 않았을까 봐 발까지 쿵쿵 굴렀다. 그것으로도 모자라 펄쩍 뛰어올라 공중에서 한 바퀴 휙 돌아 착지하는 그때…….

‘끼익’ 하고 문이 열렸다.

묵연이 단정한 옷차림으로 문 앞에 우뚝 서서 귀신을 보듯이 쳐다봤다.

"……뭐 하는 거야?"

막 모래밭에 날아와 앉은 기러기처럼 안정적으로 착지한 설몽이 소리를 듣고 휙 돌아봤다. 하지만 입도 벙긋하기 전에 안에서 초만녕의 냉랭한 목소리가 들렸다.

"묵연, 마당에서 원한을 품은 여인이 굿이라도 하고 있는 것이냐?"

묵연이 '풉' 하고 웃음을 터뜨렸다.

"어, 아니요. 설몽이 왔어요."

그러고는 눈을 내리깔고 목소리를 낮춰 말했다.

"왔으면 문을 두드릴 것이지 기침에, 발을 구르고 왔다 갔다, 뭐 하는 짓이야? 마당에 귀신이라도 온 줄 알았다."

설몽이 공작이 꼬리를 펼치는 것 같은 동작을 그만두고 잘난 사촌 형의 얼굴에 퉤하고 침을 뱉으려는데, 그 순간 초만녕이 말했다.

"존주께서 오셨는데 막고 뭐 하느냐. 어서 들어오시라 하지 않고."

"……."

장문 자리를 이어받았으니 사생지전의 옥형 장로로서 초만녕이 자신을 존주라고 부르는 게 어찌 보면 당연한 건데도, 그 호칭을 듣자니 설몽은 마음이 불편했다.

묵연이 빙긋 웃으며 제 건장한 몸을 한쪽으로 틀었다.

"들어가."

설몽이 퉁명스럽게 말했다.

"사존과 할 얘기가 있으니 넌 나가 있어."

"아…… 어떻게 족자 요괴에 대응할지 연습하러 왔구나?"

의외로 묵연은 설몽에게 꼬치꼬치 따지지 않고 너그럽게 웃는 얼굴로 말했다.

"진 장로가 다 얘기해 줬어. 만일의 사고에 대비하려면 연습해야지, 그럼."

"사고 날 게 뭐가 있어."

설몽이 팔짱을 끼고 눈을 흘겼다.

"그 요물이 나를 따라 했으니 당연히 사존을 흠잡을 데 없다고 생각하겠지."

"그건 모르지."

묵연은 설몽의 어깨를 툭 치더니 진 장로와 똑같은 소리를 늘어놓았다.

"내가 보기에 네가 사존을 흠잡을 데 없다고 생각하는 건 존경하는 사존이기 때문인 것 같은데. 그때 맞선 상대가 '냉궁'이 아니라 사존이었다면, 넌 십중팔구 사존과 싸웠을 거야."

"허튼소리!"

묵연은 말씨름하지 않고 히죽 웃으며 길을 내주고는 여유롭게 밖으로 나갔다.

방에 들어가 변신 향낭을 매단 초만녕을 본 설몽은 저도 모르게 눈이 휘둥그레졌다.

웬 늘씬하고 참한 선고가 창가에 기대 서 있었다.

적막한 밤에 활짝 핀 월하미인처럼 희고 투명한 피부, 새하얀 옷깃 사이로 모습을 드러낸 매끈한 목선이 무척이나 아름다워이 세상 사람 같지 않았다. 불빛이, 빛을 뿜을 것만 같은 탄탄한 피부에 희미한 그림자를 드리우며 볼록한 이마와 살짝 내려뜨린 가늘고 긴 속눈썹 위를 지나, 부드러운 곡선의 콧날과 용뇌향 조각처럼 얇은 입술로 떨어졌다.

그 불빛은 마지막으로 그녀의 우아한 턱에 몽롱한 빛 물결을 퍼뜨리며 부드럽게 꼬리를 말았다.

여자로 변장한 사존은 이런 모습이구나.

설몽이 더듬거리며 불렀다.

"사, 사존……."

"그래."

짧게 대답한 초만녕이 등불의 심지를 헤집던 기다란 촛불 끄개를 내려놓고 돌아섰다.

원래대로라면 이런 용모의 사람을 보면 아름답다고 생각하기 마련이다. 그런데 초만녕이 변장한 선고는 뼛속부터 위엄 있고 냉담하며 오만한 느낌을 주었다. 특히 긴 눈썹 아래의 두 눈은 더없이 요염하고 해당화가 이슬을 머금은 것처럼 촉촉했지만, 눈빛은 매섭고 분명하고 감정을 억제하고 있는 것 같았다.

아름답긴 말도 못 하게 아름다운데, 차가운 미인이라 경외감을 줄 정도였다.

초만녕이 설몽을 힐끔 보더니 입을 열었다.

"좀 추하군."

"……."

설몽이 어리둥절해하며 물었다.

"네?"

"족자 요괴가 놀라서 도망갈까 걱정이다."

초만녕이 미간을 찌푸렸다.

설몽은 그제야 알아듣고 황급히 말했다.

"무슨 말씀이세요, 사존? 아니요, 아니요, 아니요, 그럴 리가 있나요. 예뻐요! 정말 아름다워요!"

초만녕은 늘 자신의 외모에 자신이 없었다. 두 번의 생을 사는 동안 미인을 수도 없이 봤다. 묵연은 말할 것도 없고 사명정, 송추동까지 하나같이 천하의 절색이었다. 초만녕은 자신이 사납게 생겨서 사람들이 다가오기 힘들어한다는 걸 잘 알고 있었다.

설몽이 저렇게 당황하는 것만 봐도 알 수 있다.

그래도 묵연만은 자신을 싫어하지 않았다.

초만녕이 고개를 설레설레 저으며 말했다.

"앉거라."

설몽은 지나치게 조심하며 얌전하게 탁자 앞에 앉았다.

초만녕이 맞은편에 앉아 옷소매를 잡고 맑은 차를 두 잔 따르고 물었다.

"용모의 부족함은 성격으로 채우면 된다. 네가 여인에게 바라는 게 무엇인지 말해 보거라."

전에 도포산장 사람들 앞에서 설몽은 조건을 300개 넘게 술술 열거했었다. 그런데 초만녕이 물으니 말문이 막혔다.

사존에게는 철든 모습만 보여 주고 싶은 설몽이다. 여기서 조건을 주절주절 늘어놓으면 초만녕이 그 조건에 따라 족자 요괴 앞에서 연기를 할 텐데, 어찌 민망하지 않겠는가?

그리하여 설몽은 한참이나 우물거리다가 찔린 듯 말했다.

"사실 별, 별거 없어요. 그냥…… 살아 있는 여자면 돼요."

차를 마시던 초만녕이 멈칫하며 모락모락 올라오는 김 사이로 설몽을 빤히 봤다.

"그래?"

"네, 네, 어지간하면 되죠 뭐. 딱히 바라는 건 없어요."

"내가 듣기로는……."

초만녕이 담담하게 물었다.

"요구 조건이 무척 많다고 하던데?"

설몽은 냉큼 손을 휘휘 저으며 변명했다.

"아닙니다, 아니에요. 모두 헛소리예요. 다, 다들 제 뜻을 곡해하고 함부로 말하는 거라고요."

"그럼 부지런하지 않고 방 청소를 잘 못해도 되느냐?"

설몽이 재까닥 답했다.

"어떻게 사존한테 방 청소를 시켜요. 저는 빨래도 제대로 못하는 사람이 좋아요!"

"서서 배웅하고 무릎 꿇고 마중하지 않아도 되느냐?"

"아이고, 제가 무슨 동영[#65] 사람도 아니고."

"얌전하고 고분고분하며, 때려도 되받아치지 않고, 욕을 해도 말대답하지 않는 여자가 아니어도 되느냐?"

"네! 저는 성질이 사나운 여자가 좋습니다."

"……밥할 줄 몰라도 되느냐?"

"절대 손에 물 한 방울 묻혀서는 안 돼요!"

설몽이 말했다.

#65 **동영** 東瀛. 동쪽 바다. 여기서는 일본을 가리킴

"제게서 뒤집개를 뺏으면 화낼 거예요!"

초만녕의 눈썹이 살짝 올라갔다.

"요리를 좋아하지 않는 거로 기억하는데."

"새, 새로운 취미입니다."

설몽이 더듬거리며 설명했다.

"최근에 좋아하게 됐어요."

초만녕이 잠시 멈추더니 마지막으로 물었다.

"……그럼 어른들의 마음에 들지 않아도 되느냐?"

"그럼요, 누굴 좋아할지는 제가 정해요!"

줄줄이 이어지는 문답을 끝내고 설몽이 떠난 뒤, 묵연이 들어와서 신나게 물었다.

"만녕, 만녕, 어땠어요? 까다롭죠?"

초만녕이 고개를 가로저으며 대답했다.

"하나도 까다롭지 않았다. 다들 오해한 거였어. 설몽이 그간 부쩍 철이 든 것 같아 마음이 놓인다."

"……."

과거 늘 어른을 속이고 온갖 거짓말로 사존의 처벌을 피하려 했던 불량 제자 묵연은 본능적으로 수상한 기운을 감지했다. 아무래도 구린내가 났다. 설몽이 철든 게 아니라 순진한 초만녕이 속은 것 같은데…….

해시.[#66]

도포산장 제자가 찾아와 족자 요괴가 한 기루에서 최고의 기

#66 **해시** 亥時, 밤 9시~11시

생을 내놓으라 했다는 소식을 전했다. 하나 전에 족자 요괴를 만났던 여자들은 하나같이 성격이 크게 변하여 가슴 털을 그리는가 하면 기가 하늘을 찌르는데, 그 사실을 잘 아는 기루 여주인이 선뜻 만나게 해 줄 리가 없었다.

다행히 도포산장 수사들이 제때에 도착해 여주인더러 일단 아무나 시켜서 족자 요괴를 물고 늘어지게 한 다음, 돌아와서 초 종사에게 도움을 청한 것이다.

"기생은 이미 몰래 빼돌렸습니다. 초 종사님, 그럼 잘 부탁드리겠습니다. 반드시 일다경을 끌어서 그 요물이 미약에 취하게 해 주십시오!"

족자 요괴는 설몽의 취향대로 변한 것이고, 아무리 변덕이 죽 끓는다 한들 결국 설몽이 철들고 착한 아이이니 어려울 게 없다고 초만녕은 생각했다.

그런데 그건 엄청난 착각이었다.

세 제자 중 묵연은 속과 겉이 다른 유형으로, 자신을 억제하지 못하고 사존을 덮칠까 봐 늘 좋아하지 않는 척했다.

사매는 마음속에 음모를 품고 있다 보니 혹시라도 그 속셈이 드러날까 봐 역시 그를 좋아하지 않는 척했다.

사실 이 둘은 초만녕이 밥을 할 줄 아는지 모르는지, 옷을 깨끗하게 빨 수 있는지 없는지 따위는 정말 신경 쓰지 않았다.

설몽은 그들과 달리 초만녕을 좋아하는 척했다.

그렇다고 싫어하는 건 또 아니었다. 당연히 진심으로 사존을 좋아했다. 다만 초만녕의 여러 가지 습관들을 셋 중에서 제일 못 견뎠다. 그런데도 사존에게서 칭찬을 듣고 싶은 마음에 억지로 마음에도 없는 말을 하곤 했다. '사존, 정말 대단해요!', '사존, 옷을 정말 깨끗하게 빠셨네요!', '사존의 두부야채조림은 정말 맛있어요!' 등등. 구역질이 날 뻔했는데도 말이다.

그런데 족자 요괴는 다르다. 이 요물은 초만녕에 대한 사적인 감정을 제거한 설몽인 셈이었다.

그리하여 둘의 대화는 이랬다.

"네가 이 집에서 제일 뛰어난 기생이냐?"

"네."

"나보다도 못생겼네."

"……."

이게 설몽의 진심일까?

……그럴 만도 하지, 내 용모가 부족한 건 사실이니까. 그래도 괜찮다. 부족한 부분은 성격으로 채우면 돼. 미리 설몽과 연습해 봤으니 틀림없겠지.

초만녕은 칠현금을 들고 담담하게 물었다.

"한 곡 들으시겠습니까?"

"집어치워. 그런 거 딱 질색이야. 특히 곤륜 답설궁의 맥 빠지는 곡은 듣기만 해도 머리가 지끈지끈 아프다."

족자 요괴가 꿀에 절인 과일을 입에 넣고 쩝쩝거리며 말했다. 강희에게 맞아서 겁을 먹었는지, 도망가면서 '나 강야침, 다시 돌아올 거야'라고 큰소리를 치더니, 오늘은 강야침의 모습을 하지 않았다.

대신 오늘 밤에는 공교롭게도 설몽의 얼굴을 하고 나타났다.

그리하여 초만녕은 '설몽'이 자기 앞에서 버릇없이 다리를 흔들며 꿀에 절인 과일을 입에 문 채 '인생이나 논해 보자' 따위의 말을 던지는 꼴을 보게 되었다.

"좋습니다."

"요리할 줄 알아?"

"물만두는 할 줄 압니다. 그리고 태워 먹는 걸 잘하지요."

"……헐, 하등 쓸모가 없네."

초만녕은 저도 모르게 눈을 부릅떴다.

뭐, 뭐라고?

설몽이 나를 쓸모없다고 생각한다고?

분명 뭔가 잘못된 것이다.

"다른 것도 할 줄 알긴 아는데, 잘은 못합니다. 요리하는 걸 좋아하신다고 들었는데, 아닌가요? 뒤집개를 뺏으면 화내신다고 하던데?"

"누가 그래? 허튼소리!"

족자 요괴가 딱 잘라 말했다.

"군자는 주방을 멀리하는 법. 사내대장부로서 어찌 밥을 짓겠느냐!"

"……."

그래, 설몽이 나를 속였단 말이지?

초만녕의 눈썹이 살짝 올라가고 눈에는 매서운 기운이 서렸다. 도대체 설몽이 제게 거짓말을 얼마나 많이 했는지 궁금해졌다.

이어지는 대화는 더 가관이었다. 갈수록 살벌한 분위기가 짙어졌다.

"빨래는 할 줄 알아?"

"물에 담갔다가 널면 됩니다."

"세상에, 개도 너보다 깨끗하겠다!"

"……."

"서서 배웅하고 무릎 꿇고 마중할 수 있어?"

"제가 동영 사람도 아니잖습니까."

"세상에, 개도 너보다 참하겠다!"

"……."

"때려도 되받아치지 않고, 욕을 해도 말대답하지 않을 수 있어?"

"저를 못 이기실 겁니다."

"세상에, 개도 너보다 상냥하겠다!"

"……."

"내 부모님과 사존의 예쁨을 받을 수 있겠어?"

"선군과 사귀는 것이지, 선군의 사존과 사귀는 게 아니잖습니까."

"세상에, 개도 너보다 철들었겠다!"

"……."

"매일 열두 시진씩 수련하느라 네 곁에 있을 시간이 없어도 괜찮겠어?"

말끝마다 '개, 개' 하는 바람에 초만녕은 화가 치밀어 이미 얼굴이 살짝 달아올라 있었다.

설자명…… 이 제자만큼은 절대 속이지 않고 좋으면 좋다, 싫으면 싫다 말하는 솔직한 녀석인 줄 알았더니, 진짜 속내는 이럴 줄이야!

초만녕이 어금니를 악물고 발끈하며 물었다.

"하루가 열두 시진인데, 잠은 안 주무십니까?"

이 '설몽'은 그보다 훨씬 사나웠다.

"잠자리, 잠자리, 잠자리 생각밖에 안 해? 어쩜 그렇게 퇴폐적이야! 사람이 건설적이어야지, 안 그래? 열심히 살아야지! 남편 내조하고 자녀를 잘 가르칠 생각을 해야지, 쓸데없이 잠자리네, 회임이네, 자식 덕 볼 궁리 따위 하지 말고! 이야기책은 작작 보고 요리책이나 많이 들여다보라고! 지고지순한 아내가 되란 말이야!"

"……."

설몽의 말에서 따져 봐야 할 점이 한두 가지가 아닌지라 초만녕은 순간 대꾸할 말을 찾지 못했다. 울화가 치밀어 피를 토할 지경이었지만, 그는 한마디도 하지 못하고 매서운 눈으로 설몽의 낯짝을 한 족자 요괴를 노려만 봤다.

그리고 한참 후 입술을 파르르 떨며 분노에 찬 목소리로 말했다.

"당신……."

"내가 뭐? 내 말 틀린 거 있어? 내 아내가 되려면 반드시 정직하고 순수해야 돼. 허구한 날 음탕한 짓 할 궁리만 해서는 안 된다고. 너는 딱 봐도 글러 먹었어. 네 꼴을 봐 봐. 게으르지, 성격 더럽지, 외로움을 못 견디는 데다 욕구 불만까지."

족자 요괴가 혐오스럽다는 얼굴로 몸을 일으켰다.

"됐다, 됐어. 정숙하고 현명하다 들었는데 다 거짓부렁이었구나."

"……."

초만녕은 뒤로 넘어가기 일보 직전이었다. 제자가 다 해 봐야 셋이다. 묵연이고 사매고 제 울화통을 터뜨렸지만, 설몽은 한 번도 속 썩이지 않았기에 제일 걱정 없는 녀석이라 여겼건만.

족자 요괴 때문에 설몽의 진심을 알게 되었다. 셋 다 똑같구나. 다 좋은 놈이 아니었어!

"더 얘기할 것도 없다."

족자 요괴가 돌아서 가 버렸다.

"그럼 이만!"

그때 진짜 설몽은 묵연 등 나머지 사람들과 함께 옆방에서 동정을 살피고 있었다. 진욱연 장로가 모래시계를 치켜들고 속삭였다.

"오호, 거의 다 됐습니다. 역시 초 종사군요. 조금만 더 버티면 일다경이고, 그럼 저 요물은 헤롱헤롱 정신을 못 차릴 겁니다, 하하……."

채 다 웃기도 전에 갑자기 옆방에서 번개 떨어지는 소리가 들리고, 곧이어 족자 요괴의 비명이 터져 나왔다.

"사람 잡네! 아이고, 나 죽는다!"

그리고 초만녕의 성난 목소리가 울렸다.

"어딜 가느냐!"

"으아아아아악! 사람 살려!"

사람들이 깜짝 놀라 우르르 몰려갔다. 문을 열고 들어가니 초만녕의 손에 들린 천문이 금빛을 번쩍이며 족자 요괴의 목을 휘감고 있었다. 요물의 혀가 맥없이 처져 있고 눈이 뒤집힌 것이 당장이라도 숨이 끊어질 것 같았다. 진욱연이 황급히 달려들어 말렸다.

"아이고, 초 종사, 고정하세요! 절대 죽여서는 안 됩니다! 죽이는 순간 사람들의 비밀이 모두 폭로된다고요!"

초만녕이 새카만 눈썹을 추켜세우며 날카롭게 외쳤다.

"뭐 어떻습니까! 떳떳하지 못할 게 뭐가 있다고!"

설몽이 허둥지둥 그를 불렀다.

"사존……."

그러자 초만녕이 벌컥 화를 냈다.

"입 닥치거라, 설자명! 이 물건짝 처리하고 나면 네 차례니까!"

"?"

사, 사, 사존이 왜 저러시지? 존주라고 부르지도 않고, 날 혼내 주겠다니!

순간, 설몽은 만감이 교차했다. 기쁜 건지 당황스러운 건지 모를 묘한 기분이었다. 오랜만에 사존이 화를 내는 걸 보니 의외로 반갑고 기쁘면서도…….

사존으로 하여금 장문이 된 자신에게 이렇게 엄포를 놓게 만들다니, 제기랄! 이놈의 요괴가 대체 뭐라고 나불거린 거야?

숨이 간당간당한 족자 요괴를 본 묵연이 황급히 초만녕의 어깨를 끌어안았다.

"사존, 일단 풀어 주세요."

초만녕이 칼처럼 날카로운 눈으로 쏘아봤다.

"숨통을 끊어 놓고 풀어 주겠다!"

묵연은 울지도 웃지도 못한 채 참 당황스러웠다.

"그럼 끝이에요. 모두의 비밀이 폭로된다고요."

"난 떳떳하지 못한 비밀 따위 없다. 너 혹시?"

묵연이 빙그레 웃으며 달랬다.

"저도 당연히 없죠. 다만, 가끔은 떳떳하지 못해서 말을 못 하는 게 아니라 상대방이 몰랐으면 해서 말을 못 하는 것들도 있잖아요."

초만녕이 미간을 확 찌푸렸다.

"뭐라고?"

"음…… 예를 들어……."

묵연이 고개를 숙여 초만녕의 귀에 대고 몇 마디 속삭였다.

설몽은 가만히 늘어뜨린 묵연의 긴 속눈썹을 봤다. 까만 눈동자에는 못 말린다는 듯한 웃음기와 진한 애정이 묻어 있었다. 그 입술의 자그마한 움직임이 끝나자 초만녕은 곧장 천문을 거둬들였다.

"너 정말……."

묵연이 부끄러운 듯 시선을 떨어뜨리고 싱긋 웃었다. 더없이 준수하고 성숙한 얼굴이었지만, 양 볼의 보조개가 소년 같은 풋풋함과 순수함을 더해 주었다.

초만녕이 화를 이기지 못하고 때리려고 하자 묵연이 단번에 그의 손목을 덥석 잡고 빙그레 웃으며 말했다.

"죄송해요. 족자가 묻길래 솔직하게 대답했을 뿐이에요."

"……."

그러고는 고개를 숙이고 초만녕과 손깍지를 끼더니 그의 귓가에 뜨거운 숨결을 내뱉으며 두 사람에게만 들릴 정도로 낮게 속삭였다.

"하지만 잠자리할 때 만녕과 어떤 체위로 하는 게 제일 좋은지 다른 사람이 알게 하고 싶지 않아요."

분명 욕망에 젖은 사랑의 밀어인데, 하필 족자 요괴에게서 이런저런 폭언을 듣고 난 다음이라 초만녕은 꼬리를 밟힌 것처럼 펄쩍 뛰며 묵연의 머리를 쥐어박았다.

"뭐? 뭘 해? 어찌 그렇게 퇴폐적이냐! 사람이 건설적이어야지, 아니냐? 열심히 살아야지! 남편을 내조하고 자녀를 잘 가르칠 생각을 해야지, 그런 쓸데없는 생각 하지 말고! 이야기책은 작작 보고 요리책이나 많이 들여다보거라! 지고지순한 아내가 되란 말이다!"

"……."

도포산장 사람들은 말문이 막혔다.

"……."

설몽도 말을 잃었다.

"?"

묵연은 어리둥절했다.

그때 족자 요괴가 혼란을 틈타 발딱 일어나더니 기뻐하며 소리쳤다.

"그래그래, 맞아! 잘했어! 내 진수를 모두 배웠구나! 축하한다!"

그러고는 경공을 써서 창문으로 빠져나갔다. 요물은 꽁무니를 빼면서도 밉살스럽게 외쳤다.

"나 설자명은 다시 돌아온다! 음하하하하!"

"……."

설몽은 문득 어제 강희가 살인 충동을 느낄 만했다는 생각이 들었다.

저 요괴 놈은 정말이지 너무 비열하다.

정말.

족자 요괴와의 대결에서 실패하는 바람에 초만녕도 예외 없이 저주에 걸려 온몸이 눈처럼 새하얀 고양이로 변했다.

은빛이 모두 사라지니, 흰 고양이가 위엄 넘치는 자세로 바닥에 앉아 눈꼬리가 살짝 위로 올라간 예쁜 눈으로 사람들을 매섭게 노려보고 있었다.

실패하면 닷새 동안 이런 결과를 맞게 될 것을 알고 있었음에도, 구경꾼들은 모두 질겁하며 침묵에 빠졌다.

꿀벌이 된 마방지.

새가 된 강야침.

흰 고양이가 된 초만녕.

일이 어떻게 되려고 이러는 거지? 종사 일곱 명을 모아 신농씨라도 소환할 셈인가?

초만녕의 눈빛은 강야침보다 훨씬 사나웠다. 아마도 한 명은 고양이고 한 명은 새라서 그런가 보다. 새는 표정이 거의 없는 반면, 고양이는 성난 얼굴을 할 수 있으니까. 묵연은 가슴이 아픈 와중에도 고양이가 너무 사랑스러워 허리를 숙여 안아 올리려 했다. 그 순간, 고양이가 귀를 뒤로 젖히고 몸을 부풀리더니 날카로운 송곳니를 드러내고 으르렁거렸다.

"캬!"

어떤 여제자가 저도 모르게 낮은 소리로 감탄했다.

"너무 귀여워!"

"묵 종사가 초 종사를 고양이로 변하게 하려고 일부러 지게 만든 게 아닌지 의심스러울 정돈데……."

그 말을 들은 초만녕은 눈을 둥그렇게 뜨고 묵연을 노려보며 위협적인 소리를 냈다.

묵연이 황급히 손을 들고 맹세했다.

"저 아닙니다! 전 그런 적 없어요!"

초만녕이 눈을 가늘게 뜨고 천천히 앞발을 들어 올렸다. 천문을 소환해 심문하려는 것 같았다. 그런데 매서운 울음소리와 함께 하얗고 동글동글한 털북숭이 앞발에서 나온 건 한 줄기 금빛뿐이었다. 거기에 연분홍색 코까지 더해지니, 오히려 흰 고양이가 앞발을 쳐들고 재주를 피우며 애교 부리는 것처럼 느껴졌다.

제대로 심장을 저격당한 묵연은 저도 모르게 바닥에 쪼그리고 앉아 반짝반짝 빛나는 눈으로 털을 세우고 성질을 내는 고양이를 바라보며 말했다.

"사존……."

"냐앙!"

그 순간 날아온 건 고양이의 앞발. 고양이가 앞발로 힘껏 할퀸 것이다. 묵연이 깜짝 놀라 헉하고 숨을 들이켰다. 초만녕은 버럭 화내며 묵연이 내민 손을 폴짝 뛰어넘어 가 버렸다. 확실히 그는 강야침처럼 창피를 당하고는 못 배기는 성격이었다.

강야침이 새로 변하자마자 날아갔던 것처럼, 고양이로 변한 초만녕도 서둘러 떠나려고 했다.

설몽은 미안한 한편, 날지 못하는 초만녕이 이대로 도망가면 남병산까지 무사히 도착할 것 같지 않아 허겁지겁 막아섰다.

"사존, 일단 진정하세요. 제가 사람을 시켜 모셔다드리라고 할게요. 이렇게 가시면…… 악!"

고양이는 사나운 호랑이가 산을 달려 내려오는 기세로 설몽이 내민 손을 세차게 들이받았다. 그러고는 설몽이 안으려고 하자 가차 없이 그의 손가락을 콱 깨물었다.

"사존!"

"사존!"

설몽과 묵연이 외쳤다.

잘됐군. 두 제자 모두 상처를 입었으니 아주 공평해.

초만녕은 제자들을 공격하고는 뒤도 돌아보지 않고 달려가, 새하얀 꼬리로 바닥을 쓱 훑으며 기루 모퉁이 너머로 종적을 감췄다. 설몽이 화들짝 놀라 물린 손가락을 휘휘 흔들며 뭐라 말하려는데, 묵연은 벌써 저만치 쫓아가고 있었다.

"혼자 가시면 어떡해요! 가는 길에 누구한테 잡혀서 용호투[#67]로 삶기면 어쩌려고요!"

설몽도 쫓아가려는데 매한설이 막았다. 설몽이 눈을 부릅떴다.

"왜?"

"모르겠어? 너 때문에 화나신 거잖아."

매한설이 타일렀다.

"그냥 묵 종사한테 맡겨. 닷새 뒤에 원래 모습으로 돌아오면 그때 남병산으로 찾아가도 늦지 않아."

"허튼소리! 사존이 나를 얼마나 좋아하시는데. 나 때문에 화나셨을 리 없어!"

매한설이 알 수 없는 표정으로 설몽을 내려다봤다.

"배필에 대한 네 기준을 제대로 말씀드린 거 맞아? 사존의 칭찬을 받겠다고 속인 건 아니고?"

#67 용호투 龍虎鬪. 뱀과 고양이 고기로 만든 요리

"……."

설몽은 켕겨서 아무 말도 못 했다.

매함설이 씩 웃으며 형 옆으로 다가와 말했다.

"마음 따로 입 따로 하지 말고 솔직하게 말하라고 했잖아. 거짓말하니까 사고 치지."

설몽은 반박하고 싶었지만 스스로도 말이 안 된다는 것을 잘 아는지라 한참을 우물거리다가 뾰로통하니 말했다.

"내, 내가 일부러 그랬어? 정말 사존은 어떻게 하든 다 좋은 걸 어떡해……."

"이해해. 동정을 표하는 바야."

매함설이 빙그레 웃으며 설몽의 어깨를 톡톡 두드렸다.

"그런데 초 종사와 강 존주 둘 다 실패했으니 이젠 도와줄 사람도 없어."

설몽은 큰일이 벌어질 것만 같은 예감에 바짝 긴장하며 고개를 들었다.

설몽이 매함설의 유리구슬 같은 푸른 눈과 시선을 마주하자 매함설이 빙긋 웃으며 의미심장하게 말했다.

"이제 네가 직접 나서는 수밖에, 설 장문."

설몽이 경악하며 따졌다.

"왜 나야! 네가 아니고!"

매함설이 코를 쓱 만지더니 웃으며 말했다.

"족자 요괴의 취향은 네 취향에 따라 만들어진 거잖아. 내가 여장한 모습 너도 봤지. 별로 좋아하는 것 같지 않던데."

"하지만 난……."

"내 모습이 꽤 마음에 들었는데 쑥스러워서 고백을 못 한 것뿐, 실은 내 모습에 마음이 흔들리셨나?"

설몽이 새파랗게 질려서 대뜸 소리쳤다.

"개소리 그만해!"

매함설이 하하 웃으며 약을 올렸다.

"여장한 내 모습이 좋았다고 인정하면 족자 요괴는 내가 처리할게. 맘에 들지 않았으면 어쩔 수 없지, 네가 직접 하는 수밖에. 골라 봐. 나를 칭찬할지, 아니면 직접 요괴를 상대할지."

설몽에게는 더없이 어려운 선택이었다. 족자 요괴를 유혹하는 일을 절대 못 하겠다는 것은 아니었다. 마운, 강희, 초만녕도 한 마당에 네 번째 주자가 되는 게 그렇게 창피한 일도 아니고.

그런데 만에 하나 실패해서 강희와 판에 박은 듯 똑같이 생긴 새로 변하면 사람들의 의심을 사는 건 물론이요, 공연히 매함설에게 잡혀서 깃털을 싹 뽑히고 말 게 아닌가?

설몽의 속마음을 훤히 꿰뚫어 본 매함설이 이를 드러내고 씩 웃으며 말했다.

"역시 나를 칭찬하는 쪽이 더 낫지? '매 씨는 잘났다'라고 딱 한마디만 하면 도와줄게."

잠시 머뭇거린 설몽은 빙그레 웃고 있는 매함설의 얼굴을 보고는 에라 모르겠다, 어금니를 꽉 깨물고 말했다.

"잘났다? 내가 봤을 때 너는 잘났다가 아니라 정말 밥맛없다야! 매 씨는 정말 밥맛없다!"

"……."

매함설이 한숨을 푹 내쉬며 말했다.

"이건 분명 비방이고 모독이야."

설몽은 칭찬을 유도하는 매함설에게 한 방 먹인 후 표독스럽게 외쳤다.

"요괴를 상대하는 게 뭐라고! 하나도 안 무서워! 설마하니 내가 나를 못 다루겠어? 두고 봐!"

그러고는 걸리적거리는 매씨 형제를 확 밀쳐 내고 삐걱거리는 나무 계단을 쾅쾅 밟으며 내려갔다.

설몽은 죽어도 여장을 하기 싫었다. 그래서 사존처럼 변신 향낭을 달기로 했다. 그는 숨을 한번 크게 들이마시고 구리거울 앞에 서서 주먹을 꽉 쥐고 천천히 눈을 떴다.

거울에 비친 사람은 분명 그때 주색 조롱박 안에서 봤던 여자 설몽이었다.

설몽은 볼수록 어색해서 요리조리 비춰 봤다. 거울 속 여인은 예쁘긴 예쁜데 일거수일투족에 어수룩함이 묻어 있었다. 물론 설몽은 그것을 패기라고 부를 테지만. 이대로라면 이따가 족자 요괴를 만났을 때 입을 꾹 닫고 목각 인형인 척해야 할 판이다.

입을 열었다가는 제 미적 기준에 절대 못 미칠 테니까. 제가 이런 여인을 좋아할 리 없다.

한창 고개를 비스듬히 돌리고 귀를 비춰 보는데 거울에 누군가의 모습이 불쑥 나타났다.

설몽은 곧바로 뒤를 돌아보며 물었다.

"네가 왜 왔어?"

매한설이 팔짱을 끼고 문에 우아하게 기대어 서서 덤덤하게 말했다.

“지도를 좀 해 줄까 하고. 너까지 실패하면 그 요물을 처리하기 곤란해져.”

설몽은 기분이 썩 좋지는 않았지만, 상대가 진지하게 말하니 쫓아낼 수도 없어서 미간을 찌푸리며 물었다.

“네가? 할 수 있겠어?”

매한설이 눈썹을 살짝 추켜세웠다.

“뭐?”

“너 여자 손도 못 잡아 봤잖아?”

“……네가 할 소리는 아니지.”

설몽이 발끈했다.

“나는 눈에 차지 않아서 그런 거고!”

매한설이 무덤덤하게 받아쳤다.

“나는 귀찮아서 그런 거고.”

그러고는 잠시 말을 멈췄다가 아무렇지 않게 말했다.

“많을 때는 함설이 대신 하루에 73명까지 거절해 봤지.”

“…….”

설몽은 말문이 턱 막혔다.

몇, 몇 명?

“너는?”

매함설이 물었다.

설몽은 입을 꾹 다물 수밖에 없었다. 왠지 모르게 매한설이 참 불쌍하다는 생각이 들었다.

한창나이에 쌍둥이 동생이 벌려 놓은 여자 문제나 수습하고 다니다니, 마음이 삐뚤어지지 않은 게 용했다.

매한설은 설몽이 아무 대꾸도 않자 침실 안으로 들어와 문을 닫았다.

"이리 와 봐."

설몽이 잔뜩 경계하며 물었다.

"뭐, 뭐 하려고?"

설몽이 제자리에서 꼼짝도 하지 않자 매한설은 늘씬한 다리로 성큼성큼 다가와 압박감을 줄 정도로 가까운 위치에 멈춰 섰다. 그러고는 차가운 호수처럼 푸른 눈을 내리깔고 옅은 금빛 속눈썹을 떨어뜨리며 말했다.

"어떻게 해야 남자에게 거절당하지 않는지 가르쳐 줄게."

매한설은 눈을 살짝 내리뜬 채 도발적인 눈으로 설몽을 봤다. 타고난 냉담함 속에 타고난 비아냥거림이 묻어났다.

설몽은 매한설의 이런 표정을 딱 질색했다. 팔을 들어 한 대 때리려는데 매한설이 보지도 않고 정확하게 손목을 딱 잡았다.

설몽이 눈을 부릅뜨고 소리쳤다.

"뭐 하는 거야? 썩 꺼져!"

"이대로는 절대 안 돼."

매한설은 말하면서 손에 힘을 줘서 설몽을 확 잡아당겼다. 어찌나 힘이 세고 민첩한지 설몽은 미처 손쓸 새도 없이 그대로 어깨 메치기를 당하며 바닥에 나자빠졌다.

"젠…… 장!"

"그렇게 상스러운 말은 안 돼."

매한설이 가까이 다가와 벌건 얼굴로 씩씩거리는 설몽을 내려다봤다.

"일어나. 내일 밤에 새가 돼서 함설에게 깃털 뽑히기 싫으면."

매한설은 단단히 여민 옷깃을 잡아당기며 몸을 풀더니 무덤덤하게 말했다.

"오늘 밤새도록 잘 조교해 주지."

설몽은 밀려오는 모욕감에 눈이 시뻘게져서 매한설을 노려봤다.

매한설은 설몽의 분노는 아랑곳하지 않고, 가늘고 긴 손가락을 펴서 설몽에게 내밀었다.

"시작하실까요, 설 장문?"

다음 날.

도포산장 진욱연이 다시 족자 요괴와 약속을 잡았다. 어리석은 족자 요괴는 몇 번이나 홍문연[#68]에 가고도 까맣게 잊고 좋아라 하며 초대에 응했다.

설몽이 경멸하듯 말했다.

"지력은 절대 날 안 닮았군."

매함설은 몇 가지 당부할 생각으로 족자 요괴를 만나러 갈 채비를 하는 설몽에게 다가갔다. 그런데 느닷없이 분노에 찬 고함을 들어야 했다.

"가까이 오지 마! 네 얼굴만 봐도 짜증 나니까!"

설몽은 그렇게 버럭 소리를 지르고는 도포산장 사람들을 거느리고 위풍당당하게 길을 나섰다. 매함설은 영문을 몰라 굳은 채로 그 자리에 서 있었다. 내가 뭘 또 잘못했는데?

설몽은 잘 꾸며 놓은 별실에 홀로 앉아 족자 요괴를 기다리는

#68 홍문연 鴻門宴. 초청객을 해칠 목적으로 차린 연회. 항우가 유방을 해치려고 홍문에서 주연을 열었던 고사에서 비롯됨

동안에도 기분이 언짢았다. 그도 그럴 것이 이렇게 대답하면 안 된다, 저렇게 행동하면 안 된다, 하며 어제 밤새 매한설에게 트집을 잡혔던 것이다.

더구나 밤새 괴롭혀 놓고는, 자질이 없어서 '남자에게 거절당하지 않는 법'을 절대 깨우칠 수 없다며 타박했다.

날이 밝을 때쯤 되자 아예 대놓고 이렇게 말했다.

– 됐다, 그냥 배우지 마. 정 안 되면 보자마자 칭찬부터 하고, 칭찬으로 일다경만 버텨.

어찌할 도리가 없어서 참을 수밖에 없었던 설몽은 이해가 안 된다는 얼굴로 침상에 드러누워 앓는 소리를 했다.

– 진작 말을 하지, 밤새 괴롭히기 전에.

매한설은 풀이 죽어 침상에 널브러져 있는 설 장문을 힐끔 보더니 담담히 시선을 돌렸었다.

그렇게 한창 매한설을 욕하고 있는데, 그때 '끼익' 하고 문이 열렸다.

설몽의 몸이 긴장으로 뻣뻣해졌다.

족자 요괴가 온 것이 틀림없었다.

아니나 다를까, 붉은 칠을 한 문 뒤에 익숙하면서도 낯선 모습이 나타났다. 일렁이는 불빛 아래, '설몽'이 거드름을 피우며 들어서고 있었다.

족자 요괴가 콱 한 대 때려 주고 싶은 모습으로 손을 흔들었다.

"낭자, 만나서 영광이군. 설몽, 설자명이 인사드리오!"

"……."

설몽은 자신이 이놈을 바로 죽이지 않은 게 기적이라는 생각이 들었다.

곧 족자 요괴와의 한담이 시작되었다. 설몽은 만반의 준비를 하고 왔으니 '자기'를 만족시킬 대답을 막힘없이 해낼 수 있을 거라 여겼다.

그런데 대화를 시작하고 얼마 안 가, 설몽은 그것이 심각한 착각이었음을 깨달았다.

족자 요괴가 물었다.

"평소에 직접 빨래해?"

설몽이 비위를 맞추며 대답했다.

"네."

"딱 봐도 빨래를 해 본 손이 아닌데."

"……."

"무를 아나?"

"조금…… 요. 여자가 죽이네 살리네 싸우는 게 썩 좋아 보이지는 않지만, 닭 한 마리 잡을 힘도 없어서야 되겠어요."

"춤 말이다, '춤추다' 할 때 그 무(舞). 여자가 돼서 무슨 생각을 하는 거야? 얌전한 맛 없이!"

"……."

"서서 배웅하고 무릎 꿇고 마중할 수 있어?"

설몽은 맞은편에 앉아 있는 '자기'를 멍하니 쳐다봤다. 평소에는 자기 말투에 대해 별생각이 없었는데, 정작 당하는 입장이 되어 보니 어찌나 괘씸한지, 제가 매를 벌었구나 싶었다. 서서 배웅하고 무릎 꿇고 마중하라고? 왜? 아예 승천을 하시지? 제가 무슨 복희나 신농씨인 줄 아나?

그러나 설몽은 요물을 기쁘게 하기 위해 눈 딱 감고 대답했다.

"안 될 것 없죠."

"어째 원치 않는데 억지로 대답하는 것 같군. 진심과 열정이 안 느껴져."

"……."

"'당연히 원하죠'라고 해야지!"

꽤 많은 대화를 주고받았는데도 족자 요괴는 결국 모래시계가 다 흘러내리기 전에 자리에서 일어났다.

"미안한데 더 얘기할 필요가 없을 것 같군."

설몽은 경악을 금치 못했다!

자기가 배필을 고르는 기준에 따라 매한설이 어제 가르쳐 준 대로 술술 대답했는데, 왜? 마음이 급해진 설몽은 정 안 되면 칭찬부터 하라던 매한설의 말이 번뜩 떠올라 황급히 요괴를 불러 세웠다.

"잠시만요!"

족자 요괴가 얼떨떨해하며 돌아봤다.

"왜?"

설몽은 언짢음을 참고 재빨리 억지웃음을 지으며 말투를 고쳐 말했다.

"그 뭐지…… 설 장문, 이렇게 잘생기고 소탈하고 기개가 드

높고 한 나라의 국고에 맞먹는 부를 가지고 계신데, 어찌 그 잘남을 혼자만 알고 혼자만 만족하고 계십니까. 제가 칭찬 좀 해 드리는 게 어떨까 해서요…….”

너무 서투르다.

역시 아부도 재능이 있어야 떠는구나.

아니나 다를까, 족자 요괴가 입술을 파르르 떨며 말했다.

“됐다, 예쁜 건 인정하지. 그런데 첫눈에 마음을 사로잡을 정도는 아니야. 게다가 높은 지위에 오르고 싶어서 무턱대고 내 비위를 맞추고 있군. 낭자, 사람이 진정성이 있어야지. 그쪽처럼 부귀를 누려 볼까, 장문의 부인이 되어 볼까 해서 일부러 접근하는 여자들, 나는 싫어.”

“?”

“하루빨리 진정한 사랑의 가치를 깨닫길 바라. 부를 탐하고 허영을 좋아하는 천박한 여자가 되지 말고. 그럼 이만!”

설몽은 너무 화가 나서 숨이 막혔다! 이게 다 뭐란 말인가!

제게 감히 이런 식으로 말하다니! 무엄하다!

역시 초만녕의 제자, 강야침의 핏줄답게 설몽도 화를 참지 못하는 유형이었다. 설몽은 너무 화가 난 나머지 사존과 친아버지처럼 금방 이성을 잃고 소리를 내지르며 허리춤의 변신 향낭을 산산조각 내 버렸다. 그러고는 다짜고짜 용성을 빼 들고 요괴놈에게 달려들었다.

족자 요괴가 아연실색하며 고래고래 소리 질렀다.

“으아! 또 사람 잡네!”

“너 오늘 제삿날인 줄 알아! 뭔데 그렇게 까다로워!”

족자 요괴는 당황한 와중에도 소리 지르는 걸 잊지 않았다.

"이 막돼먹은 것아! 원하는 걸 얻지 못했다고 죽자 살자 달려들어? 너, 너, 너……."

날아오는 칼에 불빛이 흔들렸다.

간신히 칼을 피한 족자 요괴는 욕을 퍼부으려고 고개를 돌렸다가 원래 모습으로 돌아온 설몽의 얼굴을 보고 할 말을 잃었다.

설몽은 족자 요괴의 눈빛이 변한 걸 보고 본능적으로 경계심이 일었다. 놈이 혹여 무슨 꼼수를 쓸까 하는 걱정에 그는 칼을 되돌려 요괴의 가슴에 들이밀며 매섭게 외쳤다.

"뭐냐!"

족자 요괴가 쩝쩝 입맛을 다시며 여전히 놀라움에 찬 얼굴로 물었다.

"너, 너, 너 남자였어?"

"쓸데없는 소리!"

다시 공격하려는데 족자 요괴가 큰 소리로 감탄했다.

"그것도 이렇게 무예가 뛰어나고 준수하고 비범하고 성격이 시원시원한 남자였다니!"

"?"

설몽이 어리둥절해하자, 족자 요괴가 초롱초롱한 눈으로 하늘을 우러러보며 큰 소리로 외쳤다.

"아! 드디어! 드디어 참사랑을 찾았어!"

"……."

"그러니까 자기애 최강자 설자명은 원래 모습으로 족자 요괴

앞에서 칼을 몇 번 휙휙 휘두르기만 해도 그 요괴 놈을 넘어오게 할 수 있었다는 거잖아. 힘들게 여장할 필요도 없었네…….”

그 일은 그렇게 예상 밖으로 쉽게 마무리되었다. 진욱연 장로는 도포산장의 화원 앞 객실에서 설몽이 노발대발하며 원래 모습으로 돌아온 마 장주와 대화를 나누는 모습을 지켜보고 있었다.

급한 불도 껐겠다, 마 장주는 설몽이 아무리 욕설을 퍼부어도 허허 웃기만 할 뿐 사달을 낸 장본인이 설몽이라는 사실은 따지지 않았다.

“다시는 백성을 해치는 이따위 족자는 팔지 마십시오!”

설몽은 노기 어린 한마디로 화풀이를 끝냈다.

마 장주가 연신 웃으며 말했다.

“그럼요, 그럼요! 저도 더는 꿀벌이 되고 싶지 않아요. 솔직히 강 장문이 새로 변하고 초 종사가 고양이로 변했을 때 무서워 죽는 줄 알았습니다. 둘 다 제 상위 포식자들이잖습니까. 안 팔아요, 안 팔아.”

그 말을 들은 설몽은 눈을 한번 흘긴 다음에야 더는 따지지 않기로 약속했다.

마운은 족자 요괴에 다시 주문을 걸어 손바닥만 한 목각 인형 안에 봉인한 다음, 설몽에게 요괴 퇴치 선물로 줬다.

설몽은 그 인형을 받고 싶지 않았다. 그 물건짝이 입만 열면 ‘설 장문, 정말 잘생기고 소탈하고 풍치 있으십니다!’라고 칭찬을 쏟아 냈기 때문이다. 예전 같았으면 좋아서 어쩔 줄 몰랐겠지만, 막 족자 요괴 사건을 겪은 터라 칭찬을 들어도 전처럼 기쁘지 않았다.

그가 미간을 찌푸리며 말했다.

“됐습니다, 됐어. 적당히 하시죠. 제가 그렇게 사탕발림한 말을 좋아할 사람 같아 보입니까? 싫어요, 안 가져갑니다. 이 물건은 하나도 솔직하지 않아요.”

목각 인형이 듣더니 서둘러 덧붙였다.

“설 장문은 잘나셨습니다! 정말 잘나셨어요!”

그러곤 아첨하는 말을 쏟아 냈다.

“왕 부인은 가장 아름다운 부인입니다! 초 종사는 가장 훌륭한 종사입니다!”

“…….”

“저를 버리지 말아 주세요, 흑흑. 아름답고 자애로운 설 장문, 흑흑…….”

됐다. 제 버릇 개 못 준다고, 이런 말은 여전히 설몽에게 먹혔다. 그래서 설몽은 마지못해 인형을 받아 나무 상자에 고이 넣어 사생지전으로 가져갔다.

떠나기 전에 매함설이 빙그레 웃으며 말했다.

“설 장문, 문득 궁금한 게 있는데…… 제가 변장한 수후는 어떠셨습니까? 만족하셨다면 좋은 후기 좀 남겨 주…….”

“후기는 개뿔!”

설몽이 퉁명스럽게 말허리를 자르고 그와 매한설을 노려보며 말했다.

“너희 둘, 기억해 두겠다! 명월루에게 연통해 버릇을 고쳐 주라고 하겠어.”

매함설이 ‘풋’ 하고 웃음을 터뜨리고는 부드럽게 말했다.

"아이고, 무서워라."

반면 매한설은 무미건조했다.

"사존은 요즘 폐관 수련 중이시라 내가 답설궁 장문을 대신하고 있다. 설 장문, 언제든지 곤륜으로 와서 일러바쳐도 좋아. 두 팔 벌려 환영해 줄 테니."

설몽은 순간 멍해졌다가 곧 고성을 지르기 시작했다.

"매한설! 너, 너 이 뻔뻔한 자식! 정녕 곤륜 답설궁에는 이제 바른말을 할 수 있는 사람이 없단 말이냐!"

아침 햇살이 직조기에 걸린 금실처럼 하얀 담장과 검푸른 기와에, 검은색의 부엉이 문양이 있는 도포산장의 결계에, 시끌벅적한 청년들의 몸에, 이러지도 저러지도 못하고 싸움을 말리는 불쌍한 마 장주의 얼굴에 좌르르 떨어졌다.

평화로운 세상에 일어났던 작은 소동은 그렇게 끝이 났다.

한 달 후, 마 장주가 선물의 주인공을 발표했다. 설몽의 은근한 압박에 못 이겨 접객마는 암암리에 결과를 조작해 선물을 최고의 고객 '왕소설'에게 줬다. 금은보화, 법기 설계도 등은 모두 사생지전으로 옮겨졌다.

그런데 희귀한 춘화와 색정 화본 500권은 도중에 답선군에게 가로채이고 말았다.

– 사존이 이 책들을 주면 네가 거짓말한 건 넘어가 주겠다고 하셨다.

답선군이 뻔뻔하게 말했다.

사생지전의 단심전에서 공무를 보던 설몽은 전음 종이학을 받자마자 화가 치밀어 주먹으로 종이학을 납작하게 으그러뜨렸다.

"파렴치한 자식! 사존이 그런 걸 보실 리 없잖아! 더구나 사존은 진작에 나를 용서하셨다. 열흘도 전에 나한테 서신을 보내오셨다고! 묵연, 뻔뻔한 개자식, 또 중간에서 이간질을 하다니!"

그러고도 화가 풀리지 않아 한쪽에 서 있던 어린 제자에게 명령했다.

"너! 사람을 데리고 남병산에 쳐들어가서 그 춘화며 화본이며 몽땅 찾아오거라! 싹 다 태워 버려!"

"그건……."

어린 제자는 겁에 질려 벌벌 떨면서도 아무 말도 못 한 채 끙끙거렸다.

장문님, 무려 답선군이에요! 답선군 손에서 음란 서적을 뺏어오라는 건 호랑이 이빨을 빼 오라는 거나 다름없어요. 목숨을 걸어야 한다고요!

설몽이 매섭게 노려보며 호통쳤다.

"뭐 하고 서 있느냐! 절대 묵연이 그런 더러운 것들로 옥형 장로를 해치게 할 수 없다! 당장 갔다 와!"

"……."

어린 제자는 울며 겨자 먹기로 갈 수밖에 없었다. 목숨이라도 건질 수 있게 답선군이 아닌 묵 종사를 만나기를 간절히 기도하면서…….

문을 열고 나가니 단심전에 새로 건 편액이 햇빛을 받아 눈부시게 빛났다. '단심가감, 사생불변'은 설몽이 쓴 것인데, 필체가 날카로우면서도 기개가 넘치고 찬란하지는 않지만 은은하게 빛났다.

이별의 상처는 하루하루 아물어 가고, 세월은 한 해 한 해 흘러갔다……. 남은 사람들은 마침내 웃고, 떠들고, 싸우고, 서로 조화를 이루고, 조용히 그리워하는 법을 다시 익혔다. 점차 젊음이 낡음을 대신하고, 활력이 슬픔을 대신하고, 빛이 어둠을, 안정이 방황을 대신했다.

보라, 어둠이 아무리 길어도 밤은 결국 지나간다.

왁자지껄 떠드는 날이 반드시 다시 온다.

바로 오늘처럼.

– 〈설몽몽 맞선기〉 끝 –

외전 5장 **총애 쟁탈전**

초만녕이 은거한 후 두 번째 맞는 생일이었다.

첫 번째 생일, 그러니까 작년 생일은 정말 황당한 날이었다.

그날 묵연의 몸은 답선군의 인격이 지배하고 있었다. 묵 종사의 인격일 때는 자신이 답선군 인격일 때 했던 일을 완전히 기억하진 못했지만, 드문드문 떠오르긴 했다.

파촉 사람 답선군은 '황금이 내 마음을 대변한다'라고 생각하는 순진한 남자였다. 아름다운 사랑의 말 같은 건 아예 할 줄 몰랐다. 그는 사랑을 표현하는 가장 좋은 방법은 두 가지밖에 없다고 굳게 믿었다.

첫째, 잠자리.

둘째, 돈.

답선군에게는 당연한 이야기였다. 잠자리는 세상에서 초만녕만이 그의 애욕에 불을 붙일 수 있다는 뜻이었고, 초만녕에게 돈을 쓴다는 건 초만녕만이 그의 주머니를 열 수 있다는 뜻이었다. 진부하긴 하지만 답선군은 더 고상한 방법이 떠오르지 않았고, 이런 방식으로도 그럭저럭 지낼 만했다.

문제는 답선군이 황금을 보낸 그 '시각'에 있었다. 그는 초만녕의 생일날 밤새도록 초만녕을 괴롭히고는, 다음 날 기다란 금괴가 가득 든 커다란 광주리 아홉 개를 넘치는 기세로 문 앞에 쾅쾅 내려놓고 호기롭게 손을 휘저으며 기쁜 목소리로 말했다.

"초만녕! 이건 다 본좌가 주는 상이다! 만족스러운가? 만족한다면……."

그다음 말은 이어지지 않았다. 초만녕이 천문을 소환해 금괴와 그를 바닥으로 내동댕이쳤기 때문이다.

불쌍한 답선군은 아무리 생각해도 이해할 수 없었다. 잠자리를 가진 후 상으로 돈을 주겠다는데 어째서 사람을 이리 혹독하게 때릴 수 있단 말인가. 정말 순전히 자신의 마음을 증명해 보이고 싶었을 뿐이다. 잠자리 후 돈을 주는 게 무슨 문제가 있는 거지? 잠자리를 갖기 전에 줘야 하는 건가? 아니면 중간에 줘야 하나?

설마 박을 때마다 돈 계산을 따로 해야 하나? 살살 하면 오십, 세게 하면 팔십?

팔십, 팔십, 팔십…….

그는 조용히 나무 그루터기에 앉아 멍한 표정으로 생각에 잠겼다. 다른 인격의 그라면 어떻게 했을까. 한참을 생각한 결과, 이런 상황에서 다른 인격은 직접 황금을 주는 대신 부드럽고 편안한 옷, 입에 딱 맞는 음식, 새롭고 흥미로운 물건 같은 것을 주었을 터였다.……. 아니면 초만녕의 생일날에 가난한 서생들을 불러 모아 크게 베풀어서 분명 초만녕의 인정과 칭찬을 받았을 것이다.

너무 교활한데.

답선군은 생각 끝에 화가 나서 다리를 내리쳤다. 너무 교활해! 너무 비열하다고! 너무 거지 같아!

그런데도 초만녕은 묵 종사가 더 믿을 만하다고 생각하지.

……퉤!

세상에서 그놈이 어떤 놈인지 아는 사람은 나뿐이야!

묵 종사는 겉으론 점잖은 군자인 척하면서 온갖 교활한 짓은 혼자 다 하지! 정말 부끄럽기 짝이 없어! 황금이 어때서? 황금이 별론가? 얼마나 실용적이야! 얼마나 꾸밈이 없냐고!

이 사람들은 어째서 내 황금 같은 마음을 몰라주는 거야!

그는 초만녕과 함께 묵는 소박한 거처를 등진 채 나무 그루터기에 다리를 꼬고 앉아 턱을 괴고 한참을 씩씩거렸다. 그제야 초만녕이 그에게 말을 걸려고 나가는데, 뜻밖에도 도포산장의 마 장주가 울며불며 산에 올라와 결계 안으로 쫓아왔다. 그러곤 초만녕의 바짓가랑이를 붙잡고 늘어지기 시작했다.

"초 종사, 이건 아니지요! 묵 선군이 소리 소문도 없이 산 아래에 내려와서는 도포산장의 창고 두 군데에 있던 재화를 몽땅 가져갔소! 무슨 포사[#69]의 미소는 천금의 값어치가 있다면서……."

이제 겨우 풀어지려던 초만녕의 표정이 또다시 굳었다.

그날 밤, 묵연의 몸이 묵 종사의 인격으로 완전히 바뀔 때까

#69 포사 褒姒. 중국 서주의 마지막 왕인 유왕의 애첩

지 초만녕은 그가 방에 들어오는 걸 허락하지 않았다. 묵연은 그 후 '다시는 산 아래로 내려가 닭이나 돈을 훔치지 않을 것이며, 나쁜 짓을 하거나 외상을 하지도 않겠습니다'라는 문장을 3천 번이나 써야 했다. 그렇게 일이 겨우 일단락되었다.

작년에 이렇게 쓰라린 교훈을 얻었으니, 올해의 묵연은 절대 방심할 수 없었다.

다행스럽게도 날짜를 꼽아 보니 올해 사존의 생일날에는 그래도 정상적인 의식이 몸을 지배할 터였고, 그렇게 되면 별 탈이 나진 않을 것 같았다.

그는 자신이 공유하고 있는 답선군의 기억 속에서 올해도 역시나 일찌감치 사존의 선물을 준비하려는 그의 모습을 보았다. 하지만 답선군의 본성은 생일날 나타나지 않을 것이었고, 그러니 어떤 사고도 칠 수도 없었다.

작년에 홀대를 톡톡히 당한 답선군이 올해 묵 종사에게 밀릴까 봐 총애를 독차지하고 싶은 마음이 큰 모양이었다.

독차지하고 싶으면 하라지.

묵 종사는 느긋하게 생각했다. 누구나 가장 이기기 힘든 적수는 자기 자신인 법. 그는 전혀 겁나지 않았다.

솔직히 말하면 그 역시 궁금했다. 올해는 과연 어떤 인격의 자신이 준비한 선물이 사존의 마음에 들고 사존을 기쁘게 할지.

"생일 선물?"

사생지전 장문의 처소에서 설몽이 뜻밖이라는 표정으로 조용히 찾아온 묵연을 쳐다보았다. 묵연은 강향황단으로 만든 매화 무늬 탁자 앞에 앉아 찻잔을 만지작거리며 웃었다.

"응. 생일 선물로 뭘 줘야 받는 사람이 가장 좋아할까?"

"받는 사람이 누군데?"

"아주 가까운 사람."

도도한 성격의 초만녕은 이전에는 한 번도 사생지전에서 생일을 보낸 적이 없었다. 당연히 제자들에게 자기 생일이 언제인지도 말한 적이 없었다. 나중에 초만녕과 은거를 하게 된 묵연은 몇 번이나 그를 귀찮게 한 끝에 그의 생일을 알아냈다. 그러나 초만녕은 다른 사람에게, 특히 설몽과 같은 후배들에게 알리지 말라고 신신당부했다.

그러니 설몽은 당연히 선물을 받을 사람이 초만녕이리라곤 생각도 못 했다.

아무리 생각해도 묵연이 이렇게 신경 쓸 만한 사람이 떠오르지 않았다. 설몽은 문득 자신의 생일이 곧 다가온다는 사실이 떠올랐다. 아, 혹시…….

멈칫한 설몽은 순간 온기가 가슴 가득 퍼지는 걸 느꼈다. 묵연을 바라보는 그의 눈빛이 순식간에 따뜻해졌다.

묵연은 설몽의 반응에 어리둥절해졌다.

"?"

설몽이 헛기침을 했다. 속으로는 신이 나서 어쩔 줄 모르면서도 겉으로는 장문으로서 고상함과 위엄을 지키려 담담하게 말했다.

"생일은 축하하는 마음만으로도 충분하지. 선물이 중요한 건 아니야."

묵연이 말했다.

“그래도 해야겠어. 그 사람은 나와 특별한 관계라서 말이야. 그냥 선물 말고, 가장 좋은 거로.”

“그럼 너무 면목이 없지. 난 딱히 필요한 것도 없는데…….”

묵연은 멍해졌다.

“뭐라고?”

“헉! 내, 내 말은 필요한 게 딱히 없을 수도 있다고.”

“필요한 거랑 선물하는 건 별개의 문제지.”

설몽의 마음이 두둥실 떠올랐다. 묵연이 드디어 철이 들었는지 이렇게 피를 나눈 형제처럼 살뜰하게 나오자 그는 진실로 감동했다. 그러고는 최대한 표정 관리를 하며 아무렇지 않은 척 조용히 말했다.

“……그렇다면 음…… 생각 좀 해 볼게.”

“그래.”

“강동당에서 새로 내놓은 연갑은 어때? 금은사로 장식한 물총새 날개 연갑 말이야.”

“…….”

그 옷은 금빛 광채가 휘황찬란하여 공작이 꽁지를 편 듯 억지스러운 귀티가 줄줄 흘렀다. 초만녕이 입은 모습은 상상도 할 수 없었다. 묵연은 잠시 말없이 생각하다가 완곡하게 돌려 말했다.

“그건 너한테 잘 어울리겠는데.”

사존은 하나도 안 어울려.

설몽이 기뻐하며 말했다.

“그럼 됐네. 그걸로 하자.”

"……좀 더 생각해 볼게."

묵연은 차마 그의 취향을 깎아내리지 못하고 간접적으로 말했다.

"강동당의 옷이 좋긴 한데, 진귀한 물건은 아니잖아. 더 귀한 물건을 좀 생각해 줄 수 없을까?"

눈이 동그래진 설몽이 더듬거렸다.

"이, 이러면 너무 면목이 없잖아!"

"?"

"아…… 내 말은, 그 정도면 됐다고. 그렇게 큰돈 쓸 필요까진 없잖아."

"일 년에 한 번 있는 생일인데, 아낄 필요가 뭐 있어."

설몽은 정말이지 가슴이 벅차오를 지경이었다. 그는 고개를 떨구고 잠시 호흡을 가다듬은 다음, 묵연의 어깨를 힘껏 두드렸다.

"다른 건 몰라도 형, 오늘 형이 한 말은 내가 잊지 않을게."

묵연은 또다시 어리둥절해졌다.

"……?"

외투를 입고 사생지전을 떠나면서도, 묵연은 설몽에게서 얻은 수확이 하나도 없다고 생각했다.

설몽이 오늘 평소와 다른 것 같기는 했다. 툭하면 기쁜 표정, 감동한 표정 같은 걸 지어 보였기 때문이다. 열심히 자제하는 것 같았지만 효과는 미미했다.

장문 자리가 많이 힘든가…….

탐랑 장로에게 얼른 가서 설몽의 맥을 짚어 보라는 편지라도 써야 하나. 병은 시간을 지체해선 안 되는데. 설몽도 정말 힘들겠군, 휴.

그 후 며칠 동안 묵연은 수진계 곳곳에 있는 유명한 상점을 몰래 찾아다니며 진귀한 물건이나 보석 같은 것들을 살폈다. 보물들이 나쁘진 않았으나 어떤 건 너무 저속했고, 어떤 건 너무 화려했고, 어떤 건 너무 흔해 보였다. 그의 넘치는 사랑을 대변하기엔 역부족이었다. 그는 자신의 깊은 사랑을 온전한 형태로 만들어 초만녕에게 바치고 싶었다. 그러나 어떻게 담아내야 할지 알 수가 없었다. 그의 마음은 바다처럼 넓었으나, 세상에 존재하는 물건들은 한 숟가락을 겨우 채우는 게 다였다.

어떻게 된 게 초만녕에게 주고 싶은 내 마음을 담을 만한 물건이 하나도 없을 수가 있어?

그는 마음이 급해진 나머지 정신이 산만해졌다.

암시장에서 《수진계 유명 인사들의 선물 목록》이라는 책까지 샀다. 책을 팔던 조그만 난쟁이는 이 책에 최근 삼십 년간 수진계 명사들이 서로 주고받은 선물 목록이 상세히 적혀 있다고 허풍을 떨었다.

터무니없는 허풍에도 결국 그 말을 철석같이 믿어 버린 묵연은 책을 받쳐 들고 한참을 몰두했다.

[남궁사가 엽망석에게 준 손수건 모서리에는 '사'가 새겨져 있다.]

[용언이 남궁사에게 준 전갑은 용 부인이 직접 수놓은 것이다.]

"……."

예상치 못한 곳에서 고인과 관련된 기록을 발견한 묵연은 자기도 모르게 탄식했다. 얼굴에 희미한 그늘이 드리웠다.

엽망석은 몇 년 동안 홀로 세상을 떠돌아다니고 있었다. 그녀는 천하를 유람한 후 돈을 모아 임기 유풍문이 있던 자리에 작은 학궁(學宮)을 세울 계획이었다.

남궁장영이 문파를 세우기 훨씬 이전에, 임기에 귀항한 귀족의 자제가 학부(學府)를 세워 제자들에게 육덕(六德), 육행(六行), 육예(六藝)를 가르쳤는데, 장영 태장문도 이 학부의 마지막 제자 중 하나였다고 한다. 학부가 문을 닫게 되자, 여러 이치와 사리에 통달한 남궁장영은 스승님이 가르쳐 준 이치를 바탕으로 독자적인 '유풍문의 칠계'를 만들었고, 임기의 자랑이자 수백 년 동안 수진계의 영광스러운 지위를 누리게 될 유풍문을 창건했다.

시간이 흐르고 흘러 유풍문은 멸문했고, 찬란하던 빛도 바랬다. 그러나 엽망석은 최초의 그 학부의 형태를 빌려 유풍 군자의 불씨를 계속 이어 나갈 생각이었다.

다시 오랜 시간이 흐른 후, 윤회할지도 모를 일이니 말이다.

묵연은 고개를 저으며 계속 읽어 내려갔다…….

[남궁류는 척량희에게 봉황과 목단이 수놓인 천잠사 배두렁이[#70] 일곱 벌을 선물했다. 모서리에는 악귀를 물리치는 금사로 '당신은 정말 음탕해', '왜 용언의 옷을 입고 있는 거지', '희희, 희희, 류 오라버니가 집에서 베를 짜네'와 같은 묘한 말들이 수놓여 있다…….]

"……."

#70 배두렁이 가슴과 배만 가린 마름모형 윗옷

다 읽은 묵연은 꼼짝하지 않았다. 순간, 갑자기 속이 메스꺼운 기분이 들었다. 그는 혐오스럽다는 듯 재빨리 '유풍문 선물 명단'을 휘리릭 넘겼다.

"고월야 선물 명단."

[여제자 조첨첨이 강야침에게 비취옥 장식 한 쌍을 선물했다.]

[여제자 조염염이 강야침에게 봉황 깃털로 장식한 쥘부채를 선물했다.]

[여제자 장순순이 강야침에게 황금 화로 하나를 선물했다.]

이런 얘기가 40쪽이 넘도록 이어졌다.

온통 강희가 장문이 되기 전에 문파의 여제자들이 그에게 선물한 기록이었다. 그중에는 생각이 깊은 사형과 사제도 몇몇 끼어 있었다.

묵연은 자기도 모르게 깊은 생각에 잠겼다……. 강희가 뛰어난 외모 덕분에 출세한 건 아니겠지?

다음 쪽을 넘겼다.

[강야침은 이상 40쪽의 선물을 모두 버렸다.]

역시.

……내가 그를 오해할 뻔했군.

강야침은 정말 신기한 사람이었다.

한참을 뒤적거렸지만 묵연은 역시나 선물에 대한 영감을 얻지 못했다. 뜬금없이 최근 매한설이 두뇌 발달에 특효약인 고급 천산설연 한 뿌리를 설몽에게 선물했다는 내용이 눈에 들어왔다.

설연도 괜찮은데. 하지만 사존은 이미 너무 똑똑해서 머리가 더 좋아질 필요가 없잖아. 좀 꺾어 와서 연못에 키울 수 있으면 예쁘고 좋을 텐데.

아쉽기도 한 것이 초만녕은 은거 이후 사립문 밖에서 개 짖는 소리가 들려오고, 눈보라가 몰아치는 밤 가족이 돌아오는 그런 소박한 삶을 좋아했다. 겉치레에 신경 쓰는 것도 싫어했다. 그렇지 않았다면 답선군의 의견대로 남병산 전체를 집으로 만들어 버렸을 것이다. 방 두 칸에 작은 뜰 하나가 전부인 소박한 삶은 있을 수 없는 일이었다.

묵연은 한숨을 내쉬며 책을 덮었다.

해가 완전히 저물었다. 창호지 바깥으로 따뜻한 등황색 불빛이 새어 나갔다. 오늘 사존이 갑자기 흥이 올라 만두를 빚었는데, 이제 다 익을 시간이었다. 도자기 부딪치는 소리가 부엌에서 들려왔다.

"묵연, 이리 와서 좀 도와라."

"지금 가요."

묵연이 웃으며 대답했다. 남병산 대나무 숲 깊은 곳은 지금 그가 가장 좋아하는 음식 냄새로 가득했다. 솥에 넣고 기름에 볶을 때처럼 진하진 않았지만, 이 냄새를 맡을 때마다 고요한 호수처럼 마음이 차분해졌다.

부엌에 들어서자 그들이 작년부터 데려다 키우고 있는 황백색 강아지 한 마리가 쪼르르 달려왔다. 초만녕을 도와 묵연을 재촉하듯, 혀를 내민 채 그의 주위를 빙글빙글 돌면서 묵연을 데려갔다.

"식탁을 뜰로 가져가서 좀 닦거라. 술 항아리도 하나 가져오고."

초만녕은 부뚜막 앞에 서 있었다. 나무로 된 솥뚜껑이 열려 있고, 솥 안의 동글동글하고 통통한 물만두에서 김이 펄펄 올라왔다. 잘 다진 고기소를 얇고 영롱한 피로 감싼 물만두는 그릇으로 옮겨져 빨갛고 맛있는 양념에 젖을 준비를 하고 있었다. 모락모락 피어나는 김 속에서 초만녕이 별생각 없이 물었다.

"밖에서 본 책이 무엇이길래 그렇게 몰두한 게냐?"

"심심풀이로 읽은 거예요."

묵연이 웃으며 말하고는 소매를 걷고 나무 식탁을 들었다.

팔뚝에 힘이 들어가자 근육과 핏줄이 선명하게 드러났다.

초만녕이 미간을 찌푸리며 말했다.

"좋은 책 좀 보거라. 듣자 하니 요즘 바깥에 황당하기 짝이 없는 화본이 많다던데, 그런 건 남병산에 가지고 오지 말고. 여기는 나무 요괴들이 자주 나타나는데 어떤 요괴는 아직 어리다. 읽은들 아무 이득도 없고, 나쁜 것만 가르치게 되는 꼴이야."

묵연이 웃으며 말했다.

"네."

식탁을 옮기러 나가자, 강아지도 '멍멍' 하고 즐겁게 짖으며 쫓아 나갔다.

묵연은 밥을 먹다 말고 젓가락을 입에 문 채 멍한 표정을 짓고 있었다.

강아지는 두 사람 곁에 엎드려 소금을 뿌리지 않은 뼈다귀를 까득까득 씹는 중이었다.

초만녕은 그를 한번 보고, 또 강아지를 한번 보았다. 둘이 상당히 닮았다는 생각이 들었다. 하나는 나무 막대기를, 하나는 뼈다귀를 물고 있다는 것만 달랐다. 그가 물었다.

"무슨 생각을 하는 거냐?"

묵연은 정신이 번쩍 들었다.

"아…… 사존, 그게……."

"음?"

묵연이 우물쭈물해하며 말을 잇지 못했다.

그는 초만녕에게 뭘 갖고 싶은지 물을 수 없었다. 물어본들 절대 말하지 않을 것이고, 말하게 되면 결국 깜짝 놀라는 기쁨은 없을 터였다. 답선군의 황금 광주리 아홉 개보다 별로일지도 모를 일이었다.

결국 묵연은 더 완곡한 방법을 택했다. 그가 조심스럽게 물었다.

"호, 혹시 우리 집에…… 뭐 부족한 거 없어요? 사존 생각에 뭐가 좀 더 있었으면 좋겠다 싶은 거 없어요?"

"아니, 이미 충분하다."

초만녕이 말했다.

"구두[#71]를 키우게 되니 집이 조금 시끄럽고 좁은 감은 있는데, 더 필요한 건 없다."

구두는 그저 조그만 똥개였다. 뼈다귀를 다 갉아 먹은 강아지는 이번엔 초만녕의 옷자락을 씹기 시작했다.

#71 **구두** 狗頭, 강아지, 개 머리, 멍청한 놈을 뜻하는 말

구두는 천성이 장난꾸러기였다. 처음 데려왔을 때 숨만 겨우 붙어 있던 강아지를 초만녕이 살렸고, 그 후 계속 같이 살았다. 시간이 흐르고, 강아지는 툭하면 지붕 위에 올라가 기와를 벗겨 내거나 마구 뛰어다녀 매를 벌었다. 초만녕은 늘 못마땅해하고 좋아하진 않았지만, 그래도 어쨌거나 강아지를 아꼈다. 강아지가 씹어서 옷자락이 다 망가지는데도 시끄럽다고 꾸짖기만 할 뿐, 옷을 당겨 빼지도 않았다.

강아지는 신이 나서 연신 꼬리를 흔들었다.

묵연도 그의 말을 듣자마자 신이 났다.

"그럼 집을 좀 넓혀야겠네요?"

"괜히 번거롭게. 귀찮다."

"……."

묵연이 잠시 말을 멈췄다 말을 이었다.

"제가 혼자 다 하면 어때요?"

"강아지 하나만 해도 너무 시끄러운데, 너까지 정신없게 할 셈이냐."

초만녕이 봉안을 살짝 들어 그를 쳐다보며 말했다.

"돈이 남아돌면 산 아래에 내려가서 좀 베풀지, 무슨 집을 짓는다는 게냐. 개 한 칸, 너 한 칸, 나 한 칸이냐?"

"사존과 저 한 칸이면 되죠. 구두 혼자 한 칸 하고요."

"그럼 저놈은 제 주제도 잊어버리게 될 거다."

"풉."

묵연이 고개를 숙이고 웃으며 물었다.

"구두야, 내가 너한테 이렇게 잘한다. 내가 사존과 방 하나에

좁게 자고, 너한텐 방 하나를 통째로 준다고. 이렇게 널 예뻐하는 주인을 또 어디서 찾겠어?"

황백색 강아지는 비스듬히 흘겨보며 사람 같은 표정을 지으며 그를 바라보았다. 마치 '네가 왜 초만녕과 한방을 써? 네가 꾀부리는 걸 내가 모를 줄 알아, 이 뻔뻔한 놈아?'라고 말하는 것 같았다.

"……."

아무 결론도 나지 않았다.

시간은 계속 흘러 초만녕의 생일이 코앞으로 다가왔다. 묵연은 그날 밤 잠이 하나도 오지 않았다. 초만녕이 잠든 후에도 그는 두 손으로 머리 뒤를 받친 채 천장을 올려다보며 한참 동안 멍하게 있었다.

사존의 생일을 핑계로 남병산의 작은 집을 더 아름답고 쾌적하게 정비하는 것은 정말 괜찮은 생각이긴 했지만, 그러자면 더 많은 땅과 집이 필요했다. 그다음 사방에서 진귀한 보물과 병갑화보를 모아다가 장서각을 하나 짓고, 또 기갑방을 하나 짓고, 또 보물 보관하는 장소를 하나 짓고…….

에이, 됐어. 어차피 싫어하실 게 뻔해. 돈을 허투루 쓰면서 일까지 벌인다고 생각하실 거야.

그렇게 풀이 죽어 있는데, 갑자기 바깥에서 이상한 기척이 들렸다.

묵연은 순간적으로 그 느낌을 포착했다.

구두인가?

시선을 돌리자, 구석에서 곤히 자는 조그만 강아지가 보였다.

묵연은 그 생각을 접었다.

……좀도둑인가?

그러나 그들이 은거하고 있는 곳에는 결계가 쳐져 있어, 설몽이나 마운처럼 증표를 가지고 있는 사람이 아니면 마음대로 들어올 수 없었다.

사람이 아니면 가능했다.

그것의 움직임은 매우 가벼웠지만, 그의 눈과 귀를 벗어나진 못했다. 무언가가 소리 없이 그들의 거처로 접근하고 있는 것 같았다. 묵연은 숨을 참으며 조용히 일어나 앉았다. 창문 틈으로 바깥을 보려던 그때, 집 앞에 도착한 그것이 '똑똑' 하며 작은 소리로 문을 두드렸다.

"?"

이렇게 야심한 밤에 남병산에 올라 그들 집 문을 두드리는 게 도대체 누구란 말인가?

묵연은 조용히 침상에서 빠져나와 '끼익' 하고 문을 열었다. 살짝 열린 사립문이 흔들렸다. 곧이어 희고 통통하며 파란 등불이 달린 꼬리가 휙 지나가는 게 보였다.

처음엔 잘못 본 줄 알았다. 남병산에서 지낸 지도 꽤 되었는데 저런 건 본 적이 없었기 때문이다.

무슨 요괴지?

그는 따라가 보고 싶었다. 그런데 문을 나서기도 전에 침실 문턱 앞에 부드러운 녹색 연잎이 놓여 있는 게 보였다. 연잎 중앙에는 손바닥만 한 목함이 놓여 있었다. 그가 연잎을 집어 들었다. 무슨 이유에선지 연잎에선 희미한 계화 향이 났다. 위에는 동글동글하고 귀여운 글씨체로 삐뚤빼뚤 몇 글자가 쓰여 있었다.

[신목 선군의 생신을 축하드립니다.
힘내세요, 대부. 제가 도울 수 있는 건 여기까지입니다.

마을의 모든 희망을 품고 있는 떡 정령 드림.]

눈이 휘둥그레진 묵연은 하마터면 바닥에 나자빠질 뻔했다.

"뭐야? 떡 정령이라는 요괴가 실제로 있다고?"

그, 그건 내가 몇 년 전 설몽을 속이려고 만들어 낸 건데? 그게 정말로 존재한단 말이야?

그는 자기도 모르게 입술을 만지작거렸다. 마존이 특수미인석에게는 말하는 대로 이루어지는 그런 숨겨진 재능이 있다는 걸 까먹고 안 알려 준 건가?

그렇지 않고서야 하얗고 통통한 꼬리 위에 파란 등불이 달린 조그만 괴물이 어떻게 실제로 있을 수 있냔 말이다! 그것은 너무 빨리 뛰어서 몸 전체가 보이지 않았다. 그러나 묵연은 직감적으로 알 수 있었다. 몸은 아마 그가 그때 지어낸 것처럼 동글동글하고, 쫀득거리는 머리엔 커다란 연잎을 쓰고 있을 터였다…….

묵연은 함을 가지고 방으로 들어갔다.

초만녕과 구두는 자고 있었다. 한밤에 손님이 갑자기 찾아왔는데도 깨지 않았다. 묵연은 웅크리고 자는 초만녕의 곁에 다가가 이불을 잘 덮어 주었다. 구두에게도 다가가서 천천히 쓰다듬어 주고는, 탁자 앞에 앉아 열심히 작은 나무로 된 함을 살피기 시작했다.

살기도 없고, 사기도 없어.

요기는 아주 강하지만 선한 기운이군.

그는 함을 열어 보려 했지만 열쇠 구멍을 찾을 수가 없었다. 여는 방법이 쓰여 있지도 않았다.

묵연은 미간을 찌푸리며 생각에 잠겼다. 이 함은 도대체 뭐에 쓰는 거야? 그냥 장식품인가?

낡아 빠져서 장식용으로는 별론데.

그의 생각에 대답이라도 하듯, 그가 이렇게 생각하자마자 목함의 뚜껑에 눈부신 금빛 전서체가 나타났다.

[종사님, 만나 뵙게 되어 기쁩니다. 저는 요계의 법보예요. 소원을 이뤄 주는 목함입니다.]

묵연은 깜짝 놀라 의자에서 굴러떨어질 뻔했다.

사람 마음을 꿰뚫어 본단 말이야?

[그건 아니에요.]

목함 위에 계속 새로운 글자가 나타났다. 흔들리는 금빛 글자들은 천천히 조금 전의 글자를 덮었다.

[저는 주인님의 마음만 볼 수 있고, 다른 사람들의 마음은 볼 수 없어요.]

묵연은 침착하려고 애썼다. 고개를 돌려 이불로 얼굴을 덮고 자는 초만녕과 머리를 발밑에 묻고 자는 구두를 확인한 다음, 작은 목소리로 조심스럽게 물었다.

"그럼 내가 네 주인이라고?"

[네, 주인님. 전 주인님의 선물이랍니다.]

묵연은 잠시 호흡을 가다듬었다. 여전히 혼란스러웠다.

"너는 조그만 요괴가 사존께 드리는 선물 아니었어?"

[그건 주인님이 만드는 거예요.]

목함 위에서는 끊임없이 글자가 사라지고 나타났다.

[우린 생신을 맞은 신목 선군께 깜짝 선물을 하고 싶은 주인님의 강한 열망을 느꼈어요. 그리고 주인님이 여러 가지 걸리는 것들 때문에 마음껏 준비하지 못하는 모습도 보았죠. 하지만 이제 걱정하실 것 없어요. 저만 있으면 주인님은 분명 소원을 이루실 거예요.]

목함의 말을 곱씹어 보던 묵연은 천천히 깨닫게 되었다…….

내 진심에 감동한 산속 정령이 내가 소원을 이룰 수 있도록 도와주는 거구나!

[맞아요. 바로 그거예요.]

목함이 때를 놓치지 않고 또다시 두 줄의 빛나는 글자를 보였다.

[안심하세요, 종사님. 올해 신목 선군의 생신에는 작년보다 훨씬 잘하실 거예요.]

묵연은 작년의 황금 아홉 광주리를 떠올렸다. 정말이지 웃지도 울지도 못할 일이었다.

"……작년과는 비교하지 말자."

걱정거리가 사라지자 묵연은 소원을 이뤄 주는 함을 사용해 보기로 했다. 목함은 생일 전까지 초만녕이나 다른 사람이 의도치 않게 자기를 사용할지도 모르니, 암호를 정하라고 했다. 암호가 일치해야만 목함은 반응했고, 평소에는 흔해 빠진 함으로 보여 누구의 시선도 끌지 않았다.

"그럼 '사존'이라고 하자."

[안 돼요. 너무 쉬워요. 잘못 열릴 수도 있어요.]

목함은 잠시 뜸을 들였다.

[다섯 글자에서 열 글자가 좋을 것 같아요.]

"그럼……."

묵연은 잠시 생각하다가 말했다.

"그럼 '황금 선물은 정말 멍청해'로 하자."

[좋아요.]

목함이 말했다.

[그럼 지금부터 '황금 선물은 정말 멍청해'가 소원을 이뤄 주는 목함의 암호예요. 지금 사용해 보시겠어요?]

묵연은 당연히 잠시도 기다리기 힘들다는 듯 고개를 끄덕였다.

고개를 끄덕인 순간, 눈부신 빛이 반짝였다. 그는 반사적으로 눈을 감았다. 다시 눈을 떴을 때, 그는 자신이 광활한 신천지에 와 있다는 걸 깨달았다.

속세를 초월한 선계(仙界)와 같은 곳이었다.

산 사이로 물이 흘렀다. 그가 있는 곳은 넓은 공터였고, 한쪽에 목재가 쌓여 있었다. 하늘에는 옅은 붉은색의 신비한 구름이 천천히 흐르고, 만개한 해당화가 가볍게 흩날렸다. 떨어진 꽃잎이 흐르는 물을 붉게 수놓으니, 그 풍경이 기이하고도 아름다웠다.

포동포동한 떡 정령이 그루터기에 앉아 있었다. 파란 등불이 일렁이는 꼬리를 흔들면서 자신의 쫀득거리는 왼발을 오른발에 붙이며 장난을 쳤다. 그런데 너무 힘을 준 나머지 그만 두 발이 딱 붙어서 떨어지질 않는 게 아닌가. 잔뜩 겁에 질린 정령은 힘껏 양발을 잡아당겼지만, 찹쌀떡 부스러기만 나올 뿐 발은 떨어질 생각을 하지 않았다.

묵연이 다가가 분리 주술을 시전했다. '퍽' 하는 소리와 함께 정령의 양발이 떨어졌다.

정령이 토실토실하고 부드러운 배를 꿀렁거리며 안도의 한숨을 내쉬었다. 그러고는 연잎 아래 녹두만 한 작은 눈을 들어 올렸다.

"휴…… 쌀았다! 꼬, 꼬마워!"

"천만에. 여긴 소원을 이뤄 주는 목함 속인가? 넌 목함을 관리하는…… 어……."

그는 요괴라고 하려다가 예의가 아닌 것 같아 웃으며 말했다.

"집사?"

"나는 찝사가 아니다."

정령은 느리고 가느다란 목소리로 말했다. 폭군 같은 말투는 그의 목소리와 전혀 어울리지 않았다.

"나는 찌주다! 너는…… 빠, 빠보다!"

"?"

묵연은 어이가 없었다.

"왜 사람한테 욕을 해?"

"나, 나는 우리 마을에서 쩨일 대, 대…… 대단한 떡이다! 내가 욕하고 싶으면 하는 거지, 네네네네가 뭔데 깐섭이냐!"

"……."

이 대단한 떡님은 발음도 제대로 못 하는 욕쟁이였다.

몰래 와서 목함을 준 귀여운 떡 정령과는 완전 딴판이었다. 보아하니 확실히 마을의 폭군은 맞는 것 같았다. 동족에 의해 목함에 갇힌 데다 다른 떡들은 그와 어울리지 않는 것 같으니 말이다.

고독한 떡 폭군은 고집스럽게 고개를 쳐들고 손을 허리에 댄 채 묵연을 노려보았다. 언제든 그의 반격을 받아칠 준비라도 하는 것 같았다.

잔뜩 겁을 주려는 자세였지만, 그 작은 팔다리와 하얗고 통통한 몸을 본 묵연은 잠시 후 자기도 모르게 '풉' 하고 웃음을 터뜨리고 말았다.

"하하하하!"

묵연은 손을 뻗어 그의 조그만 머리를 쓰다듬었다.

"너무 귀엽잖아, 하하하하하!"

떡 폭군은 머리 위의 비뚤어진 연잎을 고쳐 쓰며 더 화를 냈다.

"깜히 웃다니! 이건 짱난이 아니다! 이 돼지 같은 놈이!"

"뭐라고? 미안해, 하하하하……."

"우…… 웃지 마라, 웃지 말라고! 껑고했다! 찌금부터 네 운명은 내 쏜에 달렸다!"

힘겨운 협상 끝에 떡 폭군과 묵연은 드디어 타협에 이르렀다.

묵연이 그를 놀리지 않는 대신, 폭군은 묵연에게 지금의 상황을 잘 설명하기로 말이다.

폭군은 강조했다. 그들의 떡 마을에는 떡 정령이 많은데, 성격이 다 제각각이며 자신이 목함에 갇힌 이유는 성격이 제일 나빠서가 아니라…….

"나, 나는 우리 마을에서 인간과 말이 쩨일 잘 통하는 떡이야. 빨음을 또박또박 잘한다고! 그러니까, 나는 인간과 쏘통하기 위해 썬출된 싸, 싸자라고!"

"……사자겠지?"

"그래! 네 말이 맞아! 싸자!"

빳빳이 고개를 쳐들고 가슴을 내민 채 자부심으로 똘똘 뭉친 폭군을 보며 묵연은 참다못해 또 박장대소하고 말았다.

"야!"

폭군은 분에 못 이겨 작은 발을 동동 굴렀다.

"어째서 또 웃는 거냐! 날 삐웃지 말랬지! 나는 인간의 말을 이미 빼, 빽 년도 넘게 배웠다고! 웃지 마! 또, 또 웃으면 너를 없애 버릴 거야!"

목숨을 보전하기 위해 묵연은 예전에 천문의 심문에 저항하던 의지를 동원해 웃음을 참고 또 참았다.

"알았어, 알았어. 안 웃을게. 소원을 이뤄 주는 함을 어떻게 쓰는지 좀 알려 줄 수 있을까?"

폭군은 입을 몇 번 다시더니 팔짱을 꼈다. 그러고는 녹두 눈으로 묵연을 흘겨봤다. 그가 정말 웃지 않자, 그제야 폭군은 입을 열었다.

"깐단히 말해서, 이 목함 안은 빠깥과는 다르다는 거다. 씬목 선군을 위해 더 큰 집을 짓고 아름다운 꽃을 씸고 싶다고 생각한 것 아닌가?"

묵연이 고개를 끄덕였다.

"맞아. 하지만 사존은 그 생각이 결국 돈 낭비의 시발점이라면서 내키지 않아 하셨어. 너무 과하고, 시끄럽기만 하다고 하셨지."

"괘, 괜찮다."

폭군이 작은 손을 내저었다.

"이 목함 안에서는 빠, 빠깥의 공간을 차지하지도 않고, 씨끄럽지도 않고, 낭비의 씨발점도 안 된다……."

묵연이 재빨리 그의 말을 자르고 진지하게 말했다.

"다른 건 발음이 틀려도 괜찮은데, '시발점'은 꼭 제대로 발음해야 해."

폭군은 작은 눈동자를 굴리면서 열심히 발음했다.

"씨발점……."

"시발점."

"씨발점……."

"입에서 힘을 빼. 시발점."

폭군의 얼굴이 하얗게 질렸다. 고개를 쭉 빼고 열심히 발음을 내뱉었다.

"씨……."

묵연이 이마를 짚었다.

"됐어, 그냥 하던 말씀 계속하시지요."

폭군이 말했다.

"내가 어띠까지 말했지?"

"이 목함 안에서는 내가 공간을 차지하지도 않고 시끄럽게 하지도 않을 거라고."

묵연이 말했다.

"하지만 내가 여기서 사존을 위한 축하연을 몰래 준비하고 집과 정원을 수리한다고 해도 귀한 씨앗이나 화초, 음식 재료, 도구들을 사야 하는 건 마찬가지잖아."

그가 쓴웃음을 지으며 말했다.

"사존이 아시면 또 낭비한다고 하실 거야."

"꺽정할 필요 없다."

폭군이 말했다.

"이곳의 물건은 빠깥과는 다르다. 너는 찝도 지을 수 있고, 연못도 팔 수 있고, 화초도 씸을 수 있고, 음식을 쭌비할 수도 있다…… 이런 것들은 똔을 주고 살 필요가 없다. 쪄, 쪈부 나랑 바꾸면 된다!"

묵연은 놀라서 눈이 동그래졌다.

"바꾼다고?"

"그래."

폭군이 자신의 배를 가리켰다. 묵연은 그제야 그의 불룩 나온 하얀 배 위에 '자연산' 주머니가 있다는 걸 알게 됐다. 주머니와 배가 똑같이 너무 하얘서 여태 알아차리지 못했던 것이다.

"인간의 찝과 화초는 쪈부 하나, 하나도 안 예뻐! 씬목 선군처럼 선기가 흐르는 분은 우리 요족의 물건이 더 잘 어울리시지! 빠깥에 있는 물건들을 나한테 까져와. 천이나, 꽃이나, 찐흙 인형 같은 것들…… 내가 그에 쌍응하는 물건으로 바꿔 줄 테니."

"그럼 뭐로 바꿔 줄지 내가 어떻게 알아?"

"그, 그건 네 운에 맡겨야지."

폭군이 말했다.

“하지만 나, 나는 아주 아량이 넓다. 섭섭지 않게 쳐준다. 못 믿겠으면 찌금 바로 씨험해 보든가.”

시험해 보라니, 시험해 보지 뭐.

그러나 묵연은 아무 준비도 없이 들어온 데다 입은 옷도 속적삼뿐이라 가져온 게 없었다. 생각 끝에 그는 속적삼을 벗어 떡폭군에게 건넸다.

“지금 가진 건 이것뿐이야. 뭐로 바꿔 줄 수 있어?”

폭군은 묵연의 옷을 작은 팔로 받아 들고 이리저리 훑어보았다.

“이거 아주 싸연이 많은 옷이네. 많은 일을 겪었어.”

그러고는 음흉한 눈빛으로 묵연의 벗은 상반신을 응시하며 이리저리 훑어보았다. 그도 그럴 것이 묵연의 몸매는 너무나도 훌륭했다. 꼿꼿한 등, 힘 있고 날렵한 허리, 영원히 사라지지 않을 흉터가 있긴 했으나 여전히 남성미가 가득하고 힘이 넘치는 탄탄한 가슴. 숨을 쉴 때마다 오르락내리락하는 가슴은 마치 금방이라도 뿜어져 나올 용암을 누르고 있는 것만 같았다.

폭군이 말했다.

“몸매가 아주 좋네.”

그러고는 다시 속적삼을 들어 살펴보았다.

“몸매가 아주 좋은 묵 종사의 옷은, 가만있어 뽀자…….”

중얼거리던 그의 목소리가 점점 작아졌다. 그는 부스럭거리며 흰 주머니에 속적삼을 집어넣고는 또 이리저리 주머니 속을 뒤졌다.

“아! 있어! 빠로 이거!”

묵연이 그를 보았다. 작고 부드러운 손에는 희미한 금빛이 반짝이는 낟알들이 놓여 있었다.

"이게 뭐야?"

"요족의 생일 축하 꽃."

폭군이 말했다.

"내 생각에 네 옷은 색에 환장하는 꽃의 요정들한테서 씨앗으로 바꿔 올 수 있을 것 같아. 가져가, 가져가서 씸어 봐."

"……."

폭군이 계속 '심어' 보는 게 아니라 '씸어' 보라고 했으나 묵연은 그를 비웃을 생각이 전혀 없었다. 그는 호기심이 발동해 이 씨앗들을 받쳐 들고 공터로 걸어갔다. 폭군도 쩝쩝거리며 그의 뒤를 따랐다.

"어떻게 심어?"

"그, 그냥 빠닥에 뿌려!"

묵연은 그가 하라는 대로 했다. 과연 요족의 꽃은 요족의 경계 안에서 비범했다. 씨앗을 뿌리고 눈도 깜박하기 전에 공터는 옅은 금색과 은색이 어우러진 꽃의 바다로 변했다. 금색 꽃은 모란을 닮았고, 은색 꽃은 정향과 비슷했다. 풍성한 화려함과 청아한 따스함이 한데 어우러져 밤하늘 아래 점점이 빛을 반짝였다.

더 놀라운 것은 또 있었다. 모란꽃 가운데마다 금비파를 든 꽃의 여자 정령이 앉아 있고, 정향의 꽃술마다 은피리를 부는 남자 화동이 앉아 있었다. 손톱보다 작은 이 요족들에겐 영롱하고 투명한 날개가 있었는데, 연주를 하는 동안 날개가 가볍게 팔락였다. 그들의 날갯짓은 송가가 아득하게 울려 퍼지는 꽃밭에 몽환적인 색채와 빛을 더하는 것 같았다.

"옷, 옷 하나로 이걸 다 받을 수 있다고?"

묵연은 깜짝 놀랐다.

"끄럼, 내가 말했잖아. 나는 통이 크다니까."

떡 폭군은 득의양양하게 이마까지 내려온 커다란 연잎을 위로 밀어 올렸다.

"나는 우리 떡 마을에서 쪠일, 쪠일 귀한 놈이야!"

묵연은 한 줄기 희망의 빛이 비치는 것 같은 기분이었다. 그가 감격하여 얼른 말했다.

"기다리고 있어! 며칠 동안 계속 올게! 가서 바꿀 만한 게 뭐가 있는지 생각해 볼게."

그렇게 어서 빨리 돌아가야겠다고 생각했다.

그런데 정작 출구가 어딘지 모른다는 게 이제야 떠올랐다.

폭군이 흰자위를 번득이며 작은 손으로 그가 왔던 좁다란 길을 가리켰다.

"쩌리로 가. 쭈욱 딸려. 멈추지 말고 딸리면 나갈 수 있어. 하지만……."

묵연은 끝까지 듣지 않았다.

그는 정말이지 너무나 신이 나서 어서 빨리 밖으로 나가 폭군과 바꿀 만한 물건을 찾고 싶었다. 그러나 폭군은 상황이 급할수록 말을 더듬는 게 심해졌다. '하지만'을 계속 반복하다가 결국 그 후로 한 글자도 말하지 못했다. 한참을 참은 후에야 숨을 참고 자신이 하려던 말을 한 번에 몽땅 쏟아 냈다.

"하지만! 매번 이렇게 쑤지가 맞는 교환이 되는 건 아니라고

…… 좋, 좋은 물건을 꼴라 와야 해! 우리 떡 마을은 특히나 씬목 선군이 쓰던 물건을 좋아해. 방금 내가 준 건 씨험해 보라고 준 거고, 내가 엄청 쏜해인 교환이라고. 따음번엔 이, 이렇게 큰 이익은 못 볼 거야! 나도 빠, 빠보는 아니라고!"

헐떡거리면서 이렇게 많은 말을 쏟아 놓고는, 떡 폭군이 고개를 들었다.

묵연은 진즉에 사라진 후였다.

"……."

폭군은 꽃밭 가운데에 서서 한참을 멍하니 있다가 머리를 긁적거렸다.

"이, 이렇게 빨리 가다니! 따음에 무, 무얼 가져올지도 모르면서! 빠, 빠보!"

눈을 떴을 때, 묵연은 탁자 앞으로 돌아와 있었다.

그러나 그는 불안정한 자세와 들뜬 마음 때문에 '꽈당' 하고 바닥에 넘어지고 말았다.

"악!"

이 소리에 화롯가에 누워 있던 구두가 곧바로 눈을 떴다. 강아지는 얼른 일어나 다짜고짜 고개를 쳐들고 짖어 대기 시작했다.

"멍멍! 멍멍멍!"

"쉿! 구두, 조용!"

묵연은 얼른 강아지의 입을 막고 머리를 쓰다듬었다.

"조용히 해. 만녕이 깨겠다."

"으르르…… 멍멍!"

"……."

묵연은 필사적으로 구두의 입을 막으려 했으나, 등 뒤에서 바스락거리는 소리가 들려왔다. 나른하고도 귀찮음이 가득 묻어난 목소리가 고요한 밤공기를 울렸다.

이불 속에서 초만녕이 봉안을 반쯤 뜨고 미간을 잔뜩 찌푸린 채 그를 쳐다보고 있었다. 그가 이제 막 깬 사람 특유의 잠긴 목소리로 말했다.

"……한밤중에 안 자고 시끄럽게 뭐 하는 거냐?"

묵연이 허둥지둥 고개를 돌렸다.

"만녕……."

초만녕은 졸린 듯 엎드린 채 헝클어진 앞머리 사이로 그를 바라보았다. 잠에서 덜 깼는지 아무 말이 없었다.

몽롱하던 초만녕의 눈동자가 순간 휘둥그레졌다. 그가 정색하며 눈을 부릅뜨고 말했다.

"묵연, 옷은 왜 벗고 있는 거지?"

"네?"

묵연은 멍한 표정으로 자신의 드러난 상반신을 내려다보며 몸을 쓰다듬었다. 어떻게 설명해야 할지 떠오르질 않았다.

"아……."

초만녕은 그의 자신 없는 모습을 보며 천천히 눈을 가늘게 떴다. 뭔가 수상한 냄새가 났다.

"구두가 아직 어려서 나중에 수련으로 요괴가 될 수도 있으니, 바르게 자라도록 우리가 모범을 보여야 한다고 하지 않았느냐?"

"그, 그랬죠."

"그런데 지금 뭘 하는 게냐."

"……."

"멍멍멍!"

"그…… 그 말이 맞긴 맞아요."

묵연은 속으로 중얼거렸다. 하지만 이 통통한 강아지가 정말 요괴가 될 수 있을까? 매일 귀에 대고 염불을 외워도 아무 소용이 없을 텐데. 게다가 개가 본다고 뭘 알겠어? 눈앞에서 허구한 날 초만녕이랑 사랑을 나눠도 구두는 아마 견생의 진리 따위는 깨닫지도 못할 거야.

그러나 사존의 말이 다 맞긴 했다. 묵연은 결국 이렇게 말할 수밖에 없었다.

"만녕, 제 얘길 좀 들어 보세요. 사존이 생각하는 그런 게 아니에요. 몰래 옷을 벗고 뭘 하려던 게 아니라……."

사고뭉치 강아지는 계속 묵연의 품 안에서 '멍멍' 하고 짖어 댔다.

초만녕이 이마를 짚으며 이를 악물고 말했다.

"내려놔라. 벌거벗고 부끄럽지도 않으냐. 가서 옷 입고 다시 얘기해!"

이러면 상당히 곤란해지는데.

황백색 강아지가 눈을 흘기며 깔보는 표정으로 묵연을 쳐다보았다.

묵연이 코를 만지며 쭈뼛쭈뼛 입을 열었다.

"마, 만녕, 만약…… 제가 제 옷을 꽃바다로 변하게 했다면 믿을 거예요?"

초만녕은 할 말을 잃었다.

"……."

남병산의 작은 집에서 초 종사의 분노 섞인 비난이 울려 퍼졌다.

"묵미우, 넌 이 스승이 산에 너무 오래 머물러 바보가 됐다고 생각하는 게냐?"

"아아아, 아니, 아니에요, 바, 바보는 무슨요! 사존은 가, 가장 총명한 싸람인데 어찌 바보가 되겠어요!"

"똑바로 말해! 어디서 그런 엉뚱한 발음에 말 더듬는 것까지 배워 온 게냐!"

묵연은 정말 구두에게 화가 났다. 정말이었다.

그는 이 개가 왠지 다른 개들은 못하는 그런 생각을 한다는 기분이 들었다. 특히 눈을 흘기며 사람을 쳐다볼 땐, 마치 시위라도 하는 것 같았다. 분명 풀 더미에서 주워 왔을 때는 이런 표정이 아니었는데 말이다.

지금은 오히려 초만녕이 이 다섯 달 된 강아지가 좋아서 죽고 못 살게 되었다. 그는 강아지가 아직 다 큰 게 아니라면서, 최근 한 달 동안 묵연에게 강아지의 정서에 나쁜 영향을 주는 음탕한 행동을 하지 못하게 했다.

묵연은 가슴에 손을 얹고 생각했다. 묵 종사의 인격으로는 할 만큼 했고, 참을 만큼 참은 것 같았다. 답선군의 인격도 매우 옅어졌다. 어쨌거나 한번 이성을 잃고 폭주한 이후로 초만녕에게 혹독한 가르침을 받아 다시는 황당한 행동을 하지 않았고, 구두를 부엌으로 데려가 개고기 국으로 만들려 하지도 않았다.

그러나 지금 보니 그는 정말 잘못된 선택을 했다.

……처음부터 이 망할 놈의 개새끼를 요람에 넣고 죽였어야

했는데!

화가 치밀어 올랐지만, 초만녕의 생일 축하 선물이 늦어서도 안 되었다. 그래서 다음 날 아침 일찍부터 묵연은 소원을 이뤄 주는 함에 가져갈 물건들을 찾아보기로 했다.

"생선, 기장쌀, 사탕…… 대나무 잠자리, 종이 나비, 비단 손수건……."

초만녕이 남병산 깊은 곳으로 과일을 따러 간 사이, 묵연은 집 안을 돌아다니며 남는 식량에서 한 줌, 낡은 비단에서 한 조각 등, 담을 수 있는 건 전부 건곤낭에 담았다.

강아지가 두려운 표정으로 옆에서 그를 보고 있었다. 이 사람이 주인인지, 아니면 주인인 척하는 도둑인지 확신할 수 없다는 표정이었다. 말을 할 수 있었다면 분명 이렇게 말했을 것이다.

'아니, 형제여! 어째서 내 개 밥그릇까지 가져가려 하는 거요?'

아! 개 밥그릇!

강아지는 곧바로 반응했다. 몸을 부르르 떨더니 묵연을 향해 '멍멍' 하고 크게 짖고는 이빨로 자기 밥그릇 모서리를 꽉 물었다. 그렇게 뻔뻔스럽기 짝이 없는 악덕 주인 묵연과 계급 투쟁을 벌였다.

내 밥그릇은 안 돼! 멍멍!

묵연도 손을 놓지 않았다. 그릇은 곤륜의 푸른 유리로 만든 것으로, 사흘 동안 담겨 있는 음식도 지금 막 솥에서 덜어 낸 것처럼 신선했다. 이 강아지를 만나기 전, 묵연은 원래 고양이를 키울 생각이었다. 보드랍고 하얗고, 조용하며 눈치 빠른 백묘 말이다. 고양이는 밥도 적게 먹었다. 그는 자신과 초만녕이 검을 타고 바람을 쐬러 나가 사나흘 안 들어오게 되어도 고양이에게 신선한 음식을 주고 싶었다. 그래서 매한설에게 부탁해 이 그릇을 얻은 것이다.

그런데 고양이는커녕 이 멍청한 개만 덕을 보게 될 줄이야.

음식을 신선하게 유지해 주는 유리그릇이 너한테 왜 필요해? 밥을 담아 놓으면 사흘은 고사하고 눈만 세 번 깜빡거리면 바닥까지 핥아먹는 녀석이.

"이거 놔! 내가 산 그릇이잖아!"

"멍멍멍!"

하지만 나한테 줬잖아!

"빌려준 거야! 돌려줄 때가 됐으니 돌려줘!"

"멍멍멍!"

말도 안 돼!

"놓으라고!"

"멍멍!"

안 놔!

"놔!"

"멍!"

꺼져!

사람과 개가 열심히 신경전을 벌이고 있던 그때, 딸깍하고 사립문이 열리는 소리가 났다.

신선하고 맛있는 과일 한 바구니를 안은 초만녕이 문을 열던 자세 그대로 서서, 바닥에 무릎을 꿇고 앉아 개 밥그릇을 뺏으려 하는 묵 종사를 내려다보았다.

"……."

긴 침묵의 시간이 흘렀다. 초만녕은 대바구니를 돌 탁자에 올려놓고 과일 하나를 집었다. 그리고 다시 생각 끝에 몇 개를 더 집었다.

그가 묵연에게 말했다.

"여기서 가만있거라. 귤 두 개를 씻어다 주겠다."

묵연은 부엌으로 가려는 초만녕이 한숨 쉬며 중얼거리는 소리를 들었다.

"휴…… 아침에 끓여 준 죽이 너무 맛이 없었나……. 얼마나 배가 고팠으면 개밥까지 빼앗아 먹으려고……."

"……?"

묵연은 순간 너무 당황스러웠다.

"사존! 잠깐만요! 그게 아니라…… 아우!"

그가 급히 변명하려던 그때, 강아지가 '앙' 하고 손등을 깨물었다. 묵연이 비명을 지르며 얼른 손을 뺐다. 황백색 똥개는 자기 밥그릇을 물고는 쏜살같이 문밖으로 달려 나갔다.

한바탕 난리를 치고 난 다음, 점심을 먹은 묵연은 근처 임안성에 책을 사러 나간다는 핑계를 대고 품에 소원을 이뤄 주는 함을 숨긴 다음 문을 나섰다.

아무도 없는 곳에 도착한 그는 '황금 선물은 정말 멍청해' 암호를 댔고, 다시 한번 목함 속으로 들어갔다.

떡 폭군은 어제 만든 꽃밭에서 일광욕을 하며 수많은 꽃 정령의 악기 연주를 듣고 있었다. 그가 묵연을 보자마자 웅얼웅얼 말했다.

"와와와와…… 왔어?"
"오래 기다렸지?"
폭군은 손을 내저어 괜찮다는 표시를 했다. 그러면서도 묵연이 들고 온 건곤낭을 곁눈질하고 있었다.
"뭐, 뭐, 뭘 가져왔나?"
묵연은 온종일 찾아다닌 자질구레한 물건들을 모두 떡 폭군에게 건넸다. 건곤낭을 열어 한바탕 뒤져 보던 폭군이 한숨을 내쉬었다.
묵연은 갑자기 긴장되었다.
"왜?"
"짜식, 너 정말 까난한가 봐."
떡 폭군이 말했다.
묵연은 눈을 내리깔면서 체념한 듯 말했다.
"……뭘 원하는지 내가 잘 몰라서. 더 좋은 것도 있지만, 그건 다 우리가 자주 쓰는 것들이라……. 마음에 안 들면……."
"돼써, 돼써. 나도 너랑 선군이 평소에 째물을 나눠 주고 세상을 구하는 걸 아는데 뭐. 이, 일단 아쉬운 대로 해 보지 뭐."
폭군이 그의 말을 잘랐다.
"이번엔 쩨일 좋은 물건은 아닐 거야. 나한테 준 게 너무 쩍어서. 하지만 우리 요족의 물건은 아주아주아주아주 씬기하지! 쪼, 쪼금 낡긴 했지만, 쌍쌍력과 뿌지런함을 보태면 아, 아마도 아주 만족스러운 결과가 나올 거야!"
묵연의 표정이 걱정에서 기쁨으로 바뀌었다. 그가 웃으며 말했다.

"정말? 그럼 너무 고맙지."

폭군은 또 손을 내저었다. 그러고는 묵연이 가져온 것들을 주머니 안에 있는 요족의 물건으로 하나하나 바꾸기 시작했다.

"생선은…… 이걸로 바꾸자!"

폭군은 주머니에서 부드러운 모직 천 한 마를 건넸다.

"이게 뭐야?"

"이건 꼬, 꼬양이 털로 만든 천이다!"

놀라서 눈이 휘둥그레진 묵연이 천을 받았다.

"고양이 털로도 천을 짤 수가 있어?"

"꼬리가 아홉 달린 커다란 꼬양이 요괴지."

떡 폭군이 설명하고는 또 주머니에서 다른 걸 꺼냈다.

"때나무 잠자리는 이걸로 바꾸자!"

묵연은 전혀 신기할 것 없는 나무 막대기를 쳐다보았다.

"이건 또 뭐야?"

"이건 빠닥에 꽂고 후 불면 아주 좋은 목재로 변해. 까장 좋은 건 아니지만, 그래도 꽤 좋은 거라고."

그 후로도 폭군은 계속 신기하고 괴상한 물건들을 꺼냈다. 사람보다 큰 조개껍데기, 바람이 불면 눈을 뿌리는 방울, 둥지를 잘 만드는 제비 떼, 스스로 바닥에 깔리는 푸른 벽돌, 사람의 말을 알아듣는 불꽃 등…….

그중에서도 가장 가치 있는 물건은 역시나 초만녕이 음식을 하다 실패한 숯덩이였다. 폭군은 좋아서 숯덩이를 손에서 놓지 못하며 이게 자신이 가장 좋아하는 음식이라고 말했다. 묵연은 놀랍기도 하고 우습기도 했다.

그는 속으로 중얼거렸다. 만녕이 매일 부엌에서 밥을 한다면, 얼마든지 내가 숯덩이를 가져다줄 수 있는데.

그가 물었다.

"숯덩이는 뭐로 바꿀 수 있어?"

"끼다려 봐."

떡 폭군은 아작아작 숯덩이를 씹으면서 작은 손을 내저었다.

얼마 지나지 않아 꽃밭 옆에 금빛이 찬란한 연못이 나타났다. 연못 안에 흐르는 물은 마치 녹은 금 같았고, 그 안에서 빛나는 설연화가 가득 피어나고 있었다.

"쏘원을 이뤄 주는 연못이야."

폭군이 아쉽다는 듯 입맛을 다시며 말했다.

"먹고 싶은 물고기가 있으면 연못 옆에 까서 두 번만 말해. 그럼 연잎이 너한테 까져다줄 거야. 씬선한 연근, 뿌드러운 마름, 뭐든 말만 하라고. 쌩신상 준비에는 충분할 거야…… .어때, 쩡말 대단하지!"

묵연은 잠시 조용히 그 연못을 응시하다가 폭군을 쳐다보며 단호하게 말했다.

"다음번엔 숯덩이를 더 많이 가져올게!"

"쩌, 쩡말?"

폭군은 감격해서 또 말을 더듬었다.

"네, 네가 최고다!"

묵연이 진심을 담아 말했다.

"아니야, 너야말로 최고야."

떡 폭군 덕분에 재료도 생겼으니, 묵연은 소매를 걷어붙이고 본격적으로 일을 하기 시작했다.

사존의 생일은 모레고, 내일은 답선군의 인격이 나타날 테니 서둘러야 해. 오늘 온종일 여기서 바쁘게 일하고 모레 낮에도 하면, 저녁에 장수면[#72]을 먹고 나서 사존을 여기 데려와 깜짝 선물을 할 수 있겠지.

그는 이렇게 생각하며 요족이 준 비단, 장식품, 목재 등을 빠르게 배치하면서 인간 세상에선 볼 수 없는 신선의 정원 만들기에 돌입했다. 과하거나 돈을 낭비하지도 않고, 소음이 나지도 않았다. 바쁘게 서까래를 옮기던 묵연은 기분이 들뜨면서도 안심이 되었다.

하늘은 스스로 돕는 자를 돕는다더니, 사존은 분명 작년보다 훨씬 기뻐하실 거야!

그러나 묵 종사는 너무 순진한 게 탈이었다.

그는 자기 자신과 사존의 사랑을 경쟁할 생각이 전혀 없었다. 그러나 답선군은 아니었다. 자기 자신에게도 죽기 살기로 덤벼드는 답선군이 어찌 가만히 있을 수 있겠는가?

남병산에 은거한 후, 답선군은 툭하면 자기 자신에게 날을 세웠고 이기려 들었다.

두 인격의 기억은 완전히 겹치는 게 아니라 때에 따라 공유되는 것뿐이었다. 이런 상황은 사실 훤히 알거나 아예 모르는 것보다 좋을 게 없었다. 뿌연 안개가 시야를 가로막은 것처럼 사람을 안달 나게 만들었기 때문이다.

예를 들면 이런 것이다. 답선군은 종종 초만녕이 죽을 끓이는

#72 장수면 長壽麪. 장수를 기원하며 생일날 먹는 국수

모습을 지켜보았다. 한참을 바라보다가 말했다.

"본좌의 기억에, 어제 넌 죽을 끓이지 않았는데."

"그래."

초만녕이 무심하게 말했다.

"왜 그러느냐?"

"하지만 네가 어제 뭘 만들었는지 기억이 안 나."

"요리는 안 했다. 산 아래에서 사 온 찐빵을 데웠지."

답선군은 별안간 심사가 뒤틀려서 보랏빛이 감도는 검은 눈동자로 초만녕을 노려보며 힘주어 말했다.

"본좌도 찐빵을 먹어야겠어!"

"……아침에 일어나면서 죽을 먹겠다고 하지 않았느냐?"

"본좌도 지금 생각났어. 본좌도 찐빵을 먹어야겠어. 본좌한텐 안 주고, 그놈한테만 줘선 안 돼."

"……약을 먹는 게 좋겠다."

"찐빵!"

"죽밖에 없다."

"죽이랑 찐빵 둘 다 먹어야겠어!"

초만녕은 그를 상대하기가 너무 귀찮았다.

"먹고 싶으면 먹거라. 안 먹을 거면 말고."

답선군은 너무 화가 나서 어지러울 지경이었다. 그는 초만녕의 손목을 휙 낚아채 부뚜막이 있는 곳으로 초만녕을 밀어붙였다. 그러고는 눈을 내리깔고 위협적으로 내려다보았다.

"이게 무슨 태도지? 왜 그놈은 속이 꽉 찬 찐빵을 먹는데 본좌는 멀건 죽만 먹어야 하는 거야? 말해 봐, 본좌보다 그놈이 더 좋은 거야?"

"……어제보다 오늘 병세가 더 안 좋다고 생각한 것뿐이다."

답선군은 잠시 말이 없었다. 화를 내고 싶은 것 같았지만, 결국 슬픈 표정으로 입을 열었다.

"좋아…… 아주 좋아. 초만녕, 당신이 예전에 했던 말은 다 거짓이었어. 무슨 나는 언제나 오직 한 사람이었다느니…… 이게 한 사람을 똑같이 대하는 거야? 음식도 똑같이 안 해 주면서, 왜 그놈만 감싸고도는 거야!"

초만녕은 어이가 없어서 말했다.

"같은 사람도 매일 아침 같은 밥만 먹을 순 없지 않으냐. 그만하거라. 죽이 다 식겠다."

"안 먹어!"

"정말이냐?"

"안 먹어!"

초만녕이 고개를 끄덕였다.

"알았다, 그럼 구두한테 갖다줘야겠구나. 아쉽군, 죽에 네가 가장 좋아하는 고기를 넣었는데."

"……."

이런 식이었다. 답선군은 언제나 이렇게 자기 자신과 경쟁하며 총애를 독차지하려고 했다.

그에 반해 성정이 착하고 두 세계를 다 겪어 여유가 넘치는 묵 종사는 답선군의 이런 어리석은 행동을 도저히 이해할 수 없었다. 지금 이 순간, 부지런히 일하고 있는 묵 종사는 꿈에도 생각하지 못했다. 몇 시진이 지나고 나서 자신의 몸을 지배한 답선군이 어떻게 이성을 잃고 미쳐 날뛰게 될지를…….

다음 날 오전.

답선군이 눈을 가늘게 뜬 채 뜰에 있는 비파나무 아래에 앉아 있었다. 비파 열매를 까먹으며 골똘히 생각에 잠겨선 멍한 표정이었다.

인격이 바뀐 후, 최근 사흘 동안 다른 일은 거의 기억이 나질 않았는데 자신이 목함 하나를 얻은 건 어렴풋이 생각이 났다. 무슨 떡…… 떡 정령이 가져온 것인데, 초만녕의 생일 선물과 관련이 있는 것 같았다.

다른 건 기억이 나질 않았다.

답선군은 경거망동할 수가 없었다. 그의 생각에 묵 종사는 술수가 고약한 새 같은 놈이었으며, 겉보기엔 듬직하고 온순하나 사실은 군자인 양 점잔을 빼며 교활한 계략이 가득한 사람이었다.

나 같은 사람이 또 어디 있겠어. 잘생기고, 솔직하고, 패기 있고, 힘세고, 꾸밈없고.

나 같은 사람은 정말 손해가 이만저만이 아니라고.

답선군은 한숨을 내쉬었다. 보랏빛이 감도는 까만 눈동자에서 깊고도 고요한 빛이 반짝였다. 비파 열매의 즙은 상당히 끈적거렸다. 그는 손가락 끝을 쪽쪽 빨아 단맛을 삼키며 생각했다. 절대 질 수 없지! 본좌가 명색이 제왕의 신분으로, 후궁들의 총애 쟁탈전에 대해서는 그놈보다 훨씬 잘 안단 말씀이야! 지피지기면 백전백승이라고 했어. 본좌가 묵 종사의 선물이 뭔지 미리 알기만 하면 제대로 반격해서 밀쳐 내 버릴 수 있어!

그러나 묵 종사의 선물이 뭔지 알고 싶은 간절한 마음과는 별개로, 그걸 어떻게 알아내느냐 하는 것은 또 하나의 어려운 문제였다.

그는 자신과 영혼의 소통을 할 수 있을 거란 기대는 하지 않았다. 묵 종사가 자신을 상대한다면 그게 오히려 이상한 일이었다.

그렇다면…… 초만녕한테 좀 떠보라고 말해 볼까?

안 돼, 안 돼.

이건 답선군이 보기에도 좋은 생각이 아니었다.

전생을 떠올려 보면, 송추동은 기념일마다 화려하게 치장하고 아름다운 모습으로 나타나 그의 시선을 사로잡았다. 그러고는 빙빙 말을 돌리며 '초비 동생'이 그를 위해 어떤 선물을 준비했는지 떠보았다.

당시 마음속에 노기가 가득했던 그는, 겉으론 총명해 보이나 실은 멍청하기 짝이 없는 송추동의 머리통을 쳐다보면서 마구 퍼붓고 싶은 욕을 평생 쌓은 덕을 다 써 가며 겨우겨우 참았다. 뭐 하는 거야! 묻긴 뭘 물어? 초만녕만 본좌에게 생일 선물을 안 줬다! 만족하느냐!

그러나 매번 화를 꾹 누른 채 음산한 미소를 지으며 태연하게 말했다.

– 황후가 이렇게 초비에게 관심이 많은 줄 몰랐군. 선물 하나 준비하는 것도 초비를 따라 하려는 걸 보니.

송추동의 아름다운 얼굴에 놀라는 기색이 역력했다. 그녀는 이참에 군왕의 사랑을 얻고자 더욱 공손하고도 사랑스럽게 행동했다.

그녀가 급히 말했다.

– 신첩은 그저 무엇이 좋을지 몰라 초비 동생의 생각을 물어보고 싶었을 뿐이옵니다…….

– 아…… 초비의 생각을 물어보고 싶었다.

답선군은 그녀의 말을 느릿느릿 되풀이했다. 순간, 그가 냉소를 지었다. 눈동자는 칼집에서 꺼낸 서슬 퍼런 칼날처럼 차가운 빛을 반짝였다.

– 그래서, 황후는 지금 황후나 돼서 아무 주관도 없이, 그와 같이 비가 되거나 아니면 아예 후궁이라도 되실 작정인가?

소스라치게 놀란 송추동은 비틀거리며 바닥에 주저앉아 연신 머리를 조아렸다.

당시 그의 마음속에서는 혐오와 분노가 엎치락뒤치락하며 자리싸움을 하고 있었다. 옆에서 이를 본 궁녀조차 그저 제군이 변덕스럽다고만 생각했을 뿐, 아무도 진실을 알지 못했다. 송추동 역시 자기도 모르는 사이 그의 아픈 부분을 정확히 찔러 버렸다. 그는 초만녕을 그렇게 오래 연금해 놓고도, 사람은 얻었을지언정 마음은 얻지 못한 것 같았다.

그가 간절히 얻고 싶었던 승복, 순종, 사랑은 저 하늘 높이 뜬

차가운 달처럼 까마득히 먼 곳에 있었다.

게다가 최근 몇 년 동안 그는 초만녕에게서 그 어떤 선물도 받지 못했다……. 눈이 올 것만 같은 제야의 밤에도 그는 남몰래 초만녕의 새해 인사를 기다렸지만, 그것마저도 허황한 꿈일 뿐이었다.

송추동은 그렇게 그의 자존심을 건드렸고, 그의 아픈 부분을 찔렀다. 가진 것도 없고 얻은 것도 없으며 그저 외톨이일 뿐이라고, 겉보기엔 모든 걸 반드시 이룰 것처럼 하면서 사실은 깊은 원망에 사무친 불쌍한 귀신이라고 그를 비웃었다…….

네가 감히…… 네가 어떻게 감히!

제군의 얼굴은 분노로 새파래졌고, 송추동은 깜짝 놀라 얼굴이 백지장처럼 하얗게 질렸다. 그는 속마음을 시원하게 다 내뱉을 수 없었고, 그러니 그녀 역시 자기가 무슨 잘못을 했는지 알 길이 없었다.

그때는 황제와 황후 모두 깨닫지 못했지만, 사실 그녀의 총애 쟁탈전은 시작부터 진 거나 마찬가지였다.

그래.

초만녕한테 물을 순 없어.

그때를 회상하고 나자 답선군은 더더욱 생각이 확고해졌다.

총애 쟁탈전의 정수는 여유에 있었다. 겉으로는 전혀 신경 쓰지 않는 척하면서 뒤에서 계략을 세우는 것이었다. 시작부터 사랑에 죽고 못 사는 것처럼 자신의 감정을 다 내보이는 건 가장 하지 말아야 할 행동이었다.

그러나 여유롭고 무심해 보이면서도 묵 종사의 행동을 떠보려면 어떻게 해야 한단 말인가?

그에겐 시간이 얼마 남지 않았다. 초만녕의 생일은 바로 내일이었다. 그에게 남은 이 몇 시진이 상황을 뒤집을 수 있는 마지막 기회였다.

생각에 잠겨 있던 답선군은 구두가 나비를 쫓아 자기 앞으로 지나가는 걸 보았다. 구두는 그의 시선을 느꼈는지 가던 길을 급히 멈추고 고개를 갸웃거렸다. 그러고는 늘 그랬듯 깔보는 눈빛으로 곤경에 빠진 옛 제군을 흘겨보았다. 강아지의 눈 속에는 지혜와 관심이 가득했다.

순간, 번뜩 떠오르는 생각이 있었다.

됐다!

"구두, 착하지. 이리 와."

초만녕이 남병산의 초목 요괴를 살피러 간 사이, 답선군은 구두를 안아 무릎에 앉힌 다음, 본인은 부드럽다고 생각했지만 사실은 소름 돋는 웃음을 지으며 강아지의 발을 쓰다듬었다.

"본좌는 네가 제일 똑똑하다는 걸 알아. 본좌가 하는 말, 넌 분명히 알아들을 수 있을 거야."

"……."

"본좌가 묻는다. 며칠 전 본좌가 목함 하나를 얻은 걸 알고 있지?"

"끼잉……."

"얌전히 이 본좌에게 목함을 물어다 줘. 할 수 있겠어?"

"낑낑낑……."

못 해.

답선군의 안색이 조금 어두워졌다. 그러나 그는 웃으며 말했다.

"상으로 뼈다귀 하나, 어때?"

"멍멍!"

두 개!

"두 개 달라면 두 개 줘야지."

어린아이처럼 철이 없는 답선군은 확실히 의젓한 묵 종사보다 동류로서 개와 말이 더 잘 통했다. 사람과 개가 전혀 다른 언어를 쓰면서도 순식간에 작당 모의가 끝났다.

"멍멍!"

구두는 꼬리를 흔들며 순식간에 답선군의 품에서 튀어 나가서는 평범해 보이는 풀숲 깊은 곳으로 쪼르르 달려갔다. 얼마 지나지 않아, 강아지는 묵 종사의 배신자가 되었다. 묵 종사가 잘 숨겨 놓았던, 소원을 이뤄 주는 함을 찾아내서는 진흙투성이가 되어 답선군 앞에 나타났다.

"이렇게 빨리?"

"멍멍!"

그건 내가 누군지 몰라서 하는 말이지.

답선군은 매우 만족한 표정으로 웃으며 강아지를 쓰다듬었다.

"경은 정말이지 훌륭한 개요. 본좌가 경을……."

아직 무엇에 봉할지 생각하지도 않았는데, 문밖에서 익숙한 발소리가 들려왔다. 답선군의 안색이 순식간에 변했다. 그는 소원을 이뤄 주는 함을 번개 같은 속도로 품 안에 집어넣었다.

그러고는 아무 일도 없었던 것처럼 태연하게 고개를 돌렸다.

"사랑하는 비가 왔네."

구두 역시 아무 일도 없었던 것처럼 태연하게 꼬리를 흔들면서 알랑거리듯 초만녕에게 혀를 내밀었다.

산을 순찰하고 돌아온 초만녕은 사람 하나와 개 하나를 쳐다보았다. 어째선지 둘 사이에 은밀하게 작당 모의를 한 것 같은 냄새가 풍겼다.

"……여기서 뭘 하는 게냐?"

답선군이 얼른 화제를 돌렸다.

"본좌의 후궁들은 어때?"

초만녕이 말했다.

"네 소취와 소홍은 죽었다."

"!"

답선군은 깜짝 놀랐다.

"뭐라고?"

"어젯밤 폭풍우로 네가 남산 비탈에 심어 놓은 반죽[#73]과 붉은 해당화가 다 쓰러졌다. 그러게 내가 그렇게 가파른 암벽에 심지 말라고 할 때는 듣지도 않더니. 다음번엔 잘 좀 기억하거라."

답선군은 갑자기 속이 상했다. 아무것도 하기 싫었다.

그것들은 그가 막 남병산에서 은거를 시작했을 때 신나게 초만녕을 데리고 가 함께 심었던 식물이었다. 비록 초만녕을 놀리려고 식물들을 후궁이라고 부르긴 했지만, 사실 그는 남몰래 그들이 함께 심은 식물들을 공주와 황자로 봉했다.

자식들이 다 요절해 버렸으니 이를 어쩐다?

"안 돼! 본좌가 직접 가서 보겠다!"

"보긴 뭘 보겠다는 거냐."

#73 **반죽** 몸체에 얼룩점이 있는 대나무의 일종

초만녕은 진짜라고 여기는 그를 보며 얼른 붙잡아 체념한 듯 말했다.

"꺾인 꽃들은 이미 법술로 다시 붙여 놓았다."

"다 괜찮아?"

"다 괜찮다."

답선군이 그를 응시했다. 잠시 후, 초만녕이 미처 반응할 틈도 없이 소매 한쪽이 쑥 나오더니 그를 꽉 끌어안았다.

"뭐 하는 게냐……."

답선군이 조용히 말했다.

"좋아서."

이거야말로 나에 대한 초만녕의 마음인 거야. 기대하는 마음으로 가득 심었던 화초가 비바람에 꺾인 것을 마음 아파하고, 아무 말 없이 나를 대신해 화초들을 다시 살리는 것. 고목도 봄이 오면 다시 생장하는 것처럼, 그의 지치고 쇠잔한 마음도 초만녕의 도움으로 마침내 서서히 생기가 돌기 시작했다. 발그레한 핏기가 돌았고, 온기와 사랑이 스며들었다.

그도 마침내 조심스럽게 빛 안으로 걸어 들어갈 수 있게 되었다.

빛이 묵 종사보다 자신에게 더 많이 비치게 하기 위해, 답선군은 묵 종사의 선물이 뭔지 알아내야겠다는 결심을 더욱 확고히 했다. 머리가 좋지 않은 그는 정신이 멀쩡한 묵 종사와는 달리, 묵 종사와 자신이 한 몸이라는 걸 죽어도 인정하려 들지 않았다. 묵 종사는 그에게 아무런 적의가 없었지만, 그는 날마다 목에 핏대를 세우며 자기 자신과 힘겨루기를 했다.

답선군은 '본좌가 오늘 기분이 매우 좋으니 직접 요리를 하겠다'라는 명목으로 혼자 조용히 부엌에 처박혀 소원을 이뤄 주는 함을 연구하기 시작했다.

인간계 제군의 감각이 외치고 있었다. 이 목함만 열면 묵 종사의 비밀을 낱낱이 알 수 있다고.

문제는 이 목함이 단단히 잠겨 있다는 것이었다. 도대체 어떻게 여는 거지?

"열려라!"

소용없었다.

"넌 지금 열리고 싶다!"

여전히 굳게 닫혀 있었다.

"본좌의 잘생긴 얼굴을 보여 주겠다."

목함은 꿈쩍도 하지 않았다.

답선군은 온갖 방법을 시도해도 열리지 않자 조바심이 나서 죽을 지경이었다. 급기야는 손바닥에 붉은 기운을 모아 힘으로 두 동강을 내 버리려고 했다!

그러나 힘껏 내리쳐도 '꽝' 하는 소리만 날 뿐이었다.

목함 아래의 나무 걸상이 박살 났다.

그런데도 목함은 여전히 멀쩡했다.

"가소롭군, 이런다고 본좌가 못 열 줄 알고……."

답선군은 분에 찬 목소리로 말하면서 패검을 꺼내 이리저리 연달아 스무 번을 내리쳤다. 부엌에서는 아무렇게나 영력을 쓸 수 없었다. 잘못했다간 집을 날려 버릴 수도 있으니 말이다. 결국 자신이 가진 힘의 만분의 일도 쓰지 못하고 한참을 내리쳤지만, 목함은 꿈쩍도 하지 않았다.

도리어 바깥에 있던 초만녕이 문을 두드렸다.

"묵연? 뭐 하길래 이렇게 큰 소리가 나는 것이냐?"

"본좌가 지금 소, 소를 다지느라 그렇다!"

답선군은 헉하며 나오는 대로 지껄였다.

"소를 넣은 떡을 만들고 싶어서."

초만녕이 멈칫했다.

"얼음 담는 그릇 안에 엊그제 만들고 남은 게 있다. 물만두 남은 것 말이야."

"아, 알았어."

답선군은 대답을 하고 나서야 깨달았다……. 뭐야! 초만녕이 또 묵 종사한테만 물만두를 만들어 줬잖아!

왜 난 없냐고!

그렇게 생각하니 더 화가 났다. 더욱더 묵 종사를 두고 볼 수 없었다. 절대 이 위선자에게 생일날 공적을 쌓게 할 순 없어! 으아악!

답선군의 눈에 어둠이 드리웠다. 목함을 바라보는 그의 가늘고 긴 손가락이 투박한 무늬를 어루만졌다. 마음속에서 고약한 생각이 떠올랐다. 아니면…… 이걸 절벽 아래로 던져 버려……?

그냥 생일 선물일 뿐이잖아? 날이 저물기 전에 초만녕에게 더 좋은 걸 찾아 주면 되지 뭐.

난 답선제군이야. 내가 원한다면 천상천하에 못 가질 게 없고, 못 할 것도 없지.

그는 까마득히 높은 곳에서 고귀한 나날을 보내던 군왕 시절을 극히 혐오했고, 속세로 돌아온 후의 사람 냄새 나는 삶을 사랑했다. 그래서 별일이 없으면 변장을 하고 산 아래에 내려가 사람들이 밥 짓는 냄새를 맡았고, 심지어는 자신을 '구 종사'라고 소개하며 자질구레한 일을 해 주고 푼돈을 받았다. 그 돈은, 적막하고 싸늘한 궁의 깊은 곳으로 사람들이 전전긍긍하며 허리를 굽힌 채 받쳐 들고 오는 희귀한 보물보다 훨씬 귀했고, 훨씬 의미 있었다.

그러나 이런 인간적인 삶을 좋아하면서도 그는 절대 자신의 마음을 드러내려 하지 않았다.

답선군은 체면이 중요했다. 특히 초라한 묵 종사와 자신을 구분하기 위해, 속으로는 시골의 채소와 두부 요리가 좋아 죽겠으면서도 겉으로는 시큰둥한 척하며, 자신은 상다리가 휘어지도록 차려진 잔칫상과 산해진미를 가장 좋아한다고 말하곤 했다.

이런 말도 안 되는 허풍도 가끔은 좋은 점이 있었다.

답선군은 아주 굳게 믿었다. 내가 초만녕에게 채찍으로 얻어맞을 위험을 감수하고 강호에 다시 위풍당당하게 나타나 보물을 찾으려고만 하면, 분명 화려하고 정교하며 새롭고 독특하면서도 의미 있는 선물을 금세 얻을 수 있을 거야!

분명 그럴 거야!

생각이 확고해진 답선군은 몸을 일으켰다. 목함을 잘 숨겨 두었다가 오후에 기회를 봐서 갖다 버릴 생각이었다.

그러나 막상 이렇게 하려고 하니 그의 착해진 양심이 희미하게 요동치기 시작했다.

……그, 그럼 초만녕은 선물이 하나 적어지는 거잖아. 내가 더 좋은 선물을 찾아내지 못하면 어떡하지? 초만녕이 정말 좋아

하는 건데 본좌가 망가뜨리면, 그러면…… 음…… 본좌한테 난리 치는 거 아니야? 본좌가 지금은 총애를 독차지하고 있지만, 만녕이 정말 화를 내면 어떻게 해야 하지? 어떻게 달래 주지? 달래도 소용이 없으려나?

그렇게 생각하다 보니 결국 걱정스러운 마음이 스멀스멀 올라왔다.

무정하기 짝이 없던 제군도 일단 마음이 생기기 시작하니, 사랑하는 사람과 소꿉놀이나 하는 존재가 되어 버렸다.

이렇게 작은 일에도 초만녕이 싫어하면 어쩌나 걱정을 하게 되니, 마음을 모질게 먹을 수가 없었다.

변변치 못하게!

답선군은 속으로 긴 한숨을 쉬었다.

바로 그때, 나무 창틀 쪽으로 하얀 그림자가 휙 지나가는 게 보였다. 의아하게 여긴 그가 재빨리 쫓아갔지만, 그것은 너무 빨라서 흰 꼬리에 달린 파란 등불이 수풀 속으로 사라지는 것만 봤을 뿐 전체를 제대로 보진 못했다.

나무 창틀 사이에 동그랗게 말린 녹색 연잎이 끼워져 있었다.

……떡 정령!

답선군의 머릿속에서 빛이 반짝이더니 이틀 전 또 다른 자신에게 속한 기억이 떠오르기 시작했다. 그는 재빨리 연잎을 꺼내 잘 펼쳐서 창밖에서 쏟아져 들어오는 햇빛에 비춰 보았다. 그는 기쁨을 감출 수가 없었다. 그러나 큰 기쁨 뒤에 또다시 엄청난 분노가 찾아왔다.

그가 화를 내며 욕했다.

"묵미우, 간이 배 밖으로 나왔구나! 감히 본좌를 비웃다니!"
연잎 위에는 삐뚤빼뚤한 글씨가 몇 줄 쓰여 있었다.

[안녕하세요! 저는 제군을 나눠 맡은 떡 정령이에요. 제군께 편지를 전하기 위해 마을에서 몰래 빠져나왔어요. 이건 소원을 이뤄 주는 함인데, 안에는 신선 세계가 펼쳐져 있답니다. 목함을 여는 주문은 묵 종사가 정했어요. '황금 선물은 정말 멍청해'가 주문이에요. 제가 해 드릴 수 있는 건 여기까지예요! 힘내세요! 할 수 있어요!]

답선군은 '나눠 맡은'이 무슨 말인지 알 수 없었지만, 그저 이 정령이 인간의 표준어를 제대로 배우지 못했다고만 생각했다. 편지에는 요족의 말이 섞여 있었으나, 그는 자신의 명석한 머리로 문맥을 파악해 상대방이 자신을 칭찬하고 있는 것이라고 여겼다.
이 떡 요괴가 아주 기특하구나! 그는 일을 끝낸 후 떡 정령을 남병산의 일품 대신에 봉해야겠다고 생각했다.
답선군은 이렇게 생각하고 잠시 숨을 돌렸다. 또 다른 자신이 자기를 무시했다는 모욕감을 참으며 이를 악물고 그 목함에 대고 말했다…….
"황금 선물은 정말 멍청해."
금빛 광채가 빛나고, 부엌에 있던 답선군이 사라졌다.
그도 소원을 이뤄 주는 함으로 들어간 것이다.
떡 폭군은 묵연이 반쯤 만들어 놓은 정원에 앉아서 짧은 다리를 쿵쿵거리며 나비를 쫓고 있었다.

누군가 들어오는 소리를 들은 폭군이 고개를 돌렸다.

"어어어어…… 와, 왔어?"

답선군은 폭군을 잠시 응시하다가 이내 시선을 돌렸다. 날카로운 눈빛은 하나하나 빠짐없이 이 공간을 훑어보았다.

신선 세계는 아직 완성되지 않았지만, 거의 완성된 거나 다름없었다. 답선군은 그 고상하고도 정교한 아름다움을 오롯이 느낄 수 있었다. 영롱한 빛이 어른거리는 꽃밭, 꽃술에 살면서 현을 켜고 피리를 부는 작은 정령들, 금빛 물이 찰랑거리는 연못, 고목 넝쿨이 얼기설기 자라 있는 나무집, 뜰에 놓인 여름용 조개껍데기 침상…….

이를 보는 답선군의 표정이 점점 어두워졌다.

그는 초만녕을 잘 알았다. 엄숙하고 딱딱해 보여도 실제로는 호기심이 많은 사람이었다. 이렇게 신기하고 속세를 초월한 것 같은 장소를 보면 좋아할 게 분명했다.

초만녕이 좋아하지 않을 가능성은 하나였다. 그건…….

그가 고개를 돌려 떡 폭군을 쳐다보았다.

그러고는 얇은 입술을 움직여 음산하게 물었다.

"비싼가?"

떡 폭군은 눈앞에 있는 이 사람의 상태가 완전히 바뀌었다는 걸 미처 알아차리지 못하고 멍한 표정으로 말했다.

"무, 무, 무슨……."

답선군은 미간을 잔뜩 찌푸리며 한 손으로 폭군을 집어 들었다.

"억……."

"뭐라고?"

떡 폭군은 나비를 잡던 그물망까지 떨구고 답선군의 손에 목이 졸린 채 눈을 까뒤집었다. 그러고는 다리를 부들부들 떨면서 처량하게 나머지 말을 내뱉었다.

"무, 무슨 쏘리야?"

"……."

답선군이 바닥에 내동댕이쳤을 때, 떡 폭군은 거의 떡 덩어리가 되기 직전이었다. 그는 목을 어루만지며 힘없이 숨을 헐떡거렸다. 그제야 상황 파악이 되는 것 같았다.

떡 마을 정령들은 묵연의 성격이 사흘에 한 번씩 완전히 바뀐다는 걸 알고 있었다. 그러나 떡 폭군은 오래전에 격리되어 이런 상황을 잊어버린 것이다. 눈앞의 이 사람은 잔혹하고 흉악해 보였다. 이틀 전의 그 자상하고 친절한 묵 종사의 모습은 온데간데없었다. 분명히…….

"아!"

떡 폭군이 날카로운 비명을 지르며 도망갈 채비를 했다.

"사람 살려! 그 사람이 왔다! 불귀를 들고 그 사람이 왔어!"

너무 놀랐는지 말도 더듬지 않았다.

폭군은 토실토실한 두 다리를 열심히 움직였다. 눈을 꼭 감고 한참을 달리다가 실눈을 떴는데, 어찌 된 일인지 여전히 아까 그 자리였다.

답선군이 영력으로 쳇바퀴처럼 생긴 우리를 만든 것이다. 폭군은 그 안에서 다람쥐처럼 한참을 달렸지만 어디도 갈 수 없었다.

폭군은 침을 꿀꺽 삼키고는 비틀거리며 고개를 돌렸다. 난처하고도 두려운 표정이었다.

"아, 아우……."

"죽고 싶으냐!"

답선군이 버럭 소리를 질렀다.

"누가 아우야?"

"아, 제, 제군!"

"……."

떡 폭군은 답선군의 횡포에 금세 무릎을 꿇었다. 목숨만은 지키고 싶었던 그는 소원을 이뤄 주는 함에서 있었던 모든 일을 제군에게 소상히 얘기했다. 그리고 그가 가장 원하지 않았던 답까지 이야기했다…….

"안 비싸요."

답선군은 입을 다물었다.

비싸지도 않고, 낭비도 아니고, 마음도 담겨 있다.

이보다 좋은 선물을 어떻게 찾지?

다행히 그가 미리 발견했기에 망정이지, 만녕의 생일이 코앞인데 묵 종사가 정말 이 패를 꺼내 들었다면 자신의 패배는 너무나 당연한 결과였다.

답선군은 속으로 생각했다. 그래, 아직 시간이 있으니까, 이걸 다 부수고 다시 짓자!

그의 잘생긴 얼굴에 흐릿한 그림자가 깜빡였다. 그는 묵 종사가 만들어 놓은 집을 응시하며 떡 폭군이 종알거리는 소리를 들었다.

"빠, 빠깥에 있는 건 쩐부 저와 바꿔도 돼요. 하지만 이것들이 사실 까장 좋은 건 아니에요. 이틀 전에 까져오신 물건들은 다 별로 까치가 없는 것들이었어요."

답선군이 말했다.

"하지만 이 꽃밭은 비싸 보이는데."

"그건 끄냥 쭌 거예요."

답선군은 이번엔 연못을 가리켰다.

"이 연못도 싸 보이진 않는데."

"그건 쩨군께서 가져온 것 중에 쩨일 좋은 거랑 바꾼 거예요."

답선군이 귀를 쫑긋 세웠다.

"제일 좋은 것?"

"예."

"뭔데? 그놈이 줄 수 있는 건 본좌도 줄 수 있다. 어서 말해 봐."

떡 폭군의 작은 눈이 반짝거렸다.

"초 선군이 만든 숯덩이요!"

"……."

그가 틀렸다.

이 세상에서 그가 거의 편집증적 증세를 보이는, 절대 남들에게 줄 수 없는 단 한 가지는…… 초만녕이 만든 음식이었다.

묵 종사는 전생의 무산전에서의 산 송장과 같던 시간을 겪어 본 적이 없었다. 질식할 것만 같은 그 적막 속에서, 입에는 맞지 않아도 사람 냄새가 나는 음식을 미치도록 생각해 본 적이 없었다. 그래서 묵 종사는 초만녕의 음식에 대해 병적인 집착을 전혀 보이지 않았다.

오히려 사존의 솜씨가 더 많은 사람들, 혹은 산속의 요괴들에게 인정받았으면 좋겠다고 생각했다. 그러면 초만녕이 기뻐할 테니 말이다.

그래서 그는 떡 폭군이 초만녕이 만든 숯덩이를 좋아한다고 했을 때도 더 갖다주고 싶은 마음이 가득했다.

그러나 답선군은 달랐다.

답선군은 마치 십 년을 굶고 십 년을 가난하게 보낸 사람처럼 복수심에 가득 차, 초만녕이 만든 모든 음식을 독점하다시피 했다. 아무리 맛이 없어도 걸신들린 사람처럼 먹어 치웠다. 너무 많이 먹어서 배가 아파도 절대 다른 사람과 나눠 먹으려 하지 않았다. 가장 심했던 건, 한가한 어느 날 초만녕이 물만두를 다섯 광주리나 만들었을 때였다. 원래는 천천히 먹으면 보름은 충분히 먹을 양이었다.

답선군은 다음 날이 되면 다른 인격이 나타날 차례라는 걸 깨닫고는, 또 다른 자신에게 돌아갈 기회를 없애기 위해 자시가 되기 전에 꾸역꾸역 보름치의 물만두를 다 먹어 치웠다.

그리고 묵 종사는 사흘 동안 앓아누웠다.

답선군은 군침 흘리는 떡 폭군을 보며 버럭 화를 냈다.

"꿈도 꾸지 마라! 초만녕이 만든 숯덩이도 본좌만 먹을 수 있어!"

떡 폭군이 눈물이 그렁그렁한 눈으로 그를 바라보았다.

"울어도 소용없다!"

숯덩이는 절대 바꿀 수 없으니, 답선군은 다른 생각을 짜냈다.

"본좌에게 말해 봐. 숯덩이 말고, 더 정교하고 값어치 있는 요족의 물건으로 바꿀 수 있는 게 뭐가 있느냐?"

폭군이 조심스럽게 말했다.

"쪠, 쪠군께서 먼저 까져오시면 씨험 삼아 해 보죠!"

답선군이 미간을 찌푸렸다.

"그놈도 해 봤나?"

"끄럼요!"

폭군이 고개를 끄덕였다.

"이틀 전에 옷을 이 꽃밭으로 바꾸셨잖아요."

"그랬군……."

답선군은 턱을 쓰다듬으며 또 다른 자신에게 절대 질 수 없다고 생각했다.

그래서 그는 자신의 장포를 벗어 폭군에게 건넸다.

"이건 본좌의 옷이다. 뭐로 바꿀 수 있겠느냐?"

폭군은 한참을 이리저리 훑어보면서도 아무 말이 없었다. 답선군의 인내심이 한계에 다다를 때쯤, 그가 머뭇거리며 옷 뒤에서 연잎을 쓴 머리를 빼꼼 내밀었다.

"쩨군, 무, 무엇으로 바꿀지는 저 혼자 쩡하는 게 아니고, 뀨칙이 있어요. 만약 바, 바꾼 물건이 맘에 안 들어도 쩨 목을 쪼르지는 마세요……."

"쓸데없는 말 그만하고, 뭐로 바꿀 수 있느냐고?"

떡 폭군의 목소리가 기어들어 갔다.

"깨, 깨끗하고 맑은 빨 씻는 물……."

답선군은 자신이 잘못 들은 줄 알았다.

"발 씻는 물?"

"에…… 빨 씻는 물이요……."

폭군은 울기 직전의 얼굴로 더듬더듬 말했다.

"싸흘에 한 번, 썩 달 동안 씻으면 초목의 정수가 양분을 꽁급해 줘요. 그러면 쩨, 쩨군께선 찌금보다 크고, 강하고, 용맹스러워지지요…….”

“……죽고 싶은 게냐?”

“우오오오! 쩔대로요!”

폭군은 목 놓아 울기 시작했다.

“무슨 기준으로 그놈 옷은 꽃밭으로 바꿔 주고, 내 건 발 씻는 물이냐 말이냐! 나한테 그런 게 필요할 것 같으냐? 어?”

“으허헝헝, 필요 없으시지요!”

“다른 걸 생각해 내! 다른 거로 바꿔!”

“그건 불가능해요…….”

답선군의 소름 끼치는 눈빛을 보며 폭군은 울먹이는 목소리로 소리쳤다.

“쩨가 결정할 수 있는 게 아니에요. 우리 요족에게도 규칙이 있어요!”

답선군은 폭발할 것 같은 분노를 참았다.

“네 이…… 됐다.”

큰 행사를 앞두고 있으니 일단은 참는 게 좋겠지.

어쨌거나 묵 종사를 밟으려면 이 떡이 필요했다.

그래서 그는 목구멍까지 차올랐던 나쁜 말들을 삼켰다. 온화하고 자상한 척 연기를 하면서 이를 악물고 물었다.

“좋아, 그렇다면 한번 말해 보거라. 내가 무엇을 가져와야…….”

그는 완성 직전의 풍경을 가리켰다.

“이것보다 더 좋은 거로 바꿀 수 있을까?”

폭군이 울먹였다.

"쩌, 쩌는 말할 수 없어요……."

답선군의 핏줄이 툭 불거지며 인내심이 폭발했다.

"말하지 않으면 본좌가 널 죽여 버리겠어!"

"으허허허헝!"

잘못했다간 흠씬 두들겨 맞고 계화당설떡이 되어 잡아먹힐 판이었으니, 떡 폭군은 어쩔 수 없이 그루터기 위에 앉아 흐느끼며 답선군에게 물건 바꾸는 비결을 털어놓기 시작했다.

그는 하얗고 통통한 작은 손을 주머니에 넣고 한참을 뒤적이다가 나무껍질로 만들어진 낡고 작은 수첩을 꺼냈다. 그러고는 굽신거리며 답선군에게 건넸다. 묵 종사 앞에서 위풍당당하던 모습은 온데간데없었다. 답선군도 냉큼 수첩을 받아 휘리릭 몇 쪽을 넘겨 보았다.

"하늘에서 내리는 꽃비…… 구름을 얻어 뜰 위 하늘에 올리면 꽃잎이 계속 내린다."

취향이 고결하신 답선군은 한 줄을 읽자마자 감탄했다.

"오, 이거 좋군. 이건 어떻게 바꾸는 것이냐?"

떡 폭군은 힘없이 손을 뻗어 다음 장으로 넘겼다.

뒤에는 이렇게 쓰여 있었다.

[교환 조건: 산 사람.]

답선군이 눈을 동그랗게 떴다.

"산 사람? 산 제물을 바치라고?"

"……그, 그렇게 짠인하게 쌩각하지 마세요."

폭군이 웅얼거렸다.

"그, 그냥 잡아다가 목함 안에 까둬 놓는 거예요……. 까둬 놓으면 꽃비가 내리고, 내보내면 비, 비가 멈춰요. 짜, 짠인한 거 아니에요!"

"그럼 왜 사람을 가둬 놓아야 하지?"

떡 폭군은 양 손가락 끝을 맞대며 쭈뼛거렸다.

"목함 안에 다른 싸람이 없으면 우리 마을의 떡들은 어디든지 가서 짜, 잡아 올 수 있어요. 다들 꾸경하라고요."

"너희 요족이 구경꾼이고?"

"예, 예 맞아요."

"정말 듣던 중 웃기는 소리구나! 본좌가 어찌 이런 황당한 짓을 하겠냔 말이야!"

폭군이 말했다.

"이런 거로는 안 바꾸셔도 돼요. 싼 싸람으로 바꿀 수 있는 건 최고급이고, 쩨군께선 한 단계 낮은 걸 하셔도……."

최고급이라는 말을 듣자마자 답선군은 나무껍질 수첩을 팍 덮었다.

그러고는 팔짱을 끼고 당당한 말투로 말했다.

"말해 봐. 하늘에서 쏟아지는 꽃비로 바꾸려면 누굴 잡아 와야 하지?"

초만녕은 요 며칠 묵연이 좀 이상한 것 같았다.

종사 인격의 묵연은 밤에 잠도 안 자고 반나체로 바닥에 엎드려 강아지를 안고 있었다.

제군 상태의 묵연은 뭘 하는지 혼자 부엌에 들어앉아 나올 생각을 안 했다. 고기소를 다져야 한다고 해 놓고 점심시간이 되도록 밀가루 반죽도 시작하지 않았다. 이렇게 오랫동안 뭘 하느냐고 물어도 인생에 대해 고민하고 있다는 대답만 돌아왔다.

수상한 건 더 있었다. 답선군은 사흘에 한 번 나타나기 때문에 평소라면 그에게 딱 붙어 뒤엉키는 걸 가장 좋아했다. 낮에는 가끔 산 아래에 내려가 산책을 하기도 하고, 자기만의 비밀스러운 일을 하기도 했다. 그래도 저녁을 먹기 전에는 무조건 돌아왔고, 올 때는 항상 좋은 술 한 병, 혹은 간식거리를 들고 와서 어색하게 건네곤 했다.

그런데 오늘 답선군은 점심도 먹는 둥 마는 둥 하더니, 일이 있어 외출을 해야겠다는 것이다.

초만녕이 물었다.

"저녁엔 뭘 먹고 싶으냐? 내가 해 주마."

그가 잠시 머뭇거리더니 평소와 완전히 다른 태도로 이렇게 말했다.

"아니, 본좌는 오늘 저녁 늦게 올 테니 기다릴 필요 없어. 일찍 자."

초만녕은 자기도 모르게 봉안을 크게 떴다.

이게 바로…….

칠 년 차 권태기라는 건가?

아직 칠 년은 안 된 것 같은데. 아니면 벌써 지나갔나?

……그는 자기 생일이 코앞이라는 걸 완전히 잊고 있었다.

이전의 초만녕에게 생일은 특별한 날도, 좋은 날도 아니었다.

회죄대사와 무비사에 있던 어린 시절, 처음 몇 년 동안 대사는 그의 생일이 돌아올 때면 장난감이나 떡, 과자 같은 것들을 사 주었다. 그는 매번 기뻐했다. 작은 목검을 끌어안고, 혹은 맛있는 간식을 입 안 가득 쑤셔 넣고 환한 미소로 대사를 올려다보며 감사하다고, 잘해 줘서 고맙다고 말했었다.

그때 회죄대사의 표정은 마치 아픈 데를 찔린 사람 같았다.

그때의 초만녕은 그가 무엇 때문에 아픈지 알지 못했다.

언제부턴가 회죄대사는 그의 생일이 되어도 아무것도 주지 않았다. 물론 간식이나 장난감 같은 것들은 언제나 있었다. 대사는 소매를 펄럭거리며 요술을 부리는 것처럼 뭔가를 꺼내 그에게 주었지만, 생일 당일에 특별히 무언가를 주진 않았다. 당시 초만녕은 생각했다. 내가 다 커서 그런 거야. 다 큰 사람은 해마다 생일을 챙기는 게 아니야.

그는 회죄대사에게 자기 생각이 맞지 않느냐고 물었다. 대사는 멈칫하더니, 절 안의 언제나 푸르른 거대한 측백나무를 한참 쳐다보며 초만녕의 머리를 쓰다듬었다. 그래, 만녕이도 다 컸구나. 몇 년만 지나면 관례를 치를 나이가 되는구나…….

회죄대사는 그의 눈을 보지 않았다. 줄곧 저무는 석양만 바라보았다.

저 멀리 하늘의 붉은 잔광이 그의 눈에 비쳤다.

피처럼 붉은빛.

초만녕은 왠지 모르게 회죄대사의 표정이 복잡하다고 생각했다. 그는 아직 세상 물정을 잘 몰랐다. 이런저런 수식어도 책에서만 봤을 뿐, 생명체에서 그것을 나타내는 구체적인 상징 같은 것을 찾아낸 적도 없었다. 그런데 그 순간, 회죄대사의 얼굴에 드리운 게 어떤 감정인지 알 것만 같았다. 반은 그가 책에서 읽었던 '잔인함' 같았고, 반은 '슬픔'이었다.

그는 자신이 관례를 치를 나이가 된다는 걸 얘기하면서 사존이 왜 그런 표정을 짓는지 알 수 없었다. 그러나 가슴이 답답했고, 회죄대사의 슬픔 때문에 슬펐다.

그가 일어섰다. 회죄대사는 여전히 그 옆에 앉아 있었다. 그는 숨을 한번 크게 들이쉬고 대사의 민숭민숭한 머리를 쓰다듬으며 서툴게 그를 위로했다.

– 사존, 슬퍼하지 마세요. 제가 관례를 치를 나이가 되면 생신을 챙겨 드릴게요.

회죄대사는 멈칫하더니 고개를 푹 숙였다.

초만녕은 그의 얼굴에 드리운 어두운 그림자를 보지 못했다.

한참 후 회죄대사가 쉰 목소리로 웃으며 말했다.

– 다 큰 어른은 생일을 안 챙긴단다……. 아이들이나 챙기지.

그러고는 초만녕이 다른 말을 더 하기 전에 얼른 몸을 일으켰다.

널찍한 장삼과 가사가 저녁 바람에 펄럭이자 그의 그림자도 함께 커졌다. 초만녕을 비추던 석양의 핏빛이 그의 그림자에 완전히 가려졌다.

— 늦었구나. 나는 일이 있어 좀 나갔다 올 테니, 너는…… 너는 저녁 공부를 하고 있거라.

그는 말을 마친 뒤 고개 한번 돌리지 않고 떠났다.

그 후로, 길고 긴 이십여 년의 세월 동안 초만녕은 한 번도 '생일 축하해'라는 말을 들어 본 적이 없었다. 아무도 그가 한 살 더 먹은 것을 축하해 주지 않았고, 건강하게 오래 살길 축복해 주지도 않았다.

남병산에 은거하기 전까지 말이다.

이제야 그는 안정된 자기만의 인생을 보내게 되었다. 정성을 다해 자신의 생일을 챙겨 주는 묵연이 있으니 지난날을 다 보상받는 것만 같았다.

애석한 것은 이미 너무 오랜 시간을 챙기지 않고 보내서 초만녕도 생일을 잊어버리는 게 습관이 되었다는 점이었다.

자기 자신마저 툭하면 잊어버렸다.

'생일'을 까마득히 잊어버린 옥형 장로는 뜰에서 미간을 잔뜩 찌푸린 채 생각에 잠겼다……. 묵연이 왜 그러는 거지?

내가 최근에 기분 나쁘게 한 게 있었나?

아니면 바깥에 큰일이라도 났나?

묵 종사든 제군 묵연이든, 요 며칠 다들 왜 그러는 거야…….

미시.[#74]

초만녕의 생일이 네 시진 남았다.

#74 미시 未時, 오후 1시~3시

답선군은 고월야 장문의 서재 안 대들보 위에 편히 앉아 속으로 자신을 위한 박수갈채를 보냈다. 이렇게 빨리 자유자재로 이동할 수 있는 사람은 세상에 오로지 자신뿐일 테니 말이다. 어검 비행을 해도 이렇게 빠르진 못할 것이다. 물론 어검을 한다면 짧은 시간 내에 각지를 돌아다닐 수는 있었다. 그러나 그는 달랐다. 그는 공간이동술을 할 수 있었다.

답선군은 자신이 너무나 자랑스러웠다.

– 하늘에서 내리는 꽃비 구름은 '아이쓰아이쓰아[#75]'급의 싸람을 잡아 와야 해요. 깡, 깡, 깡야심 장문 정도는 돼야 바꿀 수 있어요.

떡 폭군의 말이 귓가에 맴돌았다.

그때 자신은 경계심이 가득한 목소리로 진지하게 물었다.

– 아이쓰아이쓰아급이 뭐냐?

– 요족의 말이에요.

떡 폭군이 말했다.

– 그러니까, 짭기가 아주아주 어렵고 요족들이 생각하기에 아주 때단한 사람이요.

#75 아이쓰아이쓰아 艾斯艾斯啊. '에이스, 에이스다'를 뜻하는 말로, 일본 만화 〈원피스〉에 나오는 강한 해적, 포트거스 D. 에이스를 연상시키기도 한다.

잡기가 어렵다고?

답선군은 속으로 콧방귀를 뀌었다.

그건 누가 나서는지에 따라 다르지. 강야침을 잡아 오는 것쯤은 나한텐 아무것도 아니라고.

그는 주칠 바탕에 금박 무늬를 넣은 대들보 위에서 아래를 내려다보았다. 조용한 것을 좋아하는 강야침은 다른 사람과 너무 가까이 지내는 걸 꺼렸다. 그래서 방 안에 시중드는 소년 하나 없이 자기 혼자 창가에 앉아 책을 읽고 있었다.

강희는 전투에서 중상을 입은 후로 줄곧 몸이 좋지 않았다. 그는 원래 체격이 훤칠하고 위용 있는 남자였으나, 몇 달을 병상에 누워 보내고 나니 살이 쏙 빠져 버리고 말았다. 기개는 여전했지만, 핏기 없이 창백한 얼굴 때문에 그동안 쌓아 온 위엄은 사라지고 수척한 퇴폐미가 드러났다.

아름답긴 했다. 답선군의 심미안에는 문제가 없었다. 그는 강야침이 백 년에 한 번 나올까 말까 한 미남이라는 걸 알고 있었다. 그러나 그가 평생 봐 온 미남 미녀는 발에 차이도록 많았고, 그는 미인을 아끼고 배려할 줄 모르는 사람이었다.

미인을 아낄 줄 모르는 답선군이 강야침을 조준했다. 정확한 각도를 잡은 다음, 품에서 목함을 꺼내 '찰칵' 하고 뚜껑을 열었다…….

"자, 소원을 이뤄 주는 함이다!"

잔뜩 힘을 주어 던진 목함이 곧장 강희의 뒤통수를 향해 날아갔다.

그의 상상은 이랬다. 목함이 강희의 머리에 닿는 순간, 강희는 흰 광채를 뿜어내며 '쉭' 하는 소리와 함께 목함 안으로 빨려 들어간다. 뚜껑이 '펑' 하며 빠르게 닫히고, 목함은 이리저리 꿈틀거리다 마침내 조용해진다.

그렇게 아이쓰아이쓰아급의 강야침을 잡아넣고 꽃비 구름을 얻는다.

아쉽게도 일은 뜻대로 되지 않았다. 목함이 닿기 직전, 비실비실하던 강 장문은 눈 깜짝할 사이 몸을 피했다. 그가 입은 풍성한 청금색 옷에서 흐르던 비단의 광채가 순식간에 서재 정중앙에서 반짝였다. 목함이 '달그락' 하며 바닥에 떨어지고, 강희가 음산한 표정으로 고개를 들었다.

"거기……."

'누구'라고 말하기도 전에 답선군이 풀쩍 뛰어내려 손을 휘둘렀다. 피처럼 붉은 영력의 쇠사슬이 강희에게로 날아갔다.

깜짝 놀란 강희가 소매를 펼치며 뒤로 날아가 두 번째 공격을 피했다.

답선군이 냉소 지으며 말했다.

"좋아, 공격도 삼세판이지. 세 번째도 피할 수 있나 볼까?"

공격도 삼세판이라는 말은 답선군이 이제 막 몸이 회복된 강 장문을 놀리는 말이었다. 강희는 전생에서 그와 겨뤄 본 적이 있었다. 답선군과 대적하면서도 적지 않은 초식을 이어 가다 결국 폭발적인 힘에 무릎 꿇었었다. 그러나 지금의 강희는 너무 갑작스러워 미처 대비할 수도 없었고, 살기도 없었으며, 몸은 여전히 너무 약했다.

이런 상황에서 답선군의 세 번째 공격을 막아 내는 건 불가능했다.

붉은 쇠사슬이 다시 날아왔다. 피하려던 강희는 갑자기 목구멍에서 비릿한 단내가 올라오는 걸 느꼈다. 조금 전 공격을 피하느라 몸을 너무 빨리 움직인 나머지 병세가 나타난 것이다. 그는 고개를 숙이고 기침을 해 댔다.

고수 간의 대결에서 순간의 흐트러짐은 곧 패배였다.

순식간에 쇠사슬에 꽁꽁 묶인 강야침은 중심을 잃고 바닥으로 고꾸라졌다.

그는 거친 숨을 내쉬며 아름다운 눈을 들었다. 답선군의 얼굴이 보이자 멈칫했다.

"……너는?"

답선군이 손뼉을 치며 웃었다.

"걱정 마. 본좌는 널 죽이지 않……."

말을 마치기도 전에 분노에 찬 강희의 목소리가 들렸다.

"무슨 소리냐? 누가 날 괴롭히려고 널 보냈다는 건가?"

답선군이 이상하다는 듯 말했다.

"누가 널 괴롭힌다는 거야?"

쇠사슬을 풀려고 애쓰는 강희의 얼굴은 분노로 새파랗게 질려 있었다.

"설몽이 보낸 거냐?"

답선군은 더 의아했다.

"설몽이랑 무슨 상관이야. 설몽이랑 무슨 일이 있었길래, 걔가 널 괴롭히려 하지?"

강희는 얇은 입술을 깨문 채 말이 없었다. 헝클어진 앞머리

몇 가닥이 얼음처럼 창백한 그의 얼굴에 흘러내렸다. 동그랗고 아름다운 눈은 어두운 서재 구석에서 답선군을 매섭게 노려보았다.

"……어, 잠깐만."

답선군이 미간을 찌푸렸다. 뭔가 있는 느낌이 들었다.

"이상하게 갑자기 왜 당신 눈이 익숙해 보이지? 누군가 닮은 것 같은……."

강희가 순간 뻣뻣하게 굳었다가 급히 고개를 돌리고 눈을 감았다. 그러고는 입을 다물었다.

답선군은 습관적으로 손을 뻗어 그의 얼굴을 잡아 돌리려 했다. 그러나 손가락이 강희의 턱에 닿기 직전, 아무래도 이건 아닌 것 같다는 생각이 들었다. 이런 행동은 좀 애매하긴 했다. 다른 뜻은 없었고 그저 강야침의 눈을 다시 한번 살펴보고 싶을 뿐이었지만, 초만녕이 알게 된다면 싫어할 게 분명했다.

그래서 그는 씩씩거리며 손을 내렸다.

됐어, 어쨌든 난 강희의 일에 관심 없다고.

잡아라, 잡아! 꽃비 구름이랑 바꿔야지!

이렇게 생각하니 답선군의 의아함은 희열로 바뀌었다. 그는 영력 쇠사슬로 강희를 꽁꽁 묶어 소원을 이뤄 주는 함으로 던졌다.

강희는 이런 푸대접은 태어나서 처음이었다. 그가 화가 나서 소리 질렀다.

"애송이 주제에 어디서 감히! 당장 풀어라!"

답선군은 그의 말을 들을 생각이 없었다. 쇠사슬을 자기 맘대로 움직인 후 팔짱을 낀 채 재미있는 연극을 보듯 웃으며 말했다.

"들어가면 풀어 주겠다. 안은 아주 넓어. 걱정 마, 본좌는 당신에게 아무 관심이 없으니까. 모레 풀어 줄게."

"죽고 싶으냐!"

강희는 너무 화가 나 뚜껑이 열릴 지경이었다. 한껏 욕을 퍼부으려는데, 쇠사슬이 그를 뒤로 휙 잡아당겼다.

강희는 하려던 욕을 반밖에 하지 못하고 흰빛이 되어 소원을 이뤄 주는 함 안으로 빨려 들어갔다.

답선군은 의기양양한 표정으로 웃으며 목함을 집어 들었다.

"하늘에서 내리는 꽃비, 잡았다!"

말을 마치자마자 서재 바깥에서 가볍게 문 두드리는 소리가 났다.

"장문님, 약 드실 시간입니다."

답선군의 미소가 사라졌다. 그는 상대방이 들어오기 전에 전송진을 열어 근처의 양주 항구로 이동했다. 문밖에 있던 사람이 들어왔을 땐, 서재엔 아무도 없이 창가에 책 한 권이 놓여 있었다. 먹이 아직 안 말랐네. 장문님께선 어딜 가신 거지…….

신시.[#76]

초만녕의 생일이 세 시진 남았다.

답선군은 행인으로 가득한 길과 골목을 끔찍이도 싫어했다. 그래서 양주성의 용마루에 올라 경공으로 날았다. 옷자락을 펄럭이며 금빛 장식이 눈부신 문봉탑 꼭대기를 지나, 우뚝 솟은 제왕 능묘의 꼭대기 옆에 앉아 잠시 쉬었다.

#76 신시 申時, 오후 3시~5시

그곳에서 내려다보니, 멀리 있는 시가지가 한눈에 들어왔다. 마침 저녁이 가까운 시간이라 길은 지나다니는 사람들로 가득했지만, 그가 앉아 있는 꼭대기는 시원하고 고요했다.

그는 하품하며 머리 뒤로 팔베개를 하고 기와지붕 위에 누워, 점점 붉게 물들어 가는 구름을 올려다보았다……. 아주 좋아. 강희도 잡았으니 목함 속 하늘에선 꽃비가 내리고 있겠지. 초만녕이 보면 분명 좋아할 거야.

시간이 아직 많이 남았네. 아이쓰아이쓰아급 인물을 몇 명 더 잡아 와도 충분하겠군.

답선군은 이렇게 생각하며 옷섶에 손을 넣어 낡은 수첩을 꺼냈다. 표지에는 삐뚤빼뚤한 글씨로 '인간족 관찰 사항'이라고 쓰여 있었다. 그는 수첩을 펼쳐 눈을 가늘게 뜨고 몇 쪽을 살펴보았다.

"아이쓰아이쓰아가 많네?"

답선군은 턱을 만지며 중얼거렸다.

"하지만 이 수첩은 내용이 너무 부실해. 떡 요괴가 관찰하고 싶은 수사가 누군지만 쓰여 있지, 수사를 잡아 오면 뭐로 바꿔 주는지는 안 적혀 있잖아."

그러면서도 잠시 후 또 이런 생각이 들었다. 상관없어. 되는 대로 많이 잡아다가 좋은 거로 바꿀 수 있으면 남겨 두고, 아니면 목함 밖으로 내보내면 되지 뭐. 나한테 있는 건 힘뿐이니 밑지는 장사는 아니야.

"강희, 마운, 선기 장로……."

한 명, 한 명 보며 내려갔다. 물론 자신과 초만녕의 이름도 있었다. 답선군은 화가 나서 속으로 중얼거렸다. 이 반역자들, 감히 지엄하신 인간계 제군과 북두선존을 관찰하려 하다니. 그러나 또 한편으로는 이런 생각도 들었다. 이 수첩에는 수진계에서 유명한 사람들의 이름만 있잖아. 우리 둘의 이름이 없다면 그거야말로 사람들이 우리를 깔본다는 거 아니겠어?

이렇게 생각하니 또 금방 화가 누그러들었다.

그는 수첩에 적힌 아이쓰아이쓰아가 누군지 대강 다 훑어보았다. 그리고 생각했다. 도포산장이 제일 가까우니까 마운부터 잡아넣고 뭐로 바꿔 줄 수 있는지 보자.

한다면 하는 답선군은 곧장 탑 위로 날아올랐다. 도포산장에 가서 두 번째 희귀 인간을 잡아 올 계획이었다.

그런데 전송진을 열기도 전에 뒤에서 익숙한 목소리가 들렸다.

"어? 묵 형 아니에요?"

답선군은 깜짝 놀랐다. 장포를 입은 모호한 뒷모습으로도 정체를 알아보는 이 예리한 눈썰미는 누구란 말인가?

그가 고개를 홱 돌렸다. 선명한 황색 칠이 되어 있는 문봉사의 담벼락 바깥에 연한 금발과 푸른 눈의 잘생긴 남자가 서 있었다. 피부는 부드럽게 빛나는 상아색으로, 담벼락 밖으로 나온 옥란화보다 새하얬다.

이목구비가 또렷한 금발의 남자는 입술을 오므린 채 뒷짐을 지고 사원의 담벼락 옆에서 웃으며 그를 바라보았다.

"신기하네요. 양주에서 묵 형을 보게 될 줄이야."

답선군은 매함설을 썩 좋아하지 않았다. 전생에서 자신을 배신한 설몽은 그냥저냥 넘어갈 수 있었지만, 설몽과 한패였던 매함설은 별로 상대하고 싶은 마음이 없었다.

그는 초만녕 외의 다른 사람에게는 그다지 신경 쓰지 않았고, 매함설 형제에 대해선 더더욱 아는 게 없었다. 그러니 표정이든 행동이든, 쌍둥이를 분간해 내는 건 불가능했다.

결국 그는 미간을 찌푸리며 금발의 남자를 훑어본 후 물었다.

"큰 것이냐, 작은 것이냐?"

"……."

답선군과 달리 매우 총명한 매함설은 답선군의 말 한마디와 표정만으로도 자기가 인격을 착각했다는 걸 알아차렸다.

지금은 내가 잘 아는 묵 종사가 아니라 전생의 답선제군인가 보군.

진즉 알았으면 알은체는 안 하는 건데.

그러나 이미 불러 버렸으니, 매함설은 하는 수 없이 미소를 지어 보였다. 눈에 담겨 있던 반가움도 급격히 희미해졌다.

"묵 형이 새것인지 헌것인지 묻지도 않았는데, 어찌 묵 형께서는 저더러 큰 것인지 작은 것인지 물으시는 겁니까?"

"헌것?"

답선군이 벌컥 화를 냈다.

"헌것은 너다!"

매함설이 고개를 저으며 웃었다.

"웬일로 혼자 양주에 다 오셨어요? 초 종사는요? 같이 안 오셨나요?"

답선군은 멈칫했다. 이 질문에 정신이 퍼뜩 들었다.

내가 양주에 온 건 강희를 잡기 위해서지.

강희는 아이쓰아이쓰아라서 꽃비 구름과 바꿀 수 있거든.

매함설, 너도 아이쓰아이쓰아다. 뭐로 바꿔 줄진 모르겠지만.

답선군의 눈에서 반짝 빛이 났다. 마운을 잡기 전에 다른 희귀 인간을 잡을 수 있겠는걸!

"……."

매함설은 눈치가 빨랐다. 미심쩍은 그의 표정을 보며 한 걸음 뒤로 물러나더니, 경계심 가득한 눈빛으로 무기를 꺼내 들려 했다. 그러나 답선군이 매함설보다 빨랐다. 검은빛이 근처에서 번쩍였다.

"묵 형, 이게……!"

매함설이 더 말을 잇기도 전에 답선군이 볼품없는 목함을 열어 그의 머리에 대고 눌렀다.

"뭐야!"

금빛 광채가 스쳤다.

매함설이 온데간데없이 사라졌다.

답선군은 얼른 뚜껑을 덮었다. 잘생긴 얼굴에 음흉한 미소가 떠올랐다. 보랏빛이 감도는 검은 눈동자에는 반드시 이기고야 말겠다는 의지가 가득했다.

"헤헷, 하나 더 잡았군."

두 명이다.

묵 종사가 만든 그 쪼그만 나무토막이든 조개껍데기든 꽃이든 내 아이쓰아이쓰아에 비할 바가 아니지. 이번에 묵 종사가 이기면 그게 오히려 이상한 거야!

그는 만족스러운 표정으로 목함을 흔들며 전송진을 열었다.

도포산장에 있는 세 번째 희귀 인간, 마운을 잡으러.

같은 시각, 소원을 이뤄 주는 함 속.

갑작스럽게 홱 빨려 들어온 매함설은 비틀거리며 주저앉았다. 그는 일어나서 콜록콜록 기침하며 장포에 묻은 먼지를 털어 낸 후, 푸른 눈으로 망연하게 주위를 둘러보았다.

시선이 닿는 곳마다 산과 물과 초원이 있었다. 신선의 세계 같은 곳이었다. 풀 한 포기, 나무 한 그루마저 속세와 비슷한 것이 없었다. 하늘에는 꽃잎이 흩날리고, 연못에는 금이 흘렀다. 집은 정교하고도 화려했다. 옆에는 전통 음악이 울려 퍼지는 넓은 꽃밭도 있었다.

여기가…… 어디지?

그는 의아한 표정으로 먼 곳을 바라보았다. 저 멀리 누군가 누워 있는 게 보였다. 온몸이 쇠사슬에 묶여 있는 것 같았다.

……저자는…… 누구지?

지붕 위에 엎드린 떡 폭군은 커다란 연잎으로 자신을 가린 채, 소원을 이뤄 주는 함 안에 들어온 두 사람을 조용히 관찰했다.

몰래 꽈꽈꽈꽌찰 해야지! 쩔대 들켜선 안 돼!

냐하하하하하!

매함설은 언제나 자신의 용모를 중시하고 깔끔한 것을 좋아했다. 그는 옷에 묻은 먼지를 깨끗이 털어 내고 헝클어진 금발을 묶었다. 뾰족한 말꼬리 같은 머리를 뒤로 묶고 외모가 그렇게 이상하지 않다는 걸 확인한 후에야, 조심스럽게 저 멀리 누워 있는 불운의 사나이에게로 다가갔다.

사실 낯선 곳에 와서도 아무렇지 않게 자신의 옷이 구겨졌는지, 머리가 헝클어졌는지 신경 쓸 수 있는 건 매함설의 지나치게 신중한 성격 때문만은 아니었다.

오히려 그는 묵연이 지금 초만녕의 통제하에 있기 때문에 도리에 어긋나는 행동을 할 수 없다는 걸 알고 있었다. 게다가 이곳엔 사기도, 살기도 없었다……. 같은 처지인 누워 있는 이 사람만 빼고는 말이다.

가까이 다가간 매함설은 이 '불운의 사나이'가 누군지 확인하고 자기도 모르게 푸른 눈을 휘둥그레 떴다.

아무리 차분하고 냉정한 매함설이라도 놀라지 않을 수 없었다.

"강…… 장문?"

강희는 쇠사슬에 묶여 있었다. 답선군 이 망나니가 강희를 목함에 던져 넣고 너무 신이 난 나머지 그를 풀어 주는 걸 잊어버린 것이다. 매함설은 얼른 그에게 다가가 무릎을 꿇고 강희의 상태를 살폈다.

답선군의 쇠사슬은 상대방이 발버둥 칠수록 더욱 단단히 조였다. 강희처럼 고상한 사람은 당연히 이런 모욕을 당해 본 적이 없었다. 어떻게든 쇠사슬을 풀려고 했지만 오히려 더 꽁꽁 묶이고 말았다. 매함설은 뒷짐 진 자세로 결박을 당한 강희의 손목 피부가 다 벗겨진 걸 보았다. 시뻘겋게 파인 흔적도 있었다.

"……강 장문?"

게다가 몸이 완전히 낫지도 않았는데 또다시 갇혀서 제때 약을 먹지 못해 의식을 잃은 것 같았다. 매함설이 몇 번을 불렀으나 강희는 미동도 하지 않았다.

매함설은 낙담했다. 오늘 문을 나설 때 달력을 안 봤는데, 어쩌다 이런 골치 아픈 일을 당하게 됐을까.

사실 매함설은 강희에게 어느 정도 적대감을 가지고 있었다. 사생지전의 산 아래에서, 그는 강희가 사생지전을 규탄하는 사람들의 편에 섰던 것이 거슬려 강희에게 비꼬는 말을 했었다. 성격이 대범하고 거리낌 없는 매함설은 권력에 집착하는 강희를 도저히 이해할 수 없었다. 강희가 10대 문파의 제일 존주가 된 후 권력 때문에 견제당하거나 고립되는 모습은 더더욱 이해할 수가 없었다.

심지어 강희는 설몽과도 줄곧 사이가 좋지 않을뿐더러, 둘 사이엔 항상 미묘한 분위기가 흘렀다.

설몽과 친한 매함설은 당연히 강희를 별로 좋아하지 않았다. 그렇지 않고서야 그처럼 두뇌 회전이 빠른 사람이 어떻게 천하 제일 부호인 존주를 냉대할 수 있겠는가?

매함설은 머리가 아팠다.

어쩌다 강희가 의식을 잃었을까?

어쩔 수 없지. 지켜보는 수밖에.

매함설은 강희의 옷깃이 솟아 있는 목 부분에 손을 대 보았다. 맥박은 매우 불규칙했고, 피부는 불에 덴 듯 뜨거웠다.

그는 불길하다고 생각하며 손을 거두고 강희를 불렀다.

"눈 좀 떠 보세요."

"……."

"강 장문, 눈 좀 떠 보십시오!"

미동도 없었다.

상황이 좋지 않았다. 매함설은 할 수 없이 무릎을 꿇고 앉아 강희의 손목 부분을 짚은 다음 곤륜 답설궁의 치유술을 천천히 시전했다. 그러나 영력이 들어가자마자 매함설은 강희의 몸속에서 불안정한 불길이 충돌하는 걸 느꼈다. 난폭하고 사악한 기운이 그의 온몸을 장악하고 있었다.

강호에는 강 장문이 대전 때 중상을 입고 겨우 목숨은 건졌으나 점점 몸에 이상이 나타나고 있다는 소문이 돌았다.

그 소문이 진짜였군.

언제는 설몽한테 그렇게 흉악하게 굴다가, 언제는 또 잘해 주고, 또 언제는 말이 앞뒤가 하나도 안 맞고, 이 사람은 정말…… 알다가도 모르겠단 말이야…….

다행히 매함설은 물 속성의 치료술로 그의 몸속에 이글거리는 불길을 잠재웠다. 잠시 후, 마침내 강희가 의식을 되찾았다.

미간을 잔뜩 찌푸린 채, 그의 속눈썹이 파르르 떨리더니 천천히 눈을 떴다.

초점이 풀린 눈동자는 혼란스러웠다. 뭔가를 억누르고 있는 것 같기도 했다. 강희는 말없이 또 눈을 감았다. 그러고는 시종에게 분부를 내릴 때 쓰는 높은 지도자의 말투로 피곤한 듯 말했다.

"약……."

매함설이 어이없다는 듯 대답했다.

"약 없습니다."

강희는 그의 목소리를 듣고도 처음에는 혼미한 정신으로 아무 반응이 없더니, 잠시 멈칫하다가 정신이 번쩍 들었다. 그는 놀라 눈을 크게 뜨고선 사레가 들렸는지 심하게 기침을 했다.
"네가 어째서?"
"그럼 누군 줄 아셨습니까?"
매함설은 이렇게 말하고 나서야 깨달았다. 방금 강희가 깨어나자마자 아랫사람 부리듯 말한 건 십중팔구 정신이 없어 자신을 고월야의 누구라고 착각했기 때문이라는 것을 말이다.
"난 네가……."
강희의 창백하고 메마른 입술이 달싹거렸다. 뭔가를 말하고 싶은 것 같았지만, 사화(邪火)가 또 솟구쳐 온몸을 약하게 떨었다. 식은땀이 적삼을 푹 적셨다. 그는 눈을 질끈 감고 아랫입술을 꽉 깨물었다. 뭔가를 필사적으로 참는 듯, 매우 고통스러워 보였다.
매함설은 그가 나서길 좋아하고 체면을 중시하며, 약한 모습은 절대 안 보이려 한다는 걸 알고 있었다.
후배 앞에서 이런 꼴을 보이는 게 분명 괴로울 터였다.
매함설은 그가 달갑진 않았지만 그렇다고 또 싫은 건 아니었다. 게다가 심성이 착해 다른 사람이 고통당하는 모습을 보질 못했다. 미인이 고통당하는 건 더더욱 두고 볼 수 없었다.
강희가 마음에 안 들긴 안 들어.
하지만 잘생기긴 또 엄청 잘생겼잖아.
매함설은 한숨을 쉬며 물었다.
"앉을 수 있으시겠어요? 차가운 기운을 좀 흘려 넣었는데, 좀 어떻습니까?"
그렇게 말하며 그를 부축하려 했다.

그런데 강희는 아직 어깨에 닿지도 않은 매함설의 손을 홱 뿌리쳐 버렸다.

강희가 거친 숨을 몰아쉬며 눈을 들었다. 동그랗고 아름다운 눈은 맑고 촉촉했다. 우리에 갇힌 야수처럼 고통스럽고도 경계심 가득한 표정이었다. 그가 쉰 목소리로 말했다.

"……내 몸에 손대지 마라."

"……."

"3척 바깥으로 떨어져. 신경 쓸 것 없다."

매함설은 어리둥절해하며 말했다.

"하지만 몸이 안 좋으시잖아요……."

강희의 헝클어진 앞머리는 땀에 젖었고, 목가의 맥박이 벌떡벌떡 뛰었다. 그가 화를 버럭 냈다.

"약이나 있으면서 하는 말이냐?"

"……아니요."

"그런데 안 꺼지고 뭐 하는 게야?"

"……."

유시.[#77]

초만녕의 생일이 두 시진 남았다.

설몽은 단심전의 장문 상석에 앉아 불청객 묵미우를 쳐다보고 있었다.

"무슨 소린지 못 알아듣겠어."

답선군의 손에는 도포산장에서 꺾어 온 버드나무 가지가 들려

#77 유시 酉時, 저녁 5시~7시

있었다……. 사람을 잡으러 갔지만 결과는 허탕이었다. 마 장주는 놀러 나가고 없었다.

답선군은 생각 끝에 남은 아이쓰아이쓰아 중에선 그래도 설몽이 제일 잡기 쉽다고 결론 내렸다. 잡을 필요도 없었다. 그냥 속이기만 하면 될 테니 말이다.

그래서 그는 발걸음을 돌려 사생지전으로 왔다.

설몽이 그를 쳐다보며 말했다.

"나더러 목함에 들어가서 놀아 달라니 그게 무슨 소리야? 내가 지금 할 일이 태산인데 너랑 놀 시간이 어딨다고."

답선군이 의미심장한 표정으로 말했다.

"본좌가 보장한다. 일단 들어가 보면 너무 좋아서 깜짝 놀란다니까."

설몽은 마침 문건을 처리하느라 골치가 아파서 언짢은 듯 말했다.

"머리가 어떻게……."

'된 거 아니야?'라는 말이 나오기 직전에 설몽은 갑자기 생각났다. 아, 이게 아니지.

내 생일이 다가오고 있잖아. 얼마 전에 묵연이 나한테 무슨 선물 갖고 싶냐고도 물어봤었지! 엄청나게 돌려 말하긴 했어도, 내 선물이 아니면 누구 선물이겠어?

그렇다면 이 허접한 목함이 혹시…….

선물?

설몽은 두 사람 사이의 탁자에 놓인 목함을 내려다보았다. 언짢음이 호기심으로 바뀌었다.

들어가 보면 좋아서 깜짝 놀란다고 했으니, 분명 선물이긴 선물인데. 그걸 알아채지 못하고 여태 묵연을 시큰둥하게 대하고 있으니, 이래선 안 되었다.

생각이 여기까지 미치자, 설몽은 약간 민망하기도 하고 미안하기도 했다.

"크흠……."

그가 헛기침을 했다.

"너무 이르잖아."

"이르다고?"

답선군은 어리둥절했다. 무슨 말인지 알아들을 수가 없었다. 그러나 얼른 대답했다.

"아냐, 아냐. 더 늦으면 시간이 없어. 얼른 들어가 봐."

설몽은 입을 쩝쩝 다시다가 목함을 흘끗 보았다. 다시 거절하고 싶었지만, 호기심이 왕성한 그는 주저하다 결국 본능에 지고 말았다.

궁금해서 견딜 수 없던 설몽이 갑자기 활짝 웃었다.

"고마워, 형. 그럼 나 들어가 볼게."

"?"

답선군은 도대체 무슨 영문인지 알 수가 없었지만 설몽이 들어가기만 한다면 그걸로 되었다고 생각했다.

그가 뻔뻔하게 대답했다.

"에이, 무슨. 자, 어서 들어가!"

설몽 역시 한 줄기 금빛 광채가 되어 사라지자, 답선군은 딸깍하고 목함의 뚜껑을 닫았다. 기분이 날아갈 것 같았다.

"세 명이다."

짧은 몇 시진 만에 희귀 인간 강희, 매함설, 설몽을 붙잡다니. 이 답선 제군의 실력이 아직 녹슬지 않았어!

아직도 두 시진이 남았어. 난 더 잡을 수 있어!

사생지전의 선기와 탐랑 역시 아이쓰아이쓰아잖아. 그 둘도 놓칠 수 없지!

답선군은 야심 차게 목함을 옷섶에 넣고 장포를 걸친 다음, 장로의 거처로 갔다.

같은 시각, 소원을 이뤄 주는 함 속.

설몽은 입을 딱 벌리고 눈앞의 풍경을 바라보았다. 금빛으로 흐르는 물, 전통 음악이 흘러나오는 꽃밭, 하늘에서 내리는 꽃비, 얼음 풍차…… 그러나 기묘하고 아름다운 풍경보다 더 놀라운 건 구석에 있는 두 사람이었다.

매함설이 강희 앞에 무릎을 꿇고 앉아 미간을 찌푸린 채 뭔가를 말하고 있었다. 그런데 강희는…….

설몽은 '헉' 하고 놀랐다.

매함설이 쇠사슬로 강희를 묶어 버린 게 아닌가! 강희를 괴롭히려는 것 같았다. 강희는 표정이 매우 어두웠고, 앞머리도 헝클어졌고, 얼굴은 땀범벅이었다. 이, 이, 이게 무슨…….

설몽이 꽥 소리를 질렀다.

"매함설! 지금 뭐 하는 거야?"

매함설이 멍한 표정으로 고개를 돌렸다. 설몽이 자신을 향해 성큼성큼 걸어오고 있는 게 보였다. 그는 코를 문질렀다. 그런데 미처 놀라기도 전에, 웃으며 설몽과 인사를 하기도 전에 설몽에게 멱살을 잡혀 일으켜 세워졌다. 설몽은 다른 손으로 강희를 가리키며 매함설에게 눈을 부라렸다.

"뭐 하는 짓이야? 빨리 풀어!"

"?"

매함설은 어이가 없었다.

"그게 아니라 설 장문, 내 얘기부터 들어 봐……."

"강야침이 인간 말종이긴 해도, 네가 이럴 정도는 아니야! 왜 묶은 거야?"

매함설은 멈칫하다가 그의 말뜻을 이해했다. 그는 웃음을 참지 못하며 설몽의 소매를 당겼다.

"설몽…… 지금 무슨 생각 하는 거야? 내가 강희를 묶어 놓고 뭐라도 할 줄 알고?"

돌아온 것은 분노에 가득 찬 설몽의 주먹이었다.

"네가 묶어 놓고 뭘 할지 내가 어찌 알아! 이 변태 자식! 어서 안 풀어?"

"……."

매함설은 아무 이유도 없이 변태라고 욕을 먹자 퍽 억울한 기분이 들었다.

이봐, 나야말로 풀어 주고 싶다고. 쇠사슬은 답선군이 묶은 건데 누가 풀 수 있겠어?

한참을 옥신각신하고 있는데, 더 정확하게는 설몽이 일방적으로 매함설에게 고함을 지르고 있는데, 강희는 그들을 보기도 싫고 그들과 말하기도 싫다는 듯 눈을 감아 버렸다. 그때, 구석에서 또 '쉭쉭' 하며 이상한 소리가 들렸다.
고개를 돌린 설몽이 깜짝 놀랐다.
"선기 장로, 탐랑 장로?"
소원을 이뤄 주는 함 안에 나타난 건 망연한 표정의 선기와 머리끝까지 화가 난 탐랑이었다.
"장로들은 어찌 들어오신 겁니까?"
탐랑이 화가 나서 씩씩거렸다.
"묵연 그놈이 다짜고짜 낡은 목함을 우리 이마에 대고 누르더라니까요! 죽고 싶어 환장했나 진짜!"
선기가 한숨을 내쉬며 말했다.
"그러고 나니 여기네요."
설몽도 할 말을 잃었다.
"……."
선기가 주위를 둘러보며 물었다.
"여기가 어딥니까? 존주께선 어찌 여기 계시고요? 그리고 매선군과 강……."
쇠사슬에 묶여 있는 강희를 본 선기의 표정이 급변했다. 그가 깜짝 놀라 소리쳤다.
"강 장문?"
정말이지 큰일이 아닐 수 없었다. 천하제일 문파의 장문인이 이렇게 굴욕적인 모습으로 꽁꽁 묶인 채 정원에 떨어져 있다니. 게다가 주위엔 전부 사생지전 사람들이었다. 이 굴욕을 어떻게 갚아야 할지, 강희는 화가 치솟았다.
유일하게 사생지전에 속하지 않는 매함설이 코를 만지며

말했다.

"저도 묵 형이 집어넣은 거예요. 여기 강 장문께서 입을 다물고 계시긴 한데, 어쨌거나 장문께서도 묵 형이 억지로 여기에 보낸 것 같고요…… 아, 참."

그가 탐랑을 보며 물었다.

"사생지전에서 치유를 주관하는 장로시지요?"

탐랑이 시큰둥하게 말했다.

"그런데?"

매함설이 말했다.

"강 장문께서 몸이 많이 안 좋으신 것 같습니다. 전 문외한이라, 장로께서 치료를 좀 해 주셨으면 합니다."

그러나 창백한 얼굴의 강희는 이를 악물고 말했다.

"필요 없다."

"그래도……."

"선향 한 대가 타는 시간만큼 버텼어."

강희가 눈을 감고 말했다.

"괜찮아질 거다."

강희가 이렇게 고집을 부리며 아무도 그를 만지지 못하게 하니, 결국 하는 수 없이 그가 원하는 대로 둘 수밖에 없었다.

매함설과 설몽은 소원을 이뤄 주는 함 안에 만들어진 장소를 한 바퀴 돌아보았다. 매함설이 물었다.

"넌 어떻게 들어오게 된 거야?"

설몽이 무미건조하게 말했다.

"이건 묵연이 나한테 주는 생일 선물이야."

매함설이 놀라며 물었다.

"네 생일은 아직 좀 남았잖아?"

"미리 주려는 거겠지."

설몽은 그곳을 둘러보았다. 선기와 탐랑이 들어오자 하늘에 갑자기 수많은 별이 나타나 반짝거렸다. 아직 완전히 어두워진 게 아닌데도 요력(妖力)이 응집된 별들은 밝은 빛을 내뿜었다. 들판에 가득 핀 꽃의 향기가 코끝을 간지럽혔다. 정말이지 세속의 정취는 아닌 것 같았다.

"여기 정말 좋긴 좋네."

설몽이 말했다.

"그런데 왜 사람들을 전부 잡아다 넣었는지 모르겠네."

매함설이 곰곰이 생각하다 말했다.

"네 생일을 축하해 주고 싶어서 그런 건가? 시끌벅적하게 만들려고."

걷다 보니 피곤해진 설몽은 둔덕에 앉아 물결치는 보리밭과 흩날리는 버드나무 가지, 그리고 광활한 하늘을 바라보았다. 그는 어릴 때부터 부모님의 사랑을 듬뿍 받았다. 설정옹은 자수성가한 사람이라 설몽이 아주 어렸을 때 사생지전은 한동안 정말 가난했었지만, 그럼에도 불구하고 부모님은 그의 생일을 대충 넘어간 적이 없었다.

거의 매년, 그는 칭찬과 사랑과 선물에 둘러싸여 생일을 보냈다. 설정옹은 언제나 그가 줄 수 있는 가장 좋은 선물을 했고, 왕 부인도 세상에서 가장 맛있는 장수면을 직접 만들어 주었다.

그렇게 설몽은 이십여 년을 무한한 행복 속에서 보냈다.

부모님이 돌아가시기 전까지 말이다.

지금까지 설정옹과 왕초청은 두 개의 산처럼 설몽의 인생길에 놓여 있었다. 그가 죽음이나 쇠락의 공포를 보지 않도록, 언제나 천진난만함과 찬란한 웃음을 잃지 않도록.

그들이 세상을 떠난 후, 설몽의 심장을 지켜 줄 사람은 없었다. 고통과 잔혹함은 예고 없이 피를 뚝뚝 흘리며 그의 피와 살을 파고들었다. 그는 원해도 얻을 수 없다는 게 무엇인지, 무력감이 무엇인지, 죽음이 무엇인지 문득 깨닫게 되었다.

그러나 그들의 아낌없는 사랑 덕분에, 설몽은 오만하고 버릇없이 굴 때가 있긴 해도 지금까지 보석 같은 마음을 잃지 않을 수 있었다.

어린 봉황의 몸속에 왕초청의 선함과 자상함과 연민, 그리고 설정옹의 정직함과 기개와 대범함이 언제나 살아 숨 쉬고 있었기 때문이다.

그들이 촉 땅에 남긴, 사생지전의 길을 밝게 비춰 줄 불씨였다.

매함설도 설몽의 옆에 앉았다. 바람에 그의 연한 금발이 흩날렸다. 그는 머리카락을 귀 뒤로 넘겨 꽂은 다음 설몽을 보며 말했다.

"그러면…… 나도 미리 생일 축하할게."

"……."

설몽은 발로 애꿎은 땅바닥만 짓이기며 웅얼거렸다.

"됐어, 뭘."

"그러고 보니 묵 형이 신경 많이 썼네. 너 보여 주려고 이렇게 아름다운 곳을 만들다니 말이야."

매함설이 팔을 뒤로 뻗어 몸을 지탱했다. 하늘 저쪽으로 기러기들이 날아갔다. 그가 웃으며 말했다.

"그가 네 형이 아니었으면, 난 묵 형이 널 좋아하는 줄 알았을 거야. 그렇지 않고서야 너한테 깜짝 선물을 주려고 이렇게 신경 쓸 일이 있겠냔 말이야."

설몽이 콧방귀를 꼈다.

"너까지 잡아다 생일 축하를 해 주다니, 이제 놀랄 만큼 다 놀란 것 같다."

매함설은 개의치 않고 계속 웃으며 말했다.

"이렇게 준비를 열심히 했으니, 우리 형이 준비한 선물은 완전 찬밥이 되겠네……."

말을 마치자마자 매함설은 자신의 실수를 깨닫고 얼른 입을 다물었다.

설몽이 말했다.

"매한설도 선물을 준비했어?"

"……응."

망했다. 이놈의 주둥아리.

"무슨 선물인데?"

"……비밀이야."

설몽은 그를 노려보았다. 한참을 노려봤지만 매함설이 말할 생각이 없어 보이자 씩씩거리며 고개를 돌렸다. 그러고는 전혀 관심 없는 척 턱을 괴고 풍경을 바라보았다.

매함설이 물었다.

"그런데 묵 형은 왜 강야침을 잡아 온 거지?"

설몽이 멈칫했다.

"그, 그걸 내가 어떻게 알아."

그때, 선기 장로가 저쪽 뜰에서 그들을 불렀다. 묵연이 또 누군가를 잡아넣은 것 같았다. 그리고 그 사람이 들어오자 소원을 이뤄 주는 함 안에는 신선의 안개가 피어나기 시작했다.

다행히 강희에 대해 매함설과 더 이야기할 필요가 없어졌다. 설몽은 얼른 일어나 옷에 묻은 먼지를 털고 뜰 쪽으로 성큼성큼 걸어갔다. 밤바람에 보리밭이 물결로 일렁였다. 문득 그의 마음 속 깊은 곳에서 고요한 온기가 퍼졌다.

부드러운 바람이 마치 그의 얼굴을 어루만지는 왕 부인과 설정옹의 손처럼 느껴졌던 것이다.

그는 생각했다. 난 이런 집과 부모님이 있었고, 잊을 수 없는 생일을 수도 없이 보냈어.

한 번도 그런 사랑을 받아 보지 못한 사람들에 비하면 그건 정말 행운이야.

설몽이 이런 생각에 빠져 있을 때, 초만녕은 남병산에서 재채기를 하고 있었다.

술시.[#78]

이제 한 시진 후면 초만녕의 생일이었다.

그러나 초만녕은 이를 전혀 생각하지 못하고 있었다. 묵연과 남병산에서 은거를 시작한 지 겨우 이 년이 흘렀고, 그 전의 두 번의 인생이라는 길고 긴 세월을 그는 너무 힘들게 보냈다. 고

#78 **술시** 戌時, 저녁 7시~9시

통이 익숙한 사람에게 갑자기 찾아오는 행복이란 사실 익숙하지도, 편안하지도 않은 일이었다.

……초만녕이야말로 설몽이 생각하는, 한 번도 사랑받아 본 적이 없는 사람이었다.

최소한 지금까지는 그랬다.

밤이 깊었다. 자정이 얼마 남지 않았는데, 묵연은 아직도 돌아오지 않았다.

초만녕은 홑옷 하나를 두른 채 대나무로 만든 사립문 옆에 서서 구두를 안고 밖을 내다보았다. 묵연의 모습은 보이지 않았다. 저녁 이슬이 무겁게 내려앉았다. 그는 손을 말고 낮게 기침하며 미간을 찌푸렸다. 강아지가 고개를 들고 그의 볼을 핥으며 예뻐해 달라는 듯 낑낑거렸다.

초만녕이 웃으며 말했다.

“잠이 오는 게로구나.”

“멍!”

그는 강아지를 내려놓으며 말했다.

“가서 자거라. 난 좀 더 기다려야겠다.”

“멍멍!”

대나무를 엮고 창호지를 붙여 만든 보탑등이 처마 밑에서 가볍게 흔들렸다. 노란 불빛이 초만녕의 부드럽고 우아한 얼굴을 비췄다. 어깨까지 드리운 불빛에 그의 얼굴은 평소보다 훨씬 부드러워 보였다. 구두가 그의 옷자락을 머리로 밀더니 멍멍 짖으며 계속 그의 주위를 맴돌았다.

“안 간다고?”

"멍!"

초만녕은 다시 구두를 안아 들고 촉촉하고 까만 강아지의 코에 자신의 코를 갖다 댔다.

"그럼 나하고 계속 기다리자꾸나."

"멍멍!"

그러나 구두는 상당히 귀찮게 굴었다. 초만녕은 구두와 말이 잘 통하지 않았다. 묵연이 어째서 매번 구두와 말이 잘 통하는지 의문이었지만, 그는 언제나 훨씬 느렸다.

한참을 생각하던 끝에 겨우 구두의 의사를 이해했다.

"나더러 여기 서 있지 말고 가서 자라는 얘기지?"

"멍멍!"

강아지는 주인이 드디어 자기 말뜻을 이해해서 신이 났는지, 꼬리를 흔들며 껑충껑충 뛰었다.

"조금만 더 기다리자."

"멍멍멍!"

이 정도 기다렸으면 됐어!

"혼자 자기 싫으냐?"

"멍멍!"

초만녕은 머리와 꼬리를 흔드는 강아지를 보며 낮에 묵연이 문을 나서기 전 했던 말을 떠올렸다……. 기다릴 필요 없어, 일찍 자.

"……이상하군. 도대체 뭐 하고 다니길래."

초만녕은 고개를 저었다. 간절한 강아지의 눈빛을 보며 그는 결국 산속 오솔길을 한번 쳐다보고는 사립문을 닫은 후 강아지를 안고 집으로 들어갔다.

졸리긴 했지만 쉽게 잠이 들지 않았다.

초만녕은 묵연을 위해 등 하나를 켜 두었다. 일렁이는 불빛의 음영 속에서 그는 눈을 감고 침상 위에 웅크렸다. 의식이 흐릿해지고, 이내 꿈을 꾸기 시작했다……. 평소에 묵연이 차분하고 아무렇지 않아 보여도, 사실 그 몸에는 두 세계의 영혼과 기억이 섞여 있으니 어쨌거나 불안정한 상태인 것은 확실하다고 생각하면서.

처음 남병산에서 은거를 시작한 몇 달 동안, 초만녕은 거의 매일 밤 깜짝 놀라 잠에서 깼다.

어떨 때는 꿈에 무산전이 나왔다. 설몽에게 찔려 죽은 답선군이 창백한 얼굴로 무산전 밖에 서 있었다. 천둥 번개와 폭풍우 속에서 그의 모습은 귀신처럼 음울해 보였다.

어떨 때는 꿈에 천음각이 나왔다. 묵연이 몸을 꼿꼿이 세운 채 바닥에 무릎을 꿇고 있었다. 피가 가슴에서 끊임없이 뿜어져 나왔다. 그가 울먹이며 물었다. 말해 주세요, 사존, 저는 이제 모두 다 갚은 건가요? 죄가 깨끗이 씻긴 거겠죠?

사생지전이 패망하는 꿈을 꾸었고, 회죄대사가 입적하는 꿈을 꾸었다.

꿈속에서 답선군이 음침한 목소리로 그에게 말했다. 초만녕, 본좌는 네가 지독히도 싫다…….

꿈속에서 남병산도 나왔다. 눈보라가 치던 그날 밤, 묵연이 말했다. 만녕, 사랑해요. 영원히.

그러나 이 말을 마치자마자 묵연의 심장은 천천히 멈췄다. 초만녕에게 남은 건 깊은 밤의 슬픔과 절망뿐이었다. 그는 형언하기 힘든 그날의 감정을 잊을 수 없었다. 이 꿈을 꿀 때마다 그는 가슴을 조여 오는 통증에 깜짝 놀라 잠에서 깼다. 심지어 오늘이 몇 월 며칠인지도 분간할 수 없었다. 그는 참지 못하고 옆에서 자는 사람이 숨은 쉬는지, 심장은 뛰는지 몇 번을 확인하곤 했다. 그렇게 확인하고 나면 통증은 그제야 서서히 사라졌다.

통증은 사라져도 날이 밝을 때까지 도저히 잠을 깊게 잘 수 없었다. 자꾸만 다시 묵연의 얼굴을 확인하고 싶었다. 청년의 편안한 얼굴을 보고 싶었다.

결국, 그는 이런 행동을 묵연에게 들키고 말았다.

그날은 답선군의 인격이 몸을 지배한 날이었다. 쓸쓸한 무산전에서 몇 년을 홀로 배회했던 그는 초만녕이 무엇 때문에 상심하는지, 무엇 때문에 잠을 못 자는지 금세 알아차렸다. 그래서 아무 말도 하지 않고 팔을 벌려 그를 꼭 안아 주었다.

세월을 넘어, 피와 살을 넘어, 심장의 힘찬 펌박질이 품에 안긴 사람에게 전해졌다.

악몽의 잔영이 완전히 흩어졌다.

답선군이 그의 정수리에 입을 맞추며 낮고 묵직한 목소리로 그를 달랬다.

– ……괜찮아. 만녕, 다 지난 일이야.

초만녕은 말이 없었다. 어떻게든 약한 모습을 보이고 싶지 않아서였을 것이다.

답선군은 자신의 옷섶이 축축해진 걸 느낄 수 있었다. 따뜻한 눈물이 그의 가슴을 적셨다. 펄펄 끓어오르는 것도 아닌데, 그의 마음은 전율하며 뜨겁게 달아올랐다.

마음이 너무 아팠다. 그를 너무도 사랑했지만 어찌해야 좋을지 알 수가 없었다.

난폭하고 거칠게 차지할 줄만 알았던 답선군에게 누군가를 위로한다는 건 너무 어려운 일이었다.

그는 어색하게 초만녕의 등을 토닥이며 그의 정수리에, 귀에 입을 맞췄다. 그리고 살짝 차가운 그의 입술에 가만히 입을 맞췄다.

– 만녕, 난 영원히 널 사랑할 거야.

입을 맞추며 답선군은 이렇게 속삭였다. 항상 고집스럽고 괴팍하던 사람이 떨고 있는 게 느껴졌다. 결국 답선군은 참지 못하고 따뜻한 여운 속에서 또 한 번 거칠게 그에게로 들어갔다.

그 후 매일 밤, 어떤 인격이 몸을 지배하든 묵연은 언제나 초만녕을 안고 잠이 들었다. 잠이 들기 전에는 항상 이렇게 말했다. 영원히 당신을 사랑하겠다고.

지금의 행복이 천천히 지난날의 아픔을 씻어 내고 있었다.

죽기 전에 했던 이 말은 묵연의 입에서 계속 되풀이되면서 서로를 지켜 주겠다는 약속이 되었다.

이 년 동안 묵연은 혼자 외출하면 날이 저물기 전에는 무조건 돌아왔다. 초만녕이 말은 안 해도 남병산의 스산한 밤을 좋아하지 않는다는 걸 알고 있었기 때문이다. 그의 은공 형아는 그가 옆에 있어 주어야 했다. 오늘 밤과 같은 상황은 처음이었다.

묵연은 처음으로 해가 졌는데도 집에 돌아오지 않았다.

초만녕은 애써 침착하려 했다. 이것저것 캐묻지 말아야지. 그러나 입으로는 묻지 않아도 표정은 그가 괜찮지 않다고 말하고 있었다.

그래서 아주 오랜만에, 그는 또 악몽을 꾸었다.

그가 아무리 불러도 묵연은 깨어나지 않았다. 천음각이 그가 사랑하는 사람의 가슴에 남긴 흉터는 너무도 잔인하고 소름 끼쳤다. 그는 흉터를 어루만지며 흐느꼈다…….

그는 계속 묵연을 불렀다.

"묵연……."

묵연.

꿈속에서 누군가 자신의 손을 잡는 것 같았다. 그러고는 다가와 자신의 입술에 부드럽게 입을 맞췄다. 눈보라 치는 밤, 그가 절망적인 눈빛으로 고개를 들었을 때, 다시 눈을 뜬 묵연이 애틋한 표정으로 그에게 말했다.

'사존, 괜찮아요. 다 지나간 일이에요.'

다 지나간 일이에요…….

초만녕은 속눈썹이 촉촉해진 걸 느꼈다. 또 꿈이었군. 그는 조용히 한숨을 내쉬었다. 씁쓸했다. 다시 잠을 자려는데, 문득 자신이 익숙하고도 따뜻한 품속에 있다는 걸 알아차렸다.

그가 깜짝 놀라 촉촉한 눈을 들었다. 봉안은 보랏빛이 감도는 묵연의 검은 눈동자와 마주쳤다.

어느새인가 묵연이 돌아와 있었다.

"시끄러워서 깼어?"

"……."

답선군은 초만녕의 답을 기다리지 않았다. 오늘 자신에게 남은 시간이 얼마 없었기 때문이다. 그는 곧장 몸을 굽혀 초만녕의 귀에 대고 속삭였다.

"본좌가 깜짝 선물을 준비했지."

초만녕이 어리둥절해하며 물었다.

"뭐?"

답선군이 웃었다. 뺨에 보조개가 깊게 패었다. 3할의 음흉함과 7할의 귀여움.

"만녕, 생일 축하해."

그가 이 말을 마치자마자 멀리 정자(淨慈) 선원의 종소리가 들렸다. 자정이었다. 대나무 잎이 솨솨 소리를 냈다.

해시의 끝.

자시의 시작.

묵연의 눈동자에 아직 답선군의 오만함이 담겨 있었다. 그러나 다른 말을 할 틈도 없이 그 오만함은 묵 종사의 자상함으로 바뀌었다. 묵 종사는 정신을 가다듬었다. 그리고 공유되는 어제의 기억을 떠올렸다. 뭔가 알 수 없는 찝찝함이 느껴졌지만, 답선군의 인격이었던 자신이 무엇을 했는지 기억나지 않았다.

그러나 눈앞에 있는 사랑하는 사람을 보자 가슴이 벅차올랐다. 그는 초만녕의 이마에 자신의 이마를 맞대고 속삭였다.

"만녕."

"음?"

"생일 축하해요."

생각하다가, 또 말했다.

"생일 선물을 준비했어요."

원래는 내일 낮에 다시 한번 점검한 다음, 초만녕을 소원을 이뤄 주는 함 속으로 데려갈 생각이었다. 하지만 자신의 인격이 돌아오기 전에 초만녕이 깨어 있을 줄은 미처 몰랐고, 자기도 모르게 내일까지 기다리지 못하고 이 말을 내뱉어 버릴 줄도 몰랐다.

초만녕에 대한 사랑이 너무 커서 잠시도 참을 수 없을 것만 같았다.

인생을 두 번이나 살았다. 진짜든 가짜든 두 번의 혼인을 했고, 전생에서는 밤낮없이 팔 년을 뒤엉켰고, 현생에서는 이 년을 함께 살았다. 그런데 지금 그는 처음으로 자기 마음을 고백하며 덜렁대는 소년처럼 초조했고, 땀이 스며 나온 손가락은 희미하게 떨렸다.

"아직…… 아직 완성된 건 아닌데, 그래도…… 데려가서 보여 주고 싶어요. 어때요?"

초만녕은 그제야 오늘이 자신의 생일이라는 걸 깨달았다. 의구심이 말끔히 해결된 그는 속으로 스스로가 우습기도 했고, 어쩔 수 없다는 생각이 들기도 했다. 따사롭게 비치는 햇빛에 가슴이 따뜻해지는 것 같기도 했다.

"한참을 바삐 쏘다니더니, 이것 때문이었구나."

묵연이 웃었다.

"지금 가서 볼래요?"

초만녕은 일어나 앉아 새카만 머리를 한데 묶으며 웃었다.

"그래. 뭘 준비했길래 그러느냐?"

"이 세상에 없는 깜짝 선물이에요."

묵연은 말하며 초만녕을 데리고 뜰로 나갔다. 강아지는 머리를 발에 묻고 단잠을 자고 있었다. 묵연은 자신이 숨겨 둔 소원을 이뤄 주는 함을 꺼내 올 생각으로 풀숲에 들어갔다.

그런데…….

비명이 남병산의 적막을 깼다.

"뭐야! 내 목함은?"

강아지는 여전히 깊은 잠에 빠져 있었다.

아무 일도 없었다는 듯, 강아지는 속으로 생각했다. 자는 척하는 개는 영원히 깨울 수 없을 거다, 냐하하하하하!

묵연은 한참 동안 눈을 꼭 감고 자신이 답선군이었을 때 했던 일을 생각해 내려고 애썼다. 마침내 기억의 파편들이 조금씩 떠올랐다…….

강희를 납치했다.

설몽을 납치했다.

매함설도 납치했다…….

망했다, 망했어! 제기랄!

초만녕이 미간을 찌푸리며 물었다.

"무슨 일이냐?"

묵연이 머리를 감싸 쥐었다.

"아…… 아무래도 어제 제가 아주 황당한 일을 저지른 것 같네요…….”

그는 집 안을 샅샅이 뒤진 후에야 자신의 건곤낭에서 소원을 이뤄 주는 함을 발견했다.

“나한테 이걸 주려던 게냐?”

“워, 원래는 그랬어요…….”

“그럼 지금은?”

지금은…… 지금은 이 안이 얼마나 망가져 있을지 모르겠어요.

묵연의 목울대가 떨렸다. 우선 자신이 먼저 들어가서 살펴보고 싶었다. 그러나 이미 말은 입 밖으로 나와 버렸다. 지금 상황에서 사존을 남겨 두고 혼자 목함 속으로 들어가는 건 적절치 않았다. 그저 어제의 자신이 목함 속을 쑥대밭으로 만들어 놓지 않았기만을 바라는 수밖에 없었다. 그가 눈을 딱 감고 말했다.

“지금은 저도 설명을 제대로 못 할 것 같아요……. 어쨌거나 일단, 일단 들어가서 봐요.”

소원을 이뤄 주는 함에 들어간 두 사람은 모두 눈앞의 광경에 깜짝 놀랐다. 더 놀란 건 묵연이었다. 엊그제 그가 떠날 때만 해도 목함 속 풍경은 아주 정상적이었는데, 지금 그의 집은 완전히 새로운 집이 되었고, 휘황찬란하고 귀티가 줄줄 흐르는 장식품이 이전보다 훨씬 많았다.

그뿐만이 아니었다. 하늘에선 꽃비가 내리고, 희미한 구름이 깔려 있고, 보리가 넘실거리고, 하늘에 별이 가득했다……. 소박한 정취와 여백의 미가 있던 풍경에 억지로 색깔을 잔뜩 채우니, 보는 사람의 눈이 어지럽고 쉴 틈이 없었다.

이게 무슨 세속을 초월한 전원의 집이란 말인가.

완전히 부잣집 느낌이잖아!

더 기가 막힌 것은 뜰의 꽃밭에 서 있는 나무 기둥 다섯 개였다. 강희, 매함설, 설몽, 탐랑, 선기가 허수아비처럼 나무 기둥에 묶여 꽃밭에 박혀 있었다.

초만녕은 바쳐진 제물처럼 서 있는 그들을 바라보았다.

"……이게…… 나한테 준다는…… 선물이냐?"

묵연은 소스라치게 놀랐다. 초만녕의 표정을 흘끗 보자 심장은 더욱 날뛰었다. 그가 황급히 말했다.

"사존, 이, 이게 아니에요! 이건 제가 한 게 아니에요!"

말을 마치기도 전에 지붕에서 토실토실한 떡 정령이 뛰어내렸다.

떡 폭군은 파란 등불이 달린 작은 꼬리를 흔들면서 쪼르르 달려왔다. 고개를 쳐들고 작은 두 손을 쭉 내밀고는 초만녕에게 쫓아왔다.

"씬, 씬목 선구우우우우우운!"

그러나 초만녕에게 안기기도 전에 묵연의 두 손이 폭군을 잡아 올렸다. 머리가 터지기 직전이었던 묵연이 마구 그를 흔들었다.

"떡 폭군! 이게 도대체 어떻게 된 거야?"

"엥?"

묵연의 인격이 또 바뀌었다는 걸 알아채지 못한 떡 폭군이 어리둥절해하며 말했다.

"다, 당신이 짭아 온 아이쓰아이쓰아 인간이잖아요? 여기 풍경에 짱식할 것들이랑 바꾼다고!"

"……."

묵연의 관자놀이가 툭 불거졌다. 한참을 말이 없던 그가 마침내 상황을 파악했다.

그는 눈을 질끈 감았다. 스스로 목을 조르고 싶은 심정이었다.

……도대체 어제 온종일 무슨 짓을 한 거야!

답선군이 또 총애를 독차지하려고 나랑 경쟁한 건가?

이쪽에서 묵연이 말없이 생각하는 동안, 나무 기둥에 묶인 설몽은 머리끝까지 화가 나서 고래고래 소리를 질렀다.

"묵연! 이 개같은 놈아! 도대체 무슨 짓을 하는 거야! 빨리 풀어!"

떡 폭군이 고개를 갸우뚱하며 작은 눈을 깜박거렸다. 그러고는 나무 기둥에 묶인 사람들을 바라보더니 묵연에게 말했다.

"이건 쩨군께서 한 시진 전에 하신 거잖아요. 총 다섯 명의 아이쓰아이쓰아를 짭아 왔는데, 이들이 안에서 말썽을 일으킬까 봐 아예 묶어 놓으신 거잖아요."

묵연은 할 말을 잃었다.

설몽이 계속 소리 질렀다.

"사존! 이것 좀 풀어 주세요!"

초만녕도 화를 내며 소매를 휘둘렀다.

"……참 좋은 일을 했군!"

그렇게 말하며 답선군이 묶어 놓은 사람들을 다 풀어 주었다.

다들 풀려난 후, 설몽은 밧줄 때문에 새빨개진 손목을 문질렀다. 너무 억울하기도 하고 이상하기도 했다.

"묵연! 대체 왜 그러는 거야?"

"그러게나 말입니다."

탐랑 장로도 불쾌하게 말했다.

"묵 종사, 우리를 왜 여기에 잡아넣은 게야?"

그러고는 떡 정령을 흘겨보았다.

"이 두부 덩어리는 또 뭐고?"

떡 폭군이 허리에 손을 얹고 화냈다.

"빠, 빠보! 이 몸은 싸, 싸 년 된 떡이시다! 뚜부가 아니야!"

매함설과 선기는 말이 없었다. 그러나 눈빛은 초만녕과 묵연에게 이유를 묻고 있었다.

강희는 안색이 아주 어두웠다. 그는 고급스럽고 비싼 장포 소매를 정리하며 구겨진 주름살을 폈다. 그러고는 눈을 들어 살벌하고도 엄중하게 말했다.

"두 사람, 설명 좀 해 보지."

묵연은 그냥 어물쩍 넘어가고 싶어 웃으며 말했다.

"아, 오해가 좀 있었던 것 같네요. 죄송합니다……."

"죄송?"

강희가 냉소를 지었다.

"이게 죄송하다는 한마디로 끝날 일인가?"

"……."

그가 눈을 가늘게 뜨고 가감 없이 말했다.

"묵 종사, 내가 오늘 화황각과 거래가 있었던 건 아나?"

"제, 제가 물어 드리겠습니다……."

"9천만 엽자금을 물어 주겠다고?"

"……."

설몽도 노발대발했다.

"나더러 너무 좋아서 깜짝 놀랄 거라고 하지 않았어? 난 또…… 또……."

나한테 주는 생일 선물인 줄 알았지……. 이 말은 아무리 생각해도 입 밖으로 꺼내기가 좀 그랬다. 다시 생각해 보니 너무 민망했다.

설몽이 화를 내며 말했다.

"도대체 뭐 하는 건데?"

사람들에게 빙 둘러싸여 문책을 당하자 묵연은 점점 당해 낼 자신이 없어졌다. 그래서 계속 사과만 했다. 그들은 원래 묵연과 사이가 나쁜 것도 아니었으니 이렇게 자기들을 괴롭힌 이유를 듣고 싶을 뿐이었고, 당연히 해명할 때까지 밀어붙일 게 분명했다. 묵연이 어찌할 바를 모르고 있을 때, 갑자기 옆에서 초만녕의 목소리가 들렸다.

"죄송합니다. 제대로 못 가르친 제 잘못입니다."

목함 안 세상이 쥐 죽은 듯 조용해졌다.

떡 폭군만이 신나서 초만녕 주위를 아장아장 맴돌았다.

묵연이 고개를 돌렸다.

"사존……."

"성사되지 못한 일에 대해서는 제가 보상할 방법을 찾아보겠으니, 제군들께선 아량을 베풀어 주십시오."

설몽이 황급히 손을 내저으며 말했다.

"사, 사존, 그런 뜻이 아니라…… 전 아무래도 너무 이상한 것 같아서……."

그러고는 또 강희를 쳐다보았다.

"자, 장문께서 말씀하신 그 9천만 엽자금은 우리 사존께 받아내려 하지 마십시오. 우, 우리 사존은 돈이 없는데……."

"……."

천하제일의 부호는 설몽의 말을 무시한 채 묵연만 한참을 노려보았다. 그러더니 날카로운 시선을 초만녕에게로 옮겼다.

무슨 말을 하려고 하는데, 묵연이 초만녕을 가로막고 나섰다.

"죄송합니다, 강 장문. 제가 보상할 방법을 찾아보겠습니다. 하지만 오늘은 사존을 괴롭게 하지 말아 주세요."

강희가 눈을 가늘게 떴다.

"어째서?"

초만녕이 미처 저지하기 전에 묵연이 작은 소리로 말했다.

"왜냐하면 오늘이…… 오늘이 사존의 생일이거든요."

"……."

"한 번도 생일을 제대로 보내신 적이 없으셔서요. 그러니까…… 강 장문께서 입으신 손해는 제가 보상할 방법을 꼭 찾아볼게요. 직접 화황각에 가서 사과하든지, 어떤 방법으로든지요."

초만녕은 체념한 듯 말했다.

"묵연……."

청년은 초만녕과 강희 사이에 서서 애처롭게 말했다.

"부디 오늘 밤만 강 장문께서 이해해 주시면 안 될까요?"

오늘이 초만녕의 생일이라고?

이 말에 거기 있던 사람들은 모두 깜짝 놀랐다. 특히 설몽의 얼굴은 납빛이 되었다. 그는 입을 한참이나 딱 벌리고 있었지만 한마디도 하지 못했다.

평소 초만녕과 사이가 썩 좋지 않았던 탐랑이 이 말을 듣고 팔짱을 끼며 말했다.

"옥형, 그렇다면 생일을 보내기 위해 제자에게 우릴 잡아 오라고 시킨 거요?"

"아, 아니에요!"

떡 폭군이 작은 손으로 묵연을 가리키며 말했다.

"쩌, 쩌자가 당신들을 잡아 온 건 당신들이 아이쓰아이쓰아 인간이기 때문이에요. 아주아주 좋은 법기로 빠꿔서 이곳을 잘 꾸밀 수 있거든요!"

설몽이 놀라며 말했다.

"우릴 법기로 바꾼다고?"

매함설이 턱을 어루만지며 말했다.

"……어쩐지 사람이 한 명씩 들어올 때마다 여기에 장식 효과가 더해지는 것 같더니, 이것 때문이었군."

강희만이 다른 사람은 상상하지 못할 이유를 생각해 냈다.

"……사랑도 병이다!"

그러고는 묵연을 노려보며 진단을 내렸다.

"묵 종사, 자네의 병이 특히 심각하지. 불치병이야!"

묵연이 웃으며 초만녕의 손을 잡아당겼다.

"불치병이 된 지 오래예요."

강희는 더는 참지 못하고 고개를 돌린 채 뒷짐을 지었다. 잠시 말이 없던 그는 초만녕을 애틋하게 바라보는 설몽을 곁눈질로 슬쩍 보았다. 마치 제자가 돼서 사존의 생일을 그냥 지나갈 뻔한 자신을, 그래서 선물도 준비하지 못한 자신을 책망하는 것 같았다.

강희는 속으로 열이 뻗쳤다. 설몽이 너무 창피했지만 화를 낼 수도 없고 설몽을 어찌할 수도 없었다. 결국 입을 다물고 있던 그가 소매를 휘두르며 말했다.

"됐다, 겨우 9천만 엽자금 가지고."

묵연과 설몽은 어리둥절했다.

"보상할 필요 없다고. 신발 닦는 데도 부족한 돈 따위."

매함설과 초만녕도 할 말을 잃었다.

설몽이 말했다.

"신이 얼마나 더럽길래요?"

강희가 고개를 돌려 설몽을 무섭게 노려보며 비꼬았다.

"벙어리라고 생각 안 할 테니, 설 장문은 차라리 입을 다무시게."

"당신……!"

시끌벅적한 가운데 이 황당한 사건은 이렇게 마무리되었고, 사람들은 초만녕의 생일을 알게 되었다. 다들 오늘 있었던 일과 초만녕의 생일을 외부에 알리지 않겠다고는 했지만, 어쨌든 이렇게 모였으니 함께 남아 생일을 축하하기로 했다.

선기의 말을 빌리자면, 이것도 인연이니 말이다.

화목해진 일행을 본 떡 폭군은 자신이 떡 마을의 임무를 완수했다고 여기고는 신이 나서 같이 어울리려 했다. 그런데 뜻밖에도 설몽이 그를 응시하며 말했다.

"묵연, 얘 말이야, 그 뒷산에서 잡았다던 요괴 아니야?"

묵연이 웃으며 말했다.

"맞아."

설몽이 턱을 만지면서 폭군을 자세히 살피며 말했다.

"정말 계화당설떡으로 만든 거네?"

떡 폭군이 꼬리에 달린 새파란 등불을 흔들었다.

"나, 나는 우리 마을에서 쩨일 대단한 놈이다!"

"잘됐네, 난 하수진계에서 제일 대단한 놈인데."

"그럼 우리 찐구하자."

"그럼 쪄 먹어야겠네."

둘이 동시에 말을 꺼냈다. 떡 폭군은 순간 경직되더니 작은 발로 재빨리 뒷걸음질 쳐서 방향을 틀어 달아났다.

"썰몽은 사람이 아니다! 살려 줘! 쑤사가 요괴를 잡아먹는다! 으아아아!"

설몽은 박장대소하며 허수아비 취급당했던 것에 대해 복수를 했다.

조용한 밤, 소원을 이뤄 주는 함에는 몇 명의 친구들이 모였다. 친하기로 따지자면 사실 모두가 초만녕과 가까운 사이는 아니었지만, 선기의 말을 빌리자면 이것도 다 인연이었다.

이렇게 모일 사람은 다 모였다. 모두 왁자지껄 떠들며 지치지도 않았다. 그들은 유유자적한 산속 거처에서 야식을 해 먹기로 하고, 모닥불을 피우고 둘러앉아 달빛을 받으며 조촐한 잔치를 벌였다.

금빛 연못이 물고기를 건져 주고, 벼의 바람이 저녁 공기를 흩트렸다. 조와 쌀을 유리알처럼 깨끗이 씻어 솥에 올리고 불을 붙였다. 맛있는 밥 냄새가 너른 밭에 은은하게 퍼졌다. 묵연이 요리를 시작했다. 활활 타는 불 위에서 냄비를 달군 후 재빠르게 볶고 튀겼다. 잘 볶이도록 냄비를 위아래로 흔들자 불길이 위로 올라와 그의 잘생긴 얼굴을 비췄다.

바깥을 보니 만녕은 설몽과 이야기를 나누고, 선기와 탐랑은 요괴를 도와 신선한 과일을 따고 있었다. 강희는 밭두렁 사이를 거닐며 식사를 기다리고, 매함설은 꽃 속에서 악기를 연주하는 정령들과 장난치며 곤륜의 곡조를 가르쳐 주고 있었다.

묵연의 마음이 따뜻해졌다.

초만녕의 모든 것을 독차지하고 싶었지만, 사존이 저렇게 좋아하는 걸 보니 더 많은 사람에게 축하 인사를 받게 해 주고 싶었다. 어제의 자신이 어쩌다 일을 망치긴 했지만, 결과적으로는 원하는 바를 이루었다.

소원을 이뤄 주는 함 안에는, 복숭아꽃이 두둥실 떠다니는 물 속에 토실토실 살이 오른 쏘가리도 있었다. 묵연은 기다란 손가락으로 희고 통통한 죽순을 도마에 놓고 채를 썬 다음, 고사리와 함께 끓는 물에 넣고 데쳤다. 인내심을 가지고 신선한 물고기와 새우를 손질하는데, 뒤에서 대나무 발이 들리더니 초만녕이 들어왔다.

"조금만 기다리세요. 금방 다 돼요."

"천천히 하거라, 과일 좀 먼저 갖다주려고 하니."

묵연이 웃으며 말했다.

"네."

초만녕은 구석으로 가서 신선한 과일이 담긴 대나무 광주리를 들었다. 그때, 도자기로 만든 단지 하나가 놓여 있는 게 눈에 들어왔다. 단지에는 '생일 축하해'라고 쓰인 쪽지가 하나 붙어 있었다.
그는 쪽지를 떼서 필체를 살폈다. 답선군의 인격일 때 남긴 게 분명했다.
초만녕은 단지 뚜껑을 열었다. 안에 든 게 뭔지 알 수가 없었다. 그가 호기심 어린 말투로 물었다.
"이건 뭐냐?"
묵연이 보더니 '아' 하며 웃음을 터뜨렸다.
"연지이화거위절임이에요. 진짜 만들어 냈나 보네요?"
"그게 뭔데?"
"제가 다른 인격일 때 생각해 낸 음식이에요. 만들기가 좀 까다롭고 오래 걸리긴 하더라고요. 거위 고기를 소금에 절인 다음 연잎으로 잘 싸서 솥에 넣고 쪄요. 그리고 얼음으로 식혀요. 차가워지면 단지에 넣고 이화백주에 담가 놓으면 돼요."
그가 단지에서 거위 고기를 꺼냈다. 이화백주의 향이 코에 닿았다. 시원하고 달큼했다.
"보니까 소원을 이뤄 주는 함에 들어오자마자 준비한 것 같아요."
묵연이 거위 고기가 절여진 정도를 보며 웃었다.
"완전히 허튼짓만 한 건 아니네요."
그는 살이 많은 부분을 은행나무 도마에 올리고 손가락 끝으로 잡은 다음 얇게 저며 썰었다. 이화백주와 소금으로 잘 숙성된 거위 고기는 연지처럼 색이 고왔고, 육질도 부드러웠다.
묵연은 곰곰이 생각하다 초만녕에게 말했다.
"사존, 거기 찬장 좀 봐 주세요. 양념장이 담긴 작은 병이 하나 있을 거예요."

초만녕은 황유[#79] 병을 찾았다. 거기에도 쪽지가 붙어 있었는데, 똑같이 삐뚤빼뚤한 글씨였다.

[입맛을 돋울 때.]

초만녕이 고개를 저었다. 그러나 마음속에는 평온과 따스함이 가득 퍼졌다.

그는 묵연에게 병을 건넸다. 묵연은 작은 대나무 국자로 답선군이 어제 정성껏 만들어 놓은 냉채 양념장을 한 국자 떠서 접시에 잘 담은 거위 고기 위에 뿌렸다. 고깃결을 따라 스며든 양념장은 이화백주와 만나 더 진하고 독특한 향을 만들어 냈다.

그 모습을 지켜보던 초만녕이 말했다.

"이런 요리는 어떻게 생각해 낸 게냐?"

"복날에 사존이 더운 게 싫다고 하시면서 제가 만든 음식을 거의 안 드셨잖아요……. 기억나세요?"

그의 말에 초만녕도 기억이 떠올랐다. 며칠 전의 일이었다. 답선군이 신나게 머리를 두드리며 요리하더니 맛있는 음식을 한 상 가득 차려 왔다. 그러나 초만녕은 심한 더위가 기승을 부리는 날씨에 지친 나머지 얼마 먹지 못했다. 답선군은 아무 말도 하지 않았지만, 지금 생각해 보니 그날 그는 확실히 실망한 것 같긴 했다.

"그런 생각이 들더라고요. 내가 좋아하는 사람 입맛도 못 맞

#79 황유 黃釉. 철 성분이 든 유약을 발라 황색으로 구운 도자기

추다니, 하면서 속상했어요."

묵연이 웃으면서 소매를 팔꿈치까지 걷어 올렸다.

"그래서 계속 이리저리 생각도 하고, 바깥에 있는 술집에 가서 비결도 좀 훔쳐보고, 그렇게 나온 요리랍니다."

그는 연지이화거위절임을 보며 귀한 것을 바칠 때의 초조한 마음과 기대감을 느꼈다. 그가 조심스럽게 물었다.

"마음에 드세요?"

초만녕은 잠시 말이 없다가 이내 웃었다.

그는 어제의 묵연이 남긴 쪽지 두 장을 다 챙겼다. 그러고는 영롱한 빛깔의 진한 향이 나는 거위 고기 한 접시를 들고 부엌 문간으로 걸어갔다. 접시를 들고 나가기 전, 그는 아궁이 앞에 서 있는 잘생긴 청년에게 말했다.

"……마음에 들어. 고맙다, 묵연."

전생이든 현생이든, 어떤 인격이고 어떤 영혼이든, 다 고마워. 내 곁에 있어 줘서 고마워.

인생에서 가장 행복한 생일을 만들어 줘서 고마워.

나에게도 사존이 있었지만, 그때의 축하는 진심이 아니었다. 너에게 어머니가 있었지만, 삶이 너무 고달파 밥 한 끼 제대로 먹지도 못했지.

이제 그런 날들은 다 지나갔다. 나도 네가 이 세상에 온 날을 기억할 것이다. 그날, 선사(禪寺)에 앉아 있던 나는 아직 무엇이 속세인지도, 이 세상에 나와 평생을 함께할 사람이 이미 존재한다는 것도 몰랐지.

하지만 앞으로 너의 생일엔 언제나 내가 함께할게.

지금부터, 언제나 너와 함께 있을게.

잔치가 열렸다. 조촐한 술자리였지만 다른 사람들이 묵연이 만든 음식을 먹는 건 좀처럼 없는 기회였다. 안 그래도 솜씨가 좋은 묵연이 초만녕의 생일을 위해 정성을 다하니 음식이 맛이 없을 수가 없었다. 온갖 산해진미를 다 먹어 본 강희조차 눈을 크게 뜨며 식탁 건너에 있는 묵연을 놀랍다는 듯 쳐다보았다.

강희는 묵연에게 놀랄 만한 보수를 줄 테니 고월야의 주방장으로 올 수 있겠냐고 묻고 싶은 눈치였다.

그러나 강희는 똑똑한 사람이었다. 초만녕을 바라보는 묵연을 보며 이 제안을 다시 삼켰다. 그들을 보니 속이 메스꺼워졌다. 그리고 머릿속으로 생각했다. 내가 죽기 전에 사랑의 감정을 없애 버리는 약을 만들어 내든지 해야지, 이거 원.

사랑은 정말이지 심각한 병이었다. 훌륭한 주방장의 앞길이 막혔으니 말이다.

고기나 더 먹자. 앞으론 먹을 기회도 없을 테니.

강희는 담담한 표정으로 눈을 내리깔았다. 젓가락이 우아하고도 신속하게 움직였다.

분위기가 무르익었다. 순간, 하얀 형상이 들판을 휙 가로질러 갔다. 설몽은 자기가 잘못 본 줄 알고 눈을 비비며 자세히 보다가, 자기도 모르게 '아' 하고 소리를 냈다…….

"떡 정령이 엄청 많잖아!"

작은 요괴들은 아주 날쌨다. 풀숲이나 밭두렁, 바위틈 사이에 숨어 그들이 좋아하는 '인간족 관찰'에 몰두했지만, 사람들이 자신들의 모습을 보는 걸 싫어해서 꼬리에 달린 파란 등불만 흔들며 조용히 종알거릴 뿐이었다. 제일 대단한 놈이었던 떡 폭군만이 설몽이 쉽게 잡을 수 없도록 나무 위에 서서 허리에 손을 올린 채 요괴의 말을 인간의 말로 통역하고 있었다.

비록 발음은 너무 안타까웠지만 말이다.

"씬목 선군, 쓰, 쌔, 쌩신 축하드려요!"

설몽이 그를 쳐다보았다.

"생신이겠지."

"누가 꼬, 꼬, 꼬쳐 달래? 나, 나, 나는 인간의 말을 잘 알아! 빠, 빠, 빨음이 아주 정확하지!"

매함설이 웃으며 계속 떡 폭군에게 시비를 거는 설몽을 잡아당겼다.

"네가 몰라서 그러는데, 인간의 말을 연습하는 건 엄청 어렵다고. 놀리지 마, 귀엽기만 한데."

설몽이 또 그를 노려봤다.

"당기지 마!"

시끌벅적한 가운데, 맞은편 산에서 떡 정령이 요족의 폭죽을 터뜨렸다. 화려한 불꽃이 밤하늘을 밝히자 하늘 가득한 별들 사이에서 오색찬란한 꽃잎이 흩날리는 장관이 연출되었다.

이를 본 선기는 마침 좋은 기회라고 생각했는지 술잔을 들고 초만녕에게 웃으며 말했다.

"옥형, 생일 축하합니다."

"생일 축하하오."

탐랑도 웅얼웅얼 얼버무렸다.

매함설도 축하 인사를 하려던 찰나, 설몽에게 순서를 빼앗겼다.

"내가 먼저 할 거야, 내가 먼저! 사존! 만수무강하시고, 사생지전에 저 보러 자주 와 주세요!"

다들 축하 인사를 건네는데 초만녕은 오히려 조금 민망했다. 정말이지 적응이 되지 않았다……. 아니, 이런 축하에 어떤 반응을 보여야 할지 모르겠다는 게 더 정확한 표현이었다.

한 번도 이런 축하를 받아 본 적이 없었으니 말이다.

그때, 묵연은 탁자 아래에서 긴장으로 축축해진 사존의 손을 꼭 쥐고 있었다. 그는 속으로 웃었다. 사존이 겉으로는 태연한 척하고 있어도 사실은 손끝이 떨렸기 때문이다.

묵연은 초만녕의 손에 깍지를 꼈다. 그리고 자상한 마음을 손안에 가득 담았다. 초만녕의 초조함이 서서히 누그러졌다.

묵연이 그를 바라보았다. 넘실거리는 보리의 물결 속에서, 별이 가득한 하늘 아래서, 흩날리는 꽃비와 아름다운 불꽃 아래서 진지하게 말했다.

"만녕."

"……."

묵연이 웃었다. 보랏빛이 감도는 검은 눈동자 속에는 두 번의 인생을 아우르는 깊은 사랑이 담겨 있었다.

그때 은하수가 찬란하게 빛났다.

"생일 축하해요. 남은 인생도 평안하길."

…….

두 세상이 얽히며 괴로웠던 삼십 년이 흘렀다.

눈부신 불꽃 아래, 묵연의 반짝이는 눈이 촉촉해졌다. 그의 얼굴에는 묵 종사의 성실함과 답선군의 고집이, 그리고 맨 처음 통천탑 앞에 섰던 소년의 선량함이 담겨 있었다.

두 사람은 두 번의 인생을 지나 마침내 이 신선의 거처에서 평온한 전원의 삶을 살 수 있게 되었다. 남병산에서는 신선의 소리도 들렸고, 저녁에는 절에서 치는 종소리도 들렸다. 두 세상을 함께 살아오면서 온갖 시련을 다 겪었지만, 그들의 인연은 오히려 더 단단히 얽힌 채 절대 떨어지지 않았다.

두 사람은 마침내 평온을 얻었다.

"생일 축하해요. 남은 인생도 평안하길."

묵연은 평생 초만녕에게 이 얘기를 하리라 생각했다.

숨을 거두는 그날까지.

그는 자신의 이 불꽃을 소중히 간직할 것이다.

이 마음은 너무 늦게 닿았지만, 앞으로 여생을 바쳐 당신을 지킬게.

나의 만녕(晩寧).

– 〈총애 쟁탈전〉 끝 –

二哈和他的白猫師尊

바보 허스키와 그의 흰 고양이 사존 외전

1판 1쇄 발행 2022년 1월 28일
1판 2쇄 발행 2023년 4월 20일
지은이 육포부흘육 **옮긴이** 어썸스토리 **감수** 치치
펴낸이 신현호
편집부장 김승신 **편집** 원서은
본문조판 양우연 **마케팅** 김민원
펴낸곳 (주)디앤씨미디어 **출판등록** 2002년 4월 25일 제20-260호
주소 서울시 구로구 디지털로 26길 111 제이앤케이디지털타워 503호
전화번호 02.333.2513
B-Lab 공식 트위터 twitter.com/B_lab_BL/

ISBN 979-11-278-6329-6 04820
ISBN 979-11-278-6152-0 (세트)

정가 15,000원

晋江文學城
WWW.JJWXC.NET

二哈和他的白猫師尊

바보 허스키와 그의 흰 고양이 사존